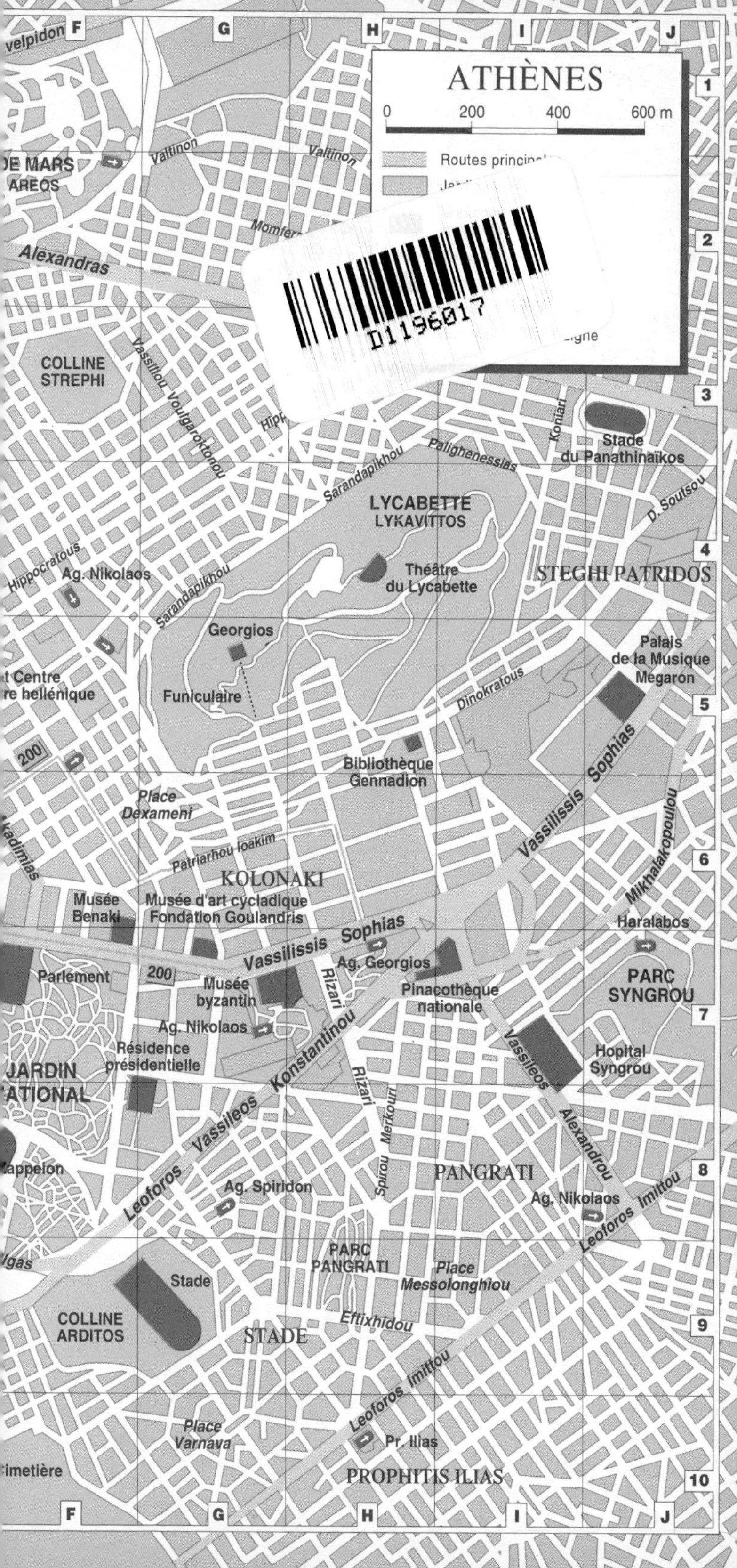
ATHÈNES
0
200
400
600 m
Routes principa
velpidon
DE MARS
AREOS
Valtinon
Alexandras
COLLINE
STREPHI
Vassilisou Voulgaroktonou
Stade
du Panathinaïkos
Koniari
Palighenessias
Sarandapikhou
LYCABETTE
LYKAVITTOS
D. Soutsou
STEGHI PATRIDOS
Théâtre
du Lycabette
Hippocratous
Ag. Nikolaos
Georgios
Funiculaire
Palais
de la Musique
Megaron
Dinokratous
Bibliothèque
Gennadion
Place
Dexameni
Patriarhou Ioakim
Vassilissis Sophias
Mikhalakopoulou
KOLONAKI
Musée
Benaki
Musée d'art cycladique
Fondation Goulandris
Haralabos
Parlement
Ag. Georgios
PARC
SYNGROU
Musée
byzantin
Rizari
Pinacothèque
nationale
Ag. Nikolaos
Résidence
présidentielle
Hopital
Syngrou
JARDIN
ATIONAL
Vassileos Konstantinou
Vassileos Alexandrou
Spirou Merkouri
PANGRATI
Ag. Spiridon
Ag. Nikolaos
Leoforos Imittou
PARC
PANGRATI
Place
Messolonghiou
Stade
COLLINE
ARDITOS
STADE
Eftixhidou
Place
Varnava
Pr. Ilias
PROPHITIS ILIAS
Cimetière
F
G
H
I
J
1
2
3
4
5
6
7
8
9
10
200

Guides Gallimard
5, rue Sébastien-Bottin
75007 Paris

Retrouvez le chapitre qui vous intéresse grâce au symbole situé en haut de chaque page.

Itinéraires à Athènes
Les chiffres en italique renvoient aux pages du guide.

Le port du Pirée en 1921,
au temps de la marine à voile.

Athènes au début du siècle :
le rocher de l'Acropole
et le Parthénon.

Bassac en 1930 :
voyageurs en excursion au
temple d'Apollon.

De nombreuses personnalités universitaires ou locales ont collaboré à ce guide. Toutes les informations contenues dans cet ouvrage ont été soumises à leur approbation.
Nous remerçions plus particulièrement Monsieur Pierre Brulé et Madame Maria Couroucli.

Guides Gallimard
Direction
Pierre Marchand
Assisté de :
Hedwige Pasquet

Rédaction en chef
Nicole Jusserand

Coordination
Graphisme : Élisabeth Cohat
Architecture : Bruno Lenormand
Nature : Philippe J. Dubois, Frédéric Bony
Photographie : Eric Guillemot, Patrick Léger
Réactualisation : Anne-Josyanne Magniant

Fabrication
Catherine Bourrabier

Partenariats
Philippe Rossat

Commercial
Jean-Paul Lacombe

Presse et promotion
Manuèle Destors

Athènes et le Péloponnèse
Coordination : Anne Nesteroff
Édition : Emmanuelle Laudon,
Édouard de Pazzis ,
Gwenhaelle Le Roy et Julie Wood (réactualisation)
Traduction : Hélène Seyrès, Gilles Touchais
Maquette : Jean-Michel Belmer,
Maryline Gatepaille, Dominique Guillaumin,
Philippe Marchand, Florence Picquot
(carnet de voyage)

Des clefs pour comprendre
Nature : Gérard G. Aymonin, Mme Bouras,
Achille Démétropoulos, W. D. Nesteroff
Histoire : Catherine Koumarianou
Langue : Maria Couroucli
(chargée de recherche au CNRS)
Art de vivre : Dina Couroucli
(Demeures du XIXe siècle), Maria Couroucli,
Thomas Morvan (Mythologie, Platon),
Mme Papamanoli-Guest (Religion),
Nikos Platanos
Architecture : Pierre Brulé (Urbanisme,
Typologie des bâtiments, Sanctuaire, Temple,
Statuaire), Stéphane Marcie
La Grèce vue par les peintres :
Alkis Pierrakos
La Grèce vue par les écrivains :
Maria Couroucli, Maryline Desbiolles,
Georges Tolias
Informations pratiques : Catherine Bray,
Maria Couroucli, Sandrine Duvillier,
Amanda Michalopoulou, Georges Tolias,
et Nicolas Christitch, Michèle Grinstein,
Hugues Festis (réactualisation)

Itinéraires en Grèce
Raoul Baladié, Charalambos Bouras, John Freely,
Marie-Dominique Nenna, Yannis Saitas,
Georges Tolias, Gilles Touchais,
Mme Triantafyllidou-Baladié, Nicolas Yalouris
Cahier spécial Parthénon : Manolis Korrès

Illustrations
Nature : Jean Chevalier, Sophie Lavaux
Architecture : Jean-François Binet,
Jean Bodin, Pierre-Xavier Grézaud,
Stéphane Marcie, Jean-François Péneau
Cartographie : Jean-François Binet,
Pierre-Xavier Grézaud, Jean-François Péneau
Itinéraires : Jean-François Binet,
Pierre-Xavier Grézaud, Jean-François Péneau
Infographie : Pierre-Xavier Grézaud

Photographes
I. Ioannides et L. Bartzioti, Jean-Michel Belmer,
Jean-François Binet, François Brosse,
Bernard Hermann, Benoît Juge,
Édouard de Pazzis, Constantin Pittas,
Guido Alberto Rossi, Dimitris Tsoublekas

Réalisation
Éditions Didier Millet
77, rue du Cherche-Midi
75006 Paris

Nous remerçions pour leur aide précieuse,
En Grèce : Monsieur Charalambos Bouras,
professeur à l'École polytechnique d'Athènes ;
Madame Cornelia Hatziaslani-Bouras, chargée
des programmes éducatifs au Musée de l'Acropole ;
Madame Evi Touloupas, ancien directeur du site
de l'Acropole ; Monsieur Yannis Saitas,
Madame Goulandris, directrice du musée d'Art
cycladique et d'Art antique grec d'Athènes ;
Monsieur Yannis Mazarakis, directeur du Musée
historique et ethnologique d'Athènes ;
Madame Lila Marangou, professeur à l'Université
de Yannina ; Monsieur François Lefèvre de l'École
Française d'Athènes ; Madame Anna Lambrakis,
directrice de la revue *Archeologia ;*
Monsieur E. J. Finopoulos, collectionneur ;
Monsieur Manos Charitatos,
Monsieur Dimitri Daskalopoulos
À Paris : Monsieur Gérard G. Aymonin,
professeur au Museum d'Histoire naturelle ;
Madame Françoise Botkine, Monsieur Pierre Mari,
Madame Vassia Karabélias, professeur
à l'Université de Paris IV ; Mme Montembault,
documentaliste au musée du Louvre ;
B.G.K. Architectes, M. Gregoris.

Les erreurs ou omissions involontaires qui auraient pu subsister dans ce guide malgré les soins et les contrôles de l'équipe de rédaction ne sauraient engager la responsabilité de l'éditeur.

1er dépôt légal : mai 1994. Dépôt légal mars 1998
Numéro d'édition : 85840. ISBN 2-7424-0179-2
Imprimé en Italie par la Editoriale Libraria sur papier 100 % biologique
Mars 1998

GRÈCE

ATHÈNES
GRÈCE CENTRALE
PÉLOPONNÈSE

GUIDES GALLIMARD

Sommaire
Des clefs pour comprendre

Nature, *15*

Histoire et langue, *35*

Art de vivre, *65*

Architecture, *77*

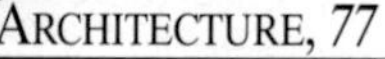

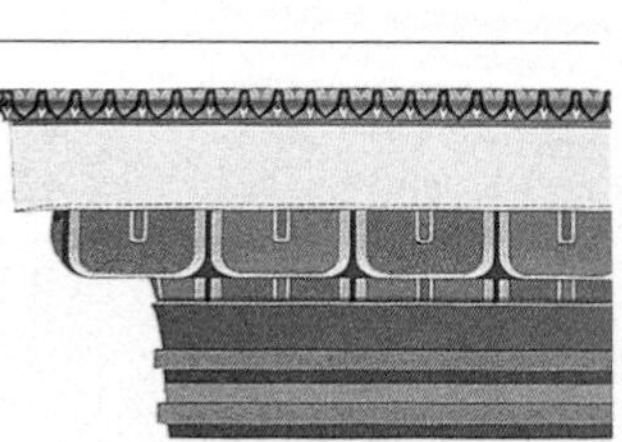

La Grèce vue par les peintres, *97*

La Grèce vue par les écrivains, *105*

Sommaire
Itinéraires dans Athènes

Itinéraires en Attique, Béotie et Péloponnèse

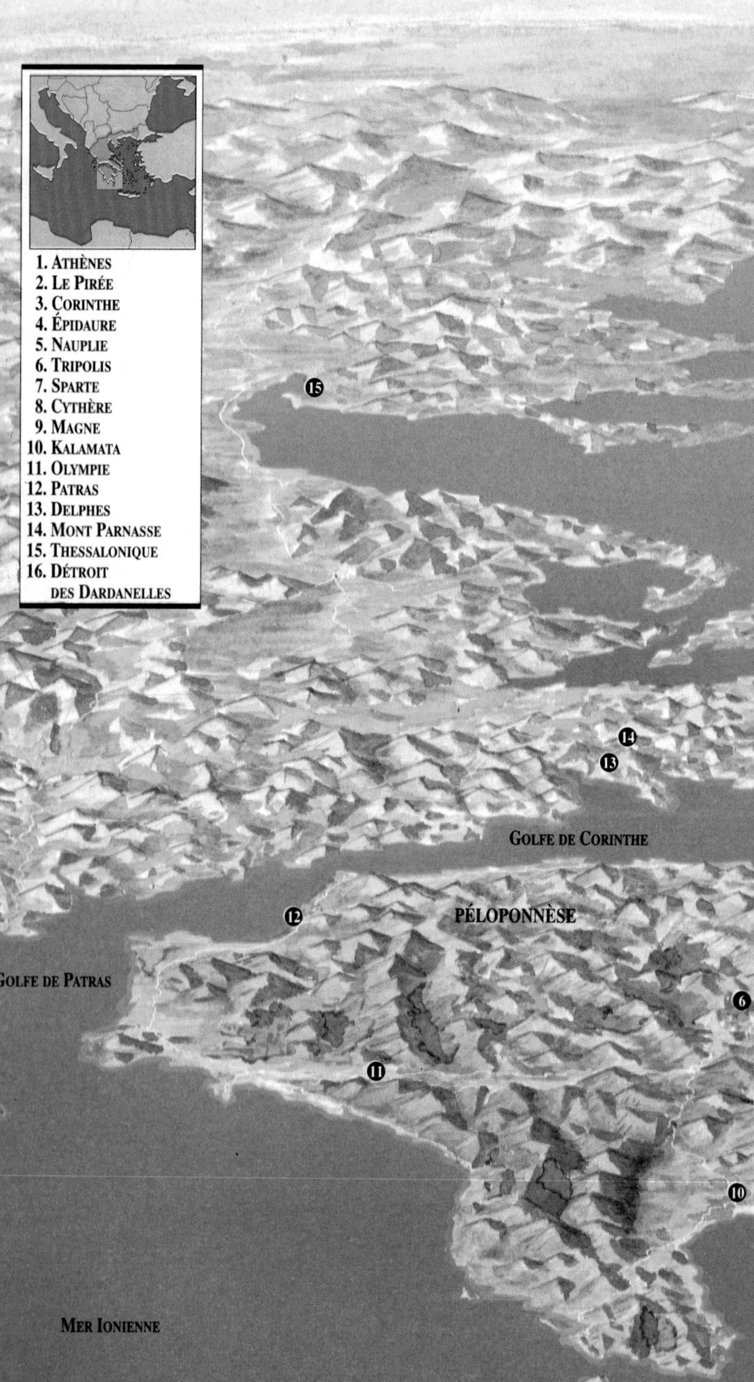

1. Athènes
2. Le Pirée
3. Corinthe
4. Épidaure
5. Nauplie
6. Tripolis
7. Sparte
8. Cythère
9. Magne
10. Kalamata
11. Olympie
12. Patras
13. Delphes
14. Mont Parnasse
15. Thessalonique
16. Détroit des Dardanelles
Golfe de Corinthe
Péloponnèse
Golfe de Patras
Mer Ionienne

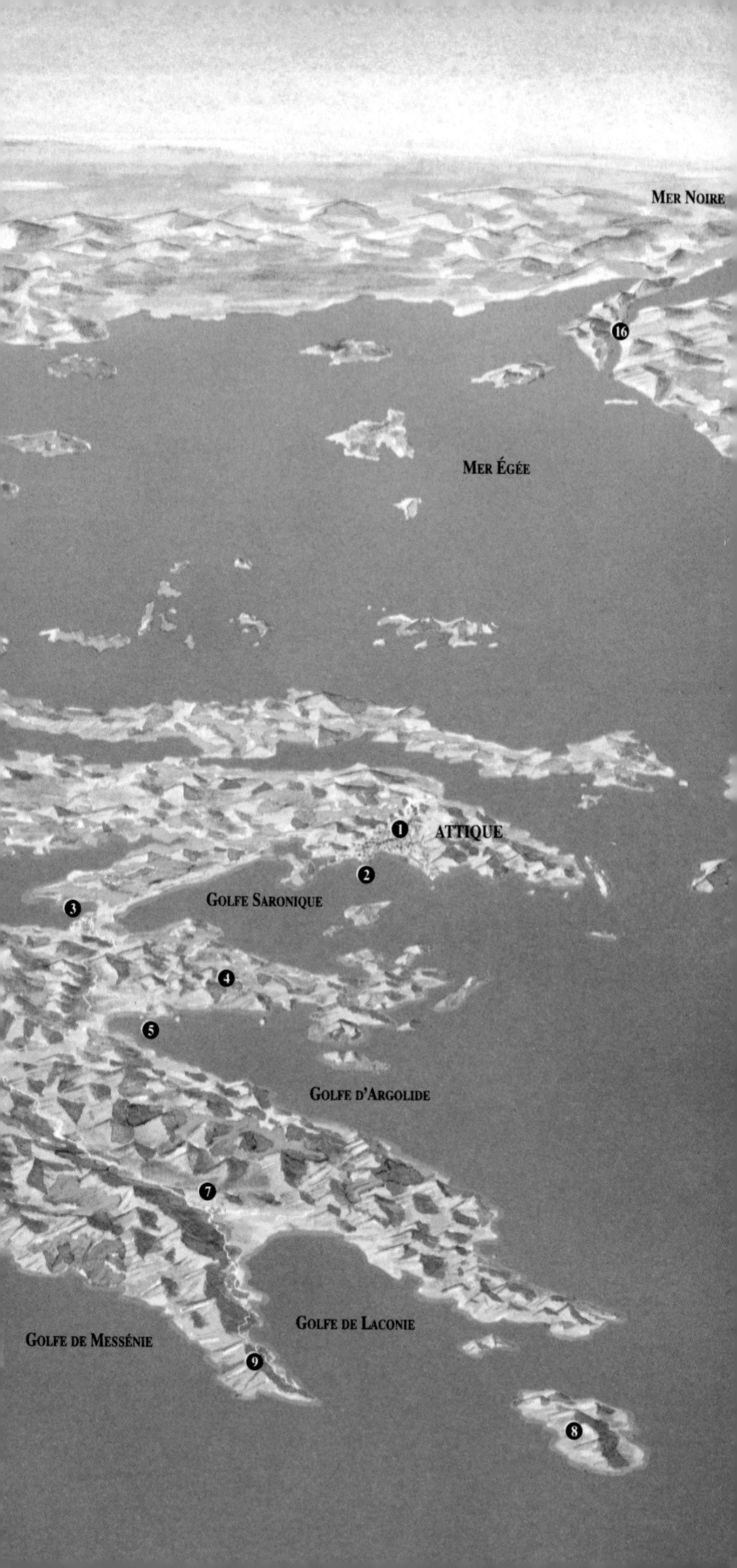

Mer Noire

16

Mer Égée

1 ATTIQUE

2

Golfe Saronique

3

4

5

Golfe d'Argolide

7

Golfe de Laconie

Golfe de Messénie

9

8

Comment utiliser un guide Gallimard

(Page extraite du guide «Venise»)

En haut de page, les symboles annoncent les différentes parties du guide.

■ Nature

● Des clefs pour comprendre

▲ Itinéraires

◆ Informations pratiques

La carte itinéraire présente les principaux points d'intérêt du parcours et permet de se reporter à un plan.

La minicarte situe l'itinéraire à l'intérieur de la zone couverte par le guide.

●▲■◆ Les symboles, en titre ou à l'intérieur du texte, renvoient à un lieu ou à un thème traité ailleurs dans le guide.

♥ Le coup de cœur de l'éditeur pour un site dont la beauté, l'atmosphère ou l'intérêt culturel séduiront particulièrement le visiteur.

Au début de chaque itinéraire, les modes de déplacement possible et la durée sont signalés sous les cartes :

- En voiture
- A pied
- En bateau
- A bicyclette
- Durée

L'arrivée à Venise ♥ ■ *281*

Pont de la Libertà. Construit par les Autrichiens, cinquante ans après le traité de Campoformio (1797) ● *34*, pour relier Venise à Milan, ce pont mit fin à un isolement millénaire. Il bouleversa par la même occasion l'économie de la ville, qui, en pleine révolution industrielle, vit grandir

1/2 journée

Les ponts de Venise

Nature

Les anciens appelaient marbre toute roche susceptible de prendre un beau poli. Les Grecs utilisèrent le marbre des carrières du mont Pentélique, en Attique, pour la construction et la décoration des grands monuments d'Athènes. Ce marbre blanc, à grain fin prend, avec le temps, une patine dorée. Ce matériau était réservé pour les édifices ; pour la sculpture, on préférait le marbre de Paros. Le calcaire sans impureté fournit un marbre blanc. Des minéraux autres que la calcite peuvent apparaître et donner des marbres richement colorés.

La taille
La surface est égalisée au ciseau, les dimensions sont définies par une rainure à la scie, les blocs sont détachés à l'aide de coins de bois enfoncés dans des encoches puis mouillés. Le bloc de marbre est dégrossi dans la carrière, mais travaillé sur le chantier.

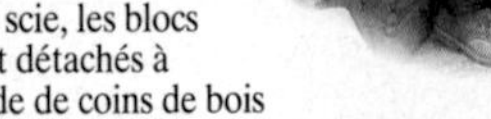

Le surfaçage
Il commence par le dégrossissement de la surface brute (**A**) au gros marteau (**1**) jusqu'à une surface de premier creusement (**B**). Celle-ci est affinée d'abord aux poinçons (**2**), puis avec une série de burins dentelés ou gradines (**3**) et des marteaux dentelés ou grains d'orge (**4**). La surface finale (**C**) est aplanie au burin plat, appelé rasoir (**5** et **6**).

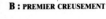

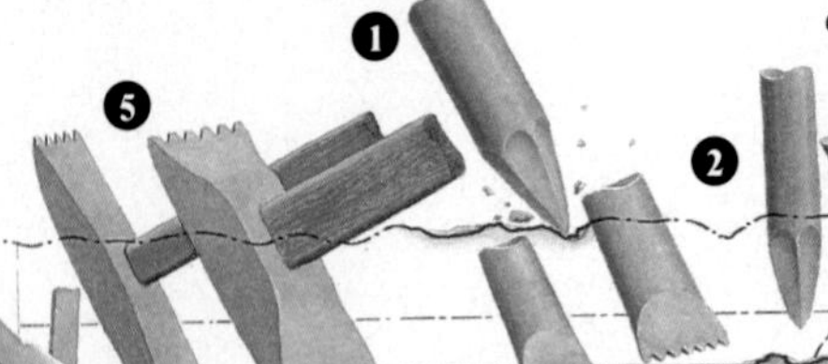

Les carrières du mont Pentélique fournirent à l'époque classique le marbre des temples d'Athènes.

Petite chapelle byzantine
Appuyée contre une paroi du Pentélique.

Mosaïques
Les mosaïques de pavement décoraient des sanctuaires, des monuments et des maisons privées. La mosaïque ci-contre est en *opus tessellatum* composé de tesselles, petits cubes de 0,8 cm insérés dans le ciment.

Le décor des mosaïques était dessiné à la pointe sur le ciment frais, parfois à l'aide de patrons, et visait à imiter un tapis à motifs circulaires.

La formation du marbre
Les roches calcaires se transforment en marbre par recristallisation, sous l'influence de la pression et de la chaleur.

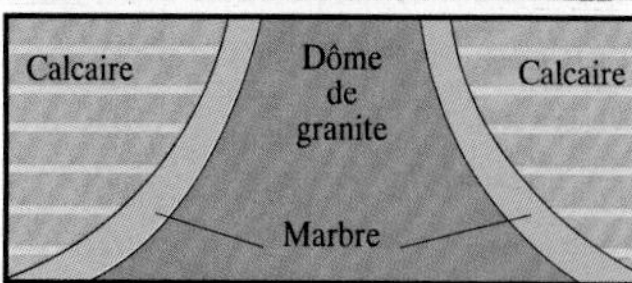

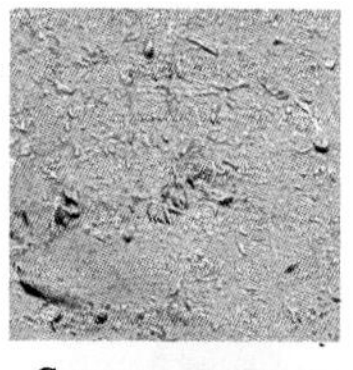

Calcaire grossier

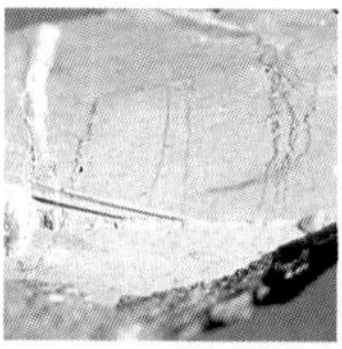

Calcaire compact

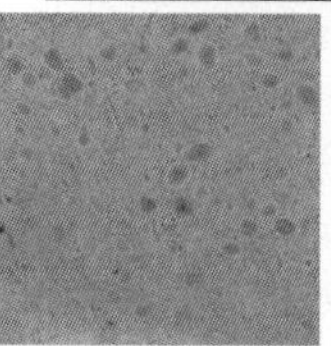

Calcaire à grains fins

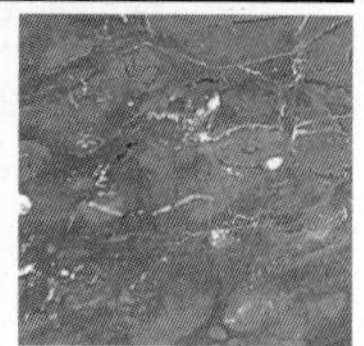

Marbre griotte

Marbre rouge antique

Marbre blanc à gros grains

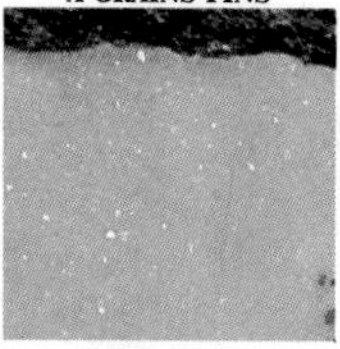

Marbre à gros grains

Marbre blanc à gros cristaux

Marbre à grains fins

Brèche jaune

Brèche brune à filons rouges

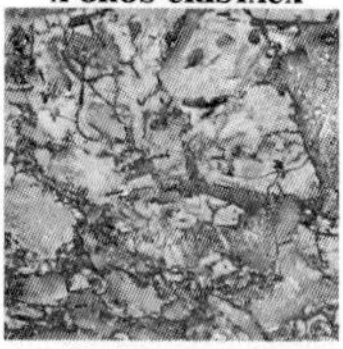

Brèche jaune à filons

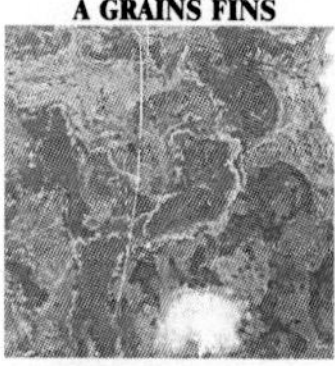

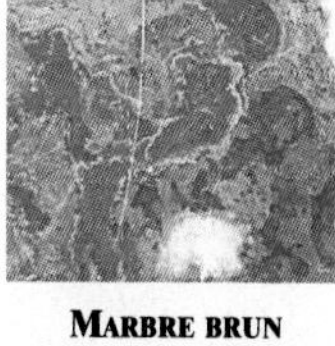

Marbre brun

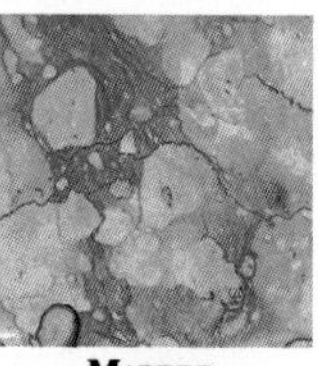

Marbre ocre jaune

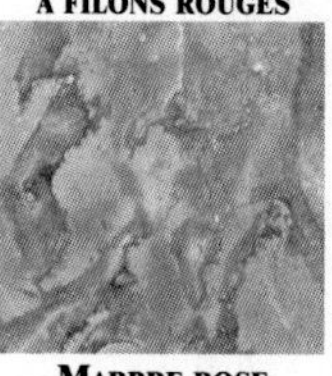

Marbre rose et gris

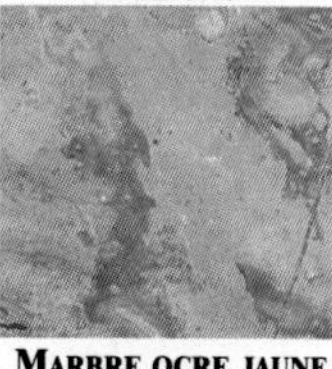

Marbre ocre jaune et gris

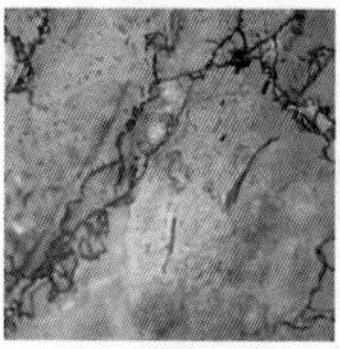

Marbre ocre rose veiné

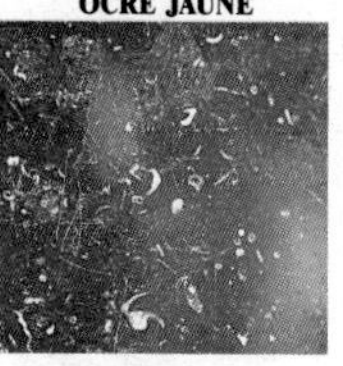

Marbre noir et blanc

Conglomérat gris et bleu

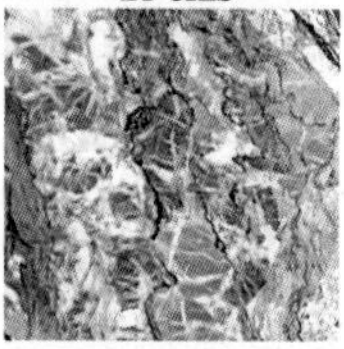

Brèche gris bleu

Les régions à climat de type méditerranéen possèdent une végétation caractéristique d'espèces sclérophylles (à feuilles persistantes, épaisses et luisantes) : maquis (ou mattoral) de la Meditérranée, «chaparral» de Californie, fynbos d'Afrique du Sud, «mallee scrub» du sud-ouest australien. Ces formations prennent souvent la place de forêts que les incendies et le pâturage ont dégradées. En Grèce continentale méridionale, comme dans les îles de la mer Égée, le maquis peut exister depuis les zones littorales jusque vers 600 mètres d'altitude. Des arbres sempervirents, en particulier le chêne vert ou le chêne kermès peuvent émerger de la végétation buissonneuse (qui dépasse rarement 2-3 mètres), où bruyères arborescentes, cistes et plantes odoriférantes abondent et s'entremêlent.

HIRONDELLE RUSTIQUE
Elle se distingue par les longs filets de sa queue.

FAUVETTE MÉLANOCÉPHALE
Niche dans les buissons bas.

LA FEUILLE À ASPECT VERNISSÉ DU CHÊNE VERT

FEUILLES ET FRUITS DU CHÊNE VERT

CHÊNE VERT
Associé au maquis jusqu'à 600 m d'altitude.

En Attique les espèces qui constituent le maquis méditerranéen ont une forme buissonnante due aux pâturages et aux incendies fréquents.

PISTACHIER LENTISQUE
Aspect du maquis un an après avoir été détruit par un incendie. La végétation reprend difficilement sur les troncs noircis.

Anemone blanda.
Elle a des fleurs étoilées aux pétales étroits et très nombreux.

Les colorations printanières du maquis sont souvent éblouissantes avec, notamment, les taches éclatantes des genêts jaunes.

Viorne tin
Elle fleurit en hiver.

Ciste de Montpellier
Petit arbuste aromatique dominant le maquis bas.

Bruyère arborescente
Arbuste à branches nombreuses caractéristique du maquis méditerranéen.

Arbousier
Petit arbre élégant, à écorce dure, dont le bois sert, en Grèce, à la fabrication de flûtes.

Myrte
Connu depuis l'Antiquité, cet arbuste est le symbole de la paix et de l'amour.

Fleurs de Myrte
Elles dégagent un parfum suave et entêtant. Les Grecs appellent souvent ce buisson, Daphné, du nom de la nymphe changée en myrte pour échapper à Apollon.

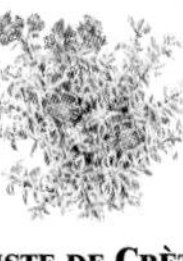

Ciste de Crète
En mai-juin, ses fleurs attirent de nombreux insectes.

Ciste à feuilles de sauge
Arbuste buissonant qui pousse dans les talus et les fourrés.

Cyclamen à feuilles de lierre. Il pousse dans les sous-bois frais du maquis.

Lentisque
Odoriférant, couvert de fleurs blanches au printemps.

Olivier sauvage
Arbuste très rameux et épineux, dont l'olivier cultivé dérive. C'est l'arbre le plus abondant dans les plaines et sur les plateaux en Grèce.

Au début du siècle, l'économie reposait sur un système «agro-sylvo-pastoral» qui associait cultures céréalières et élevage. Après la Première Guerre mondiale, la libération des espaces et la faible pression animale ont fait que le maquis s'est étendu et que la qualité des pâturages a diminué. Essentiellement d'origine pastorale, les incendies ont pour but d'ouvrir un maquis devenu trop fermé et d'un faible intérêt fourrager. Ainsi s'enclenche le cycle des feux dont la fréquence est parfois trop élevée pour autoriser la repousse des ligneux. Le seul moyen de lutte contre l'incendie est de s'aider du pastoralisme en réaménageant les terrasses et en créant des pâturages pare-feu.

Sérapias en cœur

Gesse de Vénétie

Victimes des incendies
Les oiseaux périssent asphyxiés par les gaz et les reptiles ne peuvent échapper aux flammes.

Faucon crécerelle
Il tire parti du repeuplement des terrains incendiés en consommant oiseaux et rongeurs.

Arbousier

Guêpier d'Europe
Les zones incendiées fournissent, un temps, une alimentation importante aux oiseaux insectivores.

Faucon hobereau
Cet insectivore niche dans les pinèdes ; il est donc confronté à la fois aux avantages et aux inconvénients des incendies.

La tortue d'Hermann, victime de sa lenteur de déplacement, ne peut s'enfuir et périt, malgré sa carapace. Seuls les scorpions survivent, en se cachant sous les amas rocheux.

Affiche grecque pour la protection contre les incendies de forêt.

Dégradation du milieu sous l'effet des incendies
La conséquence de la fréquence élevée des feux est l'installation d'une friche peu productive et peu recouvrante, où la roche affleure très souvent, donnant lieu à un paysage quasi désertique avec amplification de l'érosion provoquée.

Bruyère arborescente

Ciste de Montpellier

Repousse
Les feux vont favoriser l'installation de certaines espèces ligneuses basses qui peuvent entraver la repousse naturelle de la forêt, quand celle-ci est encore possible.

Perdrix rouge
Les survivantes profitent du milieu ouvert après incendie.

Tarier pâtre
Il est l'un des premiers à nicher dans les milieux ouverts.

Les phrygana

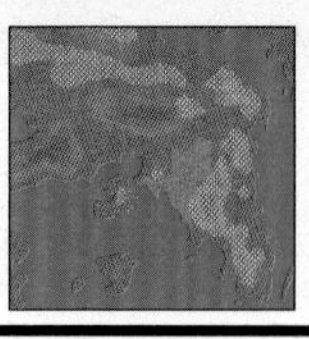

Le terme *Phrygana,* dérivé du vocabulaire grec classique, s'emploie pour désigner un type de végétation apparenté aux garrigues (France) et aux tomillares (Espagne). Des ligneux bas, souvent épineux, constituent un couvert discontinu sur des sols secs, rocailleux et généralement calcaires. Une flore herbacée fugace (printemps et, ou, automne) occupe ces zones, des côtes jusqu'aux hauts plateaux, qui semblent totalement dénudées en été. Les espèces ont des systèmes racinaires profonds leur permettant de trouver l'humidité dans les sols. Les paysages de type phrygana peuvent dériver de végétations (maquis, bois) qui ont été altérées par les incendies et le surpâturage. La vie animale est composée d'oiseaux, de reptiles et de petits mammifères.

Les perdrix choukars vivent dans les buissons épineux. Elles sont malheureusement très recherchées par les chasseurs.

Arbousier andrachne

Chêne kermès

Genêts épineux

Asphodèle

Genêts épineux

Pimprenelle épineuse

«Ebenus creticus»

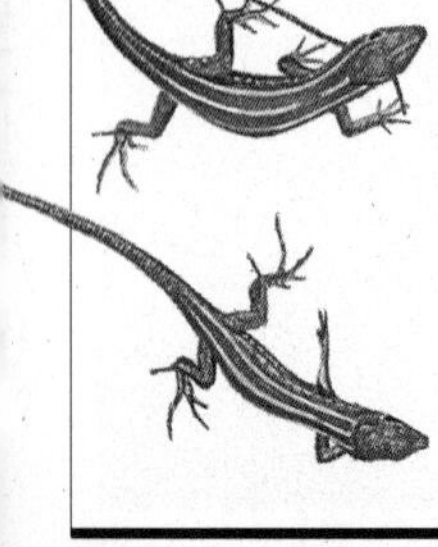

Le lézard triligne est un habitant privilégié de la phrygana. Son nom lui vient des trois lignes visibles sur le dos des jeunes.

Couleuvre chat
De nombreux reptiles vivent dans la phrygana, mais aucun n'est dangereux pour l'homme.

Aspect typique des phrygana, avec le moutonnement des genêts en coussinets épineux. L'explosion de la floraison est printanière, mais beaucoup d'espèces aromatiques exhalent de fortes senteurs l'été, alors que la végétation paraît sèche : au romarin s'ajoutent des sauges, des origans et des thyms, différents de ceux des garrigues de France.

Merle bleu
Le plumage du mâle est entièrement bleu et plus foncé sur les ailes et la queue.

Fauvette mélanocéphale
Reconnaissable à son chant mélodieux, elle s'installe dans les fourrés, dans la végétation clairsemée.

Bruant ortolan
Dos brun, ventre roussâtre, tête et poitrine brun olive, cet oiseau construit son nid à même le sol dans les phrygana.

Ruches et miels
Le miel a été très estimé dans l'Antiquité.
La nourriture des abeilles se compose de sucs des plantes aromatiques abondantes.
Les ruches colorées sont installées dans des enclos abrités des vents.

Asphodèle
Grâce à leur souches profondes les asphodèles sont très résistants et parfois très abondants.

Orchidée jaune
Une des nombreuses espèces d'orchidées en Grèce.

«Uromenas elegans» male
Grande espèce de la classe des orthoptères.

Au printemps, la flore est particulièrement éblouissante dans les phrygana.

ISTE NON
LEURI

SAUGE
TRILOBA

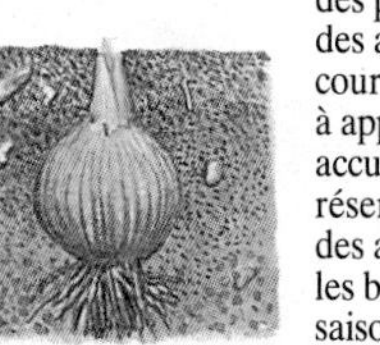

Les plantes herbacées des phrygana sont des annuelles à cycle court, ou des vivaces à appareils souterrains accumulant des réserves. Les graines des annuelles, comme les bulbes, passent la saison sèche au repos.

MOINEAU DOMESTIQUE
Un habitant familier de l'oliveraie.

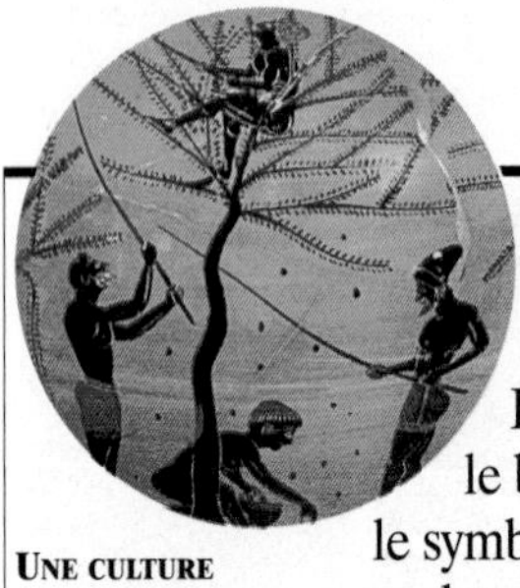

UNE CULTURE ANCESTRALE
Comme leurs ancêtres, les Grecs récoltent les olives en les gaulant. Des perches de différentes longueurs sont utilisées. Depuis l'Antiquité, l'huile d'olive a toujours la même saveur.

Il y a 3 000 ans, débutait en Méditerranée, la culture de l'olivier importée d'Asie Mineure ou d'Afrique par les Minoens. L'olivier s'est depuis répandu dans tout le bassin méditerranéen jusqu'à en devenir le symbole. Son altitude de prédilection se situe au-dessous de 300 mètres, mais il peut pousser aussi bien au niveau de la mer qu'à 600 mètres de hauteur. La récolte des olives destinées à la table s'effectue de septembre à octobre pour les vertes, de novembre à janvier pour les noires. Les olives réservées à la fabrication de l'huile sont, elles, cueillies de décembre à février.

L'olivier appartient à la famille des Oléacées. L'espèce cultivée dans ces régions est l'*Olea europaea*.

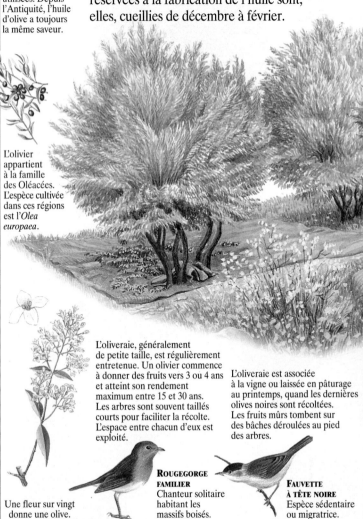

L'oliveraie, généralement de petite taille, est régulièrement entretenue. Un olivier commence à donner des fruits vers 3 ou 4 ans et atteint son rendement maximum entre 15 et 30 ans. Les arbres sont souvent taillés courts pour faciliter la récolte. L'espace entre chacun d'eux est exploité.

L'oliveraie est associée à la vigne ou laissée en pâturage au printemps, quand les dernières olives noires sont récoltées. Les fruits mûrs tombent sur des bâches déroulées au pied des arbres.

Une fleur sur vingt donne une olive.

ROUGEGORGE FAMILIER
Chanteur solitaire habitant les massifs boisés.

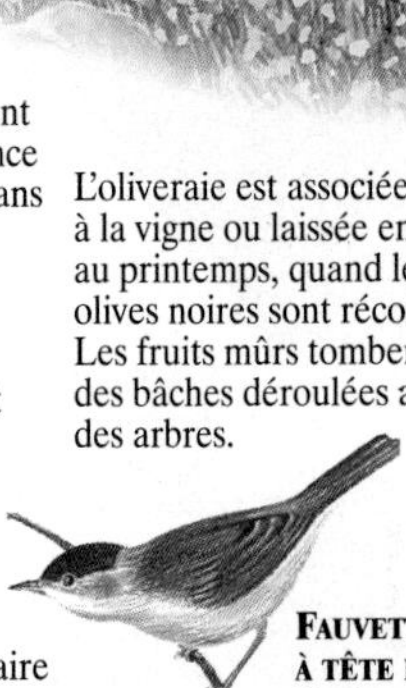

FAUVETTE À TÊTE NOIRE
Espèce sédentaire ou migratrice.

Plaine et champ d'oliviers
Cette magnifique plaine d'oliviers s'étend sur 50 km de long. On y trouve de jeunes plants géométriquement disposés, mais aussi des arbres vénérables, aux racines énormes et à l'écorce ridée, qui datent du XIIIe siècle et donnent encore 300 kg d'olives.

La longévité de l'olivier est légendaire. Il reste productif jusque sa 150e année.

L'échelle reste l'outil indispensable à la cueillette des olives.

Les Curculionidés se caractérisent par un rostre saillant.

La récolte des olives était autrefois le travail des femmes.

«Meloe proscarabaeus»
De l'ordre des Coléoptères.

Hérisson concolore

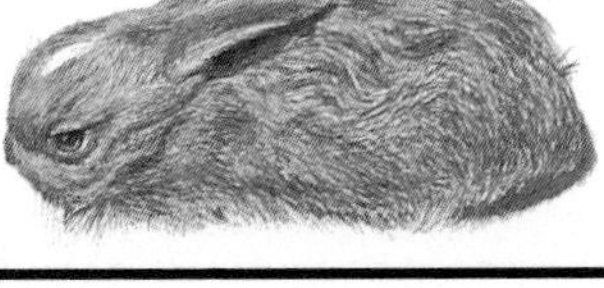

Lièvre brun
On le rencontre partout en Grèce.

Le gaulage électrique est apparu à la fin des années 1980.

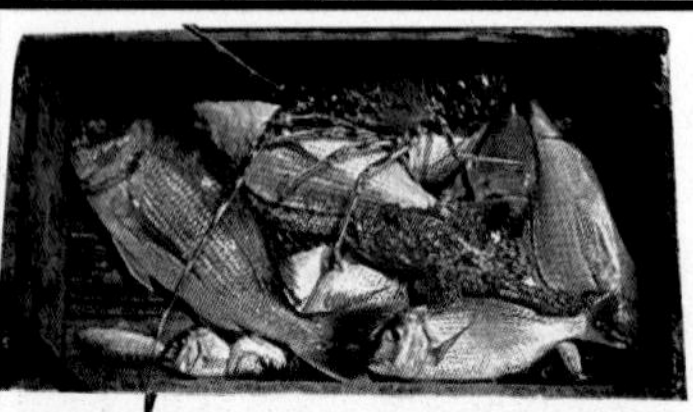

Les ports grecs attirent l'œil par la multitude des petites embarcations qui s'y trouvent, généralement des caïques de type *trehadiri*, dont la carène est arrondie à l'avant et à l'arrière. Les pêcheurs utilisent plusieurs techniques suivant les saisons, la météo, la zone de pêche et l'humeur du jour : ligne à main, palangre, filet... Ils partent pour la journée ou la nuit, s'éloignent peu des côtes et rapportent toutes sortes de poissons.

Pagre
Ce poissson est un prédateur de pleine eau.

Un «trehadiri» arrive sur le lieu de pêche

Préparation des palangres, «paragadia»

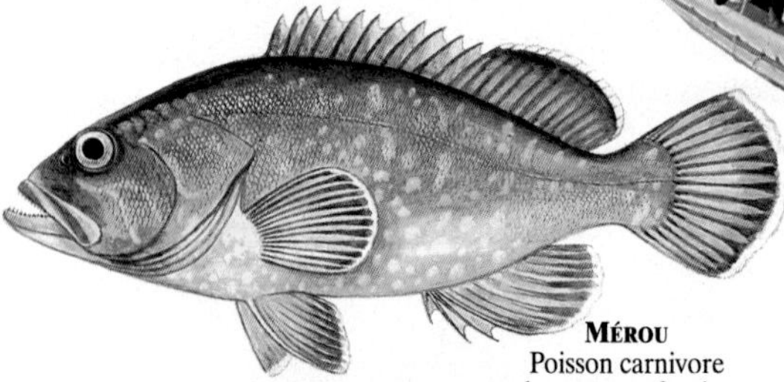

Mérou
Poisson carnivore des eaux profondes.

Mise à l'eau des hameçons appatés

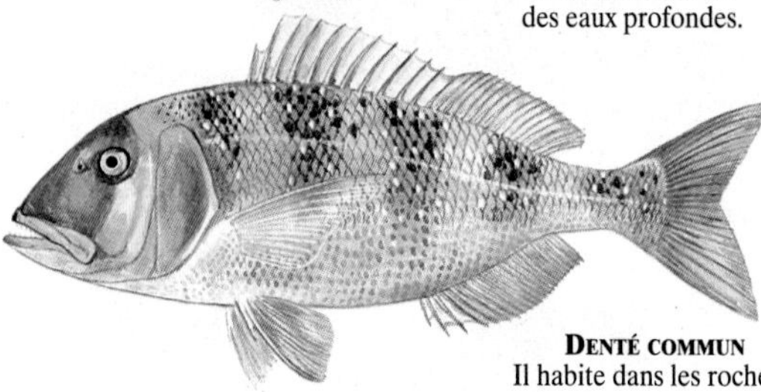

Denté commun
Il habite dans les rochers.

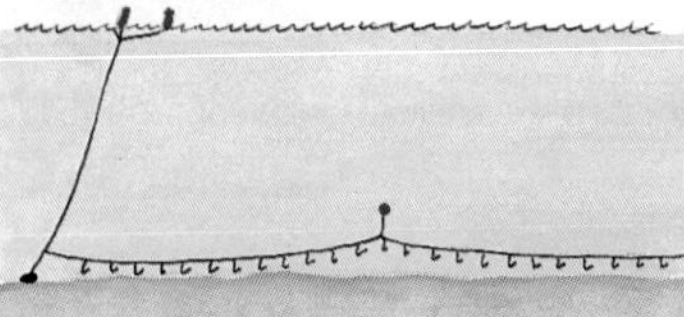

Les palangres de fond
Il existe différents types de palangre, comme cette palangre à daurades (ci-contre) ou cette palangre à mérous (ci-dessous). Elles sont placées plus ou moins près du fond selon les poissons recherchés.

Les palangres se composent d'avançons, des lignes pourvues d'hameçons, reliées entre elles par une «ligne-mère». Chaque palangre peut compter jusqu'à 500 hameçons. Cette technique est utilisée pour la pêche des poissons de première catégorie.

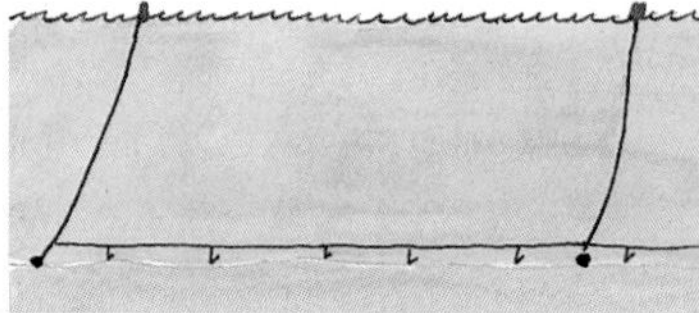

«La mer éveille des cris de mouettes
Et toutes les étoiles endormies dans ses eaux»

Une saison à la mer, M. Dimakis

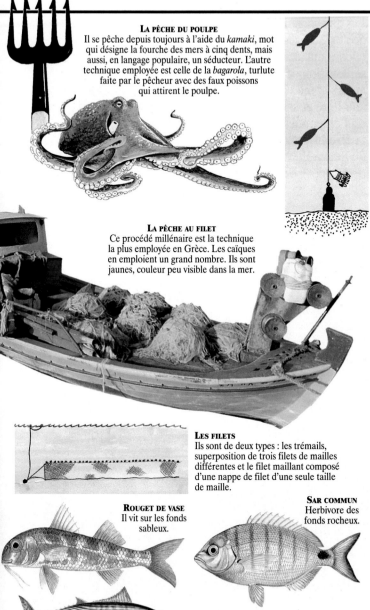

La pêche du poulpe
Il se pêche depuis toujours à l'aide du *kamaki*, mot qui désigne la fourche des mers à cinq dents, mais aussi, en langage populaire, un séducteur. L'autre technique employée est celle de la *bagarola*, turlute faite par le pêcheur avec des faux poissons qui attirent le poulpe.

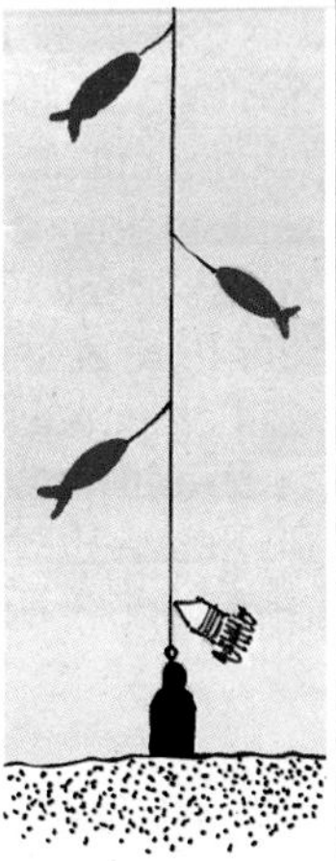

La pêche au filet
Ce procédé millénaire est la technique la plus employée en Grèce. Les caïques en emploient un grand nombre. Ils sont jaunes, couleur peu visible dans la mer.

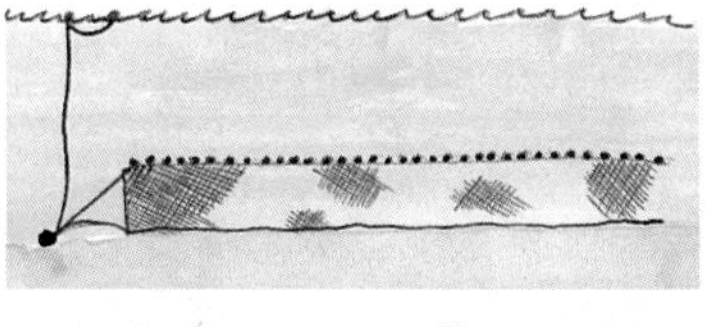

Les filets
Ils sont de deux types : les trémails, superposition de trois filets de mailles différentes et le filet maillant composé d'une nappe de filet d'une seule taille de maille.

Rouget de vase
Il vit sur les fonds sableux.

Sar commun
Herbivore des fonds rocheux.

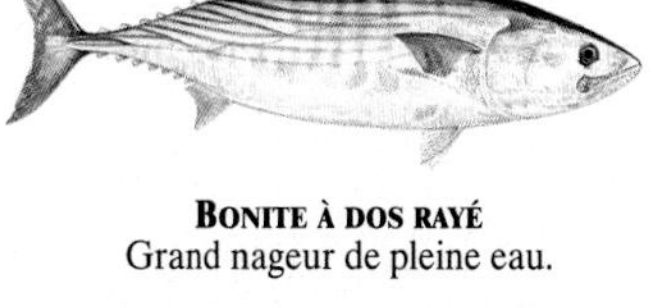

Bonite à dos rayé
Grand nageur de pleine eau.

Filet karteri. Utilisé pour la pêche des bonites et des petits thons, c'est une suite de filets maillants à mailles de grandes tailles.

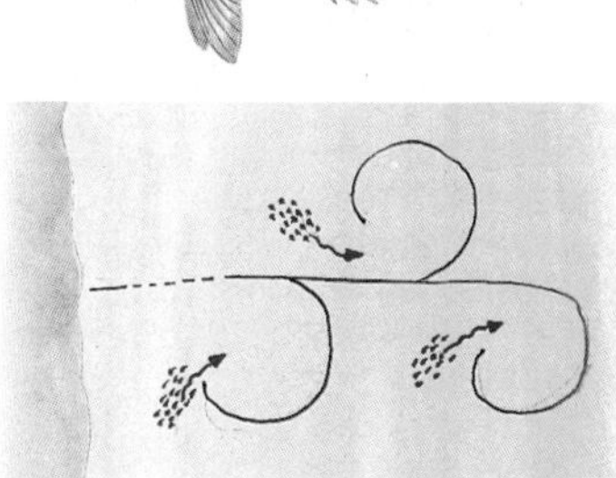

L'EMBOUCHURE DE L'EUROTAS

Les milieux humides sont des ensembles écologiquement très riches et ont encore une certaine superficie en Grèce septentrionale (rivières, lacs, estuaires, étangs et marais). Ils sont importants par leur flore et leur faune. Quelques estuaires du Péloponnèse comportent des marais arrière-littoraux intéressants, telle l'embouchure du fleuve Eurotas, qui passe à Sparte et se jette dans le golfe de Laconie. Le panorama ci-dessous montre les sédiments formant une barre sableuse à l'entrée de la baie, isolant une lagune littorale limoneuse et saumâtre où se perdent les méandres du fleuve.

STERNE PIERREGARIN
De taille moyenne, c'est un piscivore strict. L'adulte est reconnaissable, en été, à son capuchon noir et à son corps gris pâle. En hiver, le capuchon est brun-noir, le front, la poitrine et le ventre sont blancs.

PÉLICAN BLANC
Gigantesque oiseau affectionnant les grands lacs, les marais et lagunes côtières peu profondes.

SARCELLE D'HIVER ET CANARD PILET
La sarcelle d'hiver (à gauche) est le plus petit canard d'Europe. Le canard pilet (à droite) est svelte avec un long cou et une queue pointue.

PLAGE ET DUNES DE DIMENSIONS MODESTES. S'y développent des plantes de milieux salés, pelouses salées littorales et joncs.

FLAMANTS ROSES
Ces grands échassiers se nourrissent en plongeant le bec ou la tête dans l'eau peu profonde.

MOUETTE RIEUSE
Niche sur des plateformes de roseaux, de joncs et d'herbes sèches.

La flore. Sur les dunes et les plages du delta poussent des plantes psammophiles (liées aux sables) : graminées (oyats, chiendents), chardon bleu (*Eryngium*, ombellifères), lis des sables ; dans les marais salés : nombreuses chénopodiacées, joncs, saladelles, et, en limite des buissons de tamaris, des plantes halophiles (liées aux zones salées).

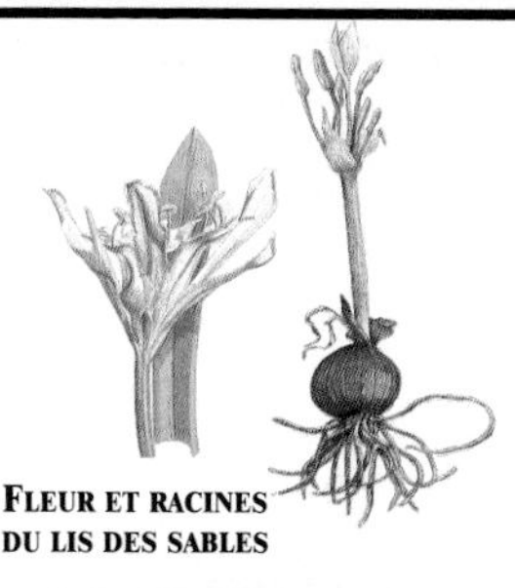

Fleur et racines du lis des sables

Scirpe maritime et sa souche
Très fréquent le long des ruisseaux.

Posidonie
Cette plante maritime possède des feuilles en lanière vert sombre et des tiges épaisses rappelant la queue d'un animal. Ces tiges desséchées se trouvent parfois sur les dunes.

La faune
On rencontre des tortues (comme la caouanne) qui pondent leurs œufs dans le sable ainsi que quelques chacals dorés dont l'espèce est aujourd'hui menacée. Les rapaces fréquentent aussi ce milieu : faucon crécerelle, aigle de Bonelli, chouette effraie.

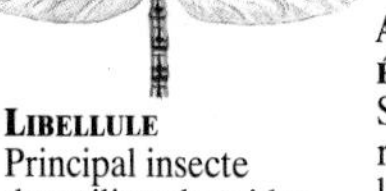

Libellule
Principal insecte des milieux humides.

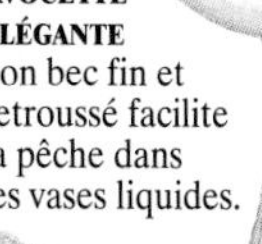

Avocette élégante
Son bec fin et retroussé facilite la pêche dans les vases liquides.

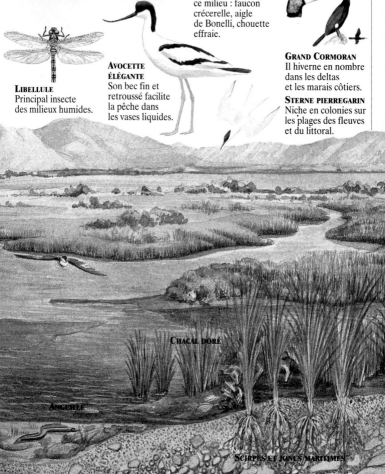

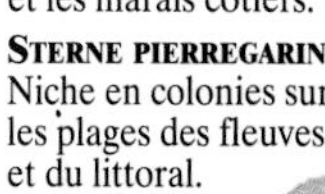

Grand Cormoran
Il hiverne en nombre dans les deltas et les marais côtiers.

Sterne pierregarin
Niche en colonies sur les plages des fleuves et du littoral.

Chacal doré

Anguille

Scirpes et joncs maritimes

Le chacal doré

Le chacal doré est très répandu en Grèce : le Péloponnèse compte la plupart de la population, en particulier la Laconie et le Magne. Longtemps considéré comme un animal des forêts et de la montagne, le chacal est un habitant caractéristique du maquis méditerranéen et des basses terres. Le chacal doré appartient à la famille des Canidés comme les renards, les loups, les chiens et les coyotes. Omnivore, sa nourriture se compose de petits mammifères (surtout des rongeurs tels les mulots ou les écureuils), de reptiles, de fruits ou de charognes. Plus rarement il tue des petits agneaux, des lapins ou des volailles. Le chacal doré vit en petit groupe et partage avec la femelle la nourriture et les soins à donner aux petits.

Territoire de chasse
En Grèce, il demeure dans un environnement humide, principalement dans les estuaires et les marais.

Le chacal est joueur et s'amuse parfois avec ses proies, comme ici, un petit mulot mort.

Un animal protégé
Le chacal a longtemps été considéré, à tort, comme nuisible. Il était chassé par les éleveurs, avec la bénédiction des autorités forestières. Menacé, depuis une dizaine d'années, de disparition, davantage même que le loup, il est aujourd'hui protégé.

Tanière
La tanière ici est un trou nouvellement creusé. Les petits, qui naissent au printemps, y restent pendant environ trois semaines.

Le pelage du chacal
Il change de couleur selon les saisons : de couleur doré l'été il vire au jaune et brun l'hiver.

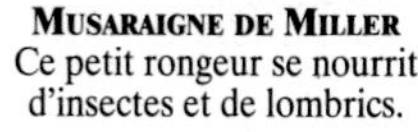

Musaraigne de Miller
Ce petit rongeur se nourrit d'insectes et de lombrics.

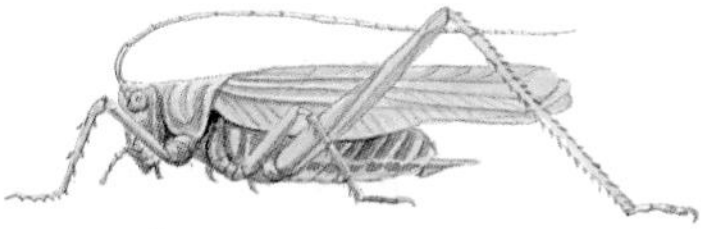

Grande sauterelle verte

Mulot sylvestre
Comme la musaraigne, il fait partie des proies les plus courantes du chacal doré.

Le climat de la Grèce est méditerranéen, c'est à dire à période sèche se superposant à la période la plus chaude, et à hiver doux et plus humide. De nombreux végétaux présentent des caractères adaptés à ce climat : feuilles épaisses (dures, charnues ou velues) ; rameaux épineux ; durée de vie courte (plantes annuelles très nombreuses au printemps) ; appareils souterrains profondément enfouis et assurant là survie commes les vrais bulbes de beaucoup de Liliacées, les bulbes pleins et rhizomes des Iridacées, les tubercules de types divers (anémones, cyclamens) ; ou les fascicules de racines épaissies (asphodèles). Ces organes accumulent des réserves permettant chaque année la floraison. À certaines périodes, surtout au printemps, la multitude des floraisons des végétaux herbacés forme de splendides tapis multicolores composés, entre autres, d'anémones, de tulipes, d'orchidées, de crucifères et de légumineuses.

FIGUIER DE BARBARIE
La végétation originale est souvent modifiée par des plantes importées, surtout d'Amérique. Ainsi le figuier de Barbarie et l'agave, introduits au XVIe siècle, qui sont utilisés pour limiter les parcelles.

ARBOUSIER

BOUGAINVILLÉES ET LAURIERS ROSES
Des espèces spontanées (lauriers roses), ou exotiques (bougainvillées, venues du Brésil à la fin du XVIIIe siècle), servent à l'ornement des jardins et des villes, de même que les cornets blanc éclatant.

«ARUM DRACUNCULUS VULGARIS»
Cette plante herbacée pousse à partir d'un grand tubercule et atteint parfois 1 m de haut. Elle a un aspect remarquable avec ses tiges épaisses, bariolées, couvertes de taches noires. L'odeur de sa fleur est très fétide.

L'AIL, FLEURS ET BULBE
Il fleurit de mai à juillet, et porte des fleurs multiples blanches en ombelles. Il est très répandu sur les plages, et le long des talus.

PISTACHIERS
Ils vivent dans les maquis ou, isolés, dans les phrygana, et y forment des buissons, rarement de petits arbres. Le lentisque (feuilles persistantes) fournit le «mastic» que consomment les Grecs.

BRUYÈRES ARBORESCENTES
Il en existe deux espèces, à fleurs rosâtres, habitant maquis et bois secs.

ARBOUSIERS
Les arbousiers portent des fruits globuleux orangés : les arbouses, comestibles dès le mois de décembre.

«ECBALLIUM ELATERIUM»
Appelée *Agriangourià* ou *Pikrangourià* en Grèce, cette plante de la famille des Cucurbitacées est très commune. On la trouve dans les fentes des rochers, sur les talus. Elle se couvre de petites fleurs jaunes de mai à septembre. À maturité, ses fruits, de forme ovale, éclatent au moindre choc en dispersant leurs graines à des distances appréciables. Ses tiges sont rampantes, sans vrille, et ses feuilles très épaisses et charnues.

PISTACHIER

TULIPES
De nombreuses tulipes sauvages sont dites «botaniques» par les horticulteurs, notamment celles à fleurs rouge profond, telle la tulipe de Béotie. Les feuilles permettent de reconstituer des réserves sur un même bulbe mais aussi sur un bulbe de remplacement.

FRITILLAIRES
Elles sont très diversifiées en Grèce où il en existe 12 espèces. Le lis de Chalcédoine a des fleurs rouge, pendantes, avec des pétales incurvés vers l'extérieur. Les feuilles sont en touffes et les pédoncules floraux partent d'un même niveau. Ce lis habite les collines rocailleuses boisées.

CHARDONS
De nombreuses composées épineuses poussent sur les friches incultes, se mêlant à une végétation d'aspect jaunâtre ou brun l'été.

En 1833, lorsque Othon devient roi de Grèce, Athènes est pratiquement dépourvue d'arbres. Très vite, pour des raisons esthétiques mais aussi d'hygiène, on décide de créer des jardins et d'arborer les rues. Premier des trois jardins créés au XIXᵉ siècle, le Jardin royal ouvrira ses portes au public et sera rebaptisé Jardin national en 1923. L'excavation de l'aqueduc d'Hadrien résout les problèmes d'irrigation. Le parc compte plusieurs canaux et étangs. On y dénombre 500 espèces de plantes et d'arbres.

La plantation de plantes rares ou exotiques fut un échec : seuls deux Gingko biloba évoluèrent avec succès.

Les jardiniers décident alors de recréer des paysages spécifiques à la Grèce. À la fin du XIXᵉ siècle, les paysagistes introduisent des essences étrangères et méditerranéennes (oliviers, cyprès, orangers…) et des plantes du pays.

La reine Amalia qui préside à sa création désirait un jardin d'espèces rares : toutes les nouvelles techniques agronomiques (irrigation, apport de terre et d'engrais...) sont mises en œuvre pour acclimater 1 500 essences dont certaines exotiques, importées d'Italie. Néanmoins, le climat sec et le vent détruisirent la majorité d'entre elles.

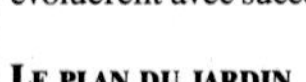

LE PLAN DU JARDIN
Il comporte des allées, larges et courbes, en forme de cercles ou d'ellipses, adaptation du modèle anglais du XVIIIᵉ siècle, toujours très en vogue dans l'Europe du XIXᵉ siècle. Le jardin renferme également quelques monuments, créations modernes ou vestiges antiques : statues, petits pavillons, mosaïques…

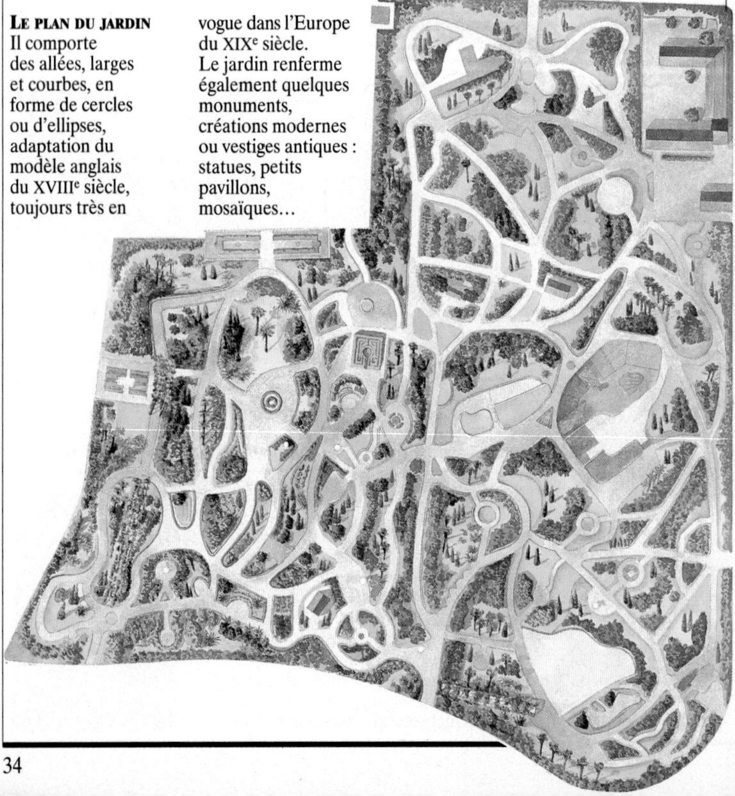

Histoire

L'ensemble des dieux qui constituent le panthéon grec à l'âge classique est pour ainsi dire déjà fixé à l'époque mycénienne. Fondement spirituel et religieux de la Grèce antique, la mythologie est également le ferment de la création artistique. La fréquence de ses représentations, à travers la variété infinie de ses épisodes, illustre le double rapport de l'homme au divin : intégration du divin dans l'exercice de la piété ordinaire et prise de conscience des limites de la destinée humaine dont la vie des dieux désigne en quelque sorte les bornes. Les scènes mythiques ici reproduites ont pour valeur, aux yeux d'un Grec ancien, de rappeler dans son présent des situations-limites, divinement déterminantes, par rapport auxquelles il se comprend mieux lui-même dans son monde.

Io transformée en vache pour avoir séduit Zeus
Un des exemples du devenir animal de l'homme quand il s'est uni au divin.

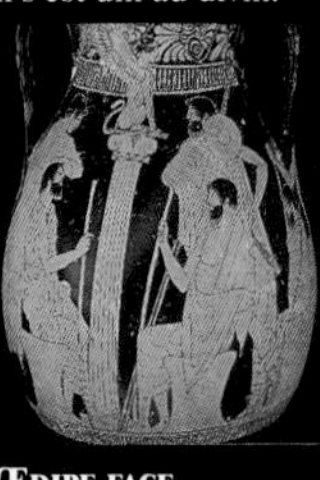

Œdipe face au sphinx
L'énigme posée par le sphinx était : «Quel est l'animal qui va sur quatre pattes le matin, deux le midi, et trois le soir ?» Œdipe, tenant une canne à la main, répond : «L'homme». Il est ici l'homme du soir, celui que son expérience et son âge ont amené à se dépasser, à devenir autre tout en restant le même.

Médée tuant son fils
Médée la magicienne figure une limite extrême de l'humanité : elle sait d'autant mieux jouer des passions des autres qu'elle ne contrôle pas les siennes. Elle est l'exemple même du redoublement de la démesure et de l'injustice.

Héraclès combattant les serpents envoyés par Héra
La puissance de la race divine est telle qu'elle n'attend pas l'âge adulte pour se montrer en acte : ici, Héraclès est nouveau-né et déjà pleinement lui-même.

Poséidon combattant un géant
Une scène de gigantomachie : c'est aussi la représentation de la lutte cosmique entre deux âges du monde.

Méléagre aux prises avec le sanglier de Calydon
C'est l'animal auquel son destin est lié : ce n'est pas le fait de tuer l'animal qui entraînera la mort de Méléagre, mais son refus de partager la bête. Il élimine pour cela plusieurs de ses comparses et, par là même, éteint le tison du foyer où s'unissent les hommes.

Piété et traditions grecques instaurent une relation de proximité entre les dieux et les hommes : la vie de tous les jours y trouve solidité et harmonie. La représentation des scènes de la vie quotidienne que nous livrent les vases constitue un témoignage extrêmement riche et d'une grande importance pour la connaissance et la compréhension de la vie dans l'Antiquité. Les vases, modestes ustensiles, en sont donc également le miroir, transcendé par l'art des peintres.

COUPLE VERSANT UNE LIBATION
La libation précède les repas, banquets et événements importants de la vie quotidienne : départs, assemblées, etc. Le rituel consiste à verser les premières gouttes des coupes que l'on va boire sur le sol ou sur un autel. On sanctifie ainsi le moment en le mettant sous la protection d'une divinité, principalement de divinités chtoniennes, autrement dit les dieux du sous-sol. Le breuvage est constitué de vin pur, de vin coupé d'eau, de lait, ou de vin mêlé d'eau et de miel.

PLEUREUSES ENTOURANT UN MORT
Le rite funéraire s'accomplit en cinq actes : toilette et parure du mort ; exposition du corps sur un lit d'apparat (la *prothésis*), autour duquel se pressent et se lamentent quatre femmes ; procession jusqu'à la nécropole aux sons du joueur d'*aulos* (flutte) et des sanglots des pleureuses, celles-c pour assister à cett cérémonie, une de leurs rares occasic de sortie, devaien proches parentes défunt ; incinérati ou inhumation ; r de purification d la maison du déf

SCÈNE DE MARIAGE
Le mariage est précédé du contrat devant les témoins du prétendant et du père ou tuteur de la jeune fille. Les noces durent trois jours : la veille, l'épousée se purifie par un bain rituel et fait des offrandes à Artémis, protectrice de la virginité ; le jour de l'hyménée, la nymphé est conduite (souvent en char) de la maison de son père à celle de son époux ; le troisième jour, les mariés reçoivent des cadeaux. Suivant les préceptes d'Aristote, les hommes se mariaient vers 37 ans et les femmes vers 18 ans.

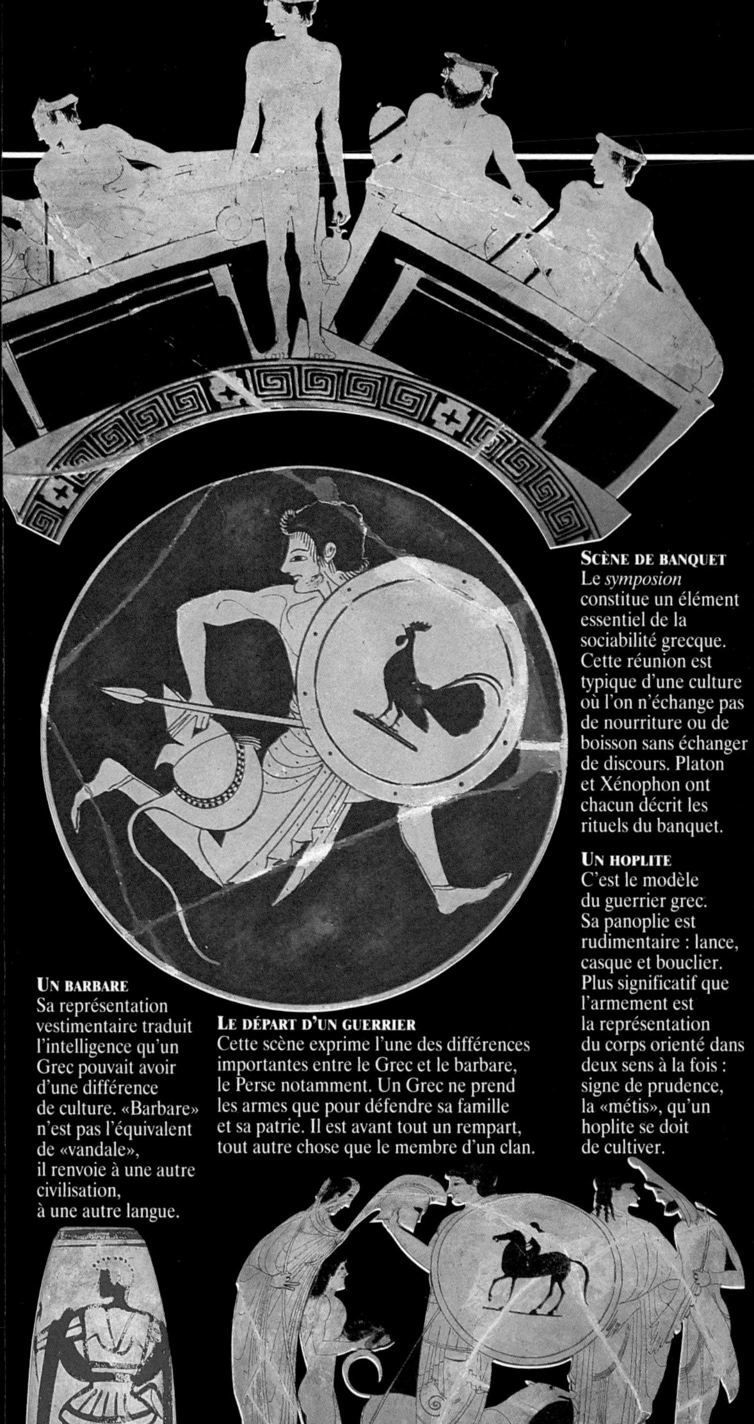

Scène de banquet
Le *symposion* constitue un élément essentiel de la sociabilité grecque. Cette réunion est typique d'une culture où l'on n'échange pas de nourriture ou de boisson sans échanger de discours. Platon et Xénophon ont chacun décrit les rituels du banquet.

Un hoplite
C'est le modèle du guerrier grec. Sa panoplie est rudimentaire : lance, casque et bouclier. Plus significatif que l'armement est la représentation du corps orienté dans deux sens à la fois : signe de prudence, la «métis», qu'un hoplite se doit de cultiver.

Un barbare
Sa représentation vestimentaire traduit l'intelligence qu'un Grec pouvait avoir d'une différence de culture. «Barbare» n'est pas l'équivalent de «vandale», il renvoie à une autre civilisation, à une autre langue.

Le départ d'un guerrier
Cette scène exprime l'une des différences importantes entre le Grec et le barbare, le Perse notamment. Un Grec ne prend les armes que pour défendre sa famille et sa patrie. Il est avant tout un rempart, tout autre chose que le membre d'un clan.

La tragédie puise ses origines dans le culte dionysiaque, et plus particulièrement dans les Grandes Dionysies, une fête d'une extraordinaire magnificence, célébrée à Athènes dès le VIe siècle av. J.-C. À l'arrivée du printemps, l'on venait des quatre coins de l'Attique pour assister, pendant plusieurs jours, aux processions, participer aux cortèges et se livrer aux débordements qu'autorisaient ces hommages au dieu du vin et de la nature. Apogée de ces festivités, les concours de chant et de dithyrambe permettaient aux poètes et aux choreutes de mesurer leur talent devant un auditoire passionné. Leur prestation donnera naissance à la tragédie.

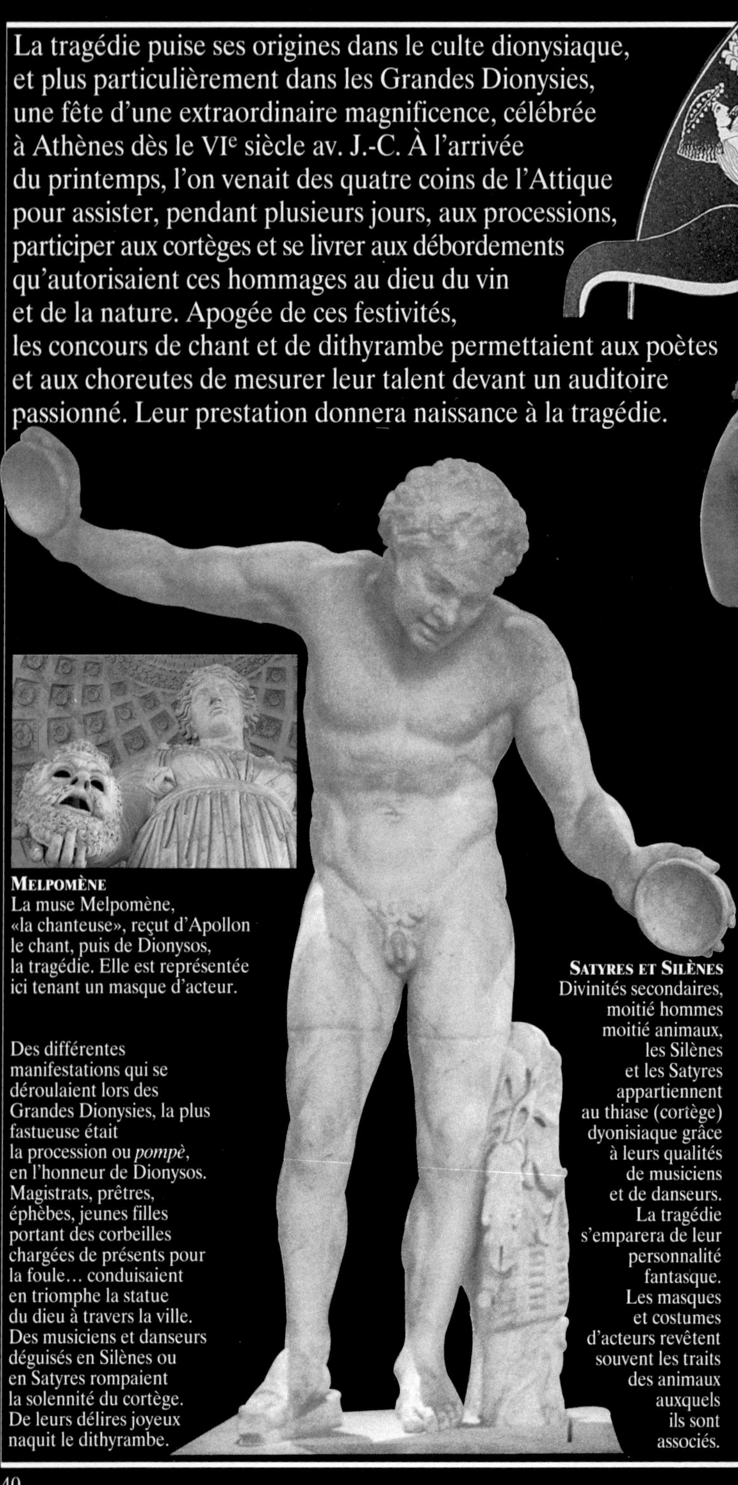

Melpomène
La muse Melpomène, «la chanteuse», reçut d'Apollon le chant, puis de Dionysos, la tragédie. Elle est représentée ici tenant un masque d'acteur.

Des différentes manifestations qui se déroulaient lors des Grandes Dionysies, la plus fastueuse était la procession ou *pompè*, en l'honneur de Dionysos. Magistrats, prêtres, éphèbes, jeunes filles portant des corbeilles chargées de présents pour la foule... conduisaient en triomphe la statue du dieu à travers la ville. Des musiciens et danseurs déguisés en Silènes ou en Satyres rompaient la solennité du cortège. De leurs délires joyeux naquit le dithyrambe.

Satyres et Silènes
Divinités secondaires, moitié hommes moitié animaux, les Silènes et les Satyres appartiennent au thiase (cortège) dyonisiaque grâce à leurs qualités de musiciens et de danseurs. La tragédie s'emparera de leur personnalité fantasque. Les masques et costumes d'acteurs revêtent souvent les traits des animaux auxquels ils sont associés.

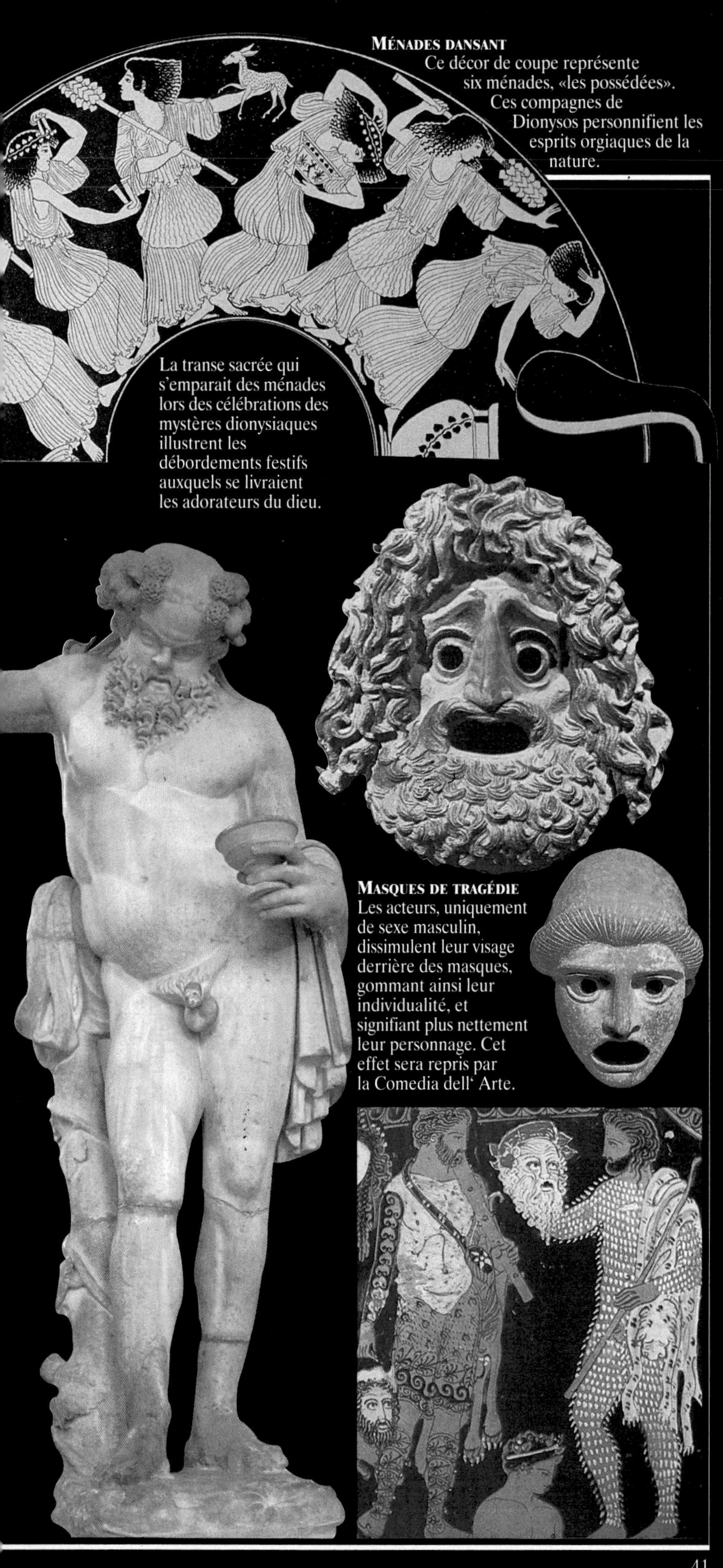

Ménades dansant
Ce décor de coupe représente six ménades, «les possédées». Ces compagnes de Dionysos personnifient les esprits orgiaques de la nature.

La transse sacrée qui s'emparait des ménades lors des célébrations des mystères dionysiaques illustrent les débordements festifs auxquels se livraient les adorateurs du dieu.

Masques de tragédie
Les acteurs, uniquement de sexe masculin, dissimulent leur visage derrière des masques, gommant ainsi leur individualité, et signifiant plus nettement leur personnage. Cet effet sera repris par la Comedia dell' Arte.

LA CIVILISATION CYCLADIQUE

Petit vase du Minoen ancien : 3000-2200 av. J.-C.

Le climat tempéré des Cyclades y a favorisé l'installation humaine dès l'âge du bronze. Le caractère tranquille de la mer Égée facilite quant à lui les communications entre ces îles et les côtes de Grèce et d'Asie Mineure. Les fouilles ont mis au jour des vestiges d'habitats dispersés sur le littoral et non fortifiés : signe que ces peuples dont la vie était tournée vers la mer jouissaient d'un environnement paisible. Entre 2800 et 2200 av. J.-C., l'habitat évolue : les maisons sont regroupées sur les collines et protégées par des murs, indice de l'apparition de nouvelles menaces.

3650-1300 AV. J.-C. *Civilisation minoenne.*

3200-2200 AV. J.-C. *Civilisation cycladique.*

L'ART CYCLADIQUE. De nombreux objets en céramique ou sculptés dans le marbre témoignent de son originalité : vases peints, outils, armes et statuettes.

LA CIVILISATION MINOENNE

Art cycladique : tête d'une figurine en marbre, vers 3200-2800 av. J.-C. Au cycladique ancien (IIIe millénaire), apparaissent les créations les plus originales : les idoles cycladiques, figurines féminines le plus souvent en marbre. Les statuettes dites du groupe de Plastiras sont traitées dans un style naturaliste et présentent des détails anatomiques : oreilles, yeux et bouche aux lèvres charnues.

La civilisation égéenne est née en Crète, la plus grande des îles de Méditerranée orientale et la plus riche en terres cultivables. Si les premières traces de peuplement y datent du néolithique, ce n'est que vers 2000 av. J.-C. que s'amorce un essor extraordinaire et que sont construits les palais de Knossos, Phaïstos et Malia, tous détruits vers 1700 av. J.-C., probablement par un tremblement de terre. Une seconde période commence avec leur reconstruction. La civilisation minoenne qui atteint à cette époque son apogée, dominera la Méditerranée orientale de 1700 à 1300 av. J.-C. Vie politique, sociale et religieuse, activités économiques et échanges culturels avec les autres pays méditerranéens, attestent de sa richesse et de son dynamisme. Elle influença tout particulièrement la civilisation mycénienne qui garda néanmoins son originalité.

L'ART MINOEN. Les fouilles entreprises à la fin du XIXe siècle par Sir Arthur Evans et poursuivies par les archéologues grecs révélèrent l'étendue de cette brillante civilisation : architectures, arts plastiques, fresques, joaillerie ou orfèvrerie, inscriptions (disque de Gortys) et écriture (linéaire A) témoignent du raffinement de la civilisation minoenne.

2000-1570 AV. J.-C. *Palais minoens non fortifiés.*

1850-1600 AV. J.-C. *Première invasion de «Grecs».*

1600-1150 AV. J.-C. *Palais monumentaux mycéniens.*

1570-1425 AV. J.-C. *Hégémonie maritime des Minoens.*

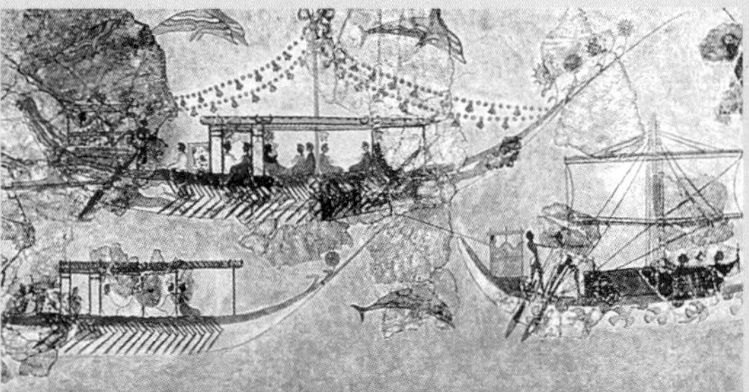

Expédition navale, fresque de 1600-1500 av. J.-C.

«La Krètè est une terre qui s'élève au milieu de la sombre mer, belle et fertile, où habitent d'innombrables hommes (...). Sur eux tous domine la grande ville de Knossos, où régna Minos»

L'Odyssée

La civilisation mycénienne

Sise au centre de la plaine d'Argolide, la cité de Mycènes occupa longtemps une place prépondérante au sein du monde grec. Siège de puissants rois, son influence politique s'étendait à l'Attique, la Béotie, ou la Thessalie. Sa situation géographique et son accès facile à la mer lui permirent de développer ses activités commerciales sur tout le pourtour méditerranéen.

L'art mycénien. Sans avoir atteint la perfection de la civilisation minoenne, les Mycéniens donnèrent naissance à des œuvres majeures, découvertes, en 1874, par H. Schliemann et ses successeurs : trésor des Atrides, offrandes funéraires en or, palais des rois, tombeaux à coupole, murs cyclopéens, ou porte des Lions. L'autre élément important de cette culture est la mythologie : le cycle des Atrides, la guerre de Troie, l'expédition des Argonautes qui inspirèrent les grands poètes tragiques, puis des artistes de tous les temps et de tous les pays.

Tête en stuc peint, XIIIe siècle av. J.-C.

1500-1150 av. J.-C.
Civilisation mycénienne

Vers 1425 av. J.-C.
Destruction du palais de Knossos.

Migration des peuples grecs, 1200-1000 av. J.-C.

Une ère nouvelle s'ouvre vers 1125 av. J.-C. avec une seconde arrivée de «Grecs» vers l'intérieur du Péloponnèse et de l'espace mycénien. Elle amène une nouvelle civilisation dans laquelle l'élément hellénique est renforcé. L'unité se fait surtout autour de certaines divinités, la tradition des jeux, la mythologie, la langue et l'alphabet dit «phénicien» qui devint l'alphabet grec. À la même époque, les Achéens, fondateurs de Mycènes, sont chassés du Péloponnèse par les Doriens, race de guerriers, formés par une rude discipline étrangère aux autres Grecs. Leurs armes, forgées avec le fer qu'ils possèdent en abondance, leur assurent la supériorité militaire.

Palais minoen de Knossos : le grand escalier.

L'art géométrique. Les débuts de la période historique (1100 av. J.-C.) coïncident avec ceux de l'art géométrique : l'art de la céramique de cette époque est considéré comme précurseur de l'art hellénique. La liberté des artistes s'exprime dans l'invention de formes nouvelles et la variété des scènes figurées. La mythologie reste le thème d'inspiration privilégié. À cette époque apparaissent les premières figurines de bronze. Les orfèvres créent bijoux et petits objets, en bronze ou en or, qui témoignent des richesses accumulées dès le VIIIe siècle av. J.-C.

Vers 1400 av. J.-C.
Construction des tombeaux à coupoles.

Vers 1250 av. J.-C.
Destruction de Troie.

Vers 900 av. J.-C.
Fondation de Sparte.

Fouilles de l'acropole de Mycènes, dirigées par le Dr Schliemann dans les années 1874-1876.

Période archaïque, VIIIe au VIe siècle av. J.-C.

Statue de femme, Acropole d'Athènes.

C'est autour de 800 av. J.-C., durant la période dite archaïque, qu'apparaît cette création politique originale du monde grec : la cité. À partir de 770 av. J.-C., les petites métropoles fondent des colonies dans tout le bassin méditerranéen et autour de la mer Noire. Le modèle prédominant des cités-états constitue un exemple unique dans l'histoire. Indépendantes économiquement et politiquement autonomes, elles seront le creuset des différents systèmes politiques qui prévalent aujourd'hui encore : de l'autorité personnifiée par le roi ou le stratège, en passant par les régimes aristocratiques ou tyranniques, elles donneront naissance au système purement démocratique. Une ville, son territoire et ses citoyens forment l'entitée dénommée «polis», placée sous la protection d'une divinité qui parfois lui donne son nom, comme Athéna pour Athènes.

750-700 av. J.-C.
Poèmes homériques.

VIIe siècle av. J.-C.
Avènement de la tyrannie.

683 av. J.-C.
L'archontat remplace la royauté à Athènes.

660-640 av. J.-C.
Oligarchie spartiate.

594 av. J.-C.
Solon, archonte.

La colonisation grecque, 770-550 av. J.-C.

Pour des raisons sociales, agricoles et démographiques, les colonisations se multiplient entre 775 et 550 av. J.-C. La civilisation hellénique s'étend en Ionie, sur les côtes d'Asie Mineure, puis en Italie du Sud. Les métropoles fondent des colonies en Gaule, en Espagne, en Afrique, où la culture grecque s'enracine : poésie, philosophie, sciences et art architectural s'y épanouissent.

Kouros d'Anavyssos, 530 av. J.-C.

L'exemple de Milet. Les colonies les plus brillantes se situent en Italie du Sud et en Asie Mineure. La cité ionienne de Milet fonde à son tour des comptoirs sur les côtes de la mer Noire. Elle occupe une position prédominante et sera le berceau de grands penseurs et de grands artistes : Hécatée, l'un des premiers écrivains d'histoire et de géographie ; les philosophes Thalès, Anaximandre, Anaximène ; le poète Phocylide ; et plus tard Hippodamos, le célèbre urbaniste ; le poète Timothée et Aspasie, l'hétaïre de Périclès. Dans le domaine des arts plastiques, l'inspiration orientalisante domine, qui introduit des motifs naturalistes de plantes ou d'animaux.

Casque corinthien, fin VIe siècle av. J.-C.

Les guerres Médiques

Première guerre Médique. À la fin du VIe siècle av. J.-C., l'État perse, à son apogée, se tourne vers l'Occident. Sa volonté d'expansion répond à l'idée d'empire universel conçue dès le IIIe millénaire av. J.-C. par les Assyriens et les Babyloniens. En 499 av. J.-C., les rêves de conquêtes du grand roi perse, Darius, sont freinés par une révolte des cités ioniennes d'Asie Mineure soutenues par Athènes. En 494, une fois l'Ionie soumise, Darius décide de se tourner vers la Grèce et de punir Athènes. Mais en 490, la puissante armée perse est battue à Marathon. Athènes gagne à ce fait glorieux une réputation d'invincibilité et un surcroît d'autorité.

SALAMINE

SECONDE GUERRE MÉDIQUE. Le roi Xerxès se lance à son tour à l'assaut de la Grèce, à la tête de plus de 100 000 hommes. En 481 av. J.-C., Léonidas et ses 300 Spartiates l'affrontent aux Thermopyles, permettant à Athènes d'organiser sa défense. Les Athéniens se réfugient sur l'île de Salamine pendant que les Perses déferlent sur la Béotie où ils détruisent les villes conquises. Athènes à son tour est livrée aux flammes. La situation se retourne en 480 av. J.-C., quand la flotte perse est décimée à Salamine. L'année suivante, l'armée de Xerxès est écrasée à Platées de même que les vestiges de sa flotte près du cap Mycale, en Asie Mineure.

Bataille de Salamine : position des flottes grecque et perse.

560-510 AV. J.-C.
Pisistrate, tyran.

493 AV. J.-C.
Thémistocle, archonte.

490 AV. J.-C.
Bataille de Marathon.

L'APOGÉE D'ATHÈNES

Avec la fin de la menace perse renaissent les rivalités : Athènes, Sparte et Thèbes s'affrontent pour l'hégémonie. Au Ve siècle av. J.-C., Athènes possède à la fois le pouvoir politique, la richesse et la civilisation la plus brillante : c'est le temps de Périclès (444-429). Elle est à la tête d'une puissante confédération maritime. Sur les conseils de Thémistocle, elle fait du Pirée son port principal. En 460-457 av. J.-C., les plus grandes fortifications de Grèce, les Longs Murs, sont édifiées.

LA DÉMOCRATIE ATHÉNIENNE. Le modèle démocratique conçu à Athènes fait l'unanimité dans la métropole, ainsi que dans les cités de la mer Égée, d'Asie Mineure, de Sicile ou de Grande Grèce. En 477 av. J.-C., Aristide crée la Ligue de Délos. La fédération devient un véritable empire dont Athènes est la plus puissante cité : à la tête de l'armée fédérale, elle crée des colonies militaires, notamment en Thrace.

L'ART CLASSIQUE. L'époque démocratique correspond à une intense floraison culturelle et artistique. Le mariage des styles dorique et ionique trouve sa plus parfaite expression avec les chefs-d'œuvre de l'Acropole : réalisées par Phidias, les sculptures de la frise et des frontons du Parthénon allient l'originalité d'une inspiration puissante à la perfection d'une technique achevée. Les auteurs de tragédies, Eschyle, Sophocle et Euripide, l'auteur comique Aristophane, posent les bases du théâtre. Le dialecte attique, affiné par les philosophes, les écrivains et les rhéteurs, devient un outil d'expression sans pareil. En Asie Mineure, Milet, Éphèse, Priène et Didyma se parent d'importantes œuvres architecturales.

480 AV. J.-C.
Bataille de Salamine.

479 AV. J.-C.
Bataille de Platées.

470-460 AV. J.-C.
Construction du temple de Zeus à Olympie.

Amphore d'Exechias, VIe siècle av. J.-C.

456 AV. J.-C.
Première tragédie d'Euripide.

447-406 AV. J.-C.
Aménagement de l'Acropole.

LA GUERRE DU PÉLOPONNÈSE

Chapiteau dorique, Acropole d'Athènes.

Dans les années qui suivent la fin des guerres Médiques, les alliances entre cités grecques se détériorent. Le conflit qui éclate en 431 av. J.-C., entre Sparte, dorienne et aristocratique, et Athènes, démocratique et ionienne, précipite la décadence de l'indépendance des cités en les entraînant dans un système d'alliances. En moins de trente ans, Athènes qui connaît de plus en plus de défaites, voit son empire maritime ruiné et doit capituler en 404 av. J.-C. Le régime oligarchique des Trente Tyrans remplace pour un an la démocratie, symptôme d'irrévocable déclin. Bientôt Thèbes s'assure pour une courte période la domination grâce à Épaminondas qui écrase l'armée spartiate en 371 av. J.-C., hégémonie qui s'achève à la mort de ce général en 362 av. J.-C.

445 AV. J.-C.
Paix de 30 ans entre Athènes et Sparte.

427 AV. J. -C.
Première comédie d'Aristophane, aujourd'hui perdue.

399 AV. J.-C.
Procès et mort de Socrate.

367 AV. J.-C.
La République *de Platon.*

L'HÉGÉMONIE MACÉDONIENNE. Philippe II de Macédoine (359-338 av. J.-C.), après avoir réorganisé son état et son armée, annexe les territoires limitrophes de Péonie, Thrace et Thessalie. Par une suite d'actions diplomatiques ou militaires il prend pied dans la Grèce du Sud et asseoit son autorité sur l'ensemble du monde hellénique : il met un terme à la résistance des cités grecques par sa victoire écrasante à la bataille de Chéronée (338 av. J.-C.), et réunit ces dernières au sein du Conseil confédéral de Corinthe l'année suivante. La Ligue corinthienne lui donne le titre d'*hégémon* et général, le plaçant ainsi à la tête de l'armée hellénique qu'il s'apprête à conduire contre l'Empire perse. Mais Philippe II de Macédoine, sera assassiné en 336 av. J.-C. par Pausanias et ne pourra mener à bien son grand projet d'unification de tous les Grecs. Son fils, Alexandre, réalisera cet exploit.

Effigie de Philippe II sur une monnaie de Macédoine.

352-342 AV. J.-C.
Les Macédoniens maîtres de la Thessalie et de la Thrace.

ALEXANDRE LE GRAND

334 AV. J.-C.
Aristote crée le Lycée à Athènes.

Portrait d'Alexandre, IVe siècle av. J.-C.

Les récentes fouilles réalisées dans les grands centres macédoniens révèlent qu'Alexandre grandit dans un environnement esthétiquement très raffiné. Outre une formation politique et militaire de haut niveau, le jeune prince reçut l'enseignement du grand philosophe Aristote. Après l'assassinat de son père, il réprime à son tour la révolte des cités grecques, anéantissant Thèbes, mais épargnant Athènes. Ayant rétabli l'union des Grecs sous son autorité, il se lance à la conquête de l'Asie, réduisant à néant l'Empire perse et progressant jusqu'aux confins de l'Inde. Il cumule les titres de roi des Perses, *hégémon* de la Ligue corinthienne et roi de Macédoine. Il favorise le développement des connaissances scientifiques et géographiques, notamment par l'exploration du delta de l'Indus. Le grec devient la langue commune de son vaste empire. Les institutions grecques sont étendues au monde oriental. Soixante-dix villes baptisées Alexandrie sont construites, nouveaux centres d'expansion de la civilisation grecque. Alexandre meurt le 13 juin 323 av. J.-C., à l'âge

«Le soleil ne se couche pas sur mon empire.»
Alexandre le Grand

de 33 ans, alors qu'il s'apprêtait à conquérir la Méditerranée occidentale. Sa personnalité exceptionnelle, sa stratégie brillante, ses nombreuses victoires militaires son style héroïque et ses réalisations lui conférèrent une dimension légendaire. Divinisé de son vivant, comme fils de Zeus, Alexandre fut le sujet de nombreuses œuvres historiques, littéraires, ou plastiques, et demeure l'un des grands héros grecs.

330 av. J.-C.
Incendie de Persépolis pour venger la destruction de l'Acropole (en 480). Fin de la ligue panhellénique.

Alexandre le Grand, peinture murale de Théophilos (1868-1934).

323-280 av. J. C.
Guerres des diadoques.

IIIe siècle av. J.-C.
Fondation du musée d'Alexandrie et de la bibliothèque de Pergame.

267 av. J.-C.
Sac d'Athènes par les Hérules

196 av. J.-C.
Autonomie des cités grecques proclamée par Flaminius.

167 av. J.-C.
Destruction du royaume de Macédoine par les Romains.

Royaumes hellénistiques et Grèce romaine

À la mort d'Alexandre, ses généraux se disputent son héritage. Vers la fin du IIIe siècle et après de longues guerres, trois monarchies subsistent : la dynastie des Antigonides en Macédoine, les Séleucides en Asie Mineure et les Ptolémées en Égypte. Si l'organisation interne des cités reste ce qu'elle a toujours été, en matière extérieure les rois ont confisqué à leur profit les prérogatives anciennes. Une des plus brillantes cité est Alexandrie qui attirent de nombreux artistes et savants. Les architectes de la cité de Pergame rénovent les conceptions de l'urbanisme. C'est l'époque des mathématiciens Euclide (vers 300 av. J.-C.) et Archimède de Syracuse (vers 280-212 av. J.-C.). De nombreux chefs-d'œuvre voient le jour, telle que la Victoire de Samothrace. Apollonius de Rhodes écrit les *Argonautiques*. Les philosophes Épicure de Samos et Zénon d'Élée, fondateur du stoïcisme, enseignent à Athènes.

La Grèce romaine. La défaite de Persée, roi de Macédoine à Pydna, en 168 av. J.-C., marque le début de la domination de la République romaine, qui conquiert les anciens royaumes grecs l'un après l'autre. Sous l'Empire, Athènes sera l'objet de l'attention toute particulière d'Hadrien (117-138) et l'emblème de l'hellénisation du monde romain et de la renaissance des arts et lettres grecs.

146 av. J.-C.
La Grèce devient province romaine.

Tête de Démosthène, 288 av. J.-C.

64 av. J.-C.
Le royaume des Séleucides devient province romaine.

30 av. J.-C.
Le royaume des Ptolémées devient province romaine.

L'EMPIRE BYZANTIN

L'Empereur Constantin et son épouse, icône du début du XVIe siècle.

LA FONDATION. En 324, Constantin le Grand est proclamé empereur de l'Empire romain. Soldat énergique, politique avisé, démesurément ambitieux, Constantin installe sa nouvelle capitale, Constantinople, sur le site de Byzance, au carrefour de l'Orient et de l'Occident. Il insuffle une vigueur nouvelle à l'Empire, en alliant structures militaires, administratives, législatives, et politiques de l'Occident, aux apports intellectuels et artistiques de l'Orient, y compris la pensée grecque et la ferveur chrétienne.

JUSTINIEN. À la mort de Théodose Ier, en 395, l'Empire est divisé en deux : l'Orient échoit à son fils aîné, Arcadius, l'Occident au cadet, Honorius. Les invasions barbares aboutissent à la chute de l'empire d'Occident en 476. L'empire d'Orient connaît également des invasions ainsi que de graves crises internes. L'empereur Justinien (527-560) parvient à ramener l'ordre là où régnait la dissension sociale (révolte de Nika, 532) ou religieuse. Ses campagnes militaires restaurent l'intégralité de l'ancien Empire romain mais en appauvrissent énormément les ressources. Son règne voit la réforme de la législation, la rénovation et la construction de villes, des travaux publics d'envergure, et surtout la création d'un chef-d'œuvre architectural, la basilique Sainte-Sophie où éclate la magnificence de l'art des mosaïques. La vie religieuse domine l'Empire et le monachisme se développe.

330
Fondation de Constantinople.

476
Destruction de l'empire d'Occident.

Saint Grégoire, mosaïque d'Hosios Loukas.

529
Justinien ferme les écoles de philosophie d'Athènes.

537
Inauguration de Sainte-Sophie.

HÉRACLIUS 610-641. Fondateur de la dynastie des Héraclides, il réorganise la défense de l'Empire et repousse les Perses, les contraignant à restituer l'Égypte. Il est le créateur des «thèmes» (régions) d'Asie Mineure, et celui qui imposa le grec comme langue officielle, favorisant l'hellénisation de l'Empire.

LA QUERELLE DES IMAGES. Les dissensions religieuses culminent au VIIIe siècle avec la «querelle des images». Léon III L'Isaurien (717-741) interdit les icônes en tant qu'objets d'idôlatrie. Dès lors, et pendant près d'un siècle et demi, l'Empire est partagé entre iconodules, adorateurs d'images, et iconoclastes, adversaires des images. L'impératrice Théodora ramène la concorde en 843, autorisant à nouveau l'imagerie religieuse. Néanmoins le IXe siècle voit s'agrandir le fossé séparant l'Église d'Orient et l'Église d'Occident.

Saint Luc, mosaïque d'Hosios Loukas.

CONSTANTIN PORPHYROGÉNÈTE 905-959. Le dernier grand empereur de la dynastie macédonienne, outre son œuvre législative et d'importantes réformes des systèmes éducatifs et administratifs, soutint activement les arts et les lettres. Un siècle plus tard, Michel Psellos (1018-1078), lettré et homme de sciences, rédigera la vie des empereurs byzantins.

Faïence d'Iznik, vers 1600.

LE DÉCLIN. Constantinople a acquis sous la dynastie macédonienne une grande puissance économique et politique, souvent au détriment des provinces, créant des conflits entre pouvoirs central et locaux. Ce manque de cohésion desservira l'Empire lors de la première invasion des Turcs seljoukides qui, après leur victoire à Mantzikiert (1071), s'installent définitivement en Asie Mineure. La dynastie des Comnènes (1081-1185) mènera une politique pro-occidentale et des efforts constants pour conserver ses territoires, mais l'Empire ploie bientôt sous les coups des Turcs et des Vénitiens. La victoire de ces derniers à Myrioképhalon (1176) précipite le déclin, consommé avec la prise de Constantinople par les croisés en 1204.

L'ÉCLATEMENT DE L'EMPIRE BYZANTIN 1204-1453. Quatre royaumes grecs indépendants sont fondés : les empires de Trébizonde et de Nicée, les dépostats de Morée et d'Épire. La reprise de Constantinople en 1261, et le rétablissement de l'empereur Michel Paléologue (1261-1282) ne sera qu'un court répit dans l'agonie de l'Empire. Les Turcs ottomans conquièrent l'Épire en 1349, Gallipoli en 1354, puis Andrinople en 1362. Après une première tentative infructueuse en 1422, l'armée ottomane assiège de nouveau Constantinople en 1453. Le 29 mai 1453, Constantinople, capitale de l'Empire byzantin depuis mille ans, succombe aux forces supérieures en nombre du sultan Mehmet II, surnommé depuis le Conquérant. Il offre au savant grec Gennadios Scholarios le trône patriarcal, lui conférant l'autorité spirituelle et temporelle sur tous les chrétiens orthodoxes de son empire. Les privilèges ainsi concédés permettront à l'Église orthodoxe grecque de préserver une forme de conscience nationale.

LA CULTURE GRECQUE EN OCCIDENT. Au XVe siècle, de nombreux Grecs fuient vers l'Occident. Parmi eux, des intellectuels qui s'installent en Italie où ils importent leur héritage culturel. Le renouveau d'intérêt pour les textes antiques qui s'ensuit donnera naissance à l'Humanisme qui s'étendra à toute l'Europe. Les premières œuvres imprimées en grec le sont à Milan, Florence, Rome et Venise (fin XVe siècle) qui deviendra le principal centre d'édition grecque.

1054
Grand schisme.

XIe SIÈCLE
Constructions des monastères de Daphni et d'Hosios Loukas.

1082
Venise obtient le droit de libre commerce.

1096
Première croisade.

1204-1261
Empire de Nicée.

1261-1453
Empire de Constantinople.

1540-1570
Les Ottomans maîtres de tout l'espace grec.

1645-1669
Guerres vénéto-turques. Prise de la Crète par les Ottomans.

1687
Reconquête vénitienne de la Morée. Explosion au Parthénon.

LA GRÈCE EN EXIL XVIe -XVIIIe SIÈCLES

La Sérénissime République est la terre d'exil privilégiée des Grecs qui occupent tout un quartier de Venise, le *Campo dei Greci*. À la même époque, Cyrille Loucaris (1572-1638), patriarche d'Alexandrie puis de Constantinople, organise l'enseignement et introduit l'imprimerie en Grèce. En Crète, occupée par les Vénitiens depuis 1271, se réfugient également de nombreux Grecs : la rencontre des deux cultures y sera fertile. La littérature, souvent inspirée des modèles italiens,

Église de la Kapnikaréa.

y donne des œuvres originales. L'École crétoise de peinture religieuse constitue, en parallèle à celle de Macédoine, une des réussites les plus accomplies des arts plastiques.

Les Phanariotes. La noblesse du quartier grec de Constantinople, le Phanar, œuvre pour le développement de la culture grecque, en fondant écoles et imprimeries, et en étant à l'origine de réformes sociales et économiques. L'intensification des échanges avec l'Occident, au XVIIIe siècle, permet un renouveau de l'hellénisme. En 1774, le traité de Küçük Kaynarca, signé avec la Russie, accorde aux Grecs la libre navigation sur la mer Noire et leur permet d'utiliser le pavillon russe.

Portrait de Constantin Rhigas (1757-1798).

Mouvement des Lumières et mouvement national 1770-1821. L'érudit Eugène Voulgaris (1716-1806), qui voyagea dans toute l'Europe occidentale et traduisit Voltaire, fut l'initiateur des Lumières grecques. Amorcé par les princes phanariotes du XVIIIe siècle, suivant le modèle des despotes éclairés, ce mouvement sera le fait de la bourgeoisie. Entre 1699 (traité de Karlowitz) et 1774 (traité de Küçük Kaynarca), l'Empire ottoman doit renoncer pour la première fois, à certains de ses territoires au profit de la Russie et de l'Autriche. Le désir des Grecs de se libérer du joug turc est bientôt réveillé par les émissaires de Catherine II de Russie qui incitent les populations balkaniques à se révolter. Désir que l'échec de l'expédition du comte Orloff, en 1770, n'entamera pas. Adamante Koraïs (1748-1833), helléniste et philosophe de grande renommée, est le chef de file des Lumières grecques. Témoin de la Révolution française et républicain de cœur, il se fera le porte-parole des droits de la Grèce à l'indépendance. Rhigas Velestinlis (1757-1798), auteur d'ouvrages littéraires et scientifiques, ainsi que de pamphlets, fonde le premier journal grec, *L'Éphiméris*, à Vienne en 1790.

Les «Sept Îles». Après la retraite de l'armée républicaine française des îles Ioniennes (1797-1798) et la signature, en 1800, d'un traité entre la Russie et l'Empire ottoman, les «Sept Îles» acquièrent la liberté de former leur propre gouvernement et d'avoir leur Constitution.

1715
Reconquête turque de la Morée.

1748
Naissance à Smyrne d'Adamante Koraïs.

1769-1770
Guerre russo-turque : soulèvement de la Morée.

Mort de Lambros Tzavellas, œuvre anonyme.

1790
Vienne, capitale autrichienne, devient le centre de la diaspora grecque.

1800
République ionienne.

1823
Solomos compose son Hymne à la Liberté.

Vue d'Athènes depuis la colline de Philopappos, par Richard Bankes Harraden, 1830.

Portrait de Ioannis Kapodistrias (1776-1831), sur le billet de 500 drachmes.

Au XIXe siècle, se forment de nombreuses sociétés secrètes. La plus importante, la *Philiki Eteria*, fondée à Odessa en 1814 et financée par des commerçants de la diaspora, participe activement à la diffusion des idées révolutionnaires et réunit les fonds nécessaires aux armées de libération. Au premier journal grec paru entre 1790 et 1798, s'ajoutent bientôt d'autres publications. Entre 1811 et 1821, elles feront le lien entre la diaspora et la nation.

Navire grec des forces indépendantistes.

LES PHILHELLÈNES. Ayant témoigné dès la fin du XVIIIe siècle de l'intérêt des intellectuels européens pour la Grèce antique, le philhellénisme intègre de nouvelles préoccupations dans les deux décennies précédant la guerre d'Indépendance. À la suite de Chateaubriand et de Lord Byron, nombreux sont les écrivains, philosophes, savants, politiques ou militaires qui accordent leur sympathie à la cause grecque, influençant les gouvernements européens d'abord hostiles au soulèvement. Des comités se forment pour soutenir l'effort de guerre, des philhellènes s'engagent aux côtés des insurgés.

LA GUERRE D'INDÉPENDANCE 1821-1827. Elle commence en mars 1821 par des offensives dans les pays danubiens, puis dans le Péloponnèse. Les forces armées, constituées de soldats irréguliers klephtes et armatoles pour la plupart, progressent d'abord rapidement, instituant des gouvernements locaux dans les territoires reconquis. Le massacre de Chio, en 1822, émeut l'opinion internationale et inspire une des œuvres les plus fortes du peintre Delacroix. Lord Byron débarque à Missolonghi en décembre 1823. Entre 1823 et 1825, des divergences opposant différents intérêts provoquent des guerres civiles qui retardent d'autant la libération. Les armées d'Indépendance essuient de graves défaites en 1826 avec la perte de Missolonghi et la chute de l'Acropole d'Athènes. Mais, le 20 octobre 1827, les flottes russe, anglaise et française anéantissent la flotte turco-égyptienne au large de Navarin.

Le roi Othon et son épouse, gravure, 1854.

IOANNIS KAPODISTRIAS 1828-1831. Sept mois avant la victoire décisive de Navarin, la IIIe Assemblée nationale élit premier gouverneur de la Grèce Ioannis Kapodistrias, noble originaire de Corfou et ancien ministre du tsar Alexandre Ier. En 1929, le traité d'Andrinople reconnaît l'autonomie de la Grèce, confirmée par un nouveau protocole signé à Londres en février 1830. Kapodistrias réorganise l'État, apportant des soins tout particuliers à l'éducation. Mais son refus d'appliquer la Constitution provoque une vive opposition. Son assassinat, le 9 octobre 1831, laisse le pays en pleine anarchie et permet aux Alliés d'imposer un monarque de leur choix.

Arrivée du roi Georges Ier à Athènes, *Illustrated London News*, 28 novembre 1863.

1827
Victoire des flottes alliées française, russe et anglaise, à Navarin.

1831
Assassinat de Ioannis Kapodistrias.

1833
Accession au trône d'Othon.

1834
Athènes choisie comme capitale.

1837
Fondation de l'université d'Athènes.

1843
Soulèvement pour le rétablissement de la Constitution.

1863
Accession au trône de Georges Ier.

Avions de guerre allemands ME 110

Elefthérios Venizélos.

1864
Annexion des îles Ioniennes.

1881
Annexion de la Thessalie.

Affrontement gréco-turc, la bataille des cinq puits, 1912.

1912-1913
Annexion de l'Épire, de la Macédoine et de la Crète.

1913
Assassinat de Georges Ier et accession au trône de Constantin Ier.

Othon, roi de Grèce.

Fils du roi Louis Ier de Bavière, Othon (1833-1862) devint roi de Grèce à moins de 18 ans. Il abolit la Constitution de 1827 et règne en monarque absolu jusqu'en 1843. Malgré la réorganisation de certaines institutions, la proclamation de l'Église autocéphale et, en 1837, la fondation d'une université, le mécontentement est général. Les Grecs voient d'un mauvais œil les interventions constantes des ambassadeurs français, anglais ou russe, et subissent les effets de la crise économique. La révolte éclate le 3 septembre 1843 à Athènes dont les citoyens, ainsi que les chefs politiques ou militaires, réclament le rétablissement de la Constitution. Après une brève résistance Othon s'incline. Néanmoins, l'ingérence des puissances étrangères continue de nourrir l'opposition des forces libérales et antidynastiques. Entre 1854 et 1857, l'occupation du Pirée par les armées anglaise et française accentue le malaise qui amène en 1862 la destitution et l'expulsion du couple royal.

Georges Ier, roi des Hellènes.

Le règne de Georges Ier (1863-1913) coïncide avec l'accroissement des territoires grecs : la Thessalie en 1861, les îles Ioniennes en 1864, la Crète en 1912, l'Épire, la Macédoine et les îles de la mer Égée. Le premier ministre C. Tricoupis (1882-1895) introduit des réformes économiques et lance de grands travaux publics, dont le percement de l'isthme de Corinthe (1882-1893), qui permettront un développement considérable du commerce et de la marine marchande.

Les Mauvaises nouvelles, carte-postale.

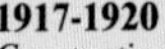

1917-1920
Constantin Ier déchu et exilé. E. Venizélos, premier ministre.

1922
Constantin abdique.

1926
Déclaration de la République.

1928-1932
E. Venizélos rappelé au gouvernement.

Le XXe siècle

Elefthérios Venizélos.

Ancien ministre de la Justice et des Affaires étrangères de Crète, et chef de la révolte de 1905 qui amènera la libération de l'île, Elefthérios Venizélos (1864-1937) est appelé en Grèce à la suite du coup d'État de 1909. Nommé Premier ministre du nouveau gouvernement en 1910, sa politique s'appuie sur la bourgeoisie libérale et les intellectuels progressistes. En 1912, la Grèce s'associe à l'Alliance balkanique qui rentre en guerre contre les Turcs. Elle y gagnera une expansion considérable de ses territoires, confirmée par le traité de Bucarest en 1913.

Le général Metaxa et Georges II (1936)

Première et Seconde Guerres mondiales.

En 1914, les divergences entre Venizélos, favorable aux Alliés, et le roi Constantin Ier,

germanophile, maintiennent dans un premier temps la Grèce dans la neutralité. En 1917, le roi abdique et la Grèce rentre en guerre : elle y gagnera la Thrace occidentale et Smyrne (traité de Sèvres, 1918). Les dissensions entre partisans de Constantin et de Venizélos divisent le pays : en 1920, Venizélos est battu aux élections et le roi Constantin rentre d'exil. Les Alliés retirent leur soutien à la Grèce qui doit affronter, en Asie Mineure, les armées turques nationalistes conduites par Mustafa Kemal. La défaite de l'armée royaliste en 1922 et la perte de Smyrne entraînent l'exode des populations helléniques d'Asie Mineure. En mars 1924, Alexandre Papanastassiou proclame la République, en butte jusqu'à son abrogation aux coups d'États militaires. En 1935, le roi Georges II se rétablit sur le trône. L'année suivante le général Ioannis Métaxas, nommé Premier ministre, abolit la Constitution. Le 28 octobre 1940, la Grèce refuse d'accepter l'ultimatum italien et rejoint bientôt la coalition alliée dans la Seconde Guerre mondiale. En avril 1941, les armées hitlériennes avancent rapidement sur la Grèce. L'armée nationale soutenue par les forces britanniques perd du terrain et se replie en Crète. Elle parviendra à résister jusqu'en mai lorsque commence l'occupation allemande. Néanmoins la résistance s'organise et le pays sera libéré en 1944.

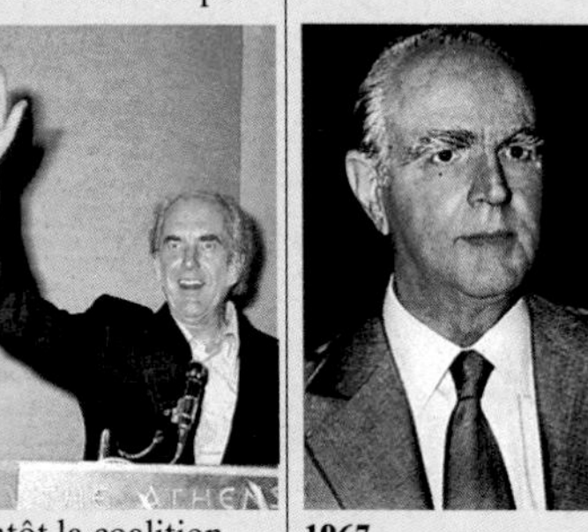

La Grèce de 1946 à nos jours. Entre 1946 et 1949, l'opposition entre la dictature monarchique de Georges II et les partis de gauche prend l'aspect d'une véritable guerre civile qui prendra fin avec la victoire des forces royalistes. Le régime monarchique constitutionnel, rétabli en 1947, se maintiendra jusqu'en 1974. Durant cette période, les conflits idéologiques perdurent et l'instabilité qui en découle permet la prise du pouvoir par la junte militaire en 1967. La dictature ne prendra fin qu'en 1974 : l'abolition de la monarchie est votée par plébiscite en décembre de cette année. Dès lors le rétablissement de la vie démocratique, les progrès économiques et sociaux rapides permettent à la Grèce d'adhérer à la C. É. E. en 1981. À partir de 1992 la vie politique se cristallise autour de l'affirmation de l'hellénisme et de l'opposition à la constitution d'un État indépendant portant le nom de Macédoine.

1935
Royauté rétablie avec Georges II.

À gauche, Andréas Papandhréou ; ci-dessous Constantin Karamanlis.

1967
Instauration du «régime des colonels». Le roi Constantin II s'exile.

1974
Fin du régime dictatorial des colonels. Restauration de la République.

1993-1996
Andréas Papandhréou redevient Premier ministre, après l'avoir été de 1981 à 1989.

En 1827, six ans après le début de la guerre d'Indépendance, le sort de la révolution grecque paraît incertain. Depuis deux ans, les troupes du sultan Ibrahim Pacha mettent à sac la Morée. Après la prise de Missolonghi et de l'Acropole d'Athènes, les Turcs sont à nouveau maîtres de la Grèce continentale. Sous la pression de l'opinion publique, la France, l'Angleterre et la Russie, soucieuses de leurs intérêts commerciaux, exigent du sultan une trêve immédiate et la reconnaissance de l'autonomie de la Grèce. Le refus de la Sublime Porte de se soumettre à cette exigence provoque la bataille de Navarin, le 20 octobre 1827, entre les forces navales turco-égyptiennes et les flottes alliées.

Les forces turques occupent la partie orientale de la baie. Les flottes se déploient sur un arc de cercle, allant du sud au nord, de la pointe de la citadelle au fond de la rade. L'escadre française forme l'aile gauche du triple croissant. L'amiral anglais s'avance lentement : à 1 h 35, il dépasse les forts qui défendent sur l'une et l'autre rive l'accès de la rade.

«En arrivant, j'ai trouvé la flotte égyptienne à l'ancre : je la surveille.»
Vice-Amiral Sir Edward Codrington

Amiral de Rigny

Contre-amiral Heyden

Combat de Navarin. Les imprimeurs souhaitaient influencer l'opinion publique en faveur des Grecs. Sur cette image d'Épinal, le vaisseau *Hellas* commandé par Miaoulis et les vaisseaux amiraux des grandes puissances *Asia* (Grande-Bretagne), *La Syrène* (France) et *Azof* (Russie).

Vice-amiral Sir Codrington

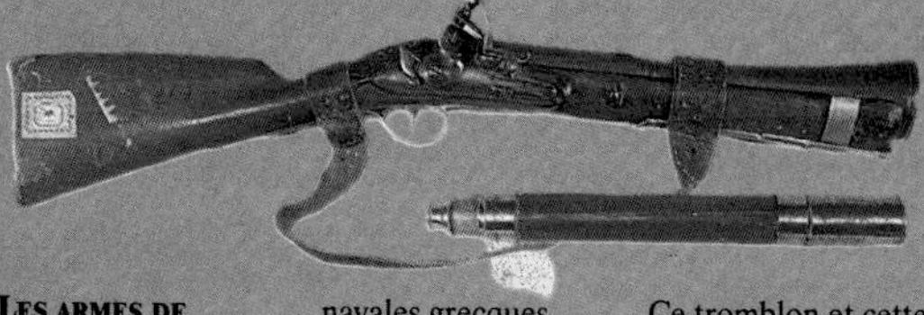
Les armes de l'amiral Miaoulis L'amiral Andréas Miaoulis commanda les principales forces navales grecques engagées dans la guerre d'Indépendance (1821-1827). Ce tromblon et cette longue vue furent utilisés pendant la guerre.

La bataille de Navarin Ce tableau de L. Garneray est une commande du gouvernement français. À gauche, le vaisseau de l'amiral Tahir Pacha à la poupe élevée et toute chargée de dorures, un drapeau cramoisi flottant au grand mât. La frégate de Moharem Bey déploie l'étendard vert avec croissant et étoiles, marque du commandant en chef des forces égyptiennes. Le commandant du *Dartmouth*, le capitaine Fellowes, est gêné dans une manœuvre par un brûlot égyptien ; un coup de fusil tiré du brûlot atteint l'officier anglais qui tombe mortellement blessé. Le *Dartmouth* répond par un feu. 87 navires de guerre sont rangés sur quatre lignes. Dès les premiers coups de canon, la baie entière s'embrase. 65 vaisseaux turcs sont brûlés et coulés. La puissance navale turque est définitivement brisée. Le 20 octobre 1827, l'issue de la guerre d'Indépendance grecque s'est jouée à Navarin. En 1829, le sultan est tenu de signer le traité d'Andrinople qui reconnaissait l'autonomie de la Grèce. Un an plus tard, le protocole de Londres proclame l'indépendance hellénique sous la protection de la France, la Russie et l'Angleterre.

Né en 1778 à Agen, passionné de sciences naturelles, Bory de Saint-Vincent avait dans sa jeunesse participé à une expédition scientifique dans les mers australes, puis avait gagné ses galons de lieutenant-colonel au cours des campagnes de la Grande Armée. Destitué au retour des Bourbons, et exilé de 1816 à 1819, il avait ensuite tâté du journalisme et de la politique, écrivant des ouvrages de vulgarisation scientifique, vivant difficilement de sa plume au point de faire de la prison pour dettes. Il n'en fut pas moins, grâce à l'appui de Martignac, qui avait été son condisciple, désigné pour diriger la section des sciences physiques de l'expédition de Morée. Ses collègues parisiens n'eurent qu'une sympathie mitigée pour ce méridional «vieux grognard», petit de taille, curieux de tout, autodidacte et beau parleur.

Cartes de la Morée Type de carte (ci-contre) antérieure à l'expédition de Morée, celle du Hollandais Willem Blaeu d'Alkmaar (XVIIe siècle). Malgré les relevés réalisés au début du XIXe siècle pour le tracé des côtes, l'intérieur du pays restait mal connu et exigeait des relevés de terrain précis par triangulation. Les matériaux recueillis sur le terrain par l'équipe d'officiers français envoyés permirent de rédiger la carte de la Morée. Gravée sur pierre en 20 feuilles à l'échelle du 200 000e, elle fut éditée en 1852.

Métope du temple de Zeus Olympien
L'Athéna, qui faisait partie de la métope du temple de Zeus Olympien intitulée «Héraclès et les oiseaux du lac Stymphale», fut exhumée dans un parfait état de conservation mais fut abîmée par un ouvrier grec lors des fouilles.

Un dessin de cette métope fut, assure-t-on, exécuté par Trézel avant sa détérioration ; il fut publié dans les *Rapports de la Commission d'architecture et de sculpture*.

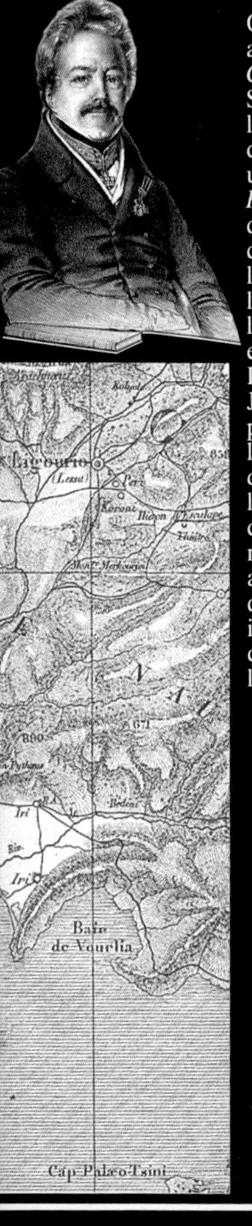

Outre sa participation aux *Rapports de la Commission*, Bory de Saint-Vincent nous a laissé sur l'expédition de Morée une précieuse *Relation de voyage* qui fourmille d'observations sur la flore, la faune, la minéralogie, la géologie et la géographie. La Révolution de Juillet, qui suivit de près le retour de l'expédition, lui valut d'être réintégré dans l'armée avec le grade de colonel d'état-major et un poste au Dépôt des cartes ; quatre ans plus tard, il reçut la cravate de Commandeur de la Légion d'Honneur.

Dessins publiés dans la troisième série, *«Zoologie»*, des *Compte-rendus de l'Expédition de Morée.*

Vue du port de Modon Utilisé, ainsi que Navarin et Coron, par le corps expéditionnaire français pour le ravitaillement des troupes présentes en Morée. Nombreux bateaux à l'ancre. On lit en marge de la gravure : «Minaret où Jésus a remplacé Mahomet». La libération de la Grèce fut par certains aspects une croisade contre l'Islam.

La commission scientifique en déplacement Dans ce pays dévasté par la guerre, aux maisons ruinées, à la population clairsemée, enfuie dans les îles, quand elle n'a pas été massacrée ou emmenée en esclavage, le bivouac reste la moins inconfortable ressource pour les voyageurs.

Ithome et Evan Les hauteurs dominant le site de l'antique Messène, vues du sud-est, près d'une source du Pamisos. Halte des savants sous un arbre, mules en liberté dans le marais, relief quelque peu exagéré par l'imagination du peintre Baccuet, membre de l'expédition.

«À L'ENTRÉE DE LA RADE, SUR LE PENCHANT D'UN ROC VIF, LES MURS DE NAVARIN, AVEC LEURS MEURTRIÈRES, LEURS PORTES SOMBRES ET LES DÉCOMBRES ENTASSÉS, RESSEMBLAIENT À UN CIMETIÈRE DE CAMPAGNE...» E. QUINET

ARRIVÉE DE LA COMMISSION DANS UN VILLAGE GREC À Kardamyli, sur la côte orientale du golfe de Messénie, au pied du Taygète, quatre soldats en armes escortent six savants en tenue soignée, accueillis par les autorités locales. On lisait dans la presse française : «Partout nos voyageurs ont vu les Français accueillis avec reconnaissance et empressement.»

ARRIVÉE DE LA COMMISSION À TRIPOLITZA La ville avait particulièrement souffert. Les Grecs s'en étaient emparé dès la première année du soulèvement, massacrant les Turcs qui s'y trouvaient. Le sultan Ibrahim n'avait pas manqué de leur appliquer la loi du talion quand il reprit la ville en 1825.

LE ROCHER DE MONEMVASIE VU DE LA TERRE FERME Protégé par un étroit bras de mer, celle qu'on appelait Napoli de Malvoisie fut, avec Napoli de Romanie, la seule place forte du pays où continua de flotter le drapeau grec, lors de la reconquête de la Morée par le sultan Ibrahim.

Les Philhellènes

Le mouvement philhellénique, né dès le début de la guerre d'Indépendance, se renforça à partir de 1825 : la mort de Lord Byron à Missolonghi, la résistance de la ville assiégée pendant deux ans et la fin héroïque de ses défenseurs, la vente

des femmes et des enfants comme esclaves, émurent l'opinion publique et engendrèrent un élan de solidarité international. Ainsi furent créés et vendus au profit des insurgés, des œuvres d'art ou de simples objets de la vie quotidienne : pendules, vases et assiettes en faïence, étiquettes commerciales, etc. Les sujets, inspirés parfois des peintures de maîtres tels qu'Eugène Delacroix, Ary Scheffer ou Horace Vernet, évoquent le plus souvent des épisodes héroïques ou mettent en scène des personnages illustres de cette période de l'histoire grecque.

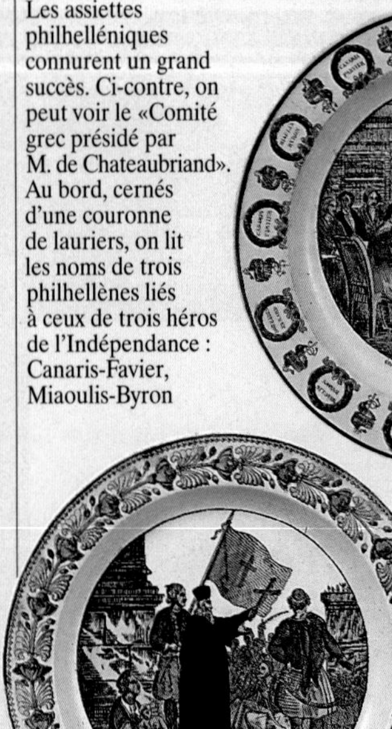

Les assiettes philhelléniques connurent un grand succès. Ci-contre, on peut voir le «Comité grec présidé par M. de Chateaubriand». Au bord, cernés d'une couronne de lauriers, on lit les noms de trois philhellènes liés à ceux de trois héros de l'Indépendance : Canaris-Favier, Miaoulis-Byron et Botzaris-Eynard, avec la devise «Croix et liberté». Les assiettes ci-dessous présentent chacune un épisode clef de la guerre : «Les Grecs recevant la bénédiction à Missolonghi» et «Mavrocordatos prenant un fort défendu par les Turcs». Elles proviennent de la manufacture de Montereau.

Lord Byron
Ce panneau de papier peint, d'après une composition de J.-J. Deltil intitulée «Lord Byron en Grèce», a été exécuté en 1828 par Zuber dans sa manufacture de Rixheim. Président du Comité philhellénique de Mulhouse de 1825 à 1830, Zuber réalisa aussi un vaste panoramique, «Les combats des Grecs», de 16 m sur 2,80 m.

L'héroïsme
Cette peinture d'après un tableau de Ary Scheffer, formant la partie supérieure d'un trumeau, montre un «jeune Grec défendant son père».

Quelques objets philhelléniques
Ces statuettes en porcelaine de Paris, hautes de 18 à 33 cm, servaient de flacon à liqueur. Celles-ci, produites aux alentours de 1835, sont l'œuvre de Jacob Petit.

La vogue des pendules
Celle de gauche, en bronze doré (1830) représente un couple grec dont le mari part se battre. Une cinquantaine de pendules de cette époque s'inspirent de faits d'armes décrits par la presse ou les lithographies. À droite, ce sujet du «Grec assis» a servi de modèle à divers objets dont des encriers.

LE PROBLÈME DE LA LANGUE GRECQUE

Le grec parlé aujourd'hui est la résultante de l'évolution historique de la langue parlée et d'une série de réformes linguistiques entreprises depuis la création de l'État grec. La question de la langue est depuis deux siècles au centre des débats des milieux intellectuels. Entre 1780 et 1820, à la veille de la guerre d'Indépendance, il s'agissait déjà de choisir une langue nouvelle pour la jeune nation hellène : les défenseurs du classicisme, regroupés autour du Patriarcat de Constantinople, s'opposaient aux nouvelles classes urbaines partisanes d'une simplification de la langue.

L'INFLUENCE D'A. KORAÏS. Un courant intellectuel formé autour de Koraïs, écrivain grec vivant à Paris, proposa un compromis entre la langue de l'Église, antiquisante, et celle de la bourgeoisie, représentée essentiellement par les commerçants des villes. Considérant que les Grecs étaient les descendants directs des Hellènes antiques, Koraïs pensait que la Grèce nouvelle devait renaître sur le terreau de la culture hellénique : il fallait donc remplacer la langue vulgaire, parlée par le peuple non instruit depuis l'époque byzantine, par une langue purifiée des mots étrangers qui se ressourcerait au passé glorieux des Hellènes ; pour sortir la nation de son état de servitude, l'éducation du peuple était une priorité.

La Lutte entre les grenouilles et les souris est un des plus anciens livres grecs imprimés à Venise, en 1486.

LA DIGLOSSIE EN GRÈCE

Au lendemain de l'Indépendance, les idées de Koraïs sont adoptées, ce qui instaure de fait deux langues en Grèce : la langue épurée, *katharevoussa* (de *katharos*, pur), essentiellement écrite, qui devient la langue officielle ; et la langue populaire, *dhimotiki* (de *dhimos*, peuple), qui évolue avec la langue parlée. La question de la langue n'était donc pas réglée. La diglossie n'était pas un phénomène nouveau en Grèce : la langue commune byzantine, la *koinè*, avait déjà évolué indépendamment de la langue officielle

Α Β Γ Δ Ε Ζ

Alpha. A — Béta. B — Gamma. G — Delta. D — Epsilon. E — Dzéta. Z

Ν Ξ Ο Π Ρ Σ

Nu. N — Ksi (Xi). X — Omicron. O — Pi. P — Rhô. R — Sigma. S

«LE FLEUVE DE LA LANGUE GRECQUE A CHARRIÉ EN COURS DE ROUTE LES EAUX DE MAINTES RIVIÈRES ÉTRANGÈRES MAIS IL PROVIENT TOUJOURS DE LA MÊME SOURCE.»

JACQUES LACARRIÈRE

de l'État et de l'Église que les puristes avaient cherché à fixer comme symbole immuable de la pérennité de l'Empire chrétien. Dans la Grèce moderne, cette diglossie reflète aussi l'opposition classique entre le peuple et l'élite. En effet, l'apprentissage de la langue savante, qui se présente comme une forme simplifiée du grec ancien que tout citoyen honorable doit maîtriser, ne se fait qu'à l'école. Jusque dans les années 1970, la *katharevoussa,* langue de la pensée, de la science et des idées nobles par excellence, était utilisée pour rédiger les lois, les textes administratifs, les journaux, les nouvelles à la radio. Elle est parlée par les fonctionnaires, les hommes de lois, les médecins ou les prêtres. Ces derniers, tout comme les paysans, les petits commerçants, les ménagères ou les travailleurs manuels utilisent aussi la langue populaire, la *dhimotiki*.

ADAMANTE KORAIS (1748-1833). Helléniste et philosophe de grande renommée, il fut le chef de file des Lumières grecques.

LA LITTÉRATURE

Le phénomène de la diglossie fut également présent en littérature. Pendant toute la période post-byzantine, la langue populaire se limite essentiellement à la littérature orale. Mis à part quelques romans populaires et quelques recueils théologiques publiés à Venise et dans les îles Ioniennes, la littérature en langue populaire fait de rares apparitions jusqu'à la fin du XIXe siècle. Roïdis, écrivain et critique littéraire (1836-1904), tout en utilisant lui-même la *katharevoussa* dans ses œuvres, se fait le défenseur de la langue parlée : «La situation actuelle de notre langue est telle que l'écrivain n'arrive pas à exprimer de manière suffisamment précise deux idées sur dix sans avoir à recourir à l'emploi de quelque mot ou forme grammaticale, soit banni de notre langue écrite parce que vulgaire, soit archaïsant et donc inopérant dans la langue parlée. [...] Il ne s'agit guère ici de la langue du peuple et de la langue des érudits, mais de la diglossie des mêmes personnes, qui ont une langue vivante à travers laquelle ils expriment tous leurs sentiments et leurs passions, et qui sont condamnés à utiliser dans l'écriture ou le discours une autre langue, à travers laquelle il est absolument impossible

Ce livre religieux en langue grecque fut imprimé en 1523, à Venise, le principal centre de l'édition grecque durant l'occupation du pays par les Turcs.

Êta. I — Thêta. Th — Iota. I — Kappa. K — Lambda. I — Mu. M

Tau. T — Upsilon. Y — Phi. Ph — Khi. Kh — Psi. Ps — Oméga. O

d'exprimer soit des sentiments soit des passions.» (préface de Parergha, 1885). En 1886, paraît le premier recueil de poèmes de Costis Palamas, en *dhimotiki*. La publication en 1888 de *Mon voyage de Psycharis*, à mi-chemin entre le roman et l'essai, relance le débat de la langue. Celui-ci prône l'emploi immédiat de la langue populaire dans tous les domaines ; il est à l'origine du mouvement intellectuel du tournant du siècle appelé *Dhimotikimos* (mouvement vulgariste). De nombreux hommes de lettres se battent pour la reconnaissance de la langue populaire à travers des associations : *Ekpedheftikos Omilos* (Association éducative) et *Ethniki Ghlosa* (Langue nationale), entre autres, qui sont à l'origine de la réforme linguistique de 1917 qui ne dura que trois ans. Les traditionalistes de l'époque jugeaient les partisans de la *dhimotiki* socialistes voire anarchistes. Amalgame politique qui trouva sa source dans le fait que les mouvements socialistes, puis communistes, adoptèrent la langue du peuple. En 1920, c'est le retour en arrière et il faudra attendre 1975 pour que la langue néo-hellénique, comme on l'appelle dorénavant, devienne langue officielle.

Une nouvelle génération d'écrivains. Deux écrivains marquent ce tournant : le romancier Papadiamantis et le poète Cavafy, qui forgent leur propre langue, à mi-chemin entre la *katharevoussa* et la *dhimotiki* proprement dites. Pendant l'entre-deux-guerres, une nouvelle génération d'auteurs se met à élaborer une langue littéraire qui puise essentiellement dans la langue parlée : Kazantzakis, Sikelianos, Varnalis, Karyotakis, Seferis, Embirikos, Elytis, Ritsos et Venezis. La diglossie se maintient néanmoins jusque dans les années 1970 où les colonels putschistes – dont les travers de semi-lettrés adeptes de l'hyper-correction alimentaient les quotidiens – ôtèrent toute crédibilité à la *katharevoussa*. Dans ses *Essais*, Georges Seferis, prix Nobel de littérature, pose bien le problème : «Tout se passe en effet en Grèce comme si nous étions mus par une haine mortelle de notre langue. Le mal est arrivé au point qu'on ne peut plus guère l'expliquer que comme le symptôme d'une véritable aliénation collective. Peut-être nos névroses contemporaines sont-elles la conséquence naturelle des siècles de refoulement que nous a imposé le règne de la cuistrerie. Car, ne l'oublions pas, la question n'est plus aujourd'hui de savoir si nous écrirons en démotique ou en *katharevoussa*. Non, elle se résume à ce tragique dilemme : écrirons-nous grec ou non, écrirons-nous grec ou un quelconque espéranto sous livrée grecque ?»

L'Iliade d'Homère
Le chef-d'œuvre fondateur de la littérature grecque fut publié en langue grecque moderne pour la première fois en 1488, à Florence. Cette très belle édition illustrée sortit des presses de l'imprimeur «Démétrius le Crétois».

Diphtongue
Un groupe de deux voyelles simples forme une diphtongue (du Grec diphthoggos : double son). La modification phonique de ces voyelles complexes se fait au cours de leur émission. Deux consonnes jointes servent à créer des sons qui n'existent pas dans la langue grecque.

EY HY OY, U
AI OI NI MΠ NT TZ
EI AY TΣ YK

aque orthodoxe est la fête de
ésurrection du Christ ainsi que
'épanouissement de tout ce qui vit. Point
epère dans la vie collective et privée, elle e
mée par des rites byzantins orthodoxes hau
couleur et chargés d'émotions. L'Église
orthodoxe grecque, traditionaliste
pour tout ce qui concerne le cult
utilise les Évangiles dans leur
version originale, comprise pa

Anastasis
Ressuscité, le Christ s'élève vers la lumière, symbolisée ici par la voûte dorée. Il entraîne hors de l'Hadès, dont les portes gisent brisées sous ses pieds, Adam, Ève et l'humanité entière. Vêtus des habits des empereurs byzantins de la dynastie macédonienne, les rois hébreux, Salomon et David, le vénèrent.

L'agneau du Christ
Emblème du Christ, l'agneau est brodé sur cet habit sacerdotal, mais aussi grillé à la broche pour le repas pascal. Il porte le nom d'*ovelias* comme les offrandes antiques.

Les œufs rouges
Le Mercredi Saint, les femmes teintent des œufs en rouge, couleur du sang du Christ et couleur de la joie. On s'échange ces oeufs, symboles du message de la Résurrection : *Christos Anesti*.

Cierges de Pâques
Le blanc, symbole de pureté, est omniprésent : ce sont aussi bien les maisons et les rues blanchies à la chaux que les cierges par lesquels on recevra la flamme purificatrice annonçant la Résurrection. Privilège des enfants, les cierges de Pâques, enrubannés et décorés, envahissent alors les magasins.

Dans la société grecque contemporaine, l'identité de l'individu est définie par son appartenance à un groupe familial. Le terme *Ikoghenia,* qui désigne la famille, est composé de *ikos*, la maison et de *génos,* la lignée. La famille est un groupe de parents qui porte le même nom et habite la même maison, foyer des relations sociales. À Athènes, nombre de pratiques sociales relèvent des systèmes traditionnels des communautés d'origine de la population urbaine. Ainsi le système de la dot pratiqué dans la capitale fait partie de la tradition des îles de la mer Égée, où la maison familiale constitue la dot, ou *prika*, que la femme apporte en mariage et qui lui appartient.

LA TRADITION
Dans le système traditionnel, les hommes naissent et meurent au sein du même groupe familial et la solidarité entre hommes consanguins est la règle. Il en est tout autrement pour les femmes, dont l'identité sociale se définit par rapport aux hommes. Une femme est la fille ou l'épouse d'un homme. La forme grammaticale des noms de famille en grec est révélatrice : l'épouse de Monsieur O Kirios Mikros ou de Monsieur le Petit, sera I Kiria Mikrou, ou Madame du Petit.

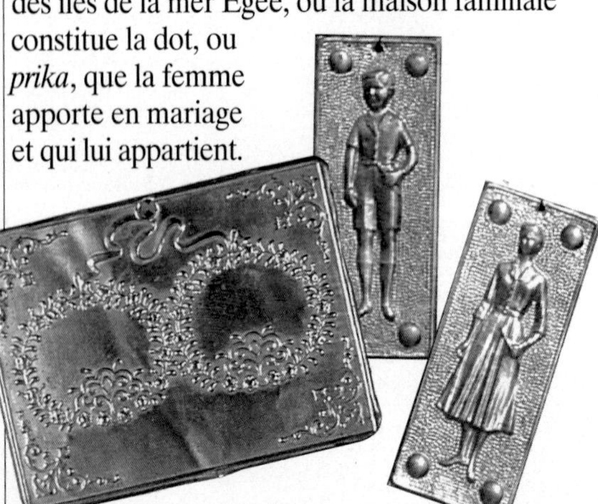

Les cinq frères
Enseigne de marchand de quatre-saisons. Les propriétaires affichent leur solidarité familiale.

Costume de mariée
Ce somptueux costume du début du siècle comprenait une robe, une chasuble brodée de fils d'or et un voile très fin en soie tissé de fils d'or. La jeune femme porte de somptueux bijoux et des pièces d'or. Le costume se transmettait de mère en fille et faisait partie du trousseau de la mariée. Ce dernier comportait d'autres pièces filées, tissées et brodées par la fiancée.

Marins et citadins
À Athènes, comme dans les familles de marins des îles de la mer Égée, les sœurs habitent la même maison, les cousines sont voisines. Le rez-de-chaussée sert de maison familiale, puis un premier étage accueille la première fille mariée, suivi d'un deuxième, parfois d'un troisième étage. Dans les quartiers populaires l'œil averti reconnaît ces constructions inachevées, petits immeubles construits au fur et à mesure des mariages des filles.

Quenouille

Cortège de mariage au début du siècle
Musiciens en tête, le cortège s'avance en chantant. La famille de la mariée et les invités arrivent au village d'Itéa pour assister à la cérémonie.

Le costume grec est d'une extrême diversité, de par ses héritages, antique et byzantin, de par les influences qu'il a subies, notamment turque, mais aussi du fait que chaque région possède des détails particuliers qui sont comme la signature de son identité culturelle et géographique. Les costumes masculins, généralement sobres, recherchent surtout la netteté et la beauté des lignes. Ceux des femmes, aux couleurs souvent très contrastées, sont rehaussés de savantes broderies et d'accessoires : coiffe, écharpe, et nombreux bijoux. Au siècle passé, la robe de mariée était brodée de fils d'or et la coiffe agrémentée de perles ou de pièces de monnaie.

Fête à Mégare, en Attique
Les jours de fêtes, les femmes revêtent leurs costumes traditionnels ; il y a peu de temps encore, chaque femme, non seulement brodait et confectionnait sa propre parure mais également tissait ses propres étoffes sur son métier.

Costumes régionaux, collections du musée Bénaki

Environs d'Athènes

La Maina

Arcadie

Hydra

Albanie

Athènes

1 2 3 4

Costumes féminins
1. Île de Psara, XIXe siècle : la coiffe est une base ovale, rigide, sur laquelle sont enroulés des foulards, le plus long étant brodé. Sous le paletot et le tablier noirs apparaissent la chemise blanche et le jupon brodé. **2.** Mariée de l'île d'Amorgos, XVIIIe siècle : veste brodée d'or et jupe en riche étoffe. (Collections du Musée national historique d'Athènes)

Costumes masculins
3. Île de Chypre, XIXe siècle : dans les îles, le costume le plus répandu était constitué d'une culotte bouffante et d'une veste courte. **4.** Costume de D. Voulgaris, primat d'Hydra, XIXe siècle : la robe longue était portée par les bourgeois et les notables. Il est à noter que la jupette à plis d'origine albanaise, appelée fustanelle, bien que très connue, ne fut mise à la mode qu'au siècle dernier par le roi Othon.

Veste sans manche du XIXe siècle
La veste sans manche, attribut traditionnel du costume féminin, se porte sur une robe ouverte, devant et sur les côtés, elle-même posée sur une chemise légère.

Deux grands cycles ont nourri la musique populaire grecque : le cycle acritique (IXe-XIe siècle) qui raconte la vie et les combats des acrites, les gardes frontaliers de l'Empire byzantin, et le cycle klephtique, qui célèbre les klephtes, à la fois bandits et héros combattant l'occupant turc. Dans un style propre à chaque région, rude dans les montagnes, lyrique dans les îles, la musique *dhimotiko* reflète la lutte du peuple grec pour la liberté, ses joies, ses tristesses, ses attitudes face à la mort. Les chansons du folklore des villes (*rebetika*) n'existent plus aujourd'hui, mais elles sont sources d'inspiration pour de nombreux compositeurs. Un petit musée à Plaka, expose la collection d'instruments populaires du musicologue contemporain, Anoyanakis.

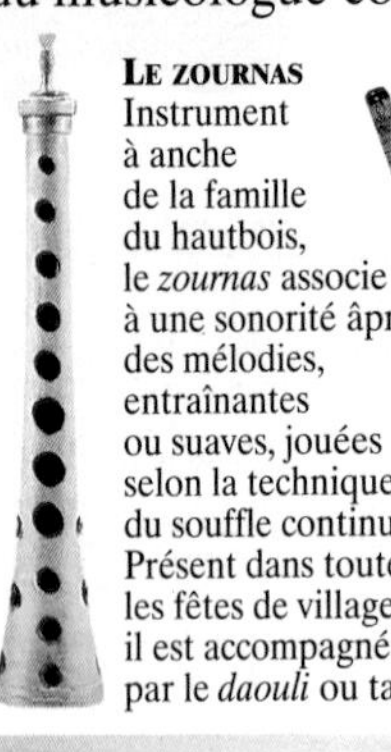

LE ZOURNAS
Instrument à anche de la famille du hautbois, le *zournas* associe à une sonorité âpre des mélodies, entraînantes ou suaves, jouées selon la technique du souffle continu. Présent dans toutes les fêtes de village, il est accompagné par le *daouli* ou tambour.

Les bergers fabriquaient eux-mêmes cette flûte pastorale, la *floyera*, avec des roseaux, du bois, du fer, voire les os d'un oiseau de proie.

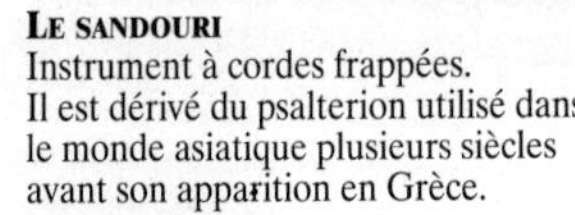

LE SANDOURI
Instrument à cordes frappées. Il est dérivé du psalterion utilisé dans le monde asiatique plusieurs siècles avant son apparition en Grèce.

LES CHANTEURS GRECS
Appartenant à la même famille, le luth, joué par le musicien au centre, et le *tambouras*, tenu par le personnage de droite, sont les ancêtres du *bouzouki* et du *baghlamas.* Les cordes sont pincées à l'aide d'un plectre. Ils accompagnent ici un chanteur klephte. Ces instruments ont connu une grande popularité à partir de la guerre d'Indépendance en accompagnant les chants épiques révolutionnaires. Le tambouras du général Macriyannis est conservé au Musée national d'Athènes.

Traditionnellement en forme d'amulette, les grelots que les bergers accrochaient au cou de leurs bêtes sont progressivement devenus de véritables instruments de musique. Accordés avec la *floyera* du pâtre, ils carillonnent en harmonie avec cette dernière.

Le laghouto

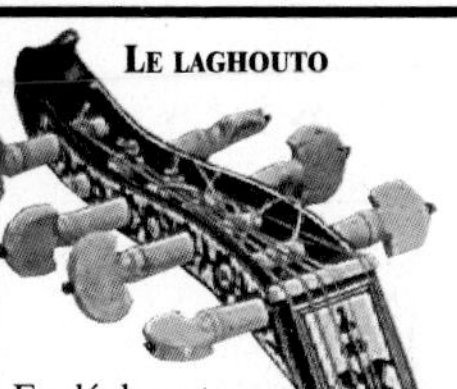

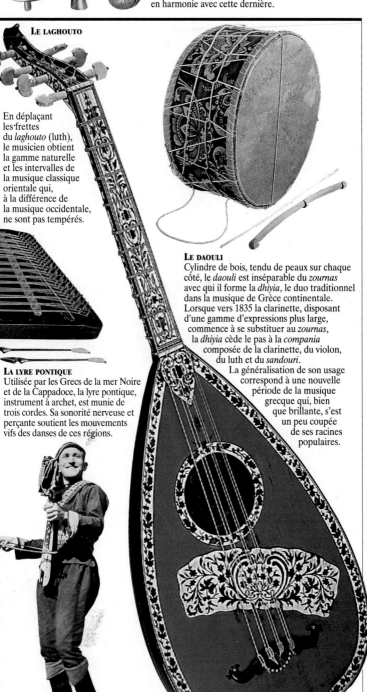

En déplaçant les frettes du *laghouto* (luth), le musicien obtient la gamme naturelle et les intervalles de la musique classique orientale qui, à la différence de la musique occidentale, ne sont pas tempérés.

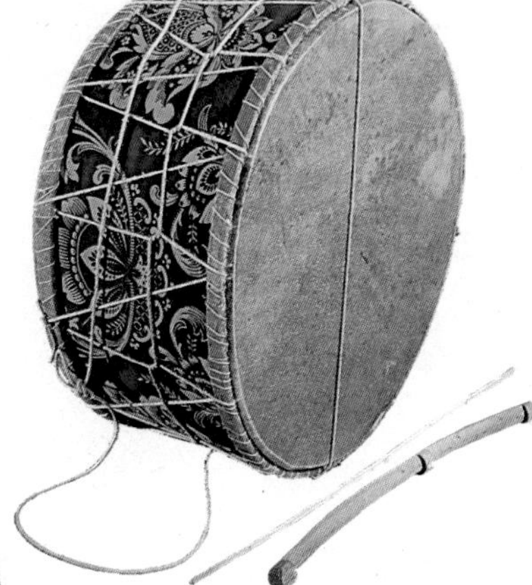

Le daouli

Cylindre de bois, tendu de peaux sur chaque côté, le *daouli* est inséparable du *zournas* avec qui il forme la *dhiyia*, le duo traditionnel dans la musique de Grèce continentale. Lorsque vers 1835 la clarinette, disposant d'une gamme d'expressions plus large, commence à se substituer au *zournas*, la *dhiyia* cède le pas à la *compania* composée de la clarinette, du violon, du luth et du *sandouri*. La généralisation de son usage correspond à une nouvelle période de la musique grecque qui, bien que brillante, s'est un peu coupée de ses racines populaires.

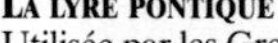

La lyre pontique

Utilisée par les Grecs de la mer Noire et de la Cappadoce, la lyre pontique, instrument à archet, est munie de trois cordes. Sa sonorité nerveuse et perçante soutient les mouvements vifs des danses de ces régions.

FILET DE BŒUF MARINÉ ET RÔTI
PILAF AUX CERISES

Le filet de bœuf mariné et rôti est un plat du dimanche. On le sert généralement avec une garniture de riz aux fruits secs : raisins secs, pruneaux, abricots secs ou griottes séchées, mis à tremper dans du jus de pomme ou d'orange. On peut également utiliser, comme ici, des cerises fraîches ou en conserve.

3. Émietter le laurier, écraser le poivre et la coriandre, hacher l'ail finement.

4. Fouetter le vin rouge, le cherry, le laurier, l'ail, le thym, la coriandre et le poivre dans un saladier.

5. Verser ce mélange sur la viande. Couvrir et laisser mariner 12 h au réfrigérateur. Retourner la viande 2 ou 3 fois.

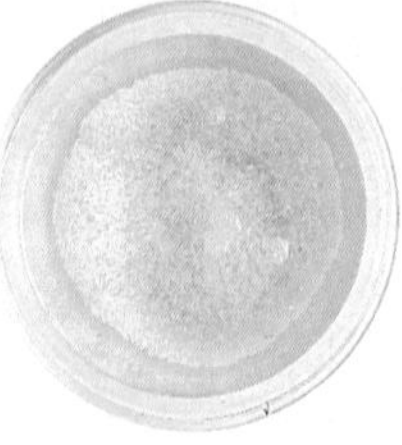

8. Rincer le riz et l'égoutter.

9. Ajouter dans la cocotte 2 cuillerées d'huile, le persil et le riz.

10. Rissoler jusqu'à ce que le riz soit transparent.

13. Laisser revenir 1 à 2 min puis mouiller avec le jus des cerises et 65 cl d'eau.

14. Faire mijoter à feu doux pendant 20 min.

18. Poser le filet de bœuf sur une grille dans un plat à rôtir. Mettre au four préchauffé à 230 °C. Laisser cuire 25 min.

19. Vérifier la cuisson : le rôti doit rendre un jus rosé. Laisser le plat quelques instants devant la porte ouverte du four, le temps que le rôti rende un peu de jus.

20. Déglacer le plat avec la marinade passée. Faire réduire de moitié.

1. Ingrédients : 12,5 cl de cherry, 12,5 cl de vin rouge, 1 kg de filet de bœuf dégraissé et ficelé, 2 feuilles de laurier, 2 cuillerées à café d'huile d'olive, 10 grains de poivre, 1 cuillerée de grains de coriandre, 1 cuillerée de thym, 2 gousses d'ail, 1 pincée de sel.

2. Pour le pilaf : 65 g de persil, 75 g de noisettes, 175 g de griottes, 250 g de riz basmati, 5 cuillerées à soupe d'huile d'olive, 150 g d'oignons, 5 cl de jus de cerise, poivre.

6. Pendant ce temps préparer le pilaf. Hacher le persil, les oignons et les noisettes.

7. Dans une cocotte, faire revenir les oignons à feu doux dans 3 cuillerées à soupe d'huile.

11. Ajouter les noisettes.

12. Incorporer les cerises dénoyautées dont on a réservé le jus. Saler et poivrer.

15. Retirer la casserole du feu, couvrir d'un morceau de mousseline et d'un couvercle. La cuisson se poursuit à la vapeur 15 à 20 min.

16. Pendant ce temps retirer la viande de la marinade. L'éponger dans du papier absorbant.

17. Enduire d'huile d'olive une poêle à fond épais, saupoudrer de sel. Saisir la viande 3 à 4 min.

21. Découper la viande. La napper de jus déglacé et servir avec le pilaf aux cerises.

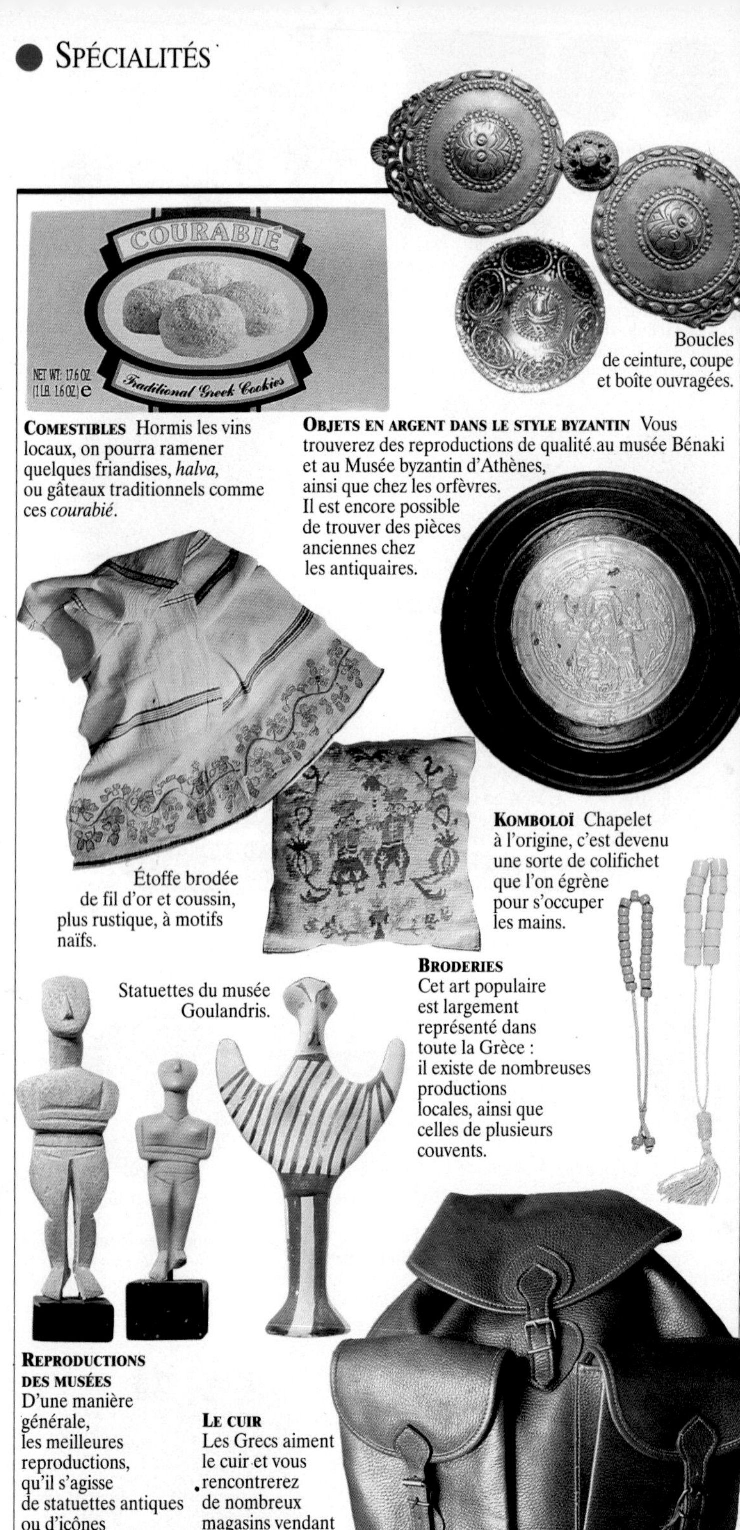

Boucles de ceinture, coupe et boîte ouvragées.

Comestibles Hormis les vins locaux, on pourra ramener quelques friandises, *halva*, ou gâteaux traditionnels comme ces *courabié*.

Objets en argent dans le style byzantin Vous trouverez des reproductions de qualité au musée Bénaki et au Musée byzantin d'Athènes, ainsi que chez les orfèvres. Il est encore possible de trouver des pièces anciennes chez les antiquaires.

Étoffe brodée de fil d'or et coussin, plus rustique, à motifs naïfs.

Komboloï Chapelet à l'origine, c'est devenu une sorte de colifichet que l'on égrène pour s'occuper les mains.

Broderies Cet art populaire est largement représenté dans toute la Grèce : il existe de nombreuses productions locales, ainsi que celles de plusieurs couvents.

Statuettes du musée Goulandris.

Reproductions des musées D'une manière générale, les meilleures reproductions, qu'il s'agisse de statuettes antiques ou d'icônes byzantines, sont celles que l'on trouve dans les boutiques des musées.

Le cuir Les Grecs aiment le cuir et vous rencontrerez de nombreux magasins vendant des sandales et des sacs en cuir à un prix intéressant.

ARCHITECTURE

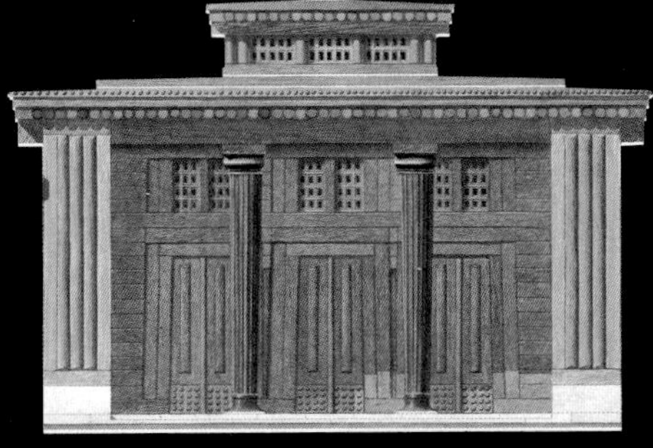

La civilisation grecque est urbaine. Les Grecs de l'époque classique en ont conscience et opposent l'habitat urbain dans l'*asty* (la ville) à l'habitat rural dans les *komai* (les villages). La hiérarchie entre les deux parties est en général nette : la ville, fortifiée, commande au plat pays. Mais, pour être appelé ville, le chef-lieu doit abriter un certain nombre de fonctions, politiques, économiques et religieuses auxquelles correspondent des bâtiments et des espaces spécifiques. Sans acropole, sans agora, sans gymnase, la ville grecque ne saurait exister. Mais une lecture correcte des vestiges archéologiques doit tenir compte de l'histoire. À l'inverse de ce qui se passe, par exemple, dans les colonies, on peut rarement appréhender le stade initial de la création des cités comme Athènes. Seul leur essor est visible ; il s'est fait peu à peu, sans plan d'ensemble.

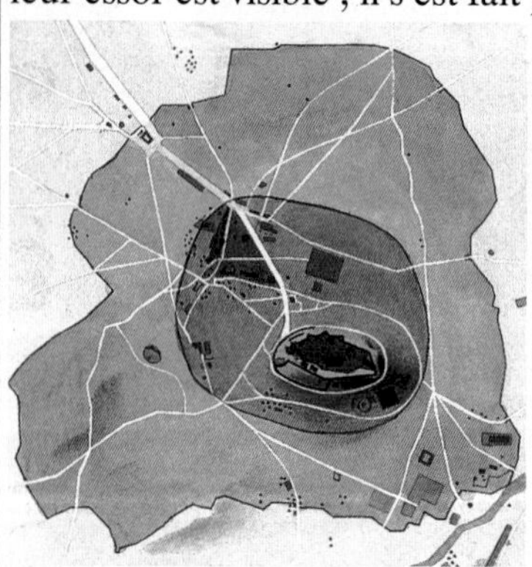

ATHÈNES, UNE CROISSANCE CONCENTRIQUE
Elle s'organise autour de deux pôles : l'Acropole et l'Agora. L'axe principal est la voie des Panathénées qui fait communiquer le flanc ouest de l'Acropole avec le cimetière du Céramique en traversant l'Agora en diagonale.

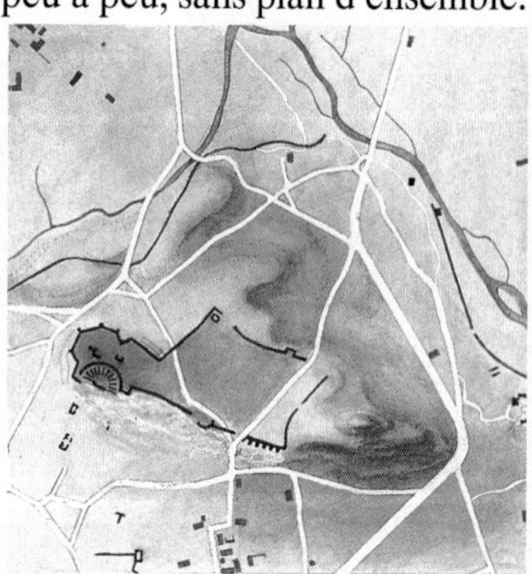

SPARTE
Pour être une des principales cités du monde grec, Sparte n'en est pas moins atypique : sans ville commandant au territoire, longtemps sans murs d'enceinte, avec un équipement minimum en bâtiments publics civils.

VILLE DE MILET
À partir du Ve siècle, apparaît un nouveau modèle d'urbanisme, fort moderne, dont on attribue la paternité à Hippodamos de Milet. Pour reconstruire sa ville, après sa destruction en 494, il choisit un plan orthogonal fondé sur des principes mathématiques simples et un *zoning* fonctionnel.

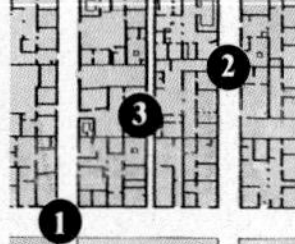

VILLE NEUVE D'OLYNTHE AU IVe SIÈCLE
Les maisons, fermées sur l'extérieur, prennent le jour sur une cour à péristyle. Plan d'un quartier de la ville : l'îlot ou *insula*, base des plans hippodamiens, est composé de dix parcelles carrées. Les rues sont hiérarchisées selon leur fonction : accès principal (1), desserte des îlots (2) et des parcelles (3).

MILET À L'ÉPOQUE CLASSIQUE
1. Agoras sud et nord
2. Théâtre
3. Bouleutérion (édifice où se réunissait le Conseil)
4. Agora ouest
5. Stade
6. Delphinion et temple d'Athéna
7. Port de guerre
8. Port de commerce
9. Quartier d'habitations
10. Mur d'enceinte
11. Gymnase.

«L'HOMME EST, PAR NATURE, UN ÊTRE DESTINÉ À VIVRE EN CITÉ»
ARISTOTE

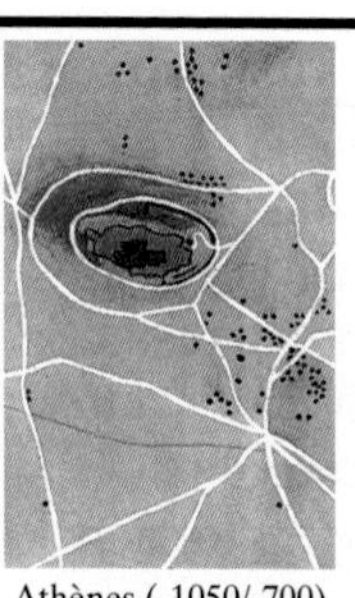
Athènes (-1050/-700)

ÉPOQUE GÉOMÉTRIQUE
Athènes se constitue autour de deux pôles : l'Acropole, appelée primitivement «cité», à la fois position défensive et sanctuaire, et la ville basse, *asty*, autour de l'Agora. les seuls vestiges significatifs sont les tombes.

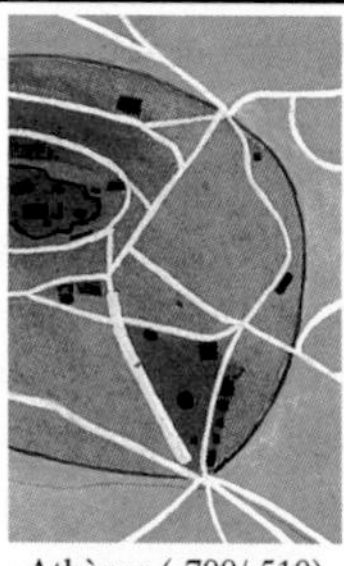
Athènes (-700/-510)

ÉPOQUE ARCHAÏQUE
Le développement architectural de la place est parallèle à celui, général, de la cité et à la complexité des institutions politiques. Dans sa partie occidentale, l'Agora accueille les bâtiments civils, tribunal et prytanée, dans leur premier état.

UN MILLÉNAIRE D'HISTOIRE DE L'AGORA D'ATHÈNES

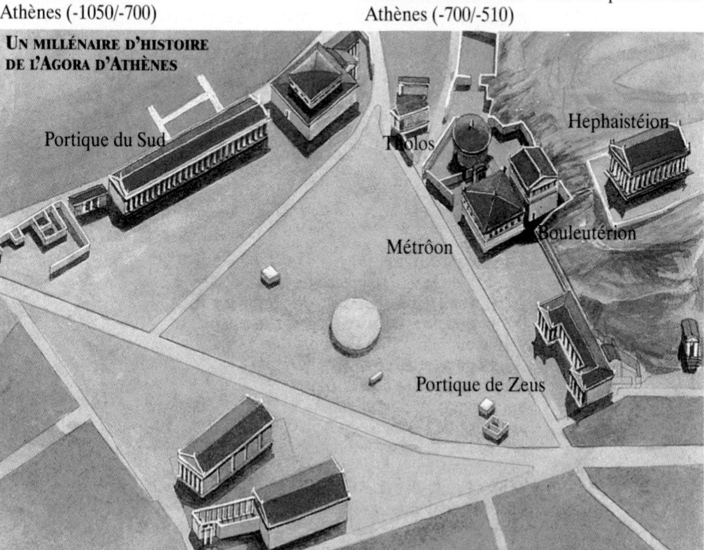

FIN DU VIe SIÈCLE AV. J.-C.
Les portiques font leur apparition, celui de Zeus Éleuthéros ▲ 192 à l'ouest, et le long portique sud. La forme démocratique des institutions athéniennes exige des locaux : pour les bouleutes, ancien et nouveau bouleutérions ▲ 193 ; pour les prytanes, la *tholos*, où brûle en permanence le feu de la cité ; pour les stratèges, le stratégeion. Mais l'Agora garde son caractère primitif de lieu de sociabilité et d'espace festif, la partie hippique des Jeux panathénaïques s'y déroule.

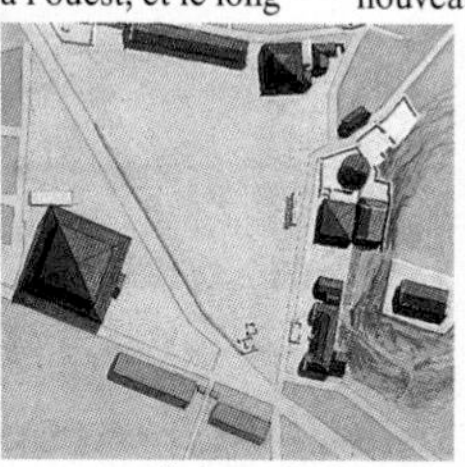
IVe siècle av. J.-C.

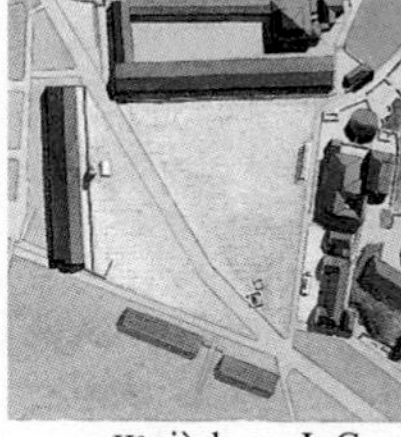
IIe siècle av. J.-C.

IIe siècle ap. J.-C.

IVe SIÈCLE AV. J.-C.
On reconstruit le temple d'Apollon Patrôos à coté de portique de Zeus, et l'angle nord-est est doté d'un péristyle carré.

ÉPOQUE HÉLLENISTIQUE
Les constructions achèvent de transformer l'Agora en une place régulière et fermée. Les portiques dominent. A l'est, celui offert par le roi d'Attale, de plus de 110 m, aujourd'hui reconstitué, est bâti sur le modèle du portique d'Eumène au sud de l'Acropole. Celui du milieu ferme la place au sud, avec ses 160 m de long et ses 160 colonnes doriques.

ÉPOQUE ROMAINE
Le modèle d'urbanisme n'est plus celui d'Athènes, mais celui des grandes villes de l'Empire comme Pergame et Éphèse. La ville continue à s'embellir grâce aux dons des empereurs. La place se réduit avec la construction de l'Odéon d'Agrippa. Au Ier siècle, on réaménage la vieille voie des Panathénées.

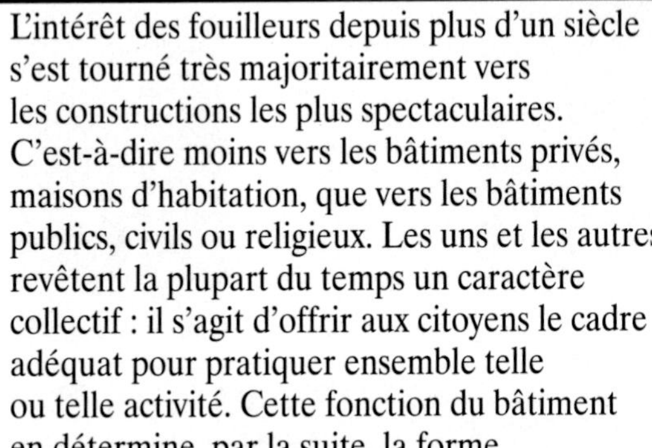

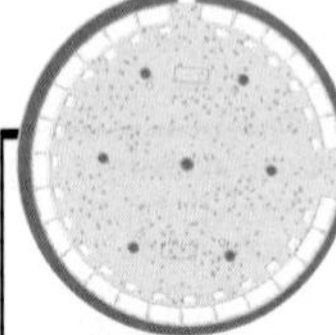

PLAN DE LA THOLOS
Construite en tuf dans la décennie 470-460, la Tholos abritait les prytanes (magistrats) qui, à tour de rôle, y demeuraient nuit et jour au service de la cité. Ils prenaient leur repas allongés sur les 25 lits rangés le long de la paroi externe ; au centre brûlait le feu inextinguible de la cité.

L'intérêt des fouilleurs depuis plus d'un siècle s'est tourné très majoritairement vers les constructions les plus spectaculaires. C'est-à-dire moins vers les bâtiments privés, maisons d'habitation, que vers les bâtiments publics, civils ou religieux. Les uns et les autres revêtent la plupart du temps un caractère collectif : il s'agit d'offrir aux citoyens le cadre adéquat pour pratiquer ensemble telle ou telle activité. Cette fonction du bâtiment en détermine, par la suite, la forme.

LE PORTIQUE DE ZEUS
Construite vers 430, en marbre et en tuf, avec 2 ailes en saillies, cette *stoa* de l'Agora d'Athènes ▲ *192* est la première de toute une série.

SALLE DE BANQUET
L'Agora est le lieu privilégié de la vie sociale du citoyen grec. La rencontre, la promenade, la conversation, favorisées par l'oisiveté, y trouvent leur cadre. Quand les communautés en ont les moyens, elles construisent des portiques qui permettent de s'adonner au plaisir de l'échange tout en étant protégé du soleil et des intempéries. Mais des formes plus étroites et plus ritualisées de sociabilité s'y expriment aussi, grâce à des salles aménagées pour les banquets. Privés ou publics, mais toujours masculins, les banquets n'ont pas seulement pour but la recherche du plaisir, mais aussi la mise en œuvre de pratiques symboliques : le partage et l'échange.

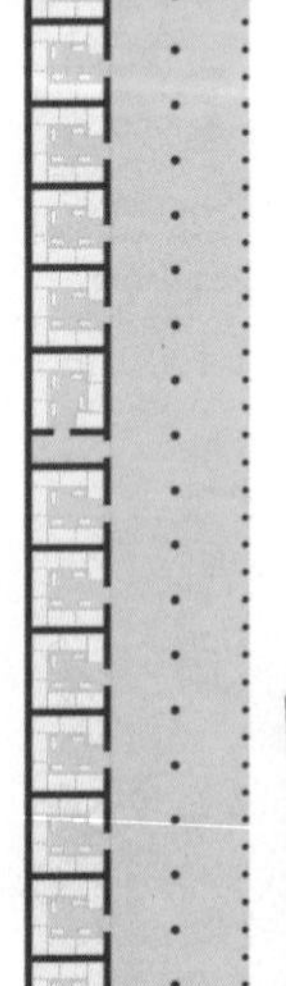

PLAN DU PORTIQUE SUD DE L'AGORA
Stoa dorique en tuf de 80 m de long. Derrière le portique proprement dit, avec sa colonnade ouverte sur la place, les salles de banquet avec les lits disposés devant les murs.

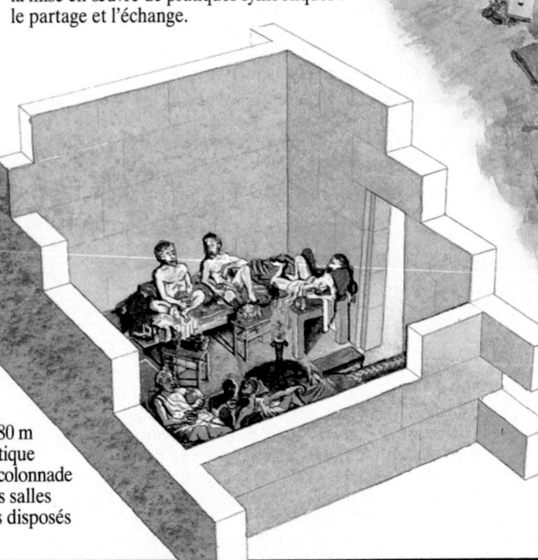

Enceinte fortifiée rythmée de tours à Aigosthène
Dans la plupart des cités grecques, des fortifications défendent tout ou partie du territoire : la ville est bien sûr l'objet de plus d'attention.

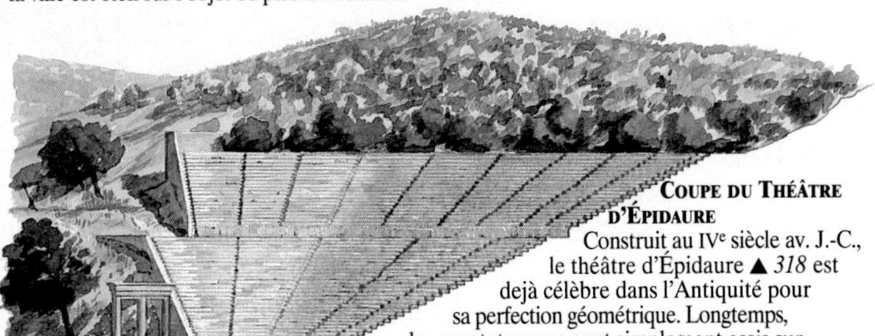

Coupe du Théâtre d'Épidaure
Construit au IVe siècle av. J.-C., le théâtre d'Épidaure ▲ *318* est déjà célèbre dans l'Antiquité pour sa perfection géométrique. Longtemps, les spectateurs se sont simplement assis sur des gradins de bois ou surtout sur la pente de la colline. Le théâtre monumental est né de l'aménagement de cette dernière. Ceci explique l'admirable intégration de l'édifice au paysage.

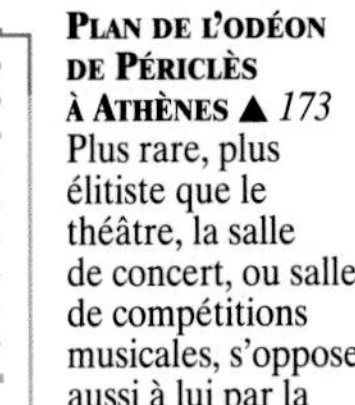

Plan de l'odéon de Périclès à Athènes ▲ *173*
Plus rare, plus élitiste que le théâtre, la salle de concert, ou salle de compétitions musicales, s'oppose aussi à lui par la présence d'un toit.

Bouleutérion
Reconstitution partielle de la salle du Conseil de Priène. La nécessité de concevoir des bâtiments qui accueillent les citoyens pour la délibération, caractérise les besoins des communautés en matière d'architecture civile. Pour les milliers de participants de l'Assemblée du Peuple, on aménage un site en plein air et pour les membres du Conseil (une centaine), une salle en gradins. La salle, adossée à la colline, est couverte d'une charpente. Au centre, l'autel sur lequel on sacrifie pour demander aux dieux leur aide dans les débats.

Coupe de la Pnyx d'Athènes
À partir du VIe siècle la colline de la Pnyx ▲ *207* commence à être aménagée pour les scéances de l'Assemblée du Peuple. Un remblai corrige les effets de la déclivité naturelle et place les auditeurs au niveau de l'orateur à la tribune. La croissance du nombre de citoyens et le besoin de confort expliquent les réaménagements de la fin du Ve siècle et de l'époque d'Alexandre.

Plan de la Pnyx
La forme en hémicycle rappelle celle des théâtres.

C'est avec les Mycéniens, vers le début du XVe siècle av. J.-C., que débute l'histoire de l'architecture grecque. À l'origine, ils vont subir l'influence de la civilisation crétoise encore florissante, mais elle restera limitée à certains éléments techniques et décoratifs des palais minoens. En effet, l'implantation continentale des Mycéniens, non protégés par la mer, les contraint à construire des citadelles plutôt que des palais. L'accroissement de la monumentalité, favorisé par le caractère militaire des forteresses, et le goût pour la symétrie, qui s'impose à travers le plan du mégaron central à piliers et à colonnes, définissent les premières bases de l'architecture hellénique.

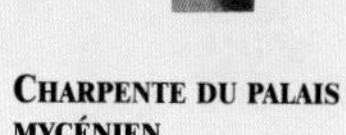

CHARPENTE DU PALAIS MYCÉNIEN
La colonne (**1**) évasée dans sa partie haute, qui soutient l'architrave (**2**), ainsi que les solives formées de rondins jointifs (**3**) sont d'influence minoenne. Ces détails constructifs comme la décoration peinte se retrouvent dans les palais crétois de Knossos ou de Malia. Les rondins, calés aux angles par un madrier (**4**), supportent un second plancher de terre battue qui constitue la toiture-terrasse.

FAÇADE DU MÉGARON MYCÉNIEN ▲ *304*
Cette façade témoigne du goût des Mycéniens pour la symétrié et la sobriété. L'assise du bâtiment est constituée de moellons taillés à joints vifs (**5**). Ils supportent un mur fait de briques crues (**6**), liées par un chaînage en bois (**7**) qui assure la solidité de l'édifice tout en rythmant la façade. L'entrée est précédée d'un vestibule couvert ou *pronaos* entièrement plaqué de bois et encadré par les prolongements des murs (**8**) de la salle principale, le *prodomos*. Cette disposition à antes sera reprise dans les futurs temples grecs. Des fenêtres à grillages en bois (**9**) assurent l'éclairage du *prodomos*.

Forteresse de Mycènes
À l'époque mycénienne, la citadelle, qui n'abrite que le palais du prince (**1**), sert de refuge aux populations qui vivent en habitat dispersé (**2**) sous les murailles. Mais le pillage régulier des maisons constitue un obstacle au développement économique. Il sera levé à la période archaïque, lors de l'adjonction d'une nouvelle enceinte. L'acropole perdra alors sa prédominance au profit de la place publique : l'agora.

Le tombeau à coupole du trésor d'Atrée ▲ *303*
La tombe à tholos, en forme de ruche d'abeilles, et la coupole en encorbellement se retrouvent dans les sépultures crétoises. Mais les Mycéniens rejettent le mortier d'argile pour adopter et perfectionner la technique de la grande pierre taillée qui permet aux blocs, parfaitement ajustés, de se stabiliser. La vaste chambre circulaire est coiffée d'une coupole qui, recouverte de terre, forme le tumulus dans lequel est creusé le *dromos*, couloir à ciel ouvert. La coupole, avec ses 14,50 m de diamètre par 13,20 m de hauteur, ne sera dépassée que 1 400 ans plus tard par le Panthéon, à Rome.

La porte des Lions à Mycènes ▲ *302*
Le triangle de décharge (**2**) permet de répartir les masses de chaque côté de la porte et d'alléger le linteau (**1**).

Porte à Messène
Le linteau (**1**) supporte son propre poids et celui de toutes les pierres disposées au-dessus. La largeur de la porte dépend de la capacité à mettre en œuvre des blocs aussi lourds.

Porte du trésor à Mycènes
Le montage des grandes pierres en encorbellement (**3**) leur assure une stabilité qui rend inutile le triangle de décharge, ici évidé. Les masses sont réparties de part et d'autre du linteau volumineux (**1**) qui ne supporte plus que son propre poids.

Porte à Elaios
L'encorbellement (**3**) permet de se passer du linteau. Mais, contrairement à la technique de la voûte, à laquelle les Mycéniens et les Grecs n'accordent qu'un rôle secondaire, les poussées latérales trop importantes ne permettent pas de réaliser de grandes portées.

Les deux principaux ordres de l'architecture grecque sont le dorique, qui se développe dans le Péloponnèse - en Grèce occidentale et en Grande Grèce - et l'ionique, en Asie Mineure et dans les îles de la mer Égée. Dans les deux cas, les édifices en pierre ne font que reproduire les proportions et les éléments de structures générés par les charpentes primitives en bois. Ces ordres se caractérisent donc par leur absence d'éléments ornementaux gratuits et par leur pureté formelle. Seul l'ordre ionique conservera, dans la forme en volute de ses chapiteaux, une marque d'influence orientale purement décorative.

ORDRE IONIQUE ET SON PROTOTYPE EN BOIS

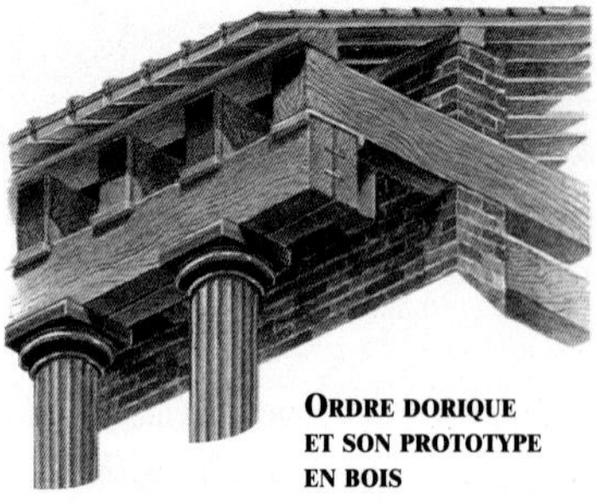

ORDRE DORIQUE ET SON PROTOTYPE EN BOIS

CHAPITEAU PRIMITIF ÉOLIEN DE NEANDRIA
Ce chapiteau d'origine perse préfigure les volutes ioniques.

CHAPITEAU IONIQUE ET SA BASE
Les feuilles tombantes du chapiteau oriental (à gauche) sont remplacées par les oves et la large palmette centrale ; la partie (**A**) par l'échine et l'abaque.
Chapiteau :
1. Abaque **; 2.** Volute ;
3. Coussinet ;
4. Échine (décorée d'oves) ; **5.** Astragale.
Base :
6. Tore ; **7.** Scotie ;
8. Plinthe.

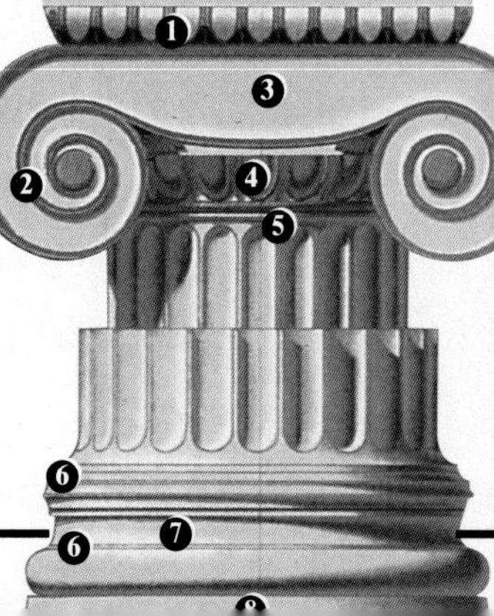

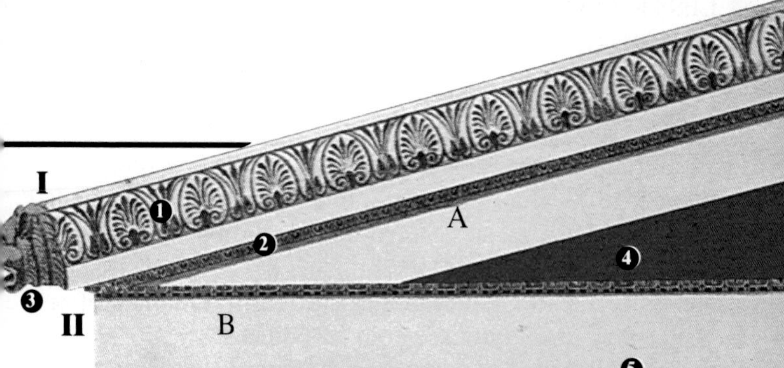

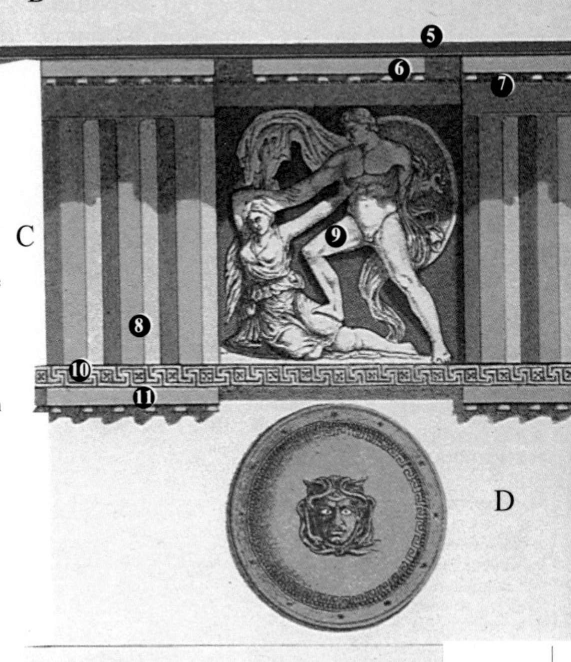

Décomposition de l'ordre dorique
Issu de son prototype en bois, chaque élément de la charpente et de la poutraison originelle est restitué par la pierre. La rigueur de l'ensemble est atténuée par une décoration polychrome.
I. Fronton
A. Rampant
1. *Sima* ; **2.** Baguette ; **3.** Gargouille ; **4.** Tympan
II. Entablement
B. Corniche
5. Larmier composé de mutules **(6)** et de gouttes **(7)**
C. Frise
Composée de triglyphes **(8)** et de métopes **(9)** ; **10.** Listel ; **11.** *Regula*
D. Architrave
avec médaillon
III. Colonne
Composée d'un chapiteau, d'un fût et d'une base
E. Chapiteau
Composé d'un tailloir **(12)**, d'une échine **(13)** et d'annelets **(14)**
F. Fût
avec cannelures **(15)**.

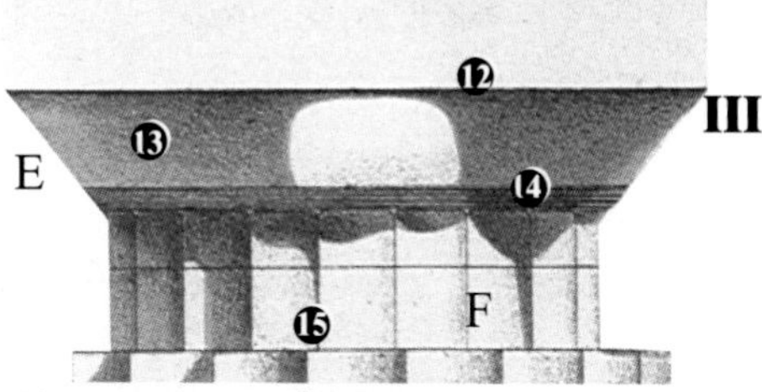

Chapiteau corinthien
Né dans la seconde moitié du Ve siècle av. J.-C., le corinthien est une extension de l'ordre ionique. La colonne et l'entablement restent identiques, mais le corinthien comporte un chapiteau en forme de cloche renversée et enrichi de feuilles d'acanthe. Callimaque, sculpteur et orfèvre athénien, serait à l'origine du premier chapiteau corinthien. Une légende raconte qu'une corbeille entourée de feuilles d'acanthe, déposée dans une tombe à Corinthe, l'aurait inspiré. Mais bien que né en Grèce, l'ordre corinthien ne reçut sa forme complète et définitive qu'à l'époque romaine. C'est l'ordre romain par excellence.

Les matériaux et la construction

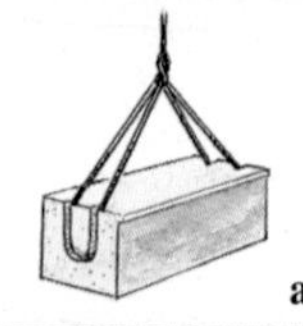

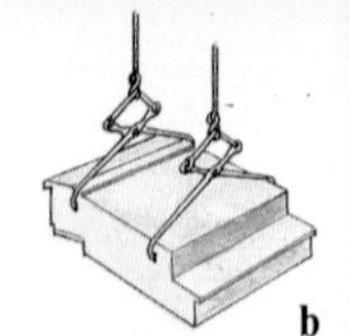

Les matériaux de base des constructions sont le bois (charpentes et colombages), l'argile (briques et tuiles), le métal (scellements) et la pierre. Mais c'est surtout par la perfection de leur mise en œuvre que les Grecs vont se distinguer des autres civilisations, et cela grâce aux techniques héritées de leur tradition maritime. La pierre sera surtout utilisée pour les édifices publics ou religieux. Les édifices privés, qui constituaient par leur nombre l'essentiel des constructions, étaient en briques crues, ce qui explique qu'il en reste aujourd'hui peu de vestiges.

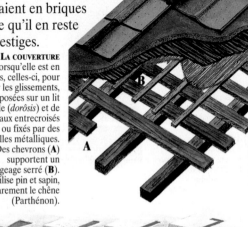

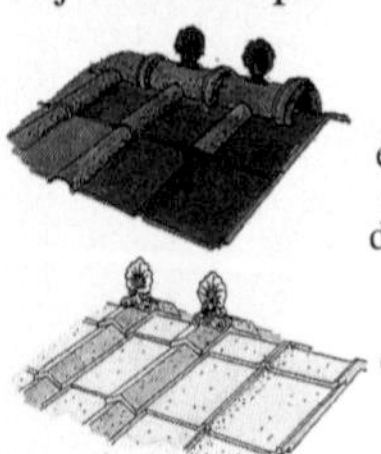

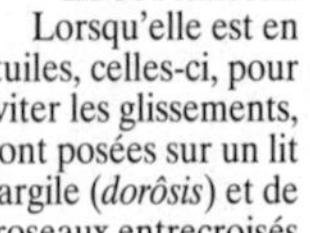

Tuiles laconiennes et corinthiennes

La couverture
Lorsqu'elle est en tuiles, celles-ci, pour éviter les glissements, sont posées sur un lit d'argile (*dorôsis*) et de roseaux entrecroisés ou fixés par des chevilles métalliques. Des chevrons (**A**) supportent un voligeage serré (**B**). On utilise pin et sapin, très rarement le chêne (Parthénon).

Scellements
Associés à la nature des matériaux, les scellements présentaient diverses formes. L'absence de mortier dans la construction d'un mur nécessite un soin dans la taille des pierres assemblées à joint vif puis, scellées entre elles.

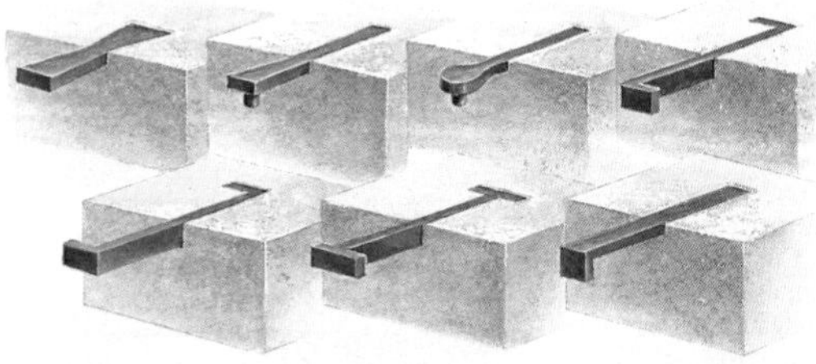

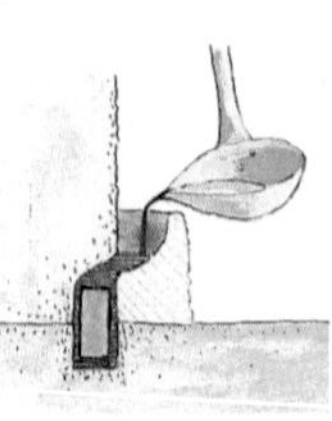

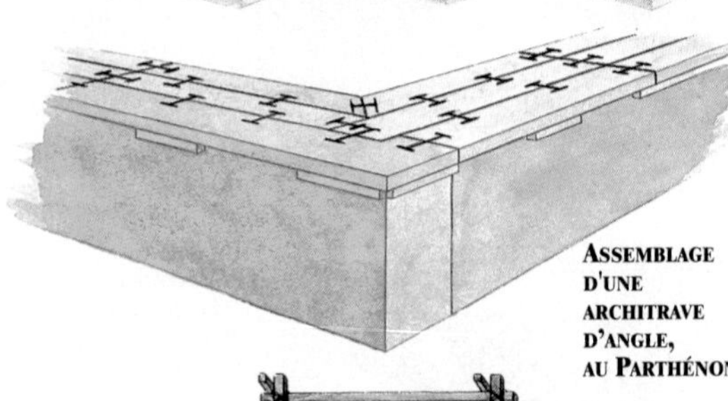

Assemblage d'une architrave d'angle, au Parthénon

Scellement au plomb
Les liaisons des blocs de pierre étaient réalisées sur place. Soit par coulage direct de plomb dans une cavité, soit autour d'une pièce métallique exécutée à l'avance. Un bois dur comme le cyprès pouvait parfois remplacer le métal.

«Tetrakolos» (A) et «dikolos» (B)
Ces deux engins de levage, décrits par Vitruve (architecte romain du Ier siècle av. J.-C.), montrent comment les Grecs levaient des blocs pouvant peser plusieurs tonnes.

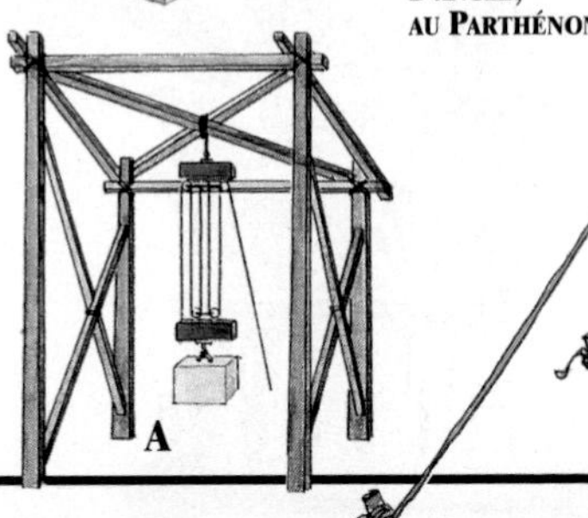

Levage des blocs
Chacun des éléments de construction est préparé dès son extraction pour faciliter le transport et la mise en œuvre. Soit par l'aménagement de cavités : mortaise pour les louves (**c** et **d**), canaux de brayages en U pour les cordes (**a**), ou orifices pour les pinces (**b** et **f**). Soit, au contraire, en laissant des excroissances dans la masse (**e** et **g**) pour offrir des prises aux cordages. Ces excroissances, appelées «tenons de bardage», sont arasées au cours du ravalement.

Louves
La pièce oblique (**1**), sur laquelle va s'exercer la traction de la chaîne, est introduite la première.

Son calage ultérieur (**2**) l'empêche de ressortir de la mortaise trapézoïdale et permet le levage.

Pinces de carrier
C'est la traction exercée sur les chaînes qui referme les machoires.

Amphiprymnoi
Lors des transports maritimes et pour alléger la charge, le bloc est maintenu immergé («poussée» d'Archimède) entre les embarcations.

Fardier
Cet engin, long de 7 m, permet le transport des blocs de longueur importante. Ces derniers, suspendus sous les essieux, peuvent ainsi éviter les chocs.

Types d'appareils muraux
a. Mur cyclopéen minoen : les blocs irréguliers sont disposés par assise les uns par-dessus les autres et côte à côte. Souvent, dans le mur cyclopéen grec, ces blocs de pierre sont polygonaux (**b**). L'enceinte de Mycènes permet de parfaitement distinguer ces deux types de maçonnerie.
c. Appareil isodome : les blocs réguliers sont montés horizontalement. Les joints verticaux tombent au milieu du bloc immédiatement inférieur et supérieur (*cella* du Parthénon).

Transport terrestre en Sicile
Le bloc, calé par des cornières, est roulé sur lui-même grâce aux deux roues cerclées de métal auxquelles il sert d'essieu.

LE LIEU DU SACRIFICE

Les actes fondamentaux de la vie religieuse grecque sont collectifs. La majorité des rituels s'accomplissent dans les cadres sociaux et politiques. Même si tous les aspects de la vie grecque sont marqués, à divers degrés, par le divin, des lieux spécialement qualifiés lui sont attribués : les sanctuaires. Le sanctuaire, *temenos*, est un espace limité dédié à un ou plusieurs dieux et où se pratique le culte. La voie normale de communication avec les immortels étant le sacrifice, si le temple n'est pas indispensable au *temenos*, on ne saurait se passer de l'autel. L'aménagement de l'espace ainsi que les choix architecturaux dans le sanctuaire s'interprétent en fonction de la forme et des règles de la liturgie.

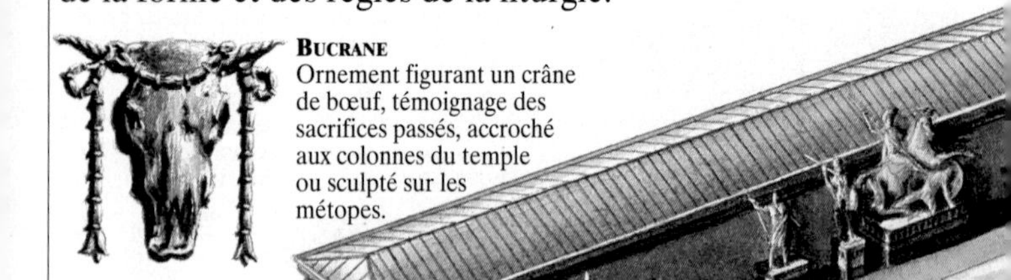

BUCRANE
Ornement figurant un crâne de bœuf, témoignage des sacrifices passés, accroché aux colonnes du temple ou sculpté sur les métopes.

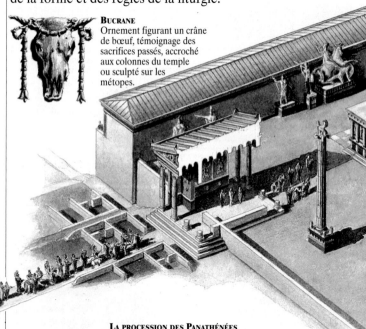

LA PROCESSION DES PANATHÉNÉES
Détails de la frise intérieure du Parthénon. Phidias et son atelier ont sculpté la longue théorie des participants à la plus importante procession de l'année à Athènes ▲ *130*. Groupe sociaux, politiques, classes d'âge de jeunes filles et de jeunes hommes y occupent des positions et y remplissent des fonctions particulières : port des instruments du sacrifice, de vases, de branches d'olivier, etc.

Scènes de sacrifice
De nombreux vases peints montrent les officiants et illustrent les gestes du sacrifice. On y voit rarement la mort de l'animal.

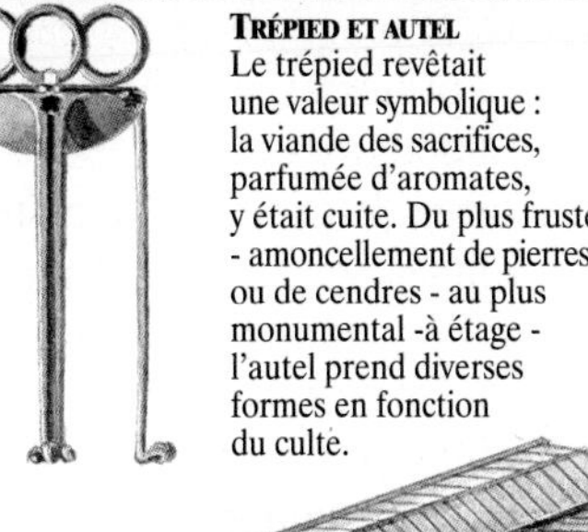

Trépied et autel
Le trépied revêtait une valeur symbolique : la viande des sacrifices, parfumée d'aromates, y était cuite. Du plus fruste - amoncellement de pierres ou de cendres - au plus monumental -à étage - l'autel prend diverses formes en fonction du culte.

Fête religieuse
Inspirée de la scènographie du temple d'Athéna Polias à Priène. Les hommes rendent visite au dieu et lui offrent un don. La longue procession ordonnée progresse par la Voie sacrée qui mène au *temenos*. Sa composition varie un peu mais sa fonction religieuse est toujours la même : conduire les bêtes vers le lieu du sacrifice. On pénètre dans le *temenos* par des propylées et on se dirige vers l'aire sacrificielle qui s'étend devant le temple du côté oriental. Là, les bêtes, soigneusement sélectionnées (elles devaient être sans défaut), sont aspergées d'eau, reçoivent des grains d'orge lancés par les participants, puis, sont assommées. Les os et les graisses sont mis à griller sur le feu de l'autel tourné vers le soleil levant, et leurs chairs réparties entre les citoyens, puis bouillies. Et les dieux se satisfont des effluves qui montent jusqu'à eux. Ce fumet divin parvient aussi jusqu'à la statue du dieu qu'abrite le temple. Selon le mythe, Prométhée, lors du partage des animaux sacrifiés, trompa Zeus pour qu'il choisisse la part la moins appétissante (des os recouverts de graisse), la viande revenant aux hommes.

Élément non essentiel du sanctuaire, le temple n'en est pas moins, à l'époque classique, l'édifice principal, si important qu'il le résume même. Le temple est d'abord et avant tout demeure du dieu, présent sous la forme de sa statue de culte. Le développement de la statuaire religieuse et de l'architecture des temples avancent du même pas. L'époque archaïque (VIIIe siècle av. J.-C.) voit le passage des matériaux grossiers, comme le bois et la brique, au calcaire puis au marbre. À l'époque classique (Ve siècle av. J.-C.) le temple est l'objet des spéculations les plus avancées de la pensée architecturale. Toute l'architecture grecque bénéficiera de ces progrès.

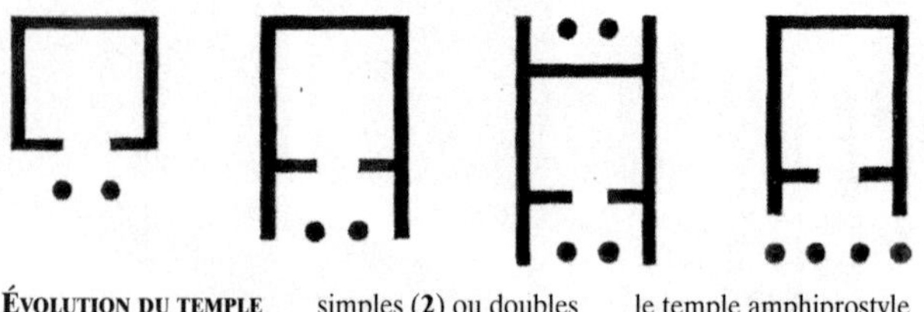

Évolution du temple
Le temple, la maison du dieu, ne se distingue pas nettement, dans les premiers types connus, de celle de l'homme : le mégaron mycénien est une simple pièce ouverte sur un côté, qui sera appelée plus tard *naos* (ou *cella*) (**1**). La complexité ira croissante. Dans le temple à antes, simples (**2**) ou doubles (**3**), les murs du *naos* sont prolongés et deux colonnes soutiennent le porche, formant le *pronaos* à l'avant, et l'*opisthodome* à l'arrière où les fidèles déposent leurs offrandes. Les colonnes peuvent être repoussées vers l'extérieur, d'un seul côté dans le temple prostyle (**4**), des deux côtés dans le temple amphiprostyle (**5**). Enfin, l'ensemble du temple peut être ceint d'une seule (**6**) ou d'une double colonnade extérieure : la *péristasis* (péristyle), et le temple devient alors périptère ou diptère.

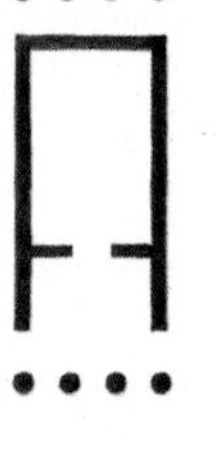

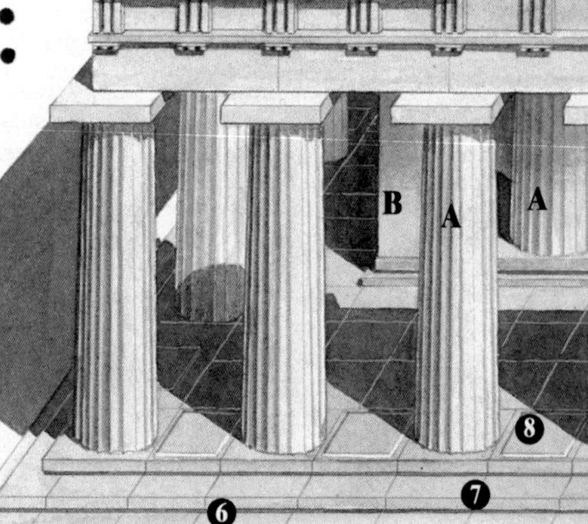

Temple d'Héra ou de Poséidon à Paestum
(VIe siècle av. J.-C.)
A. Double péristyle avec colonnes à antes ou *in antis* (**a**) dans le prolongement des murs latéraux.
B. Péribole : mur du *naos*.
C. *Pronaos* : il ouvre sur la seule porte de la *cella*.
D. *Naos* : salle cultuelle.
Ce noyau du temple conserve, comme dans sa forme primitive, le mégaron, son caractère orienté est-ouest. L'axe unique du temple conduit vers la statue du culte.

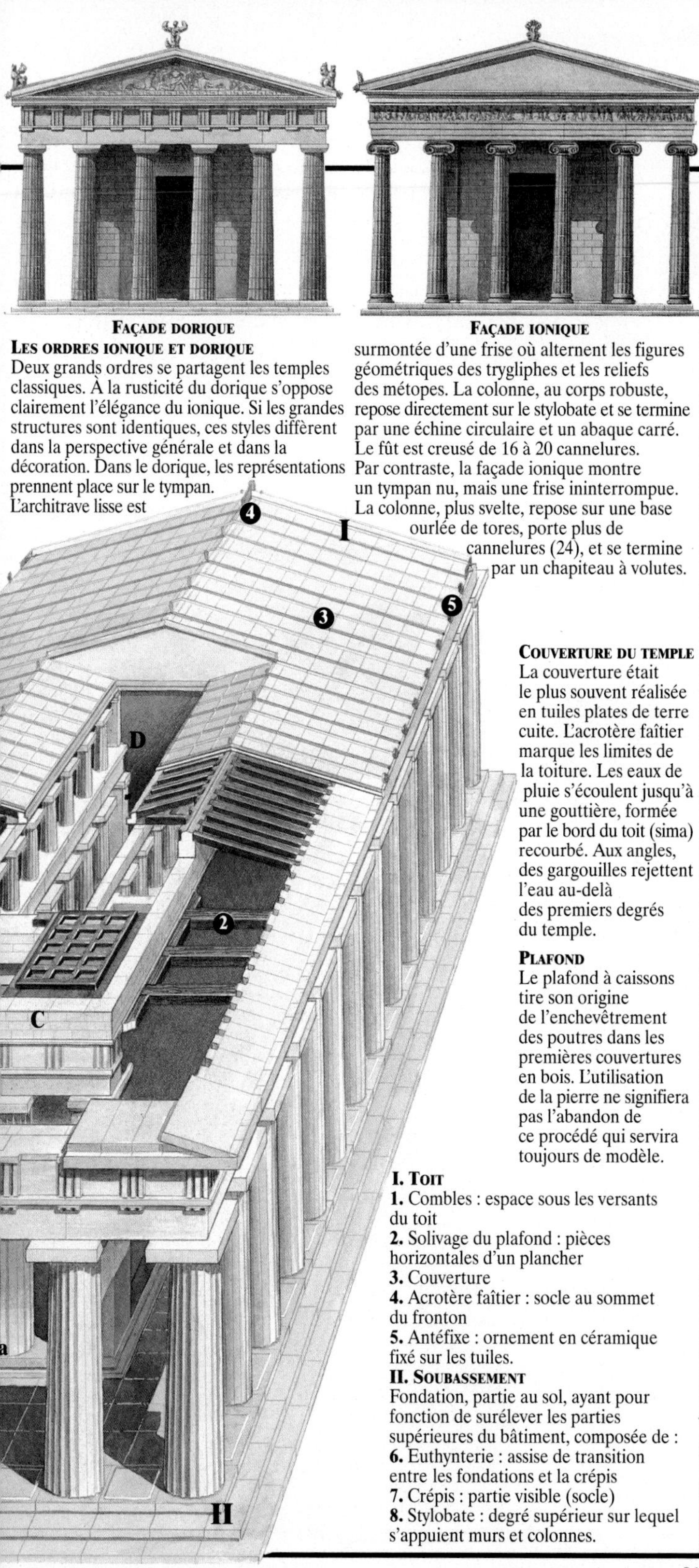

Façade dorique

Façade ionique

Les ordres ionique et dorique

Deux grands ordres se partagent les temples classiques. À la rusticité du dorique s'oppose clairement l'élégance du ionique. Si les grandes structures sont identiques, ces styles diffèrent dans la perspective générale et dans la décoration. Dans le dorique, les représentations prennent place sur le tympan. L'architrave lisse est surmontée d'une frise où alternent les figures géométriques des tryglíphes et les reliefs des métopes. La colonne, au corps robuste, repose directement sur le stylobate et se termine par une échine circulaire et un abaque carré. Le fût est creusé de 16 à 20 cannelures. Par contraste, la façade ionique montre un tympan nu, mais une frise ininterrompue. La colonne, plus svelte, repose sur une base ourlée de tores, porte plus de cannelures (24), et se termine par un chapiteau à volutes.

Couverture du temple

La couverture était le plus souvent réalisée en tuiles plates de terre cuite. L'acrotère faîtier marque les limites de la toiture. Les eaux de pluie s'écoulent jusqu'à une gouttière, formée par le bord du toit (sima) recourbé. Aux angles, des gargouilles rejettent l'eau au-delà des premiers degrés du temple.

Plafond

Le plafond à caissons tire son origine de l'enchevêtrement des poutres dans les premières couvertures en bois. L'utilisation de la pierre ne signifiera pas l'abandon de ce procédé qui servira toujours de modèle.

I. Toit

1. Combles : espace sous les versants du toit
2. Solivage du plafond : pièces horizontales d'un plancher
3. Couverture
4. Acrotère faîtier : socle au sommet du fronton
5. Antéfixe : ornement en céramique fixé sur les tuiles.

II. Soubassement

Fondation, partie au sol, ayant pour fonction de surélever les parties supérieures du bâtiment, composée de :
6. Euthynterie : assise de transition entre les fondations et la crépis
7. Crépis : partie visible (socle)
8. Stylobate : degré supérieur sur lequel s'appuient murs et colonnes.

CAVALIER RAMPIN
Tête en marbre, vers 560. Chevelure et barbe sont caractéristiques de l'époque archaïque.

Le développement de la statuaire grecque date du VIIe siècle av. J.-C. ; il est concomitant de celui de l'architecture religieuse. Le *naos* devait abriter une image du dieu à la mesure de sa maison. L'origine de cette aventure unique est la conception anthropomorphe du divin qui conduit les artistes à façonner, pour les dieux, un corps proche de celui de l'homme. Malgré sa grande unité, la sculpture évolue de l'époque archaïque (VIIe-VIe siècle) à l'époque classique (V^{e}-IVe siècle) et à l'époque hellénistique (de la fin IVe siècle à la conquête romaine) : unité, mais diversité en raison de l'existence d'écoles régionales et des divers matériaux utilisés.

ÉPOQUE ARCHAÏQUE. Les premières sculptures sont monumentales. Elles représentent, le plus souvent, des jeunes hommes nus (*kouroi*) ou des jeunes filles vêtues (*korai*). L'hiératisme est propre à cette période.

KÉPHISOS. Statue du fronton ouest du Parthénon (marbre 447-432). Le corps déformé du dieu fleuve est d'une grande puissance expressive.

ÉPOQUE CLASSIQUE. L'archaïsme était la période de la recherche. L'époque classique sera celle de l'accomplissement, aussi bien dans l'utilisation de matériaux les plus difficiles, marbre et bronze, que dans l'épanouissement de la forme. Jamais la réalité de la nature, et particulièrement celle du corps humain, n'a été rendue avec une telle vérité. Parallèlement, la dynamique saisit les formes. Les grands sculpteurs, Phidias, puis Scopas, Praxitèle, Lysippe, maîtrisent le mouvement.

BRONZE DE RIACE
Une des statues de guerriers de haute taille découvertes en Italie (bronze avant 480). L'époque, appelée le premier classicisme, fournit une série remarquable de bronzes de très haute qualité comme le Poséidon du Cap Artémision et l'Aurige de Delphes.

HÉRA DE SAMOS
Corps de la déesse Héra (marbre vers 560). Cette coré ressemble à une statue-colonne : formes peu marquées comme sur les *korai* contemporaines, plis du vêtement très simples, en lignes parallèles.

ZEUS ENLEVANT GANYMÈDE
Ex-voto ou acrotère représentant le rapt érotique de l'enfant par le dieu (terre cuite polychrome, vers 480). Le sourire et le vigoureux mouvement de l'adulte contrastent avec l'impassibilité et l'immobilité du jeune garçon.

«LA NATURE NOUS A DONNÉ DU MARBRE EN ABONDANCE DONT ON FAIT (...) DES STATUES DIGNES DE LA MAJESTÉ DES DIEUX».
XÉNOPHON

NIKÉ DÉTACHANT SA SANDALE. Temple d'Athéna Niké (marbre 411-407). L'évolution concerne le traitement de la draperie - draperie suggestion, draperie transparence - qui accentue le mouvement du corps.

ÉPOQUE HELLÉNISTIQUE
Les cités de la Grèce sont relayées par celles de l'Asie Mineure et Rhodes. L'expressionnisme de la sculpture est caractérisé par un goût pour la violence des sentiments ; le mouvement théâtral atteint son paroxysme.

LAOCOON ET SES ENFANTS ENLEVÉS PAR DES SERPENTS. L'ensemble d'origine rhodienne (marbre probablement du IIe siècle av. J.-C., auteur inconnu) symbolise la virtuosité, la force de la statuaire hellénistique.

L'époque byzantine, qui débute à la fondation de Constantinople en 330 et s'achève à sa prise par les Turcs en 1453, va servir à la fois de lien entre l'Antiquité et le Moyen Âge mais aussi entre l'Orient et l'Occident. Les architectes byzantins, grâce à une exploitation parfaite de la brique, vont passer maîtres dans la construction des coupoles et des voûtes pour l'architecture religieuse. En Grèce, celle-ci sera caractérisée par l'adoption, au Xe siècle, du plan en croix grecque et par une influence de la période classique qui se traduit par la préférence accordée à la pierre sur la brique. Cette dernière sera cependant utilisée pour la construction des coupoles et la décoration des façades extérieures.

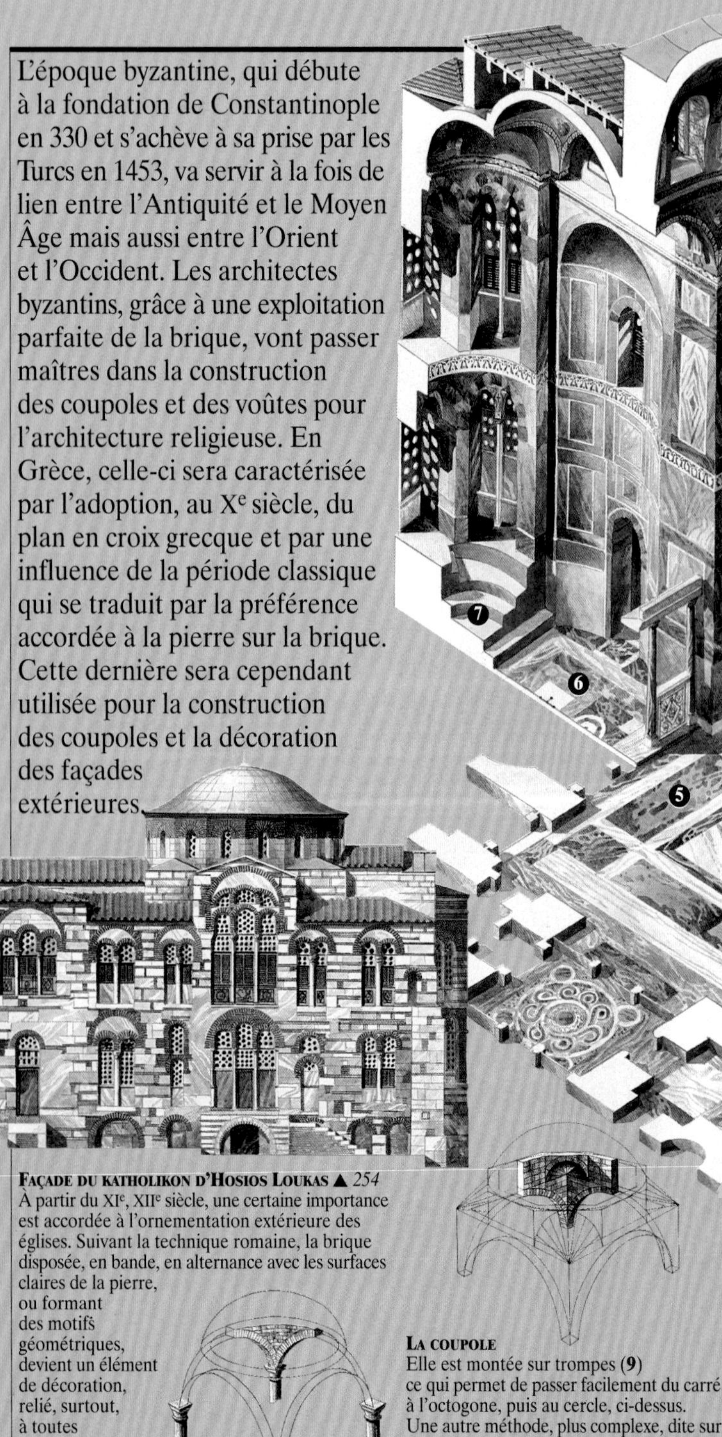

FAÇADE DU KATHOLIKON D'HOSIOS LOUKAS ▲ *254*
À partir du XIe, XIIe siècle, une certaine importance est accordée à l'ornementation extérieure des églises. Suivant la technique romaine, la brique disposée, en bande, en alternance avec les surfaces claires de la pierre, ou formant des motifs géométriques, devient un élément de décoration, relié, surtout, à toutes les ouvertures de la façade.

LA COUPOLE
Elle est montée sur trompes (**9**) ce qui permet de passer facilement du carré à l'octogone, puis au cercle, ci-dessus. Une autre méthode, plus complexe, dite sur pendentifs, ci-contre, est plutôt employée pour les coupoles de tailles modestes.

La mosaïque. Des cubes de pâte de verre (*smaltes*), colorés par des oxydes métalliques, sont appliqués sur un lit de ciment frais. Ils peuvent être recouverts d'une mince feuille d'or ou d'argent, symbolisant l'éternité, elle-même protégée par une fine couche de verre. Les mosaïques du XIe siècle de la coupole du katholikon furent endommagées en 1593 et ont été remplacées par des peintures murales. Mais subsistent celles, admirables, du narthex.

La fresque. Dans la technique dite *a fresco*, les couleurs sont appliquées sur un enduit frais auquel elles s'incorporent lors d'un séchage rapide. Tout comme les mosaïques, les fresques du katholikon sont d'un style hiératique et sévère, d'une grande force expressive.

Katholikon d'Hosios Loukas
Église en croix grecque du XIe siècle.
1. Narthex : portique ou vestibule à l'entrée contenant des portraits de saints et des scènes de la vie du Christ
2. Tombeau
3. Baptistère
4. Philopation
5. Soléa : passage de longueur variable menant à l'entrée principale
6. Bêma : comporte l'autel
7. Conque : voute en coquille
8. Trésor
9. Trompe
10. Coupole.

Le néo-classicisme grec, parfois appelé style néo-hellénique, voit le jour avec l'indépendance, au début du XIXe siècle. Deux soucis président à la reconstruction du pays et surtout de sa capitale : effacer les traces de l'occupation turque et raviver le souvenir de la glorieuse Antiquité. Le style néo-classique était en fait né en Europe cinquante ans plus tôt, à la faveur des découvertes archéologiques qui avaient ravivé le goût pour les formes antiques. Ainsi, les architectes, mandés par le roi Othon pour la reconstruction d'Athènes, sont aussi bien les Allemands Schaubert ou von Klenze, que le Danois Hansen, ou les Grecs Kléanthis et Kaftanzoglou. Le néo-classicisme ne se cantonne pas aux édifices prestigieux : le plus modeste des particuliers rajoute à sa maison acrotères, colonnes ou caryatides.

IMITATIONS ET CITATIONS
À gauche, reprise d'un motif du Parthénon par l'un des architectes du Zappéion. À droite, cette reproduction miniature du temple d'Athéna Niké coiffe le tombeau de l'archéologue Heinrich Schliemann. L'architecte allemand, E. Ziller, auteur de cet édifice, fut un des grands urbanistes d'Athènes.

Ci-dessous, on retrouve plusieurs motifs antiques : colonnes doriques au rez-de-chaussée et colonnes ioniques à l'étage ; acrotères au-dessus de la porte d'entrée et le long du toit de tuiles surmonté d'une urne funéraire encadrée de deux griffons.

Beaucoup d'édifices néo-classiques, construits au XIXe et au début du XXe siècle, ont hélas été victimes de la spéculation des promoteurs dans les années soixante. Ceux qui ont survécu sont aujourd'hui classés et restaurés.

La Grèce vue par les peintres

Alkis Pierrakos

«FAIRE DE L'HOMME UN ÊTRE LIBRE, UN ÊTRE JUSTE, UN ÊTRE QUI AIT LA MESURE DE LA VIE.»

SÉFÉRIS

C'est entre 1850 et 1860 qu'apparaissent les premiers artistes connus de la Grèce moderne.
À l'époque, un certain académisme règne partout en Europe. Delacroix et sa fougue romantique appartiennent au passé. Les artistes grecs, de tendance conservatrice, ont fait pour la plupart des études à Munich.
Ils peignent des toiles plutôt grandiloquentes dans un esprit occidental : des scènes de batailles recréées qui s'inspirent du soulèvement national de 1821, quelques toiles allégoriques, typiques de cette époque, ainsi que des intérieurs et des scènes de genre, traitées avec un grand souci du détail et qui ne reflètent nullement la vie sociale du pays.
NICOLAS GHYZIS (1842-1901) nous donne une vision très idéalisée de la vie en Grèce de la fin du XIXe siècle.
Ses scènes de la vie quotidienne, censées être prises sur le vif, et qui sont en fait des compositions longuement élaborées en atelier, sont d'une grande perfection technique : *Les Fiançailles des enfants* (2), *La Femme et l'enfant* (3).

THÉODORE VRYZAKIS (1814-1878) peint des tableaux qui glorifient le soulèvement national et des scènes d'engagements militaires avec l'armée turque, tel cet *Épisode de la guerre d'Indépendance* (4).
Ses peintures de batailles ainsi que les portraits des héros de la Révolution ont valeur de documents historiques. Chez les peintres de la mer, on trouve des artistes ayant un esprit plus libre ; ils nous lèguent de très belles marines dignes des Bonnington et des Courbet.
CONSTANTIN VOLONAKIS (1837-1907).
Peintre de la Cour impériale de Vienne dans sa jeunesse, il fut un grand voyageur. Des marines, comme celle-ci (1), décrivent la beauté et la sérénité des ports de pêche, la vie des pêcheurs. Son style, qui comporte des éléments du post-impressionnisme français, est parfait et rappelle souvent le climat des toiles de E. Boudin.

1 2 3 4

Un changement important s'amorce vers 1910-1920. La peinture grecque participe tous les jours davantage aux courants qui traversent les arts plastiques en France. **CONSTANTIN PARTHÉNIS** (1878-1967) a fortement influencé ses élèves et amis dont D. Diamantopoulos, Tsarouchis et Ghikas. Diverses personnalités fort différentes ont profité directement ou indirectement de ce climat. F. Kontoglu redécouvre la beauté de l'icône. **YANNIS TSAROUCHIS** (1910-1989) dans son univers de cafés et de ports, (*Le Café Néon,* 1965) transpose son sujet comme un iconographe naïf sachant aborder des sujets profanes. Ces artistes sont liés à d'autres domaines de la création, principalement le théâtre et l'architecture. Entre les années 1930 et 1960, à la veille de la dernière guerre et au lendemain de la guerre civile, l'évolution de l'art grec a été rapide. N. Bouzianis, proche des expressionnistes allemands des années 30, Spyropoulos, A. Kontopoulos, Fassianos, pour n'en citer que quelques-uns, y ont contribué.

«Image de la maison, des cafés, du quartier que je vois, où je traîne, année après année. Je t'ai créée dans la joie et dans la peine : par tant d'événements, tant de souvenirs. Et tu es devenue, pour moi toute ferveur.» Cavafy

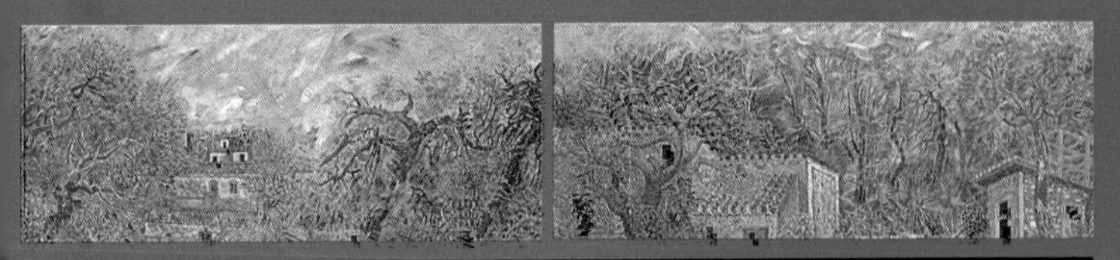

Nico Ghikas, né en 1906 à Athènes, part en 1922 faire des études littéraires à la Sorbonne, et fréquente l'Académie Ranson. Homme aisé, d'une famille influente, Nico Ghikas voyage beaucoup en France et rencontre, sur la Côte d'Azur, Pablo Picasso et Henri Matisse. Il connaît intimement l'œuvre des cubistes et des fauves et s'intéresse à la plupart des courants nouveaux. La peinture, telle qu'elle se fait vers les années 1930-1935 en France, représente un élément entièrement nouveau pour les jeunes peintres d'Athènes. Ghikas, très influencé par Picasso, travaille sur une série de toiles hautes en couleur, dont notamment *Le Balcon athénien* (1955) (5). Mais il apporte une lumière plus spécifiquement grecque dans ses tableaux, un clair-obscur intense, proche du blanc et noir, élément commun à de nombreux artistes grecs de l'époque. Il compose des costumes et des décors pour *As You Like It* de Shakespeare, où il introduit pour la première fois, comme Tsarouchis, maître incontestable du costume de théâtre, de précieuses innovations. Après 1960, des sculptures viennent s'ajouter à son œuvre, ainsi que des dessins imaginaires du poète Cavafy. Il continue son travail pictural avec notamment sa série sur *Kifissia* (1973) (2, 3, 4). Nico Ghikas a été un des grands professeurs de l'École Polytechnique d'Athènes et a fortement influencé ses élèves. Ses grandes toiles, au graphisme subtil, sont exposées dans une salle de la Pinacothèque d'Athènes ▲ *220* qui porte son nom.

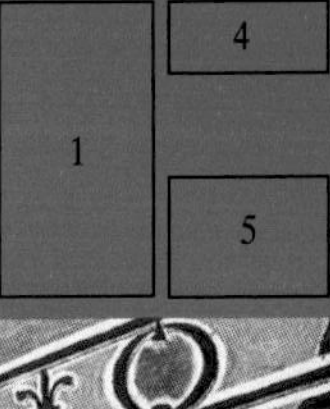

PIERRAKOS, né en 1920, peint ses premières toiles très tôt. Dans les années 1941-1944, il travaille sur un sujet qui lui est cher : les paysages de carrières de pierre ou de marbre. Ce sont des compositions très lumineuses qui sont un éloge du sol aride de l'Attique, thème dont il ne se lasse pas à travers son œuvre. À partir de 1956, il crée une série d'*Icônes* ; ce sont des toiles qui reprennent l'iconographie rigide dont la structure et la forme sont celles de l'icône byzantine traditionnelle ; mais le sujet lui-même rompt avec la tradition : dures, grimaçantes, à la pâte épaisse et multicolore, les images évoquées sont loin d'être fidèles à la tradition iconographique de l'église orthodoxe. Constantin ou Théodora, colonels ou prostituées expriment alors la dérision de la foi. Mais les *Fenêtres* et les *Marines* que Pierrakos peint aujourd'hui sont un retour à ce qui a été, tout au long de sa vie, son inspiration essentielle : le paysage de la Grèce. Issues de dessins gestuels en blanc et en noir, les toiles de cet artiste semblent contenir cette nervosité du trait qu'imprime la main du dessinateur sur une feuille de papier imaginaire. Ainsi la toile qui semble être une simple vue expressionniste fiévreuse du monde, est en réalité un mariage total du graphisme et de la couleur.

Marine (1)
Les Oiseaux (2)
Nature morte (3)

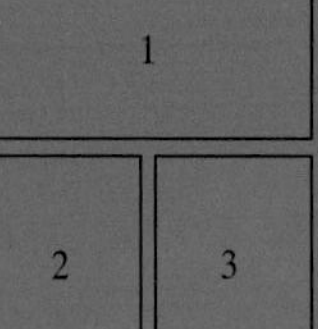

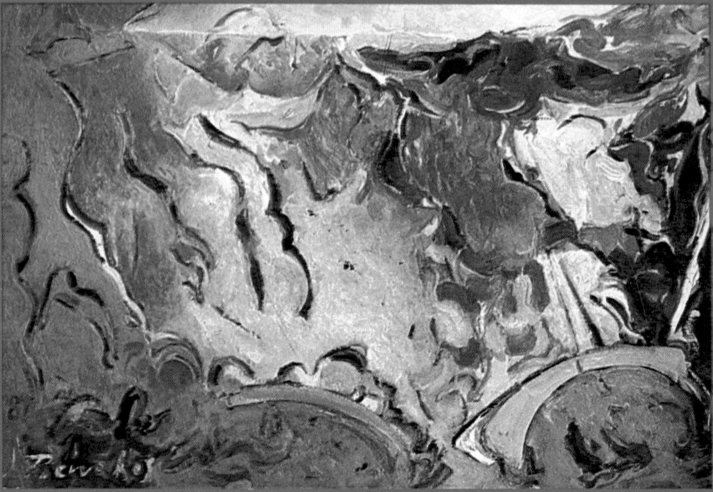

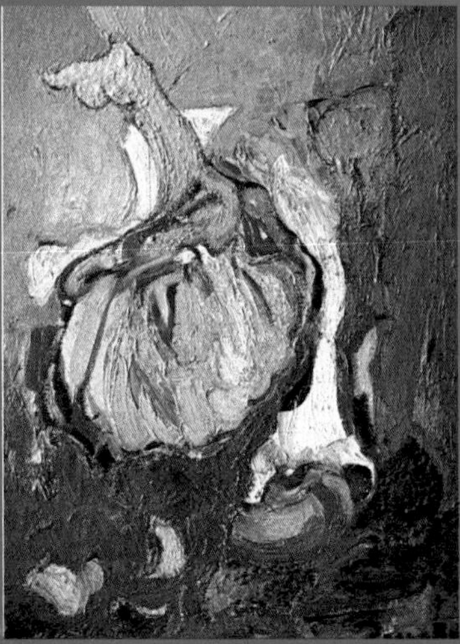

La Grèce
vue par les écrivains

● La Grèce vue par les écrivains

Depuis l'aube de l'écriture, la Grèce, fondement du patrimoine universel, est une terre d'inspiration pour ceux qui l'ont découverte et ceux qui en ont rêvé. La liste des grands auteurs grecs qui ont enrichi la culture occidentale - Homère, Hérodote, Eschyle, Thucydide, Théocrite - est longue et brillante. Depuis la Renaissance, la Grèce, avec ses mystères et sa splendeur perdue, suscite l'imagination des écrivains. Les premiers pèlerins en route pour la Terre Sainte sont suivis par les voyageurs en quête de la Grèce antique, alors que les grands penseurs rêvent à la restauration de son art et de son esprit.

Merveilles de l'Antiquité

Poussés par les écrits de Fénelon, de Mably, ou de Voltaire, nombreux seront les voyageurs du XVIIe et du XVIIIe siècle qui parcourent la Grèce. L'un d'entre eux, le comte de Choiseul-Gouffier (1752-1817), jeune mécène et plus tard ambassadeur de Louis XVI à Constantinople, fut surnommé «le Grec», en raison de sa passion pour ce pays.

« J'étois entraîné par une curiosité dévorante que j'allois rassasier de merveilles ; je goûtois d'avance le plaisir de parcourir cette illustre et belle région un Homère et un Hérodote à la main, de sentir plus vivement les beautés différentes des tableaux tracés par le poète, en voyant les images qu'il avoit eues sous les yeux, de me rappeler avec plus d'intérêt les plus célèbres événements de ces siècles reculés, en contemplant les lieux mêmes qui en avoient été le théâtre : enfin je me promettois une foule de jouissances sans cesse renaissantes, une ivresse continuelle, dans un pays où chaque monument, chaque débris, et pour ainsi-dire chaque pas, transportent à trois mille ans l'imagination du voyageur, et le placent tout à la fois au milieu des scènes enchantées de la fable et des grands spectacles d'une histoire non moins féconde en prodiges. Je ne puis encore, même plusieurs années après, me retracer sans émotion mes courses sur cette mer semée d'îles, dont les tableaux délicieux varient sans cesse pour le navigateur, et dont le moindre rocher s'offre à l'imagination peuplé de dieux ou de héros ; et la terre de Délos et le rivage de Troye, et surtout le jour où, abordant au Pirée, je volai vers Athènes, heureux de fouler ce sol fameux, et le cœur battant d'impatience de contempler les restes de la grandeur. Chaque objet étoit pour moi la source d'une sensation nouvelle : voici les vestiges de ces longues murailles qui joignoient le port à la ville ; sous ces forêts antiques d'oliviers et de platanes se promenoient Démosthène, Socrate : j'y voyois Aspasie ; cet édifice imposant que le temps a respecté, et que le soleil de l'horizon dore de ses feux, c'est le monument que dédièrent à Thésée les Grecs vainqueurs à Salamine ; et déjà sur le sommet de la citadelle s'aperçoivent les ruines précieuses de ce temple de Minerve, chef-d'œuvre des arts de l'Attique dans le beau siècle de Périclès. »

Comte de Choiseul-Gouffier,
Voyage pittoresque de la Grèce, Paris, 1782

LE POÈTE AMOUREUX DE LA LIBERTÉ

Lord Byron (1788-1824), dans Le Pèlerinage de Childe Harold, *relate son premier voyage en Méditerranée. Une des plus grandes histoires d'amour avec la Grèce, à la charnière du XVIIIe et du XIXe siècle, reste celle de ce poète anglais. En 1823, il donne son corps, son âme et beaucoup d'argent au Comité grec de libération contre la domination turque ; Byron reste quatre mois à Céphalonie pour organiser le mouvement de libération. Sa santé se dégrade et il meurt le 19 avril 1824, âgé de 36 ans. La Grèce insurgée lui fait des funérailles nationales.*

“Tel doit être le sentiment de tout Grec ami de sa patrie, si toutefois la Grèce peut se vanter encore d'avoir un seul bon patriote. Ils ne méritent pas ce nom glorieux ceux qui parlent de guerre en se résignant à la paix de l'esclavage, et qui, satisfaits de regretter tout bas ce qu'ils ont perdu, abordent leurs tyrans avec un doux sourire, et tiennent dans leurs serviles mains la faucille plutôt qu'un glaive vengeur. Ah ! Grèce, ceux qui t'aiment le moins sont ceux qui te doivent le plus : leur naissance, le sang des héros, et cette longue suite d'ancêtres illustres qui sont la honte d'une postérité dégénérée.

Lorsque les Spartiates austères renaîtront avec leurs vertus, lorsque Thèbes donnera le jour à un autre Épaminondas, lorsque Athènes pourra citer des cœurs dignes de ses anciens héros, lorsque les femmes grecques enfanteront des hommes, alors, mais alors seulement, tu seras délivrée. Il faut des siècles pour établir un empire : une heure suffit pour l'anéantir. Que d'années s'écoulent avant qu'un peuple retrouve sa splendeur éclipsée, rappelle ses vertus, et triomphe du temps et de la destinée ! Cependant de quels charmes tu es encore parée de ces jours de deuil et de tant de héros dignes de l'Olympe ! La verdure éternelle de tes vallons, tes montagnes toujours couronnées de neige, te proclament encore l'objet de tous les dons variés de la nature ; tes autels et tes temples renversés, leurs débris confondus avec les cendres des héros, sont brisés par le fer de la charrue. Ainsi périssent les monuments élevés par des mains mortelles ; la vertu célébrée par les Muses survit seule au ravage des siècles.

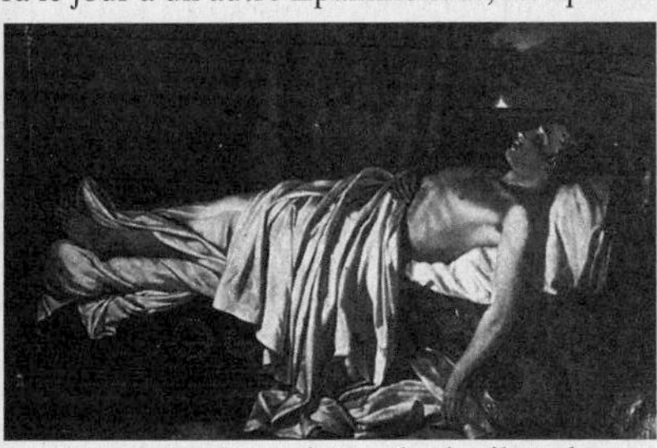

Cependant une colonne solitaire encore debout semble gémir sur ses sœurs de la carrière abattues auprès d'elle ; le temple élevé de Minerve orne encore le rocher de Colonna et apparaît au-dessus des flots ; çà et là sont aussi les tombes ignorées de quelques guerriers. Leurs pierres noircies et leur vert gazon bravent les siècles, mais non l'oubli. Les voyageurs étrangers sont les seuls qui, comme moi, s'y arrêtent avec vénération, et s'en éloignent en poussant un soupir.

Cependant ton ciel est toujours aussi bleu, et tes rochers toujours aussi sauvages ; tes bocages sont aussi frais, tes plaines aussi verdoyantes. Tes olives mûrissent comme au temps où tu voyais Minerve te sourire ; le mont Lymette est toujours riche en miel doré ; la joyeuse abeille, toujours libre d'errer sur tes montagnes, y bâtit encore sa citadelle odoriférante. Apollon n'a cessé de dorer de ses rayons tes longs étés ; le marbre de Mendeli n'a rien perdu de son antique blancheur ; les arts, la gloire, la liberté, passent, mais la nature est toujours belle.

Dans quelque sentier que nous dirigeons nos pas, nous foulons une terre consacrée : aucune partie de ton sol n'a été sacrifiée à des monuments vulgaires ; nous parcourons un théâtre vaste et fécond en merveilles ; toutes les fictions de la muse semblent des vérités, jusqu'à ce que nos yeux se lassent d'admirer ces lieux auxquels nous transportèrent si souvent les rêves de notre jeunesse : les montagnes et les plaines, les coteaux et les vallons, bravent le dieu destructeur qui a démoli les temples. La main du temps a ébranlé les atours d'Athènes, mais elle a respecté les champs de Marathon.”

LORD BYRON, *PÈLERINAGE DE CHILDE HAROLD*, CHANT DEUXIÈME

François René de Chateaubriand

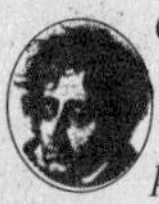

C'est avec les romantiques que le voyage en Grèce, étape initiatique et indispensable du voyage en Orient, devait connaître sa véritable ampleur, devenant presque un genre littéraire. Chateaubriand (1768-1848) fut le premier à parcourir la Grèce en écrivain, puisant son inspiration dans les contrastes du passé et du présent. De retour en France en 1806, l'écrivain critiqua le despotisme sous lequel gémissaient les Grecs, inaugurant la brillante liste des écrivains philhellènes, qui contribuèrent à la mobilisation de l'opinion publique occidentale.

« J'étais là sur les frontières de l'Antiquité grecque, et aux confins de l'Antiquité latine. Pythagore, Alcibiade, Scipion, César, Pompée, Cicéron, Auguste, Horace, Virgile, avaient traversé cette mer. Quelles fortunes diverses tous ces personnages célèbres ne livrèrent-ils point à l'inconstance de ces mêmes flots ! Et moi, voyageur obscur, passant sur la trace effacée des vaisseaux qui portèrent les grands hommes de la Grèce et de l'Italie, j'allais chercher les Muses dans leur patrie ; mais je ne suis pas Virgile, et les dieux n'habitent plus l'Olympe.

Les voyageurs qui se contentent de parcourir l'Europe civilisée sont bien heureux : ils ne s'enfoncent point dans ces pays jadis célèbres, où le cœur est flétri à chaque pas, où des ruines vivantes détournent à chaque instant votre attention des ruines de marbre et de pierre. En vain, dans la Grèce, on veut se livrer aux illusions : la triste vérité vous poursuit. Des loges de boue desséchée, plus propres à servir de retraite à des animaux qu'à des hommes ; des femmes et des enfants en haillons, fuyant à l'approche de l'étranger et du janissaire ; les chèvres même effrayées, se dispersant dans la montagne, et les chiens restant seuls pour vous recevoir avec des hurlements : voilà le spectacle qui vous arrache au charme des souvenirs.

Le Péloponnèse est désert : depuis la guerre des Russes, le joug des Turcs s'est appesanti sur les Moraïtes ; les Albanais ont massacré une partie de la population. On ne voit que des villages détruits par le fer et par le feu : dans les villes, comme à Mistra, des faubourgs entiers sont abandonnés ; j'ai fait souvent quinze lieues dans les campagnes sans rencontrer une seule habitation. De criantes avanies, des outrages de toutes les espèces achèvent de détruire de toutes parts l'agriculture et la vie ; chasser un paysan grec de sa cabane, s'emparer de sa femme et de ses enfants, le tuer sous le plus léger prétexte, est un jeu pour le moindre aga du plus petit village. Parvenu au dernier degré du malheur, le Moraïte s'arrache de son pays, et va chercher en Asie un sort moins rigoureux. Vain espoir ! il ne peut fuir sa destinée : il retrouve des cadis et des pachas jusque dans les sables du Jourdain et dans les déserts de Palmyre !

L'Attique, avec un peu moins de misère, n'offre pas moins de servitude. Athènes est sous la protection immédiate du chef des eunuques noirs du Sérail. Un disdar, ou commandant représente le monstre protecteur auprès du peuple de Solon. Ce disdar habite la citadelle remplie de chefs-d'œuvre de Phidias et d'Ictinus, sans demander quel peuple a laissé ces débris, sans daigner sortir de la masure qu'il s'est bâtie sous les ruines des monuments de Périclès : quelquefois seulement le tyran automate se traîne à la porte de sa tanière ; assis les jambes croisées sur un sale tapis, tandis que la fumée de sa pipe monte à travers les colonnes du temple de Minerve, il promène stupidement ses regards sur les rives de Salamine et sur la mer d'Épidaure. »

Chateaubriand, *Itinéraire de Paris à Jérusalem*,
Paris, 1811

«ET COMME UN VOYAGEUR S'ÉLANCE AVEC UN CRI DE JOIE,
APRÈS LA LONGUE MARCHE EN DE BRÛLANTS CHEMINS,
JE M'ÉLANCE VERS TOI...»

THÉOCRITE

GÉRARD DE NERVAL

Gérard de Nerval (1808-1855) visite la Grèce en 1843. Sa santé psychique profondément ébranlée, il vient chercher en Orient la guérison et une nouvelle inspiration. Les romantiques se détacheront souvent de la description des scènes historiques ou pittoresques au profit des sensations profondes que les paysages et les monuments de la Grèce leur inspirent.

« Je l'ai vue ainsi, je l'ai vue : ma journée a commencé comme un chant d'Homère ! C'était vraiment l'aurore aux doigts de rose qui m'ouvrait les portes de l'Orient ! Et ne parlons plus des aurores de nos pays, la déesse ne va pas si loin. Ce que nous autres barbares appelons l'aube ou le point du jour, n'est qu'un pâle reflet, terni par l'atmosphère impure de nos climats déshérités. Voyez déjà de cette ligne ardente qui s'élargit sur le cercle des eaux, partir des rayons roses épanouis en gerbe, et ravivant l'azur de l'air qui plus haut reste sombre encore. Ne dirait-on pas que le front d'une déesse et ses bras étendus soulèvent peu à peu le voile des nuits étincelant d'étoiles ? Elle vient, elle approche, elle glisse amoureusement sur les flots divins qui ont donné le jour à Cythérée... Mais que dis-je ? devant nous, là-bas, à l'horizon, cette côte vermeille, ces collines empourprées qui semblent des nuages ? c'est l'île même de Vénus, c'est l'antique Cythère aux rochers de porphyre. »

GÉRARD DE NERVAL, *VOYAGE EN ORIENT*,
PARIS, 1851

GUSTAVE FLAUBERT

Gustave Flaubert (1821-1880) a lui aussi été touché par la lumière grecque. Le 18 décembre 1849, il débarque au Pirée. Il écrit à sa mère : «Je suis dans un état olympien. J'aspire l'Antique à plein cerveau. La vue du Parthénon est une des choses qui m'ont le plus profondément pénétré de ma vie. On a beau dire, l'Art n'est pas un mensonge».

« Samedi 25. En partant de Mégare, la route inclinant sur la droite, s'enfonce dans les terres et bientôt monte légèrement ; dans un pli de terrain, nous rencontrons un troupeau de moutons et de petits agneaux dont les voix éplorées font retentir la campagne. La route monte, il y a quelques oliviers, le terrain est en pente, couleur grise : cela me rappelle des aspects de Palestine. Le temps est beau et nous promet une belle journée. Bientôt on se trouve en face de la mer, le golfe s'étend, la route est étroite et cramponnée à la montagne, dont elle suit toutes les sinuosités ; sur la pente, à droite, des petits pins, quelquefois des caroubiers. On monte, on descend, le soleil brille ; la mer tranquille, à pic sous vous, a par places, au-delà de la bordure blanche de son sable fin, de grandes places vert bouteille au milieu de sa couleur glauque claire ; la vague paisible expire et se retourne sur la grève. (...) La place était bonne, un homme y arrêtait un régiment, le chemin est si étroit que, si votre cheval faisait un

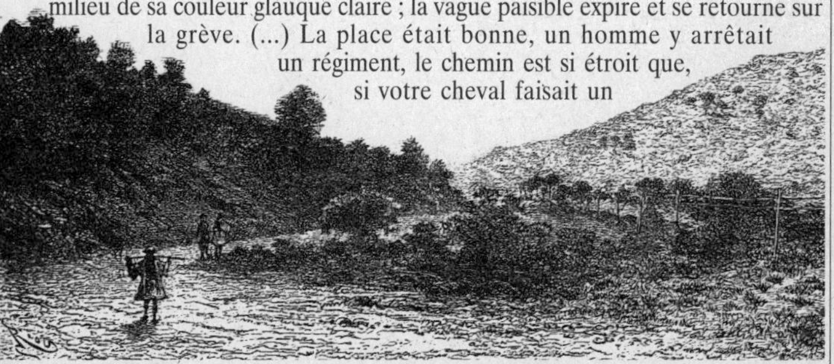

faux pas, on tomberait dans la mer, resserrée entre le précipice et la montagne. Le sentier est soutenu parfois par des pierres reliées avec des branches non dégrossies ; de temps à autre, restes de soutènement anciens de l'ancienne route. La couleur des roches qui vous dominent est grise, avec de grandes plaques rouges en long, à peu près de la couleur du Parthénon, mais plus brique, moins bitume ; entre les roches et vous, la pente est plantée de pins. Soleil, liberté, large horizon, odeur de varech. De temps à autre la pente se retire et le chemin, tout à coup devenu bon, se promène au petit trot entre des pins-arbrisseaux qui forment comme des bosquets ; le paysage entier est d'un calme, d'une dignité gracieuse, il a je ne sais quoi d'antique, on se sent en amour. J'ai eu envie de pleurer et de me rouler par terre ; j'aurais volontiers senti le plaisir de la prière, mais dans quelle langue et par quelle formule ?»

GUSTAVE FLAUBERT, *VOYAGE EN ORIENT*, LES BELLES LETTRES, PARIS, 1948

EDMOND ABOUT

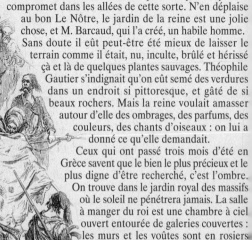

L'écrivain français du XIXe *siècle le plus proche de la Grèce moderne est sûrement Edmond About (1828-1885).* Le Roi des Montagnes *(1857), critique satirique de la littérature de «brigands», devait connaître plusieurs éditions dans plusieurs langues européennes, tandis que son récit de voyage* La Grèce Contemporaine *(1854) fut un texte très discuté.*

«La Grèce manque du nécessaire : elle s'en console par le superflu. Depuis plusieurs années, on ne construit pas une maison dans Athènes sans y joindre un petit jardin d'agrément. Les bourgeois les plus pauvres et les plus endettés se donnent le plaisir de cultiver quelques orangers et quelques fleurs. Jamais, dans leurs jardins, ils ne laissent une place pour la culture des plantes potagères : ils se croiraient déshonorés s'ils surprenaient derrière leur maison un oignon furtif ou un chou dissimulé. La vanité est plus forte chez eux que l'intérêt et le besoin.

La reine a, sans comparaison, le plus beau jardin du royaume. On y dépense, bon an mal an, cinquante mille drachmes, un vingtième de la liste civile. S'il y a quelque chose à envier dans la petite royauté de Grèce, c'est la possession de ce grand jardin. Je dis grand par l'étendue, et non par le plan : c'est un jardin anglais, plein d'allées tournantes, sans une avenue de grands arbres. Un jardinier du temps de Louis XVI en serait scandalisé et s'écrierait que la majesté royale se compromet dans les allées de cette sorte. N'en déplaise au bon Le Nôtre, le jardin de la reine est une jolie chose, et M. Barcaud, qui l'a créé, un habile homme. Sans doute il eût peut-être été mieux de laisser le terrain comme il était, nu, inculte, brûlé et hérissé çà et là de quelques plantes sauvages. Théophile Gautier s'indignait qu'on eût semé des verdures dans un endroit si pittoresque, et gâté de si beaux rochers. Mais la reine voulait amasser autour d'elle des ombrages, des parfums, des couleurs, des chants d'oiseaux : on lui a donné ce qu'elle demandait.

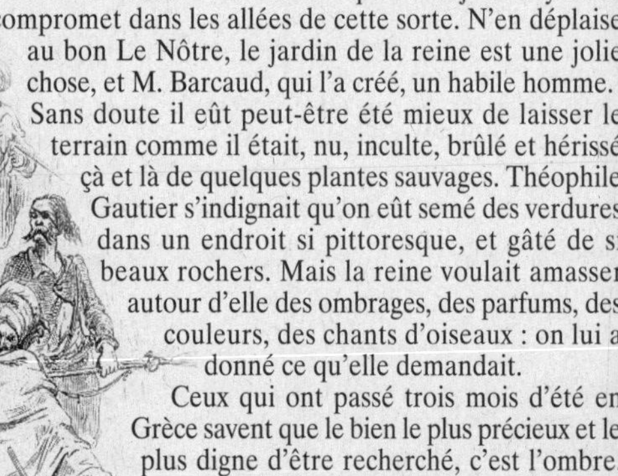

Ceux qui ont passé trois mois d'été en Grèce savent que le bien le plus précieux et le plus digne d'être recherché, c'est l'ombre. On trouve dans le jardin royal des massifs où le soleil ne pénétrera jamais. La salle à manger du roi est une chambre à ciel ouvert entourée de galeries couvertes : les murs et les voûtes sont en rosiers grimpants, serrés, entrelacés, nattés ensemble comme le travail d'un vannier. Par un de ces bonheurs qui n'arrivent qu'aux heureux, la reine a trouvé, en

défrichant son jardin, les restes d'une villa romaine : quelque chose comme 200 mètres carrés de mosaïques. On a réparé une partie de ce précieux travail, on a détruit le reste, et la reine est en possession d'une immense galerie et de cinq ou six cabinets délicieux dont le pavé est fourni par les Romains, l'ameublement par les camélias, les murailles par les passiflores.
Adrien ne se doutait guère qu'il construisait ce temple gigantesque pour embellir un jardin anglais et amuser les yeux d'une princesse d'Oldenbourg. »

EDMONT ABOUT, *LA GRÈCE CONTEMPORAINE*, PARIS, 1854

ERNEST RENAN

Les rêveries humanistes restent l'élément le plus caractéristique de l'approche de la Grèce par les écrivains de la fin du siècle. C'est en Grèce que Renan ou Maurras rechercheront un ultime recours contre la décadence qui menace l'Occident. Ernest Renan (1823-1892), professeur au Collège de France et brillant orientaliste, séjourna pendant deux ans au Proche-Orient et visita la Grèce en 1865. L'émerveillement éprouvé à Athènes lui inspira un des textes les plus célèbres du XIXe siècle, la Prière sur l'Acropole, *qui parut en 1876.*

« L'impression que me fit Athènes est de beaucoup la plus forte que j'aie jamais ressentie. Il y a un lieu où la perfection existe ; il n'y en a pas deux : c'est celui-là. Je n'avais jamais rien imaginé de pareil. C'était l'idéal cristallisé en marbre pentélique qui se montrait à moi. Jusque-là, j'avais cru que la perfection n'est pas de ce monde ; une seule révélation me paraissait se rapprocher de l'absolu. Depuis longtemps, je ne croyais plus au miracle, dans le sens propre du mot ; cependant la destinée unique du peuple juif, aboutissant à Jésus et au christianisme, m'apparaissait comme quelque chose de tout à fait à part. Or voici qu'à côté du miracle juif venait se placer pour moi le miracle grec, une chose qui n'a existé qu'une fois, qui ne s'était jamais vue, qui ne se reverra plus, mais dont l'effet durera éternellement, je veux dire un type de beauté éternelle, sans nulle tache locale ou nationale. Je savais bien, avant mon voyage, que la Grèce avait créé la science, l'art, la philosophie, la civilisation ; mais l'échelle me manquait. Quand je vis l'Acropole, j'eus la révélation du divin, comme je l'avais eue la première fois que je sentis vivre l'Évangile, en apercevant la vallée du Jourdain des hauteurs de Casyoun. Le monde entier alors me parut barbare. L'Orient me choqua par sa pompe, son ostentation, ses impostures. Les Romains ne furent que de grossiers soldats ; la majesté du plus beau Romain, d'un Auguste, d'un Trajan, ne me sembla que pose auprès de l'aisance, de la noblesse simple de ces citoyens fiers et tranquilles. Celtes, Germains, Slaves m'apparurent comme des espèces de Scythes consciencieux, mais péniblement civilisés. Je trouvai notre Moyen Âge sans élégance ni tournure, entaché de fierté déplacée et de pédantisme. Charlemagne m'apparut comme un gros palefrenier allemand ; nos chevaliers me semblèrent des lourdauds, dont Thémistocle et Alcibiade eussent souri. Il y a eu un peuple d'aristocrates, un public tout entier composé de connaisseurs, une démocratie qui a saisi des nuances d'art tellement fines que nos raffinés les aperçoivent à peine. Il y a eu un public pour comprendre ce qui fait la beauté des Propylées et la supériorité des sculptures du Parthénon. Cette révélation de la grandeur vraie et simple m'atteignit jusqu'au fond de l'être. Tout ce que j'avais connu jusque-là me sembla l'effort maladroit d'un art jésuitique, un rococo composé de pompe niaise, de charlatanisme et de caricature.

C'est principalement sur l'Acropole que ces sentiments m'assiégeaient. Un excellent architecte avec qui j'avais voyagé avait coutume de me dire que, pour lui, la vérité des dieux était en proportion de la beauté solide des temples qu'on leur a élevés. Jugée sur ce pied-là, Athénée serait au-dessus de toute rivalité. Ce qu'il y a de surprenant, en effet, c'est que le beau n'est pas ici que l'honnêteté absolue, la raison, le respect même envers la divinité. Les parties cachées de l'édifice sont aussi soignées que celles qui sont vues. Aucun de ces trompe-l'œil qui, dans nos églises en particulier, sont comme une tentative perpétuelle pour induire la divinité en erreur sur la valeur de la chose offerte. Ce sérieux, cette droiture, me faisaient rougir d'avoir plus d'une fois sacrifié à un idéal moins pur.»

ERNEST RENAN, *SOUVENIRS D'ENFANCE ET DE JEUNESSE*, PARIS, 1883

CHARLES MAURRAS

Charles Maurras (1868-1952), le futur théoricien du «nationalisme intégral», voyagea en Grèce en 1896, envoyé spécial de la Gazette de France, *pour les premiers Jeux olympiques. Cet événement international, qui donnait à la Grèce «l'ombre d'un rôle», permit à Maurras de renouer avec les traditions du classissisme. Il devait rester dès lors un amoureux de ce pays.*

«L'Antiquité fait dire aux sages : — Il ne faut pas juger un homme qu'il ne soit mort ; une ville, que tu n'en aies passé le rempart ; un voyage, que le terme n'en soit touché... Mon voyage est fini, les murailles d'Athènes sont loin derrière moi. Je m'en suis arraché en me flagellant de l'imprécation de Lysippe : "Qui ne désire pas voir Athènes est stupide ; qui la voit sans s'y plaire est stupide encore ; mais le comble de la stupidité est de la voir, de s'y plaire et de la quitter". Il est vrai que, maintenant que je l'ai quittée, j'en puis écrire autrement que par impression et donner à mes sentiments figure d'idée générale.

Entre la rue d'Hermès et l'Acropole, où est l'emplacement des quartiers septentrionaux de la ville antique, montent confusément les rues de ce que l'on peut nommer la moyenne Athènes, car on y voit la transition entre la ville turque et la capitale de la Grèce moderne. Ombreuses, tortueuses et bordées de fraîches boutiques, les beaux noms de ces rues sont les mêmes que portaient, il y a deux mille ans, des chemins à peu près pareils ; rue de Pœcile, rue du Conseil (*Bouleflirion*) et enfin la rue des Trépieds déjà marquée dans l'itinéraire de Pausanias. Les plus voisines du rocher sont coupées par des escaliers et des terrasses, qui y forment une manière de casbali.

Les maisons sont petites, souvent recouvertes d'un enduit clair et doux et, avec l'unique pente de leur toiture, aménagées à peu près comme toutes les maisons d'indigents dans beaucoup de bourgades du Midi de la France. N'y cherchez plus le marbre neuf. Mais, dans quelque muraille bâtie de galets et de boue, ne vous étonnez pas d'entrevoir, engagé pêle-mêle avec d'autres matériaux ou servant de soutien à la plus modeste cabane, le fût élégamment tourné d'une blanche colonne.

Cabane, maisonnette ou maison, la demeure est ici précédée d'une cour, souvent assez large. Au milieu de la cour, un bosquet d'arbrisseaux entre lesquels remonte avec une dignité presque religieuse, nu jusqu'à hauteur d'homme, le cyprès à l'écorce blanche, au feuillage sombre et serré. Aperçue de la terrasse du Theseion, cette partie d'Athènes, semée de cyprès sveltes, dont la feuille supérieure, traversant l'air léger, se courbe à peine au vent, est d'une poésie charmante.»

Charles Maurras, *D'Athènes à Florence*, Paris, 1901

Hugo von Hofmannsthal, la lumière spirituelle

Hugo von Hofmannsthal (1874-1929) entreprend au printemps 1908, un voyage en Grèce avec le comte Harry Kessler et le sculpteur Aristide Maillol. «Nous n'avons pas entrepris ce voyage par goût du pittoresque. Nous cherchons ici un très haut moment de l'humanité. Nous voulons participer à des fêtes qui, dans leur rigueur et leur beauté, touchent au sublime.» Pour Hofmannsthal, cette quête du legs antique est aussi une façon de lutter contre les forces obscures qui menacent l'Europe. Influencé par la vision de Nietzsche qui met l'accent sur la Grèce préhomérique livrée aux instincts et aux passions, le poète a traduit des pièces de Sophocle et Euripide et composé une Électre *dont la violence dépasse celle des anciens. Aucun écrivain ne saura mieux, et plus hardiment que lui, dire le caractère héroïque des paysages grecs, leurs couleurs entières et rudes, leur poignante diversité.*

«La première impression que donne ce paysage, d'où qu'on l'aborde est sévère. Il exclut toutes les rêveries, même celles des historiens. Il est sec, avare, expressif et frappe comme un visage cruellement amaigri ; mais là-dessus règne une lumière dont notre œil n'a, auparavant, jamais vu la pareille et dont il ressent un ravissement, comme si s'éveillait à l'instant même notre sens de la vue. Cette lumière est indiciblement aigüe et indiciblement douce à la fois. Elle met en valeur le détail le plus fin avec une netteté... une netteté douce, qui nous fait battre le cœur plus haut, et elle enveloppe le premier plan - je ne peux exprimer cela que paradoxalement - d'un voile qui l'épure. On ne peut la comparer à rien, sinon à l'esprit. C'est ainsi que dans une intelligence sublime les choses devraient reposer, vives et apaisées, précises et reliées... reliées par quoi ? non par une atmosphère affective, rien ici n'est plus déplacé que ce flottant élément qui mêle les sens, l'âme et le rêve - non : par l'esprit lui-même. Cette lumière est hardie et jeune. Elle pénètre jusqu'au noyau de l'âme ; elle est pour celle-ci le symbole de la jeunesse. Jusqu'alors je tenais l'eau pour l'expression parfaite de ce qui ne vieillit pas. Mais cette lumière est jeune d'une manière encore plus transparente. On me dit : c'est la lumière de l'Asie Mineure, la lumière de la Palestine, de la Perse, de l'Égypte, et je saisis l'unité

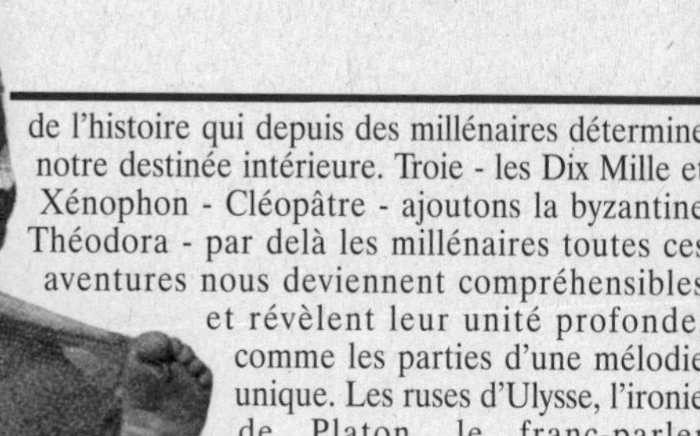

de l'histoire qui depuis des millénaires détermine notre destinée intérieure. Troie - les Dix Mille et Xénophon - Cléopâtre - ajoutons la byzantine Théodora - par delà les millénaires toutes ces aventures nous deviennent compréhensibles et révèlent leur unité profonde, comme les parties d'une mélodie unique. Les ruses d'Ulysse, l'ironie de Platon, le franc-parler d'Aristophane : il y a dans tout cela une merveilleuse identité, et la formule de cette identité est cette lumière.»

HUGO VON HOFMANNSTHAL,
LA GRÈCE, 1922

LAWRENCE DURRELL, LA SENSUALITÉ MÉDITERRANÉENNE

L'écrivain anglais Lawrence Durrell (1863-1933), né en Inde, fut d'abord pianiste de jazz, coureur automobile et agent immobilier avant de publier en 1938 à Paris Le Carnet noir, *sous le parrainage de son ami Henry Miller. L'entrée de Durrell dans les services diplomatiques l'engagera dans une vie d'exil et d'errance qui le mènera, entre autres, à Alexandrie - il y écrira son célèbre* Quatuor d'Alexandrie - *et en Grèce qu'il chantera dans* L'île de Prospero, Venus et la mer *et* Citrons acides. *Son film,* L'Esprit des lieux, *consacré à la Grèce et aux îles grecques a été primé dans de nombreux pays. Ce grand amoureux des mots mais aussi de la sensualité méditerranéenne, celui pour qui l'amour, le sexe et la connaissance sont intimement liés, ne pouvait pas être insensible à la Grèce.*

«Ici, la Grèce nous manque comme le corps d'une amie. Un paysage tout près du ciel, suspendu sur les montagnes pareilles à des pattes de lion. Mais par-dessus tout, c'est l'œil qui nous manque ; car les étés d'indolence et de douce philosophie sur les plages du nord de notre île nous ont appris que la Grèce n'était pas un pays mais un œil vivant, "L'œil immense", comme disait Zarian. Quand nous allions dans ces vallées, nous savions avec certitude que le voyageur ne peut décrire cette contrée. C'est lui-même qui se trouvait décrit par ces paysages. La sensation de cet œil immense et sans paupière qui vous regarde était partout : dans les ciels d'un bleu sonore, dans les temples, les pinceaux des cyprès, le soleil frappant jusqu'à l'éblouissement les statues de pierre. Tout était soumis à l'œil. C'était comme une lentille glissant sur la rainure de l'horizon.

Il n'existe nulle part un paysage aussi conscient de lui-même, et se conformant aussi merveilleusement aux dimensions d'une existence humaine. À Épidaure par exemple, ce ne sont ni les temples ni le théâtre qui vous obsèdent, mais l'amphithéâtre de collines, comme si la terre elle-même s'était conformée au plan de l'architecte : tout en contours, sans bords, avec seulement quelques yeuses et quelques oliviers dessinés au pinceau sur le ciel.

Il subsiste quelque chose de tout cela dans les visages fins de nos amis athéniens - visages préoccupés depuis si longtemps par la Grèce que vous pouvez tout lire en eux : sur les vagues échevelées, bleu sombre des Cyclades qui se déroulent lentement sur les flancs de Mykonos et de Délos, les moulins à vent étincelants et les sources grises. Mais ils ne sont plus maintenant que les fantômes d'un passé lucide dans l'aura de cet œil immense. Stephan voguant comme un démon, à demi submergé par les vagues ; des jeunes filles comme Élie aux bras bruns et obliques et aux longues jambes olivâtres ; insulaires hirsutes portant des ceintures de couleur vive ; grottes au fond desquelles se réverbère le bruit de succion des eaux ; longues rangées de caïques multicolores cassant l'erre sur les eaux huileuses du port ; carillons des cloches.

Quand on est assailli par toutes ces sensations dans les ruelles tortueuses, on est frappé par la grandeur du drame que les Grecs ont cette fois offerte au monde. Maro, humain et splendide, dans sa lutte contre l'apathie ; les traits tirés d'Eleftheria lisant d'un œil halluciné les derniers vers de son grand poème ; le visage solennel de Seferiades dans sa candeur et sa pureté ("nous sommes des membres caducs qui nous desséchons sur le corps d'un arbre abattu") ; Alecco, Spiro, Paul. En eux, les mille et une images de notre Grèce se cristallisant comme des points de lumière ; la chambre tapissée de livres où la femme de Zante lisait ; la terrasse aux figuiers et le bruit de l'eau qui coule ; Tinos où les voiles rouges descendent la grande rue ; Kalamata étouffée par les vignes ; Corinthe et sa vermine ; Argos et Thèbes et leur retzina ; l'odeur de la sauge écrasée sur les montagnes d'Arcadie.»

Lawrence Durrell, *L'Île de Prospero*,
trad. R. Giroux, *Prospero's sell*, Buchet-Chastel, 1962

Poètes et romanciers grecs

*La littérature grecque ne court pas le risque de rester lettre morte. N'est-il pas fréquent d'entendre dans les rues d'Athènes ou sur les marchés grecs des poèmes de Ritsos ou d'Elytis mis en musique ? Il faut rappeler que le problème de la langue et de la création littéraire s'est trouvé au cœur de la lutte pour l'hellénisme. En effet du XV*e *au XIX*e *siècle, époque où la Grèce est sous le joug de l'Empire ottoman, la langue officielle est une adaptation plus ou moins habile du grec ancien et qui n'a rien à voir avec celle que parle le peuple. Le problème national est le moteur de la tradition populaire et des grandes œuvres poétiques. La lutte pour l'indépendance inspire à Dionysos Solomos, la grande figure de ce XIX*e *siècle, sa première grande œuvre dont le compositeur Mantzaros fera en 1823 le chant national :* Hymne à la liberté. *Solomos étudie la langue du peuple et des chansons et l'enrichit de dialectismes mais plus encore le poète déplace le concept de nation et invite les Grecs à considérer comme national tout ce qui est authentique.*

La civilisation grecque hors les murs

Constantin Cavafy (1863-1933) est un des poètes les plus célèbres de la Grèce moderne. Né en 1863 à Alexandrie, de parents grecs originaires d'Istanbul, il sera employé puis chef de bureau au ministère de l'Irrigation de cette grande ville égyptienne, où il décédera en 1933. La Grèce, il faut sans doute la chercher dans l'aridité et la blancheur de cette poésie qui fait peu de place aux images et dont est presque totalement absent tout pittoresque oriental. Cavafy nous livre cependant une civilisation grecque hors les murs mais loin de l'Histoire et comme vue de près, à travers la beauté d'un jeune homme dans une taverne ou l'humilité d'une église. Cavafy réussit à saisir le revers de cet orientalisme qui reste en suspens dans toute pensée grecque.

Honneur à ceux qui toute leur vie s'assignent comme tâche la défense des Thermopyles ! Ne s'écartant jamais du devoir, équitables et justes en toute chose, mais aussi indulgents et pitoyables, généreux quand ils sont riches, quand ils sont pauvres généreux aussi dans la mesure de leurs ressources et secourant autrui autant qu'ils le peuvent, véridiques, mais sans haine contre ceux qui mentent.

Et plus que jamais dignes de louanges s'ils se rendent compte (et ils le font parfois) qu'Ephialte va paraître et que les Mèdes auront le dessus.

CONSTANTIN CAVAFY, *LES THERMOPYLES*,
TRAD. MARGUERITE YOURCENAR, GALLIMARD, 1978

L'ULYSSE SANS ITHAQUE

Georges Séféris (1900-1971) connaît lui aussi l'exil car sa carrière diplomatique l'oblige à des déplacements à l'étranger. Né à Smyrne, c'est à Paris où il fait ses études de droit, qu'il apprendra la débâcle d'Asie Mineure en 1922. L'écriture de Séféris va accompagner le voyage harassant d'un Ulysse qui aurait perdu son caractère héroïque et surtout qui serait privé à jamais d'Ithaque. L'exigence de sa parole lui donne dans son pays une place prestigieuse. Pour cette poésie hauturière qui malgré son pessimisme, engage un dialogue avec l'histoire, Séféris obtient en 1963 le premier prix Nobel de la Grèce. Ultime cruauté de l'histoire qui l'avait déjà tant blessé : Séféris meurt à Athènes, sous le régime des Colonels qu'il exécrait.

SUR L'AULIS EN ATTENDANT L'APPAREILLAGE

Où que me porte mon voyage la Grèce me fait mal.
À Pilion parmi les châtaigners, la tunique du Centaure
Glissant parmi les feuilles a entouré mon corps
Et la mer me suivait pendant que je montais,
Grimpant comme le mercure d'un thermomètre
Jusqu'à ce que nous ayons atteint les eaux de la montagne.
À Santorin, en frôlant les îles englouties,
En écoutant jouer une flûte parmi les pierres ponces,
Ma main fut clouée sur le plat-bord
Par une flèche subitement jaillie
Des confins d'une jeunesse disparue.
À Mycènes, j'ai soulevé les grandes pierres et les trésors des Atrides.
J'ai dormi à leurs côtés à l'hôtel de "La Belle-Hélène-de Ménélas".
Ils ne disparurent qu'à l'aube lorsque chanta Cassandre
Un coq suspendu à sa gorge noire.
À Spetsai, à Poros et à Myconos
Les barcarolles m'ont soulevé le cœur. (...)
Pendant ce temps la Grèce voyage
Et nous n'en savons rien, nous ne savons pas que, tous, nous sommes marins sans emploi
Et nous ne savons pas combien le port est amer quand tous les bateaux sont partis.
Et nous rions de ceux qui en ont connaissance.

«NOMBREUX SONT LES FLÉAUX D'EFFROI, LES MONSTRES QUE NOURRIT LA TERRE (...) MAIS QUI DIRA L'AUDACE SANS BORNES DE L'ESPRIT HUMAIN ?»

SOPHOCLE

Drôles de gens ! Ils se croient en Attique et ne sont nulle part.
Ils achètent des dragées pour se marier,
Ils tiennent à la main des "lotions capillaires" et ils se font photographier.
L'homme que j'ai vu aujourd'hui,
Assis devant un fond de pigeons et de fleurs,
Laissait la main du vieux photographe
Lui lisser les rides creusées sur son visage
Par les oiseaux du ciel.
Pendant ce temps, la Grèce voyage toujours,
Et si "La mer Egée se fleurit de cadavres"
Ce sont les corps de ceux qui voulurent rattraper à la nage le grand navire,
De ceux qui étaient las d'attendre les navires qui ne peuvent appareiller,
L'Elsi, le Samothrace, l'Ambracicos.
Le Pirée s'obscurcit, les bateaux sifflent,
Ils sifflent sans arrêt, mais sur le quai nul cabestan ne bouge,
Nulle chaîne mouillée n'a scintillé sans l'ultime éclat du soleil qui décline,
Le capitaine reste figé, attifé d'or et d'argent.
Où que me porte mon voyage, la Grèce me fait mal,
Rideaux de montagnes, archipels, granits dénudés.
le bateau qui avance s'appelle AGONIA 937.

GEORGES SÉFÉRIS, *ÉTÉ 1936*,
TRAD. J. LACARRIÈRE ET E. MAVRAKI, MERCURE DE FRANCE, 1985

LA DOULEUR DE LA GRÈCE

Yannis Ritsos naît en 1909 à Monemvassia, village du Péloponnèse qui tombe à pic dans la mer. Sa poésie s'est fait l'écho des douleurs des femmes et des hommes grecs et de leur désir acharné de liberté. Son poème Une mère pleurant son fils tué au cours d'une manifestation, *mis en musique par Théodorakis, devint très célèbre. Ritsos passe une grande partie de sa vie en prison pour ses prises de positions politiques. Après le coup d'état des Colonels, il est de nouveau déporté. Deux ans plus tard, après une large mobilisation de l'opinion publique, le poète, atteint de la tuberculose, est enfin autorisé à se rendre à Athènes pour se faire soigner.*

Le rocher. Rien d'autre. Le figuier sauvage et la pierre ferrugineuse.
La mer toute cuirassée. Nul espace où s'agenouiller.
Devant le sanctuaire de l'Elkoménos,
la pourpre foisonnante dans le noir. Les vieilles munies d'un chaudron blanchissent
au lait de chaux le tissu le plus long de l'Histoire suspendu aux anneaux
des quarante-quatre arcades byzantines. Le soleil,
ami implacable, son trait tourné contre les remparts,
et la mort déshéritée dans ce gigantesque embrasement
où les défunts interrompent à chaque instant leur sommeil
de salves et de fanaux rouillés, montant et descendant
les marches taillées dans le roc. Leurs briquets

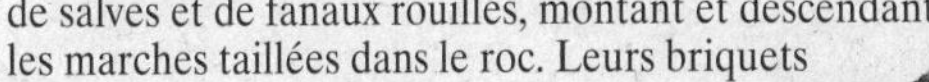

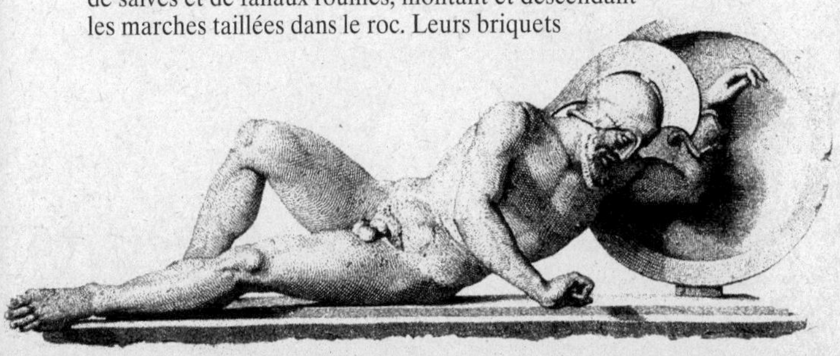

claquent sur le tranchant de leur paume, jettent des étincelles. Moi, dit-il,
je vais aller plus haut dominer cette douce continuité
et fouler la coupole de la grande église sous-marine aux candélabres allumés.
Moi, avec l'os bleu, l'aile rouge et les dents toutes blanches.

YANNIS RITSOS, *MONEMVASSIA*, TRAD. G. PIRRAT, MASPERO, 1978

UNE ÉCRITURE TOURNÉE VERS LE SOLEIL

Odysseus Elytis célèbrait quant à lui les éléments intemporels de la Grèce, la mer, le ciel et l'amour, thalassa, ouranos *et* eros, *trois mots fondamentaux de la langue grecque depuis trois mille ans ! Il naît à Héraklion, en Crète en 1911. Influencé par le surréalisme et très lié à la France où il fit plusieurs longs séjours, Elytis est aussi le traducteur d'Eluard et de Lautréamont. Son écriture ardente lui vaut en 1979 le prix Nobel de littérature.*

Comme langue on m'a donné le parler grec ;
comme maison un pauvre abri sur les syrtes d'Homère.
Mon unique souci cette langue bâtie sur les syrtes d'Homère.
Là-bas sont sargues et perches,
verbes qui vibrent sous le vent
soulevant leurs verdeurs à travers l'azur
tant que j'ai vu dans mes entrailles s'allumer
éponges et méduses
avec les premiers hymnes des Sirènes
coquilles d'or rose avec leurs premières fièvres noires.
Mon unique souci cette langue avec ses premières fièvres noires.
Là-bas sont, dieux basanés,
cognassiers, grenadiers, cognats et gens associés
versant l'huile translucide au fond des gigantesques jarres ;
et souffles divins qui montent des ravins fleurant bon
la lentisque et l'osier
les gingembres et les genêts
avec les premiers pépiements des pinsons,
antienne douce avec les tout premiers-premiers Gloria !
Mon unique souci cette langue avec ses tout premiers-premiers Gloria !
Là-bas sont lauriers et palmes
louanges et encensements
bénissant nos combats et nos vieux fusils trop longs.

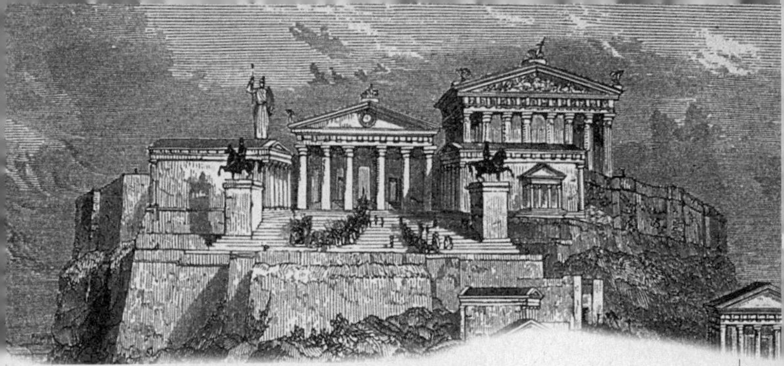

Sur le sol comme nappé d'une mantille de vignes
grils d'agneaux, chocs d'œufs durs
«Christ est ressucité»
avec les premières salves des Hellènes.
Mystiques amours avec les premières phrases de l'Hymne.
Mon unique souci cette langue, avec les premières phrases de l'Hymne.

ODYSSEUS ELYTIS, *AXION ESTI*,
TRAD. X. BORDAS ET R. LONGUEVILLE, GALLIMARD, 1987

COMMENT LA GRÈCE DEVIENT NÔTRE

Le Troisième Anneau, *paru en 1962, fit connaître Costas Taktsis (1927-1988). Ce roman vertigineux donne la parole à la Grèce à travers l'histoire de Nina et de son amie Ekavi - la formidable héroïne du livre, la Mère aux dimensions mythologiques... C'est la Grèce d'aujourd'hui révélée sans le fard d'aucun folklore. Costas Taktsis, né en 1927 à Salonique, est un Grec errant comme nombre de ses compatriotes. C'est en Australie qu'il écrit* Le Troisième Anneau *mais il séjourna également en Afrique, en Orient et aux États-Unis, revenant sans cesse à la Grèce. Taktsis a également publié des poèmes et des nouvelles, comme* La petite monnaie, *d'une grande force.*

“Sa chambre donnait sur une cour pleine d'ordures et de gosses qui couraient nu-pieds. Je n'eus pas besoin de demander où elle habitait. A peine entré dans la cour, l'odeur de l'encens me saisit à la gorge. Je n'ai jamais pu supporter l'encens. Chaque fois que maman en faisait brûler, j'en avais le souffle coupé, mais peu à peu, avec les années, mon malaise s'atténua. J'entrai dans la pièce. Dans un coin un lit de fer, au milieu une table, des chaises autour, un coffre et un bout de tapis sur le sol. Une chambre comme toutes les chambres des gens du peuple - à l'exception des icônes qui couvraient littéralement les quatre murs, du plancher au plafond. Cent, deux cents icônes, de toutes couleurs et de tous formats : la Vierge en majesté, la Vierge de Pitié, la Décollation de saint Jean-Baptiste, l'Annonciation, la Nativité, la Cène, la Présentation au Temple, la Crucifixion, la Résurrection, et tous les saints ensemble ou séparés, tous les martyrs et un tas d'autres icônes peintes ou imprimées, mais toutes de mauvais goût, et non byzantines comme les nôtres. Parmi toutes ces icônes, il y avait aussi un cercle zodiacal. Que faisait-on là ? Mystère ! “Sainte” Euphémia était assise dans un fauteuil bas, près de son lit. Seule. Elle portait une robe de bure, avec une ceinture en cuir et une agrafe d'argent, une calotte, un crucifix et un chapelet entre ses doigts osseux. Je sursautais. Aussi incroyant que l'on puisse être, il était impossible de ne pas éprouver un sentiment de crainte à la vue de tant d'icônes et, plus encore, de cette créature étrange qui évoquait moins un être vivant que les reliques d'un saint ou la momie d'un pharaon... Ce jour-là, Erasmia était partie coudre au-dehors et ne put m'accompagner. Mais elle m'avait indiqué en détail ce que je devais faire : m'agenouiller et lui baiser la main, courber la tête pour qu'elle me bénisse et ne pas ouvrir la bouche tant qu'elle ne m'avait pas adressé la parole. J'étais disposée à jouer cette comédie, et je l'aurais jouée si la “sainte” ne m'avait arrêtée elle-même. Dès qu'elle me vit, elle leva la main comme si elle m'attendait (et je donnerais ma tête à couper qu'elle avait été avertie la veille), me regarda de ses yeux minuscules profondément enfoncés dans leurs orbites, et me dit, d'une voix qui semblait sourdre d'un puits sec et profond, plutôt que d'une poitrine humaine : “Arrête !” Elle prit son souffle. “Arrête ! Ton nom commence par un N... et tu tiens trois anneaux dans tes mains... Donne-moi un peu d'eau..." Sans dire un mot, j'emplis un verre d'eau à la cruche qui se trouvait sur la table et l'aidai à boire. "J'ai sommeil ! me dit-elle quand j'eus essuyé l'eau qui avait coulé sur sa robe, J'ai sommeil." Le temps que je repose le verre sur la table, elle s'était endormie et ronflait !...»

COSTAS TAKTSIS, *LE TROISIÈME ANNEAU*,
TRAD. J. LACARRIÈRE, GALLIMARD, 1967

ARIS FAKINOS

Aris Fakinos, un des grands écrivains de ces dernières années et dont nous est parvenue depuis 1969 une dizaine de livres, parle des Grecs qui ont vécu, pendant la Seconde Guerre mondiale, l'occupation allemande puis la guerre civile, comme des Enfants d'Ulysse. Un des recueils de Ritsos s'intitule Pierres, Répétitions, Barreaux... *La Grèce ne se tient-elle pas en équilibre toujours fragile entre ses ruines magnifiques et les déchirements de ses hommes, entre la permanence de sa lumière et les répétitions douloureuses de son histoire ? La littérature moderne a ôté le masque de l'Antiquité qui pesait sur la vivante Grèce. Elle a aidé la Grèce, ce faisant, à renouer avec ses mythes, à les tremper dans le monde d'aujourd'hui.*

«Dès que l'obscurité s'épaississait pour de bon, une multitude d'histoires et de légendes que nous racontaient nos parents et nos grand-parents se pressaient dans notre esprit ; devant nos yeux émerveillés, des époques et des civilisations très anciennes ressuscitaient, autour de nous des mondes immatériels, fabuleux, se profilaient... Et soudain, tandis qu'on les regardait fascinés, des soleils invisibles s'allumaient et les baignaient de lumière comme s'ils formaient les décors d'un gigantesque théâtre de plein air, et l'on distinguait alors une foule de héros antiques, des guerriers illustres et des rois mythologiques suivis de leurs armées, de leurs peuples, des demi-dieux légendaires qui pour notre plaisir revenaient habiter leurs palais et leur terre, qui répétaient leurs exploits.

Leur présence nous enchantait, nous envoûtait, ne nous effrayait jamais : nous étions habitués depuis notre plus tendre enfance à vivre parmi les monuments qu'avait laissés leur passage, les colonnes de leurs temples parsemaient notre pays. Dans certains coins, en labourant les vignes et les champs, les cultivateurs découvraient des morceaux de statues, des jarres, des stèles funéraires, des cruches remplies de pièces de monnaie. Il ne se passait pas une année sans qu'on apprenne qu'un paysan avait déterré avec sa pioche ou sa charrue un squelette demeuré intact dans sa tombe, qu'il avait pieusement réuni les objets mortuaires et les présents offerts au défunt par ses proches. À l'école, les maîtres nous disaient que, malgré les millénaires qui s'étaient écoulés, nous parlions la même langue que parlaient nos ancêtres, ils nous emmenaient dans les musées pour nous faire lire sur les marbres les décrets de l'Assemblée du peuple et les différentes inscriptions, et nous constations qu'après tant et tant de siècles pas une seule lettre de notre alphabet n'avait changé.

Les Anciens ne nous lâchaient pour ainsi dire jamais, ils trouvaient mille façons de s'immiscer dans notre vie, de nous rappeler leur existence. Le soir, à la maison, quand l'heure venait de préparer nos devoirs pour le lendemain, leur mythologie et leur histoire nous donnaient du fil à retordre, on avait affaire aux grands hommes politiques qui avaient gouverné leurs cités, on s'empêtrait dans les querelles, les rivalités et les machinations de leurs dieux. Mon père prenait sur une étagère Ésope, Hérodote ou Hésiode, et le contrôle, la lecture, la récitation commençaient. Quand j'oubliais un nom ou sautais une ligne, pour me rafraîchir la mémoire, mon père levait la baguette d'olivier qu'il réservait à cet usage : mince, souple, cinglante. Presque au même instant, des maisons voisines, me parvenaient, en me consolant un peu, les cris et les pleurs de mes camarades qui enduraient des tourments semblables aux miens, j'entendais les taloches et les engueulades qui accompagnaient la description de la bataille de Marathon, le récit de l'expédition des Argonautes, les vers de l'Iliade.»

ARIS FAKINOS, *LES ENFANTS D'ULYSSE*, ED. DU SEUIL, 1989

Itinéraires

▲ Vue générale de l'Acropole

ue d'Athènes avec, au centre, l'Olympieion et le Zappeion. Vue aérienne du port du Pirée

▲ Vannier près de l'église des Taxiarques à Plaka

▲ Les brocanteurs de la place Avicinas

▼ La halle aux poissons du marché Athi

▲ Antiquaire place Avicinas à Monastiraki

endeur de chaussures à Plaka

▼ Un amateur de loto

▲ Monastère de Ioannis Prodromos en Arcadie

▲ Forteresse de l'Acrocorinthe

▼ M

L'Acropole

▲ Athènes

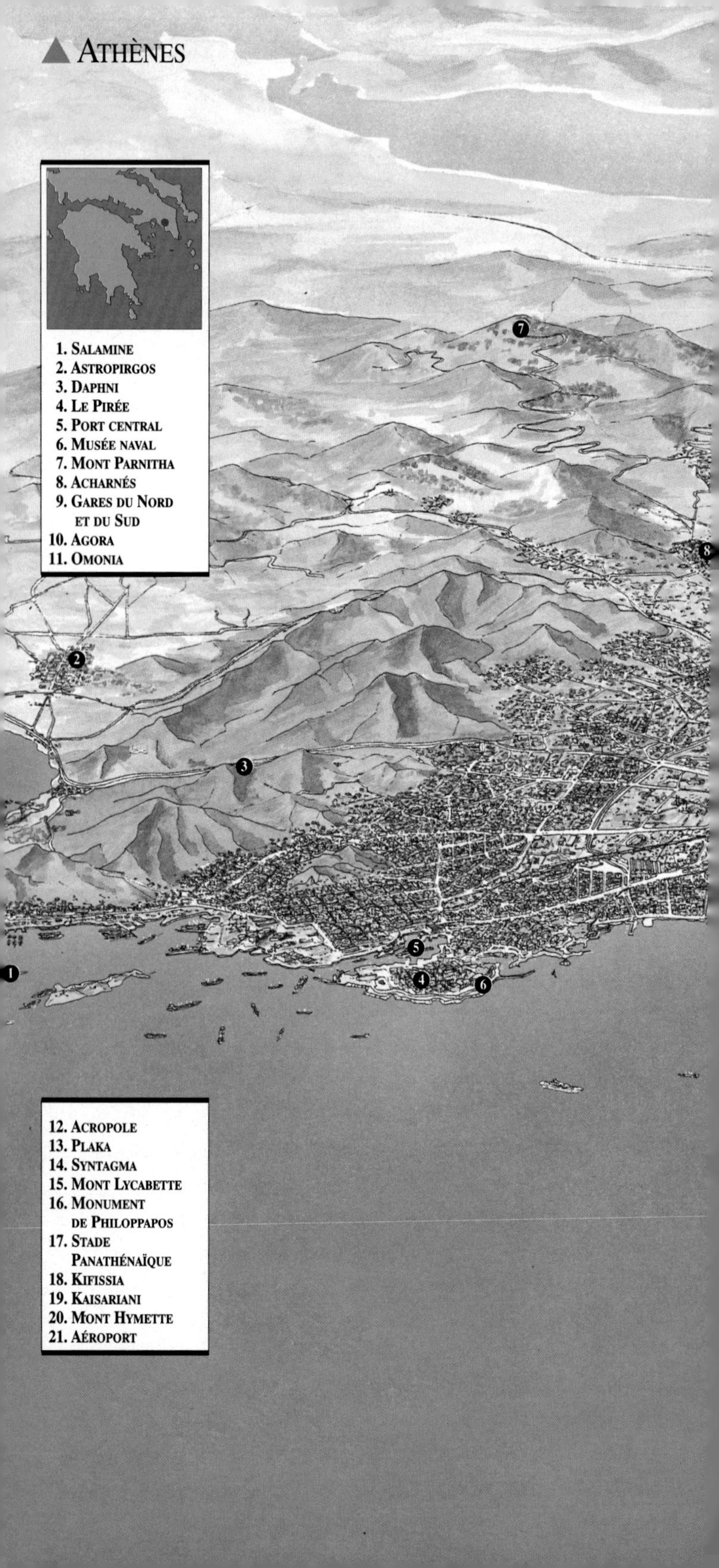

1. Salamine
2. Astropirgos
3. Daphni
4. Le Pirée
5. Port central
6. Musée naval
7. Mont Parnitha
8. Acharnés
9. Gares du Nord et du Sud
10. Agora
11. Omonia

12. Acropole
13. Plaka
14. Syntagma
15. Mont Lycabette
16. Monument de Philoppapos
17. Stade Panathénaïque
18. Kifissia
19. Kaisariani
20. Mont Hymette
21. Aéroport

EUBÉE
GOLFE DE NOTIOS EVOIKOS
18
15
9
11
10
12
13
14
17
19
20
16
21
GOLFE SARONIQUE

La chouette de la déesse Athéna
La chouette était l'emblème de la cité. De toute l'Attique, des gens venaient rendre hommage à la déesse. Le brin d'olivier, quant à lui, symbolisait la principale richesse de la région.

Les origines

Les archéologues ont mis au jour des fondations d'habitations, de puits et de tombes, ainsi que de la poterie, qui indiquent que l'Acropole et ses pentes furent habitées durant tout l'âge du Bronze (3000-1125 av. J.-C.), jusqu'à l'époque historique. Au cours de la civilisation mycénienne, vers 1400-1125 av. J.-C., les rois d'Athènes y occupaient un palais défendu par une enceinte.

Les Panathénées. Cette fête athénienne était célébrée en l'honneur d'Athéna, la déesse protectrice de la ville. Les Petites Panathénées se tenaient chaque année à la fin du mois de juillet. À partir de 566-565 av. J.-C., elles ont revêtu un éclat particulier, ont eu lieu tous les quatre ans, et se sont appelées les Grandes Panathénées. La fête, demeurée un événement majeur jusqu'à la fin de l'Antiquité, comprenait des jeux, des courses de chevaux et des concours de musique. Elle culminait par une procession, qui se formait au Céramique extérieur, traversait le Dipylon, puis le Céramique intérieur et l'Agora, avant de monter sur l'Acropole par l'ouest. C'est là que la procession s'arrêtait un moment. Une tunique ou péplos, «le voile à la couleur de safran d'Athéna au beau char», dit Euripide, tissée par un groupe de jeunes Athéniennes, était

[…]ACOTHÈQUE
PIÉDESTAL HELLÉNISTIQUE
SANCTUAIRE D'ARTÉMIS BRAURONIA
PROPYLÉES
TEMPLE D'ATHÉNA NIKÈ
PORTE BEULÉ

hissée sur le mât d'un bateau monté sur roues, afin d'être vue de la foule. Parvenu au Parthénon, le péplos était offert à la déesse Athéna. La frise du Parthénon ● *88*, qui décorait la partie supérieure de la cella, représentait cette procession, dont le but était les lieux de culte de l'Acropole. La fête se poursuivait avec un sacrifice de bœufs ● *88.* Après l'abolition de la royauté, le siège du gouvernement fut transféré dans la ville basse d'Athènes, et l'Acropole abandonnée aux sanctuaires d'Athéna. Les plus anciens monuments remontent à l'époque archaïque (700-480 av. J.-C.). À la fin de cette période, Athènes s'est imposée comme la première des Cités-États de Grèce, étant parvenue à unifier les Hellènes dans le but de défendre leur liberté menacée par les invasions perses de 490 et de 480-479 av. J.-C. ● *44*. Au cours de la seconde invasion, les Athéniens abandonnèrent leur ville aux Perses qui détruisirent les sanctuaires de l'Acropole.

L'ACROPOLE DE PÉRICLÈS. En 447 av. J.-C., Phidias, chargé par Périclès de la surintendance des travaux de l'Acropole, s'entoura d'architectes, de sculpteurs, de peintres et d'artistes, puis conçut un plan pour l'édification du Parthénon construit de 447 à 432 av. J.-C. Les Propylées de Périclès furent commencés en 437, mais les travaux furent interrompus par la

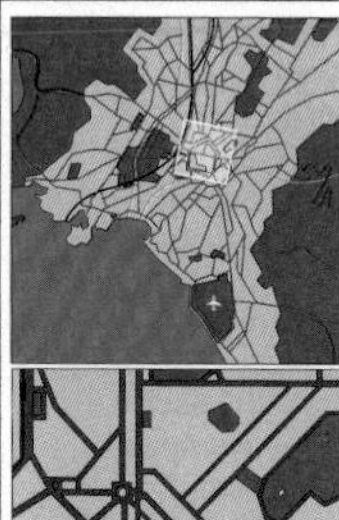

1/2 journée

ACROPOLE D'ATHÈNES
Marcel Lambert, présente dans cet envoi, les monuments «les uns à côté des autres comme ils étaient groupés anciennement, avec leurs différents niveaux». Par son souci d'englober aussi bien les détails que les ensembles, il ambitionne de constituer une référence pour le Parthénon. Comme tous les architectes de son temps, Lambert affirme que «c'est sur le Parthénon qu'on peut étudier tous ces remarquables principes qui font que l'architecture grecque est réputée la plus parfaite». La première coupe illustre l'état restauré de l'Acropole, la seconde, selon le même axe est-ouest, l'Acropole en 1877.

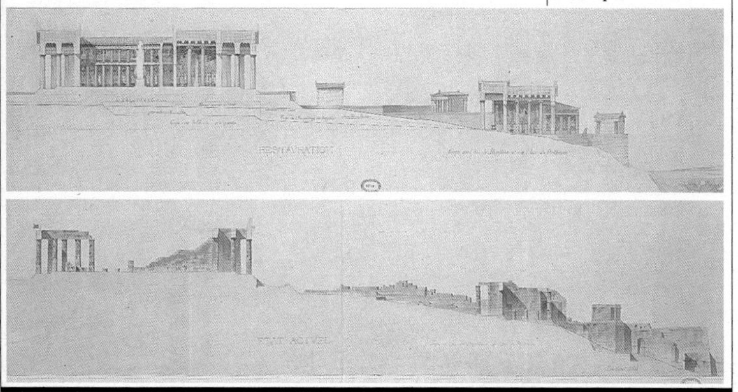

PLAN D'ATHÈNES
Avant le XVIIe siècle, les dessins représentant Athènes sont très rudimentaires et souvent erronés. Les premiers voyageurs de la fin du XVIIe siècle, mieux renseignés, rentrèrent d'Athènes avec des plans et des dessins décrivant plus précisément l'Acropole et d'autres monuments de la ville.

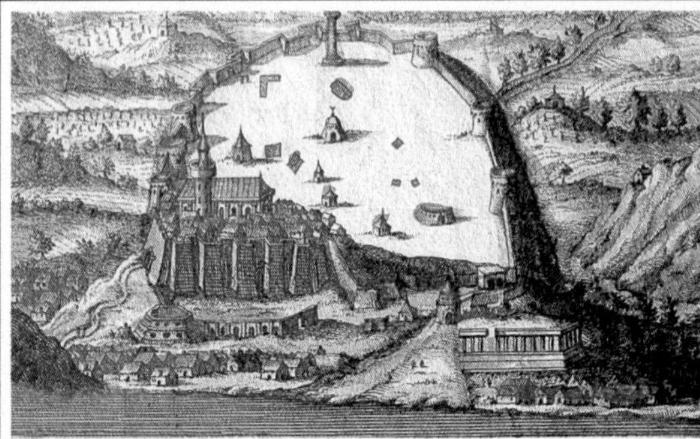

guerre du Péloponnèse en 432 av. J.-C. Bien que les Athéniens aient transformé l'Acropole en une forteresse après l'invasion des Goths, en 267 av. J.-C., le Parthénon demeura un temple jusqu'au VIe siècle, où il fut converti en église vouée à la Vierge.

LA VISITE DU SITE ARCHÉOLOGIQUE

BOMBARDEMENT DE L'ACROPOLE
Verneda commémore le bombardement par l'armée vénitienne le 26 septembre 1687. La bombe détruisit la moitié du temple, le toit et ouvrit une grande brèche entre les deux frontons.

La Voie sacrée, sente entrecoupée de degrés, mène à la porte Beulé, l'entrée principale du site. Elle porte le nom de l'archéologue français, Ernest Beulé, qui la découvrit en 1852 sous un bastion turc. Elle consiste en deux grandes tours flanquant une porte, alignée dans l'axe des Propylées, l'entrée monumentale classique de l'Acropole. Il est probable qu'elle ait été érigée par les Byzantins après le sac d'Athènes par les Hérules, peuple germanique, en 267. La porte Beulé franchie, on monte un grand escalier, construit par les Romains au IIIe siècle, afin d'accéder aux Propylées. Le temple d'Athéna Niké a été construit sur le bastion de l'angle sud-ouest du grand plateau, sur la droite de cet escalier.

L'OCCUPATION TURQUE
L'Acropole était le quartier général du gouverneur turc. Des maisons avaient été construites pour les soldats et leurs familles.

«Nous le mettrions en dépôt dans l'Acropole, sous un sceau, comme on fait pour l'or.»

Platon

En 1492, Hartmann Schedel, dans son *Liber Chronicarum* décrit Athènes comme une ville banale, dont il ignore le nom, et la nomme «Sétines» sur cette gravure.

Fauvel par Dupré Antiquaire, consul à Athènes, ce peintre collabora au *Voyage pittoresque de la Grèce* de Choiseul-Gouffier. Sa maison, située entre le Théséion et la stoa d'Attale, donnait sur l'Acropole.

Le monument d'Agrippa. Le piédestal du monument d'Agrippa est taillé dans du marbre bleu-gris extrait des carrières du mont Hymette. Les entailles visibles au sommet de ce piédestal montrent qu'il a été par deux fois surmonté de quadriges. Il a été érigé en 178 av. J.-C. par le roi Eumène II de Pergame, pour commémorer la victoire que son frère Attale et lui-même avaient remportée dans une course de chars, lors des Jeux panathénéens, cette année-là. Leur quadrige fut remplacé par les statues d'Antoine et de Cléopâtre, sans doute en 39 av. J.-C. Peu après, Antoine et la reine furent battus par Octave à la bataille d'Actium. Quand Octave prit le nom d'Augustus, il institua une sorte de co-régence avec Agrippa. On dressa alors en l'honneur de ce dernier une statue, probablement montée sur un char en bronze. L'inscription gravée en l'an 27, difficilement déchiffrable aujourd'hui, copiée par Stuart, précisait : «Le peuple (honore) son bienfaiteur, Marcus Agrippa, fils de Lucius», dédicace du peuple d'Athènes à son bienfaiteur.

TEMPLE ATHÉNA NIKÉ, OU TEMPLE DE LA VICTOIRE APTÈRE
On accède à la plate-forme du temple par l'aile sud des Propylées. Niké, personnification de la victoire, avait tout d'abord été représentée comme volant dans les airs. Quand les Athéniens assimilèrent son culte à celui de leur protectrice, ils appelèrent cette dernière Athéna Niké, mais comme la déesse n'était jamais représentée avec des ailes, elle devint Niké Apteros. On prétend parfois qu'ils l'avaient privée d'ailes pour que la Victoire demeurât toujours dans leur camp. Dès lors, pour l'art grec, les Nikés ailées formèrent cortège autour d'Athéna, porteuse de Victoire.

LE TEMPLE D'ATHÉNA NIKÉ ♥

LA LÉGENDE. Ce petit temple est l'un des monuments les plus mémorables du panorama de l'Acropole. Pausanias raconte l'avoir vu en montant aux Propylées : «Le temple de la Victoire Aptère (Victoire sans ailes) est à droite des Propylées. La mer se découvre de cet endroit, et c'est de là, dit-on, qu'Égée se tua lorsqu'il vit revenir, avec des voiles noires, le vaisseau qui avait transporté les jeunes Athéniens dans l'île de Crète. Thésée était parti avec l'espoir de tuer le minotaure et avait promis à son père de hisser des voiles blanches au vaisseau s'il revenait vainqueur. Il oublia sa promesse, et Égée, croyant qu'il avait péri, se précipita du haut de la citadelle.»
L'HISTOIRE. Le temple a été commencé en 427 av. J.-C., deux ans après la mort de Périclès. Le bâtiment était achevé trois ans plus tard, mais les sculpteurs poursuivirent leurs travaux jusqu'en 410 av. J.-C. environ.

VUE INTÉRIEURE DE L'ACROPOLE
L'Érechthéion et le Parthénon.

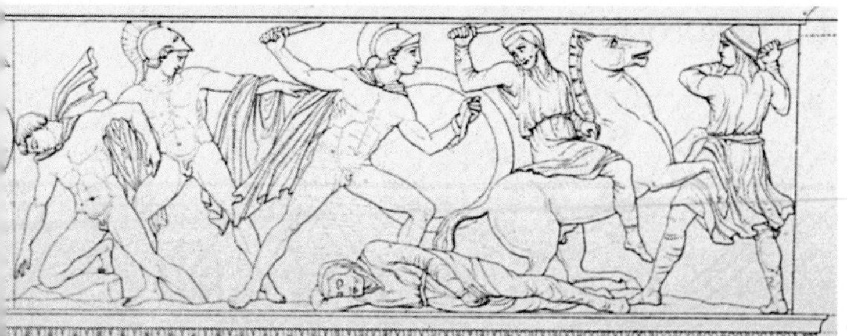

La frise
Les sculptures des côtés nord et sud présentent des scènes de combats entre des Grecs et des Perses que l'on reconnaît à leurs costumes.

La premiere anastylose. En 1676, Spon et Wheler purent contempler le temple intact sur son promontoire, mais cet édifice fut démoli par les Turcs lors du siège de l'Acropole par les Vénitiens en 1687. En 1835, les architectes Schaubert et Hansen retrouvèrent presque tous les marbres et le relevèrent sur son soubassement, resté en place. Ils pratiquèrent ainsi la première anastylose («remonter») qui consiste à restaurer un édifice avec les éléments qui s'étaient écroulés et selon les principes architecturaux en vigueur lors de sa construction, tout en laissant visibles les ajoûts et consolidations avec des matériaux modernes. Ce temple en marbre pentélique, de 6,90 m de hauteur, de 8,20 m de profondeur et de 5,40 m de largeur, est d'ordre ionique. Les façades avant et l'arrière s'ornent de portiques de deux rangs de quatre colonnes. La cella, ou pièce principale du temple, a des murs pleins, sauf à l'est où deux piliers rectangulaires se dressent entre les antes.

Les sculptures de la frise. Une frise sculptée, presque en haut relief, court sur les quatre côtés de l'édifice. Les seuls panneaux originaux qui subsistent sont ceux du côté est. Les panneaux des autres côtés sont des moulages des originaux, conservés au British Museum. Les personnages de la frise orientale ont été touchés par une maladie de la pierre. On reconnaît Athéna à son bouclier, et Zeus auprès d'elle ; autour d'eux, une assemblée des dieux et des déesses. Les scènes des autres côtés ont pour thème les guerres médiques du Ve siècle, en particulier la bataille de Platées en 479 ● *45*. La proximité du temple avec le bord du promontoire a rendu nécessaire la construction d'un parapet, sauf vers l'est. Cette balustrade en marbre, d'un peu plus d'un mètre de haut, supporte une grille en bronze.

Un temple ionique
Cet élégant petit temple, dédié à Athéna Niké, est amphiprostyle tétrastyle (2 rangs de 4 colonnes sur chaque façade). Son stylobate repose sur trois degrés, une balustrade en marbre ornée de bas-reliefs l'entoure. Le plan, ci-contre, fut exécuté par Boitte, en 1876.

LES PROPYLÉES
Après les fouilles de E. Beulé en 1852, L.-F. Boitte propose, dans cet envoi des Beaux-Arts de 1864, un nouveau relevé du monument avec les vestiges de toutes les époques, dont la tour franque, et une coupe restaurée de la façade ouest.

Les plaques de marbre s'ornent de reliefs vers l'extérieur. Au centre du côté ouest de la balustrade, sur le panneau le plus décoratif de l'ensemble, Athéna recevait l'hommage de deux processions de Nikés ailées. Une partie de ces sculptures sont exposées au musée de l'Acropole ▲ *150*.

RESTAURATION DU TEMPLE. Le programme de restauration en cours prévoit le démantèlement total et le traitement de toutes les pierres, ainsi que la démolition du soubassement en béton, qui date de la restauration de 1938, le remplacement de ses poutres en fer, la reconstruction de ce socle et la restauration du temple en incorporant des éléments architecturaux nouvellement identifiés qui seront fixés à l'aide de scellements en titane au lieu de fer ou de bronze.

LES PROPYLÉES

L'entrée monumentale de l'Acropole, photographiée au début du siècle.

CONSTRUCTION. L'architecte en a été Mnésiclès. Le plan original concernait le flanc ouest de l'Acropole. Outre la porte centrale et les deux ailes qui la prolongent vers le nord-ouest et le sud-ouest, Mnésiclès avait prévu deux grandes salles, au nord-est et au sud-est. Les travaux prirent fin en 432 av. J.-C., juste avant que n'éclate la guerre du Péloponnèse. La porte et les deux ailes étaient achevées, mais deux portiques étaient encore au stade des fondations. La construction ne fut jamais terminée. Les Propylées se composent d'un bâtiment central et de deux ailes construites sur un soubassement calcaire. Le bâtiment central est un rectangle coupé par un mur transversal percé de cinq portes, dont

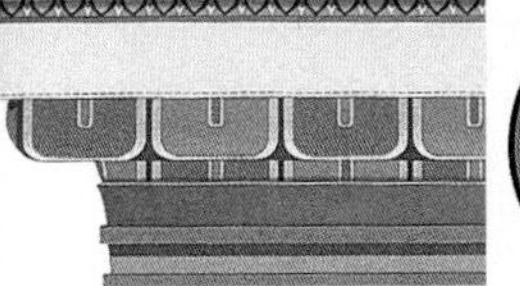

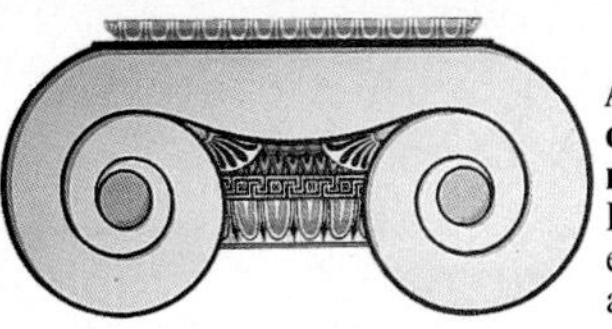

Architrave et chapiteau ionique restaurés
Bleu et jaune sont employés pour adoucir la lumière.

une plus haute et plus large au milieu, et deux plus petites de part et d'autre. Le toit des porches s'ornait d'un fronton. Les processions, les chars et les animaux destinés aux sacrifices montaient vers l'Acropole par la rampe de la Voie sacrée.

Les portiques. Les piétons gravissaient quatre marches pour pénétrer sous le portique extérieur, puis un second escalier avant d'accéder par les portes latérales au portique donnant sur l'ensemble des bâtiments de l'Acropole. Les façades des deux portiques comportaient six colonnes. L'espace entre les deux colonnes médianes était plus important qu'entre les autres, afin de permettre le passage de la large rampe.

Les vestibules. Cette rampe était flanquée de trois paires de hautes colonnes qui soutenaient, à l'intérieur, le plafond du vestibule ouest, ouvert sur la ville basse. Des poutres en marbre passaient entre les murs nord et sud du vestibule extérieur et les architraves des colonnes centrales, et formaient la base d'un plafond à caissons décorés d'étoiles en or sur fond bleu. Les deux ailes des Propylées étaient construites à angle droit de la porte centrale, leur stylobate et les marches qui y donnaient accès étant l'extension de celles du vestibule ouest. Les façades avaient trois colonnes doriques entre les parties en saillie d'un côté des murs latéraux. L'aile nord abritait, à l'époque classique, une salle de banquet (forme essentielle de la sociabilité grecque) ; le voyageur Pausanias témoigne qu'au IIe siècle ap. J.-C., elle avait été transformée en pinacothèque.

Travaux en cours. On franchit les Propylées sur un escalier en bois qui protège la grande rampe en marbre. Un superbe chapiteau ionique couronne la dernière colonne sur la gauche de la colonnade centrale. Une partie du plafond à caissons a été remise en place. On parvient au plateau de l'Acropole, et l'on a devant les yeux le spectacle du Parthénon, encadré par les colonnes centrales du vestibule est des Propylées.

Les blocs d'origine ont été complétés par du marbre pentélique et taillés par des marbriers de l'île de Tinos où l'on a conservé les techniques traditionnelles.

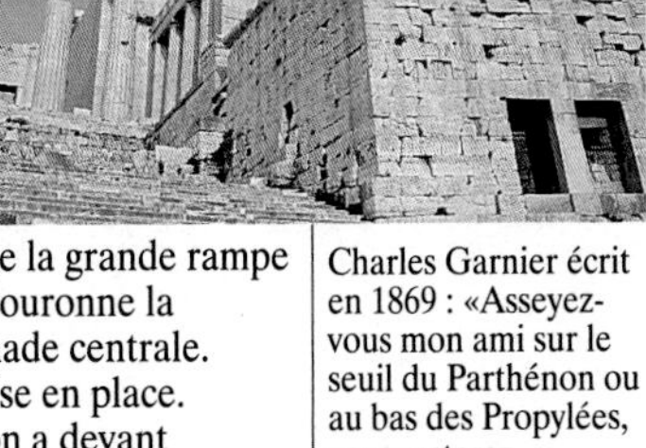

Charles Garnier écrit en 1869 : «Asseyez-vous mon ami sur le seuil du Parthénon ou au bas des Propylées, vous resterez des heures entières à voir et à revoir les mêmes colonnes.»

▲ Le Parthénon, reconstitution de Benoît Loviot en 1881

Après la proclamation de l'Indépendance, le gouvernement grec et le Service archéologique se concertèrent au sujet de la protection de l'Acropole. Les travaux commencèrent en 1834 : des secteurs furent dégagés, les constructions modernes furent démolies et l'on entreprit la restauration des monuments. Durant tout le XIXe siècle, des Grecs et des étrangers s'y employèrent, particulièrement entre 1885-1890, avec la campagne de fouilles au cours de laquelle furent mises au jour les pièces conservées au musée. Ces restaurations effectuées au XIXe et au début du XXe siècle ont donné à l'Acropole son aspect actuel.

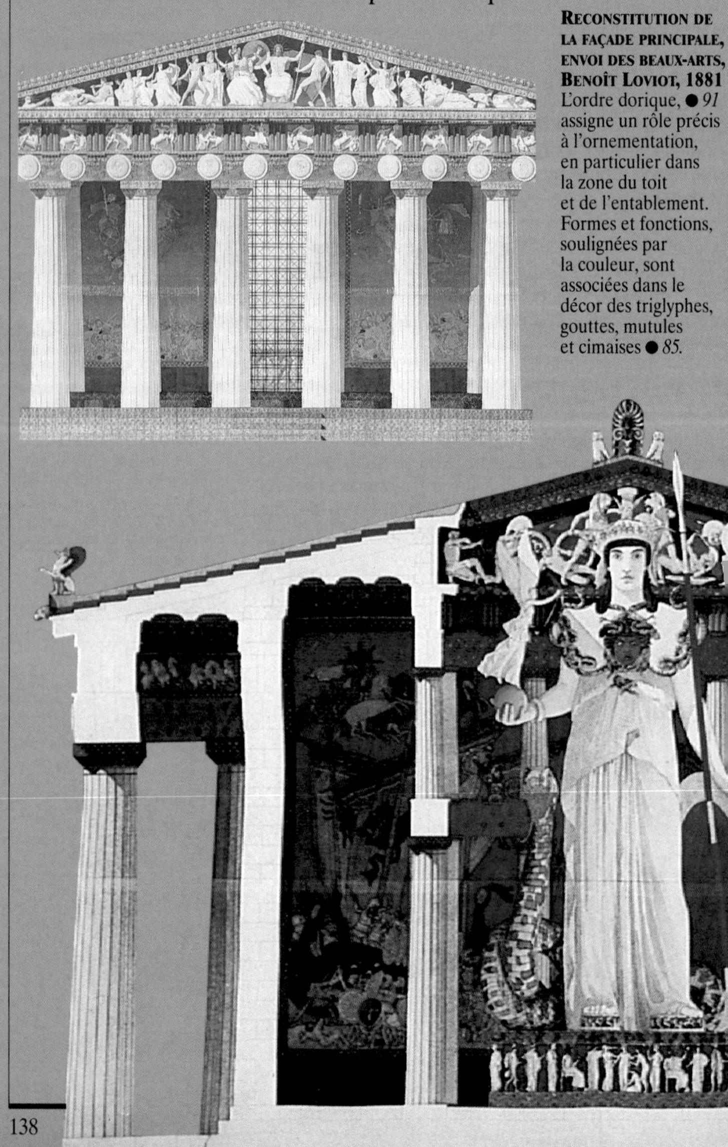

Reconstitution de la façade principale, envoi des Beaux-Arts, Benoît Loviot, 1881
L'ordre dorique, ● *91* assigne un rôle précis à l'ornementation, en particulier dans la zone du toit et de l'entablement. Formes et fonctions, soulignées par la couleur, sont associées dans le décor des triglyphes, gouttes, mutules et cimaises ● *85*.

Le péristyle extérieur
La reconstitution proposée met l'accent sur la fonction purement esthétique du péristyle qui transforme le temple en une construction monumentale. Les colonnes reposent directement sur le dernier gradin, le stylobate. Au-dessus de la poutre principale, les dalles de pierre des triglyphes marquent l'assise des solives. Des dalles peintes, les métopes ● *85*, remplissent les espaces intermédiaires. Le toit commence avec le larmier, en saillie au-dessus de la frise, et le chéneau qui y repose.

Athéna Parthénos
Cette copie romaine de la statue de Phidias, exposée au Louvre, et la reconstitution reproduisent la statue chryséléphantine (faite d'or et d'ivoire), offrande des Athéniens à leur déesse protectrice.

Chapiteau ionique à volutes

Gargouille
Le temple est entouré d'une gouttière. L'eau s'écoule par des gargouilles, dont la forme la plus fréquente est une tête de lion.

Parthénon, coupe transversale
Au centre, l'Athéna Parthénos de Phidias, statue chryséléphantine aux attributs polychromes. Le sculpteur confiait sa statue au peintre «qui devait y ajouter une dernière perfection et lui donner une signification religieuse».

Plan du Parthénon par Benoît Loviot

Le Comité pour la conservation de l'Acropole et l'architecte en charge des travaux en cours, Manolis Korrès, soulignent que l'aspect du Parthénon ne changera pas du fait de la restauration ; les ajouts proposés ne complètent que dix pour cent du temple. Rendre le monument plus accessible implique qu'on lui donne une forme cohérente sur le plan esthétique et plus exacte d'un point de vue historique. Les nouveaux blocs de marbre sont patinés pour atténuer le contraste avec ceux de l'Antiquité. Il subsiste, comme le recommande la charte de Venise de 1964, une légère différence de couleur entre les blocs de marbre pour que le visiteur puisse les identifier.

La sauvegarde des monuments
Durant trois ans, M. Korrès et ses adjoints ont identifié et regroupé autour du temple des centaines de blocs de marbre, souvent fragmentaires, qui étaient disséminés parmi quelque 70 000 pierres provenant d'autres monuments de l'Acropole ou des constructions médiévales et turques. L'architecte envisage maintenant la restauration partielle des murs de la cella en ajoutant plusieurs centaines de blocs anciens.

L'inventaire scientifique
Le comité prévoit tout un éventail de possibilités pour compléter le sauvetage du monument. En 1986, le fronton de la façade est et son entablement ont été démantelés. Les deux années suivantes, les éléments du fronton, les corniches, la frise des angles et les blocs de l'architrave ont été remontés. Les restaurateurs ont établi une fiche descriptive de chaque bloc déplacé, avec la prescription d'un traitement pour assurer sa conservation.

Techniques. Les nouveaux tenons en titane sont mis en place avec de petits forets traditionnels et fixés avec du ciment. La taille et le polissage des blocs neufs ont été confiés à des marbriers de Tinos, formés aux méthodes classiques du travail du marbre.

Pour réparer les fissures du marbre, on effectue des raccords et des jointoiements. Sur les blocs ébréchés, le spécialiste rapporte éventuellement des fragments de marbre blanc, identique à l'original, provenant des carrières du mont Pentélique.

Travaux en cours
Une grue a été installée à l'intérieur du Parthénon, ainsi que des échafaudages et toute une série de machines et d'instruments. Quelque 150 éléments de l'architecture d'origine ont été démontés, emportés à l'atelier et remis exactement en place après traitement par des spécialistes.

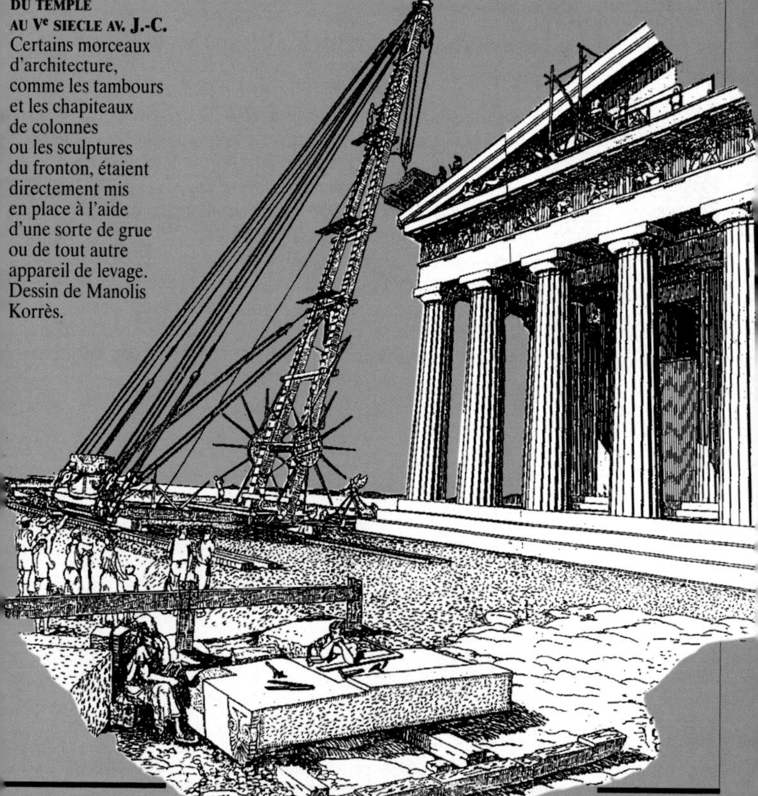

La construction du temple au Ve siecle av. J.-C.
Certains morceaux d'architecture, comme les tambours et les chapiteaux de colonnes ou les sculptures du fronton, étaient directement mis en place à l'aide d'une sorte de grue ou de tout autre appareil de levage. Dessin de Manolis Korrès.

RESTAURATION ET DÉGAGEMENT DU SITE
Les premiers travaux de restauration furent commencés dès 1834. Ci-dessus, la restauration d'Orlandos, 1940.

LE PARTHÉNON

LE SANCTUAIRE D'ARTÉMIS BRAURONIA. En se dirigeant vers le Parthénon, s'élève sur la droite le sanctuaire d'Artémis Brauronia. C'est l'Artémis d'un grand sanctuaire de l'Attique, Brauron, sur la côte orientale ▲ *260,* où les jeunes Athéniennes accomplissaient, avant leur mariage, un rituel étrange puisqu'il consistait à imiter l'ourse lors d'une danse. Le sanctuaire d'Athènes en constituait une sorte de succursale. Il a la forme d'un trapèze avec deux portiques orthogonaux dont le plus important suit la direction du mur sud de l'Acropole. Il abritait une statue de la déesse par Praxitèle.

LA CHALCOTHÈQUE. Tout de suite après le sanctuaire, on voit, demeurés en place, un certain nombre de blocs en pierre calcaire, ainsi que les fondations de murs taillées dans la roche, dont l'une vient couper les marches du côté ouest du Parthénon.

LE ROCHER DE L'ACROPOLE
À environ 50 m de hauteur, le plateau rocheux qui surmonte l'Acropole, aplani par l'homme à plusieurs reprises, forme un polygone qui s'étend sur une longueur de 300 m, tandis que sa plus grande largeur est de 135 m. L'enceinte dépasse 800 m.

La façade ouest du Parthénon en 1819.

RESTAURATION DU PARTHÉNON Entre 1923 et 1933, Balanos fit relever la colonnade nord et une partie de celle du sud. Ces travaux se révélèrent désastreux : il fit tailler le marbre afin d'y insérer des tenons de fer qui rouillèrent. Orlandos, son collaborateur, se déclara hostile à la reconstitution de la colonnade sud, si l'on ne procédait pas également à celle des murs de la cella. À la mort de Balanos, en 1942, la restauration lui fut confiée. Orlandos était persuadé que plus un monument retrouvait sa forme originale, mieux les visiteurs en appréciaient la beauté.

Ce seraient les vestiges de la Chalcothèque, où l'on entreposait la vaisselle en bronze et les offrandes votives à Athéna. Au début du IVe siècle, une stoa lui a été ajoutée sur la façade nord, dont l'angle nord-est vient couper les degrés de la crépis du Parthénon.

FAÇADE ORIENTALE DU PARTHÉNON.

LES REMPARTS. Dans le secteur situé à l'angle sud-ouest du Parthénon, deux fosses, entourées de parapets ont été laissées ouvertes afin que l'on puisse voir les remparts qui couraient tout au long du côté sud du plateau. Les plus anciens datent du XIIIe siècle, les autres du second quart du Ve siècle av. J.-C. Ces derniers ont été complétés sous Périclès qui a fait remblayer et niveler la terrasse du sommet du plateau, avant d'entreprendre la construction du Parthénon.

LE VIEUX PARTHÉNON. Les fouilles entreprises en 1885 ont provoqué des controverses au sujet des temples archaïques, antérieurs au Parthénon. On estime que le vaste temple périptère du VIe siècle, dont on découvrit les fondations, fut démoli peu après la victoire remportée sur les Perses à Marathon, en 490 av. J.- C., pour faire place à un nouveau sanctuaire en marbre, consacré à Athéna, déesse protectrice d'Athènes. Ce dernier aurait été inachevé quand les Perses mirent la ville à sac ● *44*. De nombreux fragments de ce sanctuaire, dit le «Vieux Parthénon», ont été réutilisés pour des constructions ultérieures.

LA RESTAURATION Durant tout le XIXe siècle des Grecs et des étrangers s'y employèrent. Les restaurations de la fin du XIXe et du début du XXe siècle ont donné aux monuments l'aspect qu'on leur connaît aujourd'hui. Un effort fut fait entre 1885 et 1890, avec la grande campagne de fouilles menées sur l'Acropole, au cours de laquelle furent mises au jour les pièces uniques exposées au musée.

Le temple d'Athéna à Athènes, 1725.

LE FRONTON EST
Lorsque Carrey réalisa ce dessin du fronton postérieur (page de droite), il ne restait plus que sept sculptures et quatre têtes de chevaux. Le sujet de ce fronton est la naissance d'Athéna : la déesse jaillit, armée et casquée, du cerveau de Zeus, son père. Le char de la Lune, à droite, s'enfonce dans l'océan, alors qu'émerge celui du Soleil, à gauche.

LE FRONTON OUEST
Il illustre un mythe fondamental de la cité : la dispute entre Athéna et Poséidon pour la possesion de l'Attique. Athéna, qui avait offert l'olivier, symbole de la paix, triompha. Les sculptures d'Héraclès, Hestia, Dioné et Aphrodite sont aujourd'hui conservées dans les salles Elgin du British Museum.

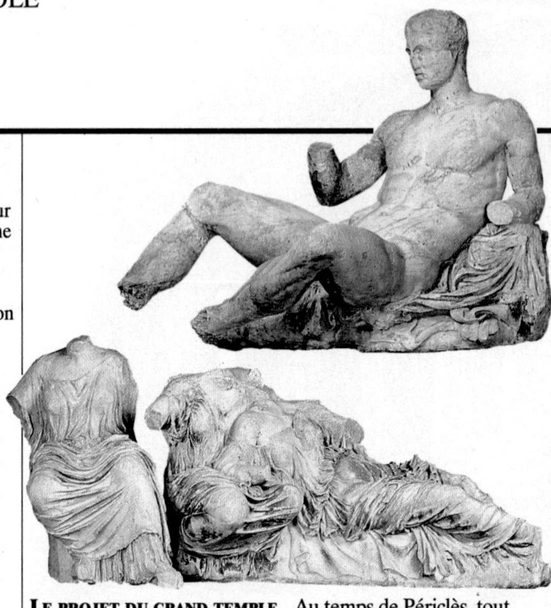

TÊTE DE JEUNE HOMME
Elle provient de l'une des métopes du temple ; M. Brönsted découvrit au musée de Copenhague deux têtes, dont l'une représentait un Centaure, qui furent apportées au Danemark par le capitaine Hartmand, l'un des compagnons de Kœnigsmark, à la suite du siège de l'Acropole en 1687.

LE PROJET DU GRAND TEMPLE. Au temps de Périclès, tout Athènes avait voulu apporter sa contribution pour construire et orner le Parthénon, appelé «le grand temple» ou simplement «le temple», ainsi que les autres monuments. Plutarque témoigne : «Les monuments possédaient une grandeur imposante, d'une beauté et d'une grâce inimitables ; les artistes s'efforçaient à l'envi de se surpasser par la perfection technique du travail, mais le plus admirable fut la rapidité de l'exécution.» Périclès avait laissé la direction au sculpteur Phidias, qui «présidait à tout et surveillait tout», en particulier le décor, auquel collaboraient à ses côtés les meilleurs artistes d'Athènes. Les architectes Ictinos et Callicratès étaient chargés de dresser les plans et de les exécuter. La construction débuta en 447 av. J.-C. et s'acheva neuf ans plus tard, bien que les sculptures n'aient été terminées qu'en 432. Périclès et ses architectes avaient décidé dès le départ d'édifier le nouveau sanctuaire sur les fondations du Vieux Parthénon. À l'exception des fondations

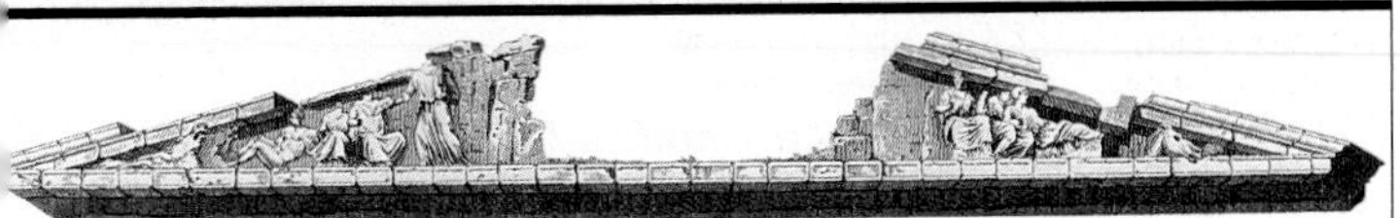

en calcaire, des portes en bois et des plafonds, le temple fut construit en marbre, y compris les plaques du toit. Le marbre destiné à l'édifice provenait des carrières du Pentélique ; le marbre de Paros était réservé aux sculptures. Le sanctuaire fut ouvert au public à peine le bâtiment achevé, et consacré à la déesse lors des Grandes Panathénées de 438 ▲ *130*.

LE TEMPLE. Il repose sur la crépis ou socle à trois marches. La marche supérieure ou stylobate mesure 69 m de long sur 26 m de large. C'est un temple périptère ● *90* et sa colonnade extérieure, le péristyle, comporte huit colonnes sur les façades ouest et est, et dix-sept en longueur, si l'on compte deux fois celles des angles. Les fûts de ces colonnes doriques comportent le plus souvent douze tambours cannelés, mesurant 10 m avec le chapiteau, et dont le diamètre s'échelonne de 1,91 m en bas à 1,48 m, au sommet. On constate un léger renflement aux deux cinquièmes de leur hauteur. Les Grecs appelaient *'entasis* le principe architectural de la variation du diamètre des colonnes. Ils tenaient compte de l'effet d'optique qui fait paraître plus élancés au centre les fûts que l'on regarde de bas en haut. Les architectes avaient renforcé l'épaisseur des colonnes d'angle, qui recevaient davantage de lumière, afin de réduire l'entrecolonnement avec leurs voisines pour qu'elles ne paraissent pas plus minces. Enfin, la crépis était plus haute, dans le sens de la longueur, d'une dizaine de centimètres au milieu et d'une huitaine sur les façades, pour donner une impression de perfection absolue.

FRONTONS
En 1674, le marquis de Nointel fit exécuter deux cents dessins, attribués à J. Carrey, des sculptures en ronde bosse qui ornaient les frontons. Les originaux ayant été détruits lors du bombardement vénitien, ces esquisses ont une grande valeur documentaire.

SCULPTURES DU FRONTON ARCHAÏQUE
Peinte en bleu et en rouge, cette statue, au torse humain terminé par un triple corps de triton, ornait le fronton du temple du VIe siècle.

LAPITHES ET CENTAURES
Chaque métope figurait une scène particulière, comportant deux figures traitées en ronde bosse. Les métopes du côté est représentent la lutte des dieux contre les géants ; celles du côté ouest, une amazonomachie ; celles du côté sud, le combat des Lapithes contre les Centaures ; du côté nord, des scènes de la guerre de Troie. La thématique du décor des métopes est celle du triomphe remporté par les Grecs et leurs dieux sur des ennemis humains et mythiques.

L'ÉRECHTHÉION ♥

L'OLIVIER SACRÉ D'ATHÉNA. L'Érechthéion est l'un des bâtiments les plus surprenants de l'architecture grecque. Son nom signifie maison d'Érechthée, l'un des premiers rois légendaires d'Athènes. Par la suite, on l'identifia à Poséidon. Le dieu, qui avait décidé de s'approprier Athènes, d'un coup de trident fit jaillir une «mer» ou source d'eau salée sur l'Acropole, quand Athéna planta près de là un olivier, en présence du roi-serpent Cécrops, à qui Zeus demanda d'arbitrer la querelle. Cécrops ayant témoigné qu'Athéna avait été la première à planter un olivier, plus utile aux hommes, elle fut choisie comme déesse tutélaire de la ville.

UN TEMPLE COMPOSITE. L'Érechthéion a été construit entre 421 et 406 av. J.-C., avec des interruptions. Sa complexité naît de sa fonction religieuse, c'est un conservatoire de cultes : autels de Zeus Hypatos, de Poséidon Érechthée, du héros Boutès, d'Héphaistos ; statue de culte d'Athéna (le très antique et très saint *xoanon* d'Athéna Polias) ; les tombeaux de Cécrops et d'Érechthée (qui donne son nom au temple). Tous ces éléments ne sont pas, aujourd'hui, localisés avec certitude. La partie principale, qui s'ouvre à l'est par un *pronaos* de 6 colonnes ioniques, était consacrée à Athéna Polias. La partie consacrée à Érechthée appartient au portique nord. Le sol, à l'extrémité occidentale du bâtiment, est à un niveau de 3 m inférieur, si bien que la façade comporte ici deux étages, avec un mur de soutènement, en bas, et quatre colonnes ioniques entre les antes ; en haut, elle est surmontée d'un entablement et d'un fronton, ses colonnes ioniques sont ornées d'une tresse à la base. Il faut noter aussi le bandeau sculpté qui part des antes de la cella et se poursuit le long des côtés nord et sud du temple. Ce décor faisait alterner les palmettes

L'OLIVIER SACRÉ
Attenant à l'ouest, à l'arrière de la cella, le Pandrosion, l'enclos de Pandrose (une des filles de Cécrops, roi mythique d'Athènes), abrite l'olivier sacré de la déesse Athéna.

L'ÉRECHTHÉION
Il est célèbre pour l'élégance des détails de son architecture. L'architecte Polyclès a surveillé les travaux au cours des deux dernières années, mais on ignore s'il est l'auteur des plans. Ses longues et fines colonnes ioniques s'ornent d'une tresse à la base et les chapiteaux comptent parmi les plus beaux jamais créés.

«Érechthée, qu'on dit fils de la Terre, a, dans la citadelle, un temple où l'on voit un olivier et une mer (thalassa).»

Hérodote

et les lotus, sortant à intervalles réguliers de touffes d'acanthes, avec des volutes et des oves. On aperçoit encore des traces de polychromie. Du côté oriental, le *pronaos* avait à l'origine un plafond à caissons en marbre, d'un dessin similaire à ceux du Parthénon et des Propylées. Les extrémités occidentales des deux longs côtés s'ouvrent sur des portiques. Le portique nord, plus important, comprend un niveau inférieur à celui du sud, et s'étend au-delà de l'extrémité occidentale du sécos, la partie intérieure du temple comprise entre les murs latéraux.

Le portique des Caryatides. Il était appelé à l'origine «des Corés», parce que des statues de jeunes filles, drapées d'un péplos, y remplacent les colonnes pour soutenir l'entablement et le plafond à caissons. Elles portent des corbeilles ornées d'oves, qui remplacent les chapiteaux. Les six caryatides du portique sont disposées quatre en avant, et deux en retrait, sur les côtés, debout sur un parapet.

Érechthéion, travaux de conservation. Les restaurations achevées en 1987 ont été effectuées avec du marbre neuf, de manière à assurer la stabilité là où il était nécessaire de combler les manques de blocs d'origine. Lors des travaux, diverses erreurs commises au cours des précédentes restaurations ont été corrigées, en particulier au plafond du porche nord et sur les murs des longs côtés, où une analyse informatisée des blocs a permis de préciser leur position d'origine. Le portique des Caryatides a retrouvé pour l'essentiel son aspect d'origine : on a retiré les entretoises qui les reliaient dans un écartement fixe depuis les précédentes restaurations, et la façade est à nouveau complète, l'angle nord-est ayant été reconstitué avec des copies de la colonne et des épistyles que lord Elgin avait emportés et qui sont conservés au British Museum. À l'angle nord-est de l'Acropole, se dresse le Belvédère, d'où l'on a une vue panoramique sur Athènes et ses environs.

Portique des Caryatides
Selon Vitruve, ce nom viendrait de la ville de Karyae, en Laconie, où les jeunes filles dansaient, ainsi chargées de fardeaux sur leur tête, en l'honneur d'Artémis Karyatis.

Les travaux de L'Érechthéion (érigé au nord du Parthénon) commencèrent probablement en 421 av. J.-C. et se terminèrent en 406. Il se composait de deux sanctuaires : un premier, où s'élevait la statue d'Athéna, s'ouvrait à l'est par un portique à six colonnes. Le second portique, au nord, donnait accès à un sanctuaire plus petit, dédié à Pandrose, fille de Cécrops, un des rois mythiques fondateurs d'Athènes. La présence de l'olivier cultuel (arbre sacré offert à l'Attique par Athéna) explique l'absence de toit au-dessus du sanctuaire. La reconstitution de l'Érechthéion par Martin Tétaz en 1851, malgré différentes interprétations postérieures, reste admise, dans ses grandes lignes, et sert de base à cette proposition de restauration de la façade orientale. Les teintes pastel correspondraient aux couleurs découvertes sur les chapiteaux de l'Érechthéion.

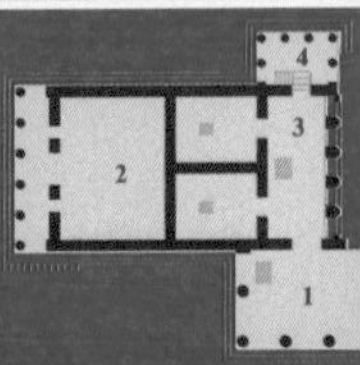

1. Portique Nord
2. Cella d'Athéna
3. Cella de Poséidon-Érechthée
4. Portique Sud (portique des Caryatides)

LE DÉCOR POLYCHROMIQUE
La décoration supposée par M.Tétaz et surtout son rendu des frises, peintes de couleurs vives sur fond noir, semble plus pompéienne que grecque classique. La polychromie est un sujet qui a suscité maintes controverses. Mais depuis le XIXe siècle, grâce aux découvertes des archéologues et aux études des architectes, les traces de coloration relevées sur certains blocs ne laissent aucun doute sur l'emploi de la peinture.

Statue de bois d'Athéna Polias

Olivier sacré

LES CARYATIDES
Les six statues de femmes, les caryatides, remplissent avec élégance leur rôle de colonnes. Les lignes rigides alternent avec les lignes souples alliant ainsi la stabilité de la colonne et le mouvement de la sculpture. La chute du *peplos* (tunique féminine) ionien, qui épouse leur forme, est interrompue par des plis profonds et comme vivants ; les plis droits et raides couvrant la jambe tendue évoquent les cannelures des colonnes.

LA TRIBUNE DES CARYATIDES
Ce singulier portique, inaccessible de l'extérieur, compose le symbole de l'art classique grâce à son motif universellement copié. Ses statues-colonnes représentent l'accomplissement de la tradition sculpturale des Coré, statues de jeunes filles, qui primitivement n'entraient pas dans la composition architecturale. La deuxième caryatide en partant de la gauche est une reproduction ; l'original ayant été emporté à Londres par Lord Elgin en 1801.

Élevé à l'extrémité sud-est du rocher de l'Acropole, le musée regroupe exclusivement des pièces originaires de ce site. C'est à partir de 1834, un an après le départ des Turcs, que la destruction des édifices modernes permit de commencer les travaux préalables aux restaurations et le rassemblement des futures collections. On découvrit notamment plusieurs fragments de frise qui avaient échappé à Lord Elgin et constituent aujourd'hui un des trésors du musée. La construction du musée s'acheva en 1874. Il s'enrichit entre 1885 et 1891 de plusieurs sculptures archaïques (VIe-Ve siècle av. J.-C.) exhumées par P. Kavvadias.

TÊTE, DITE DE «L'ÉPHÈBE BLOND»
Son expression maussade est typique du style attique peu avant 480 av. J.-C. Sa chevelure était peinte d'un jaune sombre.

L'ATHÉNA «MÉLANCOLIQUE», VERS 480 AV. J.-C.
La déesse Athéna est ici représentée dans une attitude pensive, contemplant, la tête inclinée, la borne du sanctuaire que lui ont édifié les Athéniens. Elle porte ses attributs guerriers, le casque et la lance, sur laquelle elle prend appui. La déesse est vêtue du péplos *apoptygma*, et d'une tunique courte retenue aux épaules par des broches, la *palla*.

CORÉ PÉPLOPHORE, «VÊTUE D'UN PÉPLOS», 530 AV. J.-C.
(À gauche) Elle fut réalisée par un des plus grands sculpteurs de la période archaïque dont le nom reste inconnu.

CORÉ DE CHIOS, VERS 510 AV. J.-C.
(Au centre) Cette coré, attribuée à un atelier de Chios, a conservé des fragments importants de sa peinture d'origine.

CORÉ, VERS 500 AV. J.-C.
(À droite) C'est la plus récente des trois.

Moschophore, vers 570 av. J.-C.
Ce type de représentation fait partie des sujets les plus anciennement traités dans la statuaire archaïque : la sculpture figure le citoyen Rhombos portant sur ses épaules un jeune veau qu'il s'apprête à sacrifier à la déesse Athéna. Rhombos est également le donateur de cette œuvre qui constitue en elle-même une autre offrande à la déesse.

PHIDIAS (VERS 490-431 AV. J.-C.)
Élève d'Hêgias et condisciple de Myron et Polyclète, il devint un sculpteur célèbre, notamment avec la statue chryséléphantine de Zeus qu'il réalisa pour le temple d'Olympie. Il fut chargé par Périclès de réaliser la décoration du Parthénon d'Athènes : frise, frontons et métopes du temple, ainsi qu'une statue chryséléphantine d'Athéna dont une réplique est exposée au Musée archéologique national.

LA FRISE DU PARTHÉNON
Ici, le sculpteur innove en couronnant de cette frise ionique l'ensemble de style dorique. Elle décore la cella et l'entrée du pronaos. Cette frise se lit du sud au nord et commence sur le côté est du temple. Elle décrit la grande procession des Panathénées, fête annuelle célébrée en l'honneur d'Athéna.

LA PROCESSION
Le mouvement de la procession est parfaitement rendu par la progression rythmique des postures : apparaissent d'abord des cavaliers s'apprêtant à monter sur leurs chevaux, puis ceux qui prennent le départ ; au fur et à mesure, les chevaux passent du pas au trot et au galop : les tuniques des cavaliers peu à peu s'envolent. La scène culmine, vers le centre du côté ouest, avec un cheval qui se cabre. Phidias est le premier à donner à la sculpture une si grande souplesse et une telle vie.

La restauration du Parthénon

par

Manolis Korrès
Responsable en chef des travaux

Sur les principes théoriques de l'intervention, nombre d'avis utiles ont été exprimés, parfois non sans un certain dogmatisme. Car il faut bien reconnaître que les théories sur la restauration des monuments sont dans une large mesure relatives. Elles disparaissent souvent avec les générations qui les ont professées, et il arrive aussi qu'on les voie reparaître sous une forme à peine rénovée. Leur valeur est incontestable ; ce qui est contestable, c'est la prétention des dogmatismes à revendiquer pour leurs théories une valeur universelle. Or il en va de nos interventions sur les monuments comme de l'ensemble de nos entreprises : leurs résultats ne sont jamais ceux-là seuls que l'on visait, et les profits s'accompagnent tous de pertes inévitables. Le but final ne doit pas être d'éviter ces pertes, car c'est impossible, mais de rechercher le rapport le plus avantageux entre profits et pertes.

Restitution en perspective de l'intérieur
Au centre, la statue colossale en or et en ivoire d'Athéna. Une colonnade à deux étages divisait l'intérieur en deux, un espace central et le périmètre. Elle supportait le poids de la toiture. L'espace central prenait le jour principalement par la porte, haute de 10 m ; le périmètre par deux fenêtres, des deux côtés de la porte. Cet éclairage latéral mettait en valeur la statue par effet de clair-obscur.

Le grand monument honorifique de l'angle nord-est
Le quadrige (v. 180 av. J.-C.), en bronze et grandeur nature, cachait une partie du temple : on remarque de grands boucliers votifs de la période hellénistique et une épigraphe d'époque romaine avec des lettres en métal sur l'architrave côté est ; sur l'architrave du nord, des boucliers votifs de moindre dimension.

Dans le cas qui nous occupe, cela suppose une méthode fondée sur l'appréciation systématique de l'importance de chacune des valeurs fondamentales d'un monument. Il est évident que quand on complète une forme authentique en partie ruinée, certaines de ces valeurs y gagnent, d'autres y perdent. Il en va de même lorsque, pour des raisons de protection, diverses pièces irremplaçables d'un monument, comme par exemple les sculptures du Parthénon, doivent être transportées dans un musée et être remplacées, sur le monument lui-même, par des répliques fidèles. Il est aisé de constater que, dans notre action, il se produit la même chose que dans notre vie en général, un conflit de désirs. Le désir de sauvegarder les sculptures se heurte en nous au désir de sauvegarder la relation originelle qu'elles entretiennent avec l'édifice. De même, le désir de sauvegarder la forme authentique du monument en tant que ruine se heurte en nous au désir d'en améliorer la perception et de mieux révéler les multiples valeurs qu'elle recèle en tant qu'œuvre d'art. Si l'on compare des monuments, on s'aperçoit vite que la valeur des uns est surtout d'ordre historique, tandis que, pour les autres, c'est l'élément artistique qui prime. Certains de ces monuments possèdent des états architecturaux récents d'un grand intérêt, tandis que d'autres en sont dépourvus. Au Parthénon, en revanche, malgré la forte présence de l'élément historique et des marques si émouvantes que les guerres et les pillages ont laissées, il y a une valeur qui domine toutes les autres, c'est la valeur du temple classique. De ce point de vue, le gain que l'on obtient en restaurant la moindre colonne à demi détruite est infiniment supérieur au préjudice que la même intervention est susceptible de causer à l'historicité du monument.

L'ampleur de la destruction causée par l'explosion de 1687 n'apparaît plus aussi nettement qu'avant l'anastylose, mais cette dernière, qui est elle aussi un épisode intéressant de l'histoire moderne du monument, coexiste désormais avec la destruction et est perçue en même temps qu'elle.

Malgré son étendue, cette anastylose n'altéra que faiblement l'aspect antérieur de la ruine. Mais c'est là une chose que beaucoup des détracteurs de cette restauration ne semblent pas avoir compris, parce qu'ils prennent inconsciemment pour point de comparaison non pas la forme complète du monument, telle qu'elle était avant la destruction de 1687, mais un stéréotype abstrait inspiré par l'image plus habituelle qu'offrent les temples antiques, dont la ruine est ancienne. Or le Parthénon, jusqu'au moment où les Vénitiens le firent sauter en 1687, était encore un édifice complet avec ses colonnes, ses murs, son toit et ses espaces intérieurs et, jusqu'au pillage de Lord Elgin en 1802, il possédait encore l'essentiel de son décor sculpté, les corniches de son côté sud et des pans entiers de ses murs latéraux, conservés jusqu'au niveau des poutres.

La colonnade nord et le petit sanctuaire, antérieur au Parthénon.

Le côté est de la niche du Parthénon telle qu'elle était du XIIe siècle à 1687.

L'abside semi-hexagonale a remplacé l'abside circulaire paléochrétienne. De la luxueuse toiture en marbre, détruite en 267 ap. J.-C. par un incendie, quelques poutres sont encore en place, de même que la presque totalité de la frise. Seule la pierre centrale a été enlevée, ainsi que l'architrave correspondant dont la majeure partie a été utilisée comme seuil de la fenêtre centrale. En haut et à gauche, une des fenêtres du pronaos subsiste encore.

«Le soleil brillant de la Grèce répand sur le marbre du Pentélique une teinte dorée semblable à celle des épis murs.»

Chateaubriand

Pour ce qui est de la rectitude scientifique du projet actuel, qui prévoit de remettre à leur place les blocs authentiques, il faut observer que jamais rien de tel n'avait encore été mené à bien pour un monument de cette ampleur. L'exactitude qui garantit que chaque bloc réintègre sa place originelle a eu un autre effet bénéfique, qui contredit pleinement ceux qui prétendent que l'anastylose obscurcit l'histoire d'un monument. En effet, grâce à l'étude exhaustive de tout le matériel architectural subsistant, nous sommes pour la première fois en mesure de reconstituer la forme, jusqu'alors inconnue, de l'entrée est de l'état romain, de la chaire de l'église chrétienne et de nombreux autres éléments des phases récentes du monument. En outre, si malgré tout cela, on est un jour contraint pour des raisons sérieuses de défaire ce que l'on a fait aujourd'hui, la chose est parfaitement possible. Elle est garantie par le principe de réversibilité. Des dessins commentés à l'échelle 1/10e consignent chaque nouveau complément, chaque nouveau scellement, chaque barre de titane cachée. Le mode de démontage des armatures métalliques a lui aussi été prévu. Pour des raisons d'organisation, le projet de restauration se subdivise en 12 programmes, qui sont pour la plupart indépendants. Ils correspondent à une division logique de la partie conservée du monument et sont fondés sur des critères architectoniques. Le volet «sauvegarde» est réalisé en priorité, tandis que les autres volets, en particulier ceux qui comportent des restaurations utilisant les blocs authentiques épars sur le sol mais aussi des blocs modernes, ne sont réalisés qu'au terme d'une procédure plus longue de propositions, de critiques et de décisions.

L'essentiel des reconstructions ne concerne que l'intérieur du sanctuaire. Les nouveaux blocs de marbre sont patinés pour atténuer le contraste avec ceux de l'Antiquité. Selon Korrès, «il est important qu'il subsiste une légère différence de couleur entre les marbres pour que le visiteur puisse les identifier, mais celle-ci ne doit pas être trop grande». Une telle distinction est recommandée pour la restauration des monuments historiques par la charte de Venise, signée en 1964 par quinze pays dont la Grèce.

«DANS TOUTE LA LONGUEUR, COMME DES RUISSEAUX D'UN FEU SOMBRE, LES CANNELURES SYMÉTRIQUES S'ENFUYAIENT DANS LE LIBRE ÉLÉMENT AÉRIEN OÙ BRILLAIT UN SOMMET MISÉRABLE ET MEURTRI.» CHARLES MAURRAS

M. Korrès souhaite remonter plusieurs colonnes de l'intérieur du sanctuaire, détruites au cours d'un incendie, qui a peut-être été allumé lors de l'invasion des Goths, et rouvrir les portes latérales de la basilique paléochrétienne qui sont aujourd'hui fermées.

Parmi les propositions de M. Korrès pour le pronaos, sont prévues l'indication de la base d'une abside byzantine et la restauration d'une partie du seuil créé à la fin de la domination romaine.

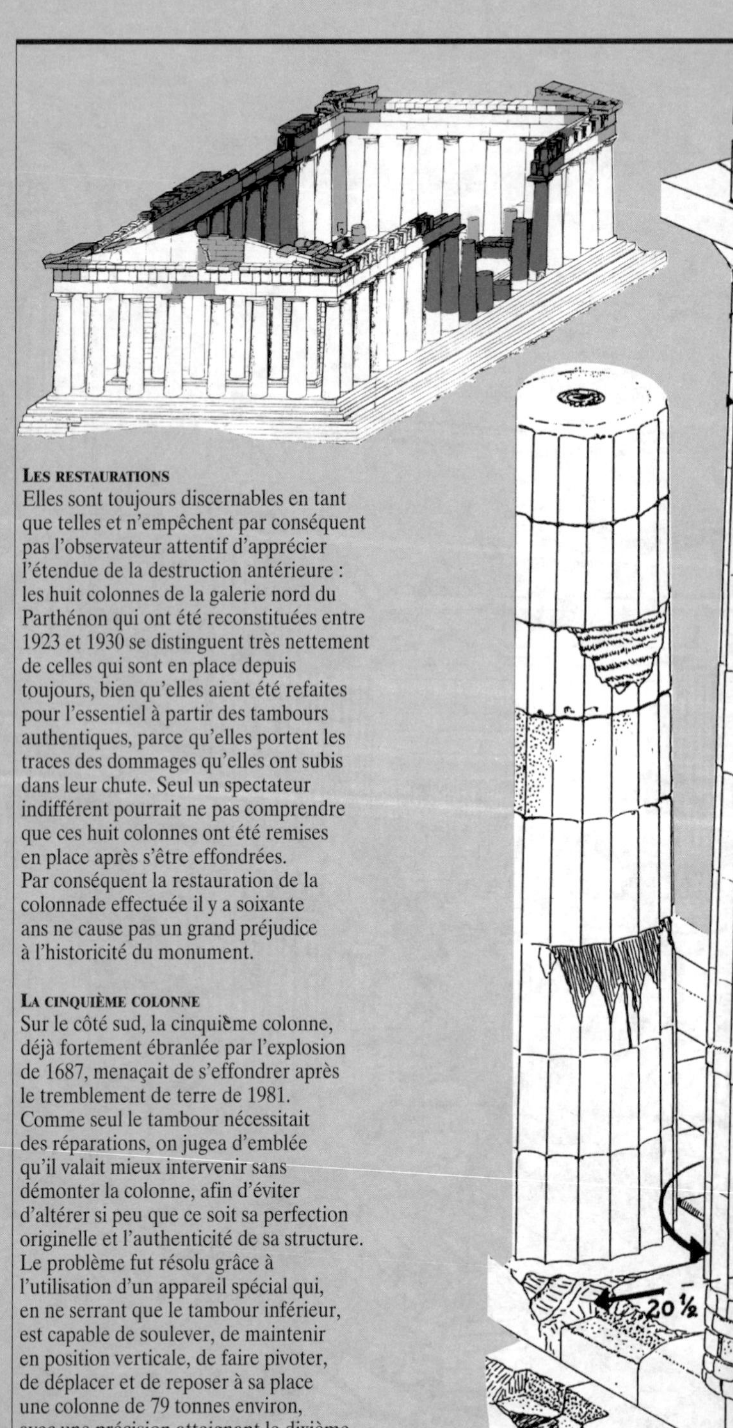

Les restaurations
Elles sont toujours discernables en tant que telles et n'empêchent par conséquent pas l'observateur attentif d'apprécier l'étendue de la destruction antérieure : les huit colonnes de la galerie nord du Parthénon qui ont été reconstituées entre 1923 et 1930 se distinguent très nettement de celles qui sont en place depuis toujours, bien qu'elles aient été refaites pour l'essentiel à partir des tambours authentiques, parce qu'elles portent les traces des dommages qu'elles ont subis dans leur chute. Seul un spectateur indifférent pourrait ne pas comprendre que ces huit colonnes ont été remises en place après s'être effondrées. Par conséquent la restauration de la colonnade effectuée il y a soixante ans ne cause pas un grand préjudice à l'historicité du monument.

La cinquième colonne
Sur le côté sud, la cinquième colonne, déjà fortement ébranlée par l'explosion de 1687, menaçait de s'effondrer après le tremblement de terre de 1981. Comme seul le tambour nécessitait des réparations, on jugea d'emblée qu'il valait mieux intervenir sans démonter la colonne, afin d'éviter d'altérer si peu que ce soit sa perfection originelle et l'authenticité de sa structure. Le problème fut résolu grâce à l'utilisation d'un appareil spécial qui, en ne serrant que le tambour inférieur, est capable de soulever, de maintenir en position verticale, de faire pivoter, de déplacer et de reposer à sa place une colonne de 79 tonnes environ, avec une précision atteignant le dixième de millimètre.

.06
1°

Les nouvelles interventions au Parthénon ont débuté par la façade est, jugée prioritaire à cause des dégâts que le grand tremblement de terre de février 1981 avait causé à ses deux angles. Le fronton, le larmier droit, quatorze métopes, et trois de l'extrémité orientale du côté nord, treize triglyphes, plusieurs dizaines de blocs de remplissage et de contreforts, quinze blocs d'épistyle, un chapiteau et un demi-tambour de colonne ont été déposés. Lors du démontage provisoire de l'entablement, furent ôtés plusieurs centaines de crampons, goujons et armatures en fer antique, qui avaient déjà fait éclater le marbre. Le recollage et le renforcement des fragments d'épistyle présentaient des difficultés particulières. Pour qu'ils puissent être posés correctement sur les chapiteaux, il était indispensable de restituer avec une exactitude parfaite (au 10e de millimètre près !) la rectitude originelle des blocs, qui mesurent 4,30 m à 4,70 m de long et pèsent une dizaine de tonnes chacun.

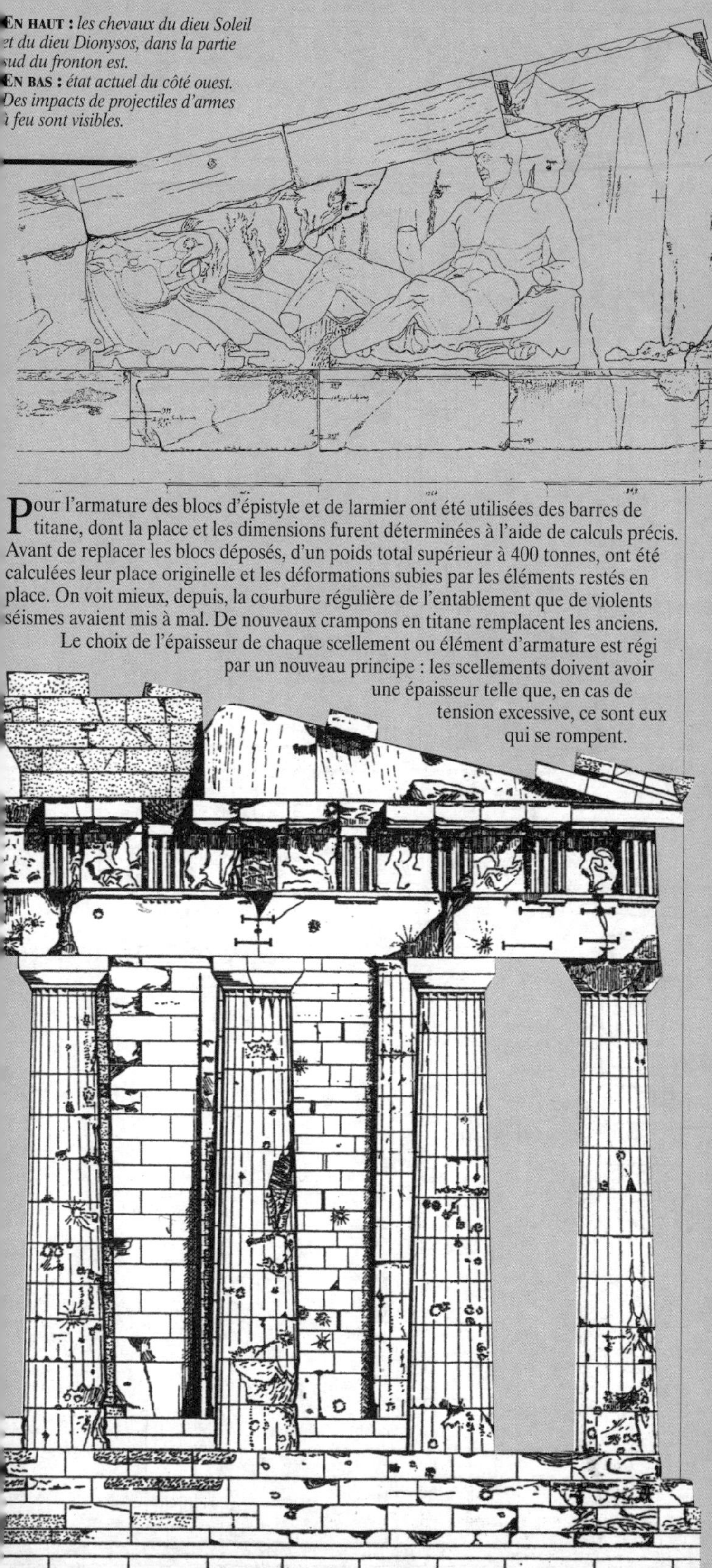

En haut : *les chevaux du dieu Soleil et du dieu Dionysos, dans la partie sud du fronton est.*
En bas : *état actuel du côté ouest. Des impacts de projectiles d'armes à feu sont visibles.*

Pour l'armature des blocs d'épistyle et de larmier ont été utilisées des barres de titane, dont la place et les dimensions furent déterminées à l'aide de calculs précis. Avant de replacer les blocs déposés, d'un poids total supérieur à 400 tonnes, ont été calculées leur place originelle et les déformations subies par les éléments restés en place. On voit mieux, depuis, la courbure régulière de l'entablement que de violents séismes avaient mis à mal. De nouveaux crampons en titane remplacent les anciens. Le choix de l'épaisseur de chaque scellement ou élément d'armature est régi par un nouveau principe : les scellements doivent avoir une épaisseur telle que, en cas de tension excessive, ce sont eux qui se rompent.

En 1992-1993, on a procédé à une intervention très délicate dans la partie occidentale de la cella. Les poutres du plafond et les blocs sous-jacents de l'entablement de l'opisthodome ont été descendus provisoirement au sol, et la portion jusqu'alors *in situ* de la frise, 17 blocs de marbre avec une surface sculptée de 24 m, a été transportée au musée. Les sculptures originales seront remplacées par des moulages, une fois restaurés les colonnes et les blocs d'épistyle de l'opisthodome.

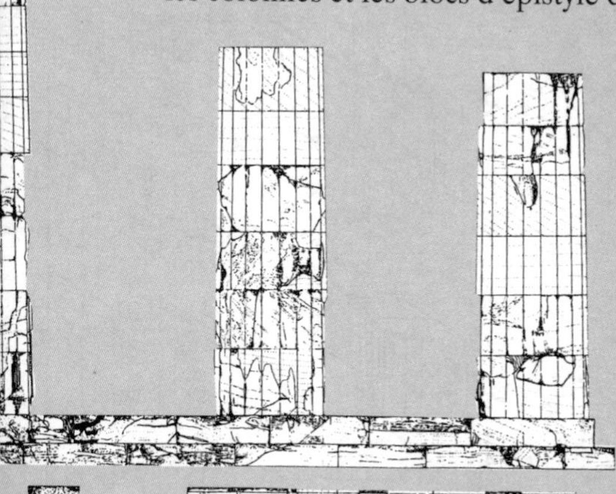

D'ici à l'an 2000, jusqu'à 50 % des murs latéraux seront reconstitués. La détermination de la place exacte de chaque bloc est facilitée par l'utilisation d'un programme informatique conçu à cet effet. La dernière grande étape consistera dans le démontage, la réparation et une anastylose plus exacte de la partie de la colonnade nord, restaurée entre 1922 et 1930, et de la partie de la colonnade sud, restaurée entre 1930 et 1933. L'intervention la plus importante et vraiment nouvelle sera, si elle est approuvée, la reconstitution d'une grande partie du pronaos, faite à 70 % de blocs originaux. La majorité des spécialistes s'est déclarée favorable à une restauration aussi étendue que possible de cette importante partie du monument.

EN HAUT : *proposition pour une restitution partielle du pronaos, forme alternative n°2.*
EN BAS : *proposition pour une restitution partielle du pronaos, forme alternative n°4. 70 % de l'ancien matériel est sauvé.*

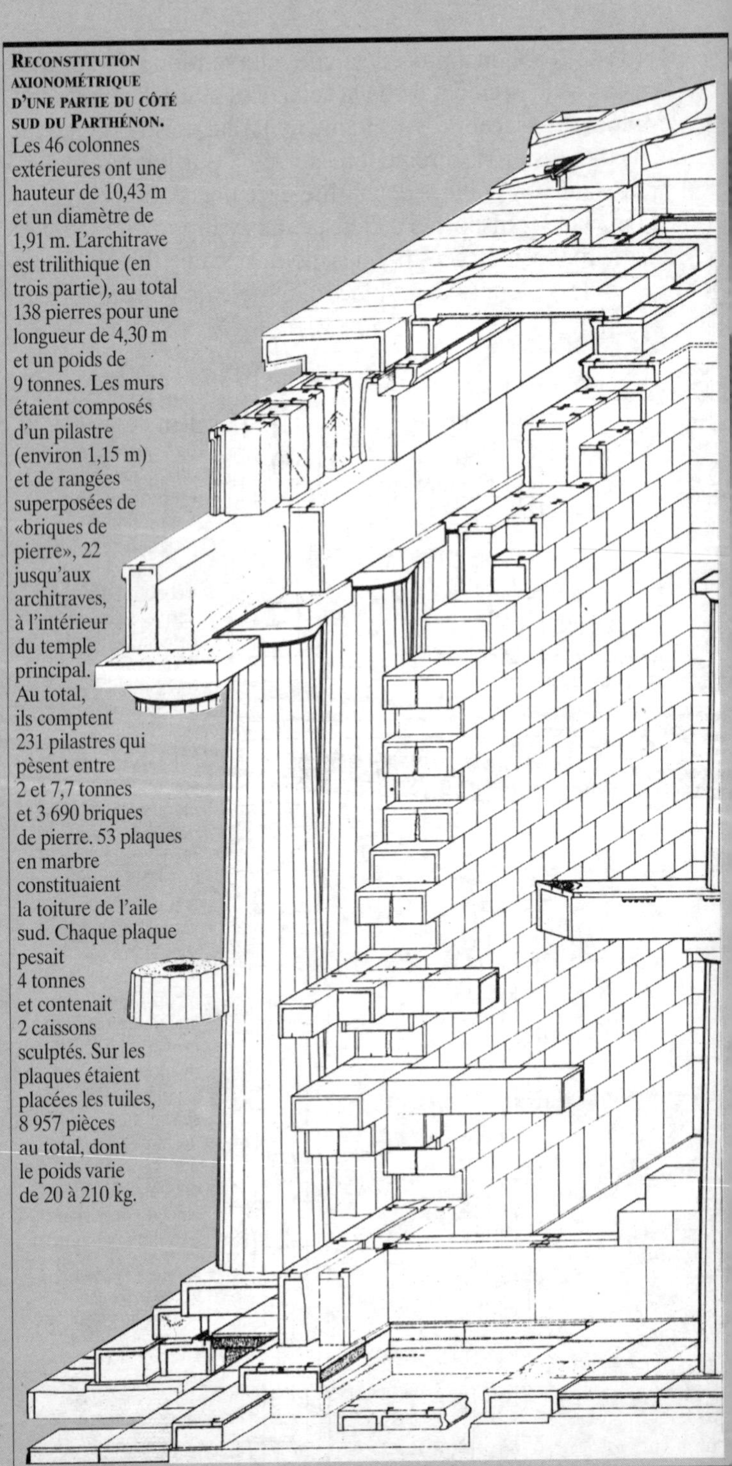

Reconstitution axionométrique d'une partie du côté sud du Parthénon. Les 46 colonnes extérieures ont une hauteur de 10,43 m et un diamètre de 1,91 m. L'architrave est trilithique (en trois partie), au total 138 pierres pour une longueur de 4,30 m et un poids de 9 tonnes. Les murs étaient composés d'un pilastre (environ 1,15 m) et de rangées superposées de «briques de pierre», 22 jusqu'aux architraves, à l'intérieur du temple principal. Au total, ils comptent 231 pilastres qui pèsent entre 2 et 7,7 tonnes et 3 690 briques de pierre. 53 plaques en marbre constituaient la toiture de l'aile sud. Chaque plaque pesait 4 tonnes et contenait 2 caissons sculptés. Sur les plaques étaient placées les tuiles, 8 957 pièces au total, dont le poids varie de 20 à 210 kg.

Le versant sud de l'Acropole

Le versant sud de l'Acropole

Odéon d'Hérode Atticus
Portique d'Eumène
Péripatos
Temple de Dionysos
Sanctuaire d'Asclépios
Théâtre de D

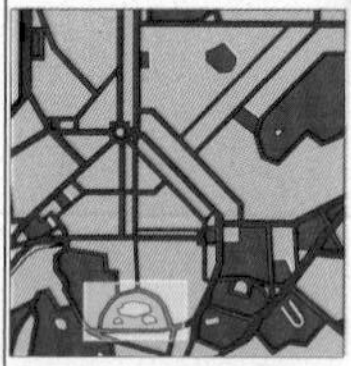

1/2 journée

L'accès principal au site du versant sud de l'Acropole se trouve sur l'avenue Dyonisiou Aréopaghitou.

Le sanctuaire de Dionysos Éleuthéros

Consacré au dieu du vin et de la nature, ce sanctuaire athénien tient son nom d'Eleuthères, un village de Béotie d'où Pégasos ramena, dit-on, la statue de Dionysos.

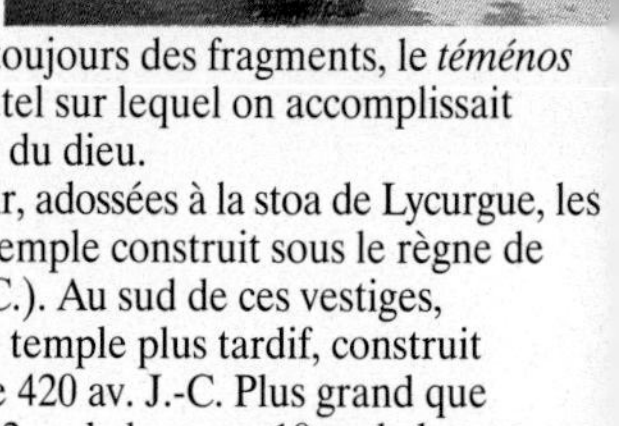

Le téménos. Les ruines d'une longue stoa d'ordre dorique, érigée par Lycurgue en 330 av. J.-C., séparent le théâtre de Dionysos des vestiges de l'enceinte sacrée ou *téménos* du sanctuaire. Délimité par un péribole en pierre dont il subsiste toujours des fragments, le *téménos* renfermait la *thymélé*, l'autel sur lequel on accomplissait les sacrifices en l'honneur du dieu.

Les temples. On peut voir, adossées à la stoa de Lycurgue, les fondations d'un premier temple construit sous le règne de Pisistrate (561-527 av. J.-C.). Au sud de ces vestiges, se trouvent les restes d'un temple plus tardif, construit par Nicias aux environs de 420 av. J.-C. Plus grand que le précédent, il mesurait 22 m de long sur 10 m de large ; son *pronaos* ● *90* composé d'un portique à quatre colonnes en façade et d'une paire de colonnes aux angles. Les seuls vestiges de cet édifice sont les fondations. Au sud-est de ces dernières, on peut voir un autel de marbre qui se dressait probablement au centre de l'*orchestra* du théâtre de Dionysos.

Le temple de Dionysos
Seules les fondations sont encore visibles.

Autel dionysiaque
Cet autel du IIe siècle av. J.-C. est finement sculpté d'un ornement en feston et d'une alternance de rosaces et têtes de satyres.

…UMENT CHORÉGIQUE DE THRASYLLOS
PARTHÉNON
MUSÉE DE L'ACROPOLE
ÉRECHTHÉION

DIONYSOS
Si la popularité d'un dieu se mesure au nombre de ses représentations, Dionysos est certainement l'un des favoris du panthéon grec.

ESCHYLE
Ce buste d'époque romaine représente Eschyle (525-456), l'un des plus grands poètes tragiques athéniens. Des quelque quatre-vingts pièces qu'il écrivit, sept seulement nous sont parvenues. Parmi ces dernières, on citera *Les Perses*, évoquant la victoire des Grecs à la bataille de Salamine ● *42* à laquelle l'auteur participa, ainsi que son œuvre majeure, la trilogie de *L'Orestie* (458 av. J.-C.). Selon Pausanias, Dionysos apparut en rêve à Eschyle pour l'inciter à écrire sa première pièce.

LE THÉÂTRE DE DIONYSOS

LA NAISSANCE DE LA TRAGÉDIE. Athènes a vu naître ı tragédie ● *40*. L'Agora ▲ *190* a été son berceau. En cet ndroit fut représenté, en 536 av. J.-C., le premier drame onnu. Son auteur,Thespis, associa pour la première fois ın acteur aux choreutes (membres du chœur, danseurs t chanteurs). Les théâtres étaient alors de sommaires onstructions en bois. Lorsque les gradins du théâtre de l'Agora 'effondrèrent sous le poids des spectateurs, un nouvel édifice, onsacré à Dionysos dont le sanctuaire se trouvait à proximité, ut construit au Vᵉ siècle av. J.-C. sur le versant sud le l'Acropole. Eschyle, Sophocle, Aristophane ou Euripide firent exécuter leurs pièces pour la première fois, confrontant eur talent lors des concours dramatiques qui se déroulaient endant les trois derniers jours des Grandes Dionysies ● *40*.

DIONYSOS ET LA TRAGÉDIE
Sur cette stèle, *Skéné*, personnification féminine des arts dramatiques, tend au poète Euripide un masque tragique. Derrière eux, Dionysos tient une coupe à libations.

▲ Le versant sud de l'Acropole

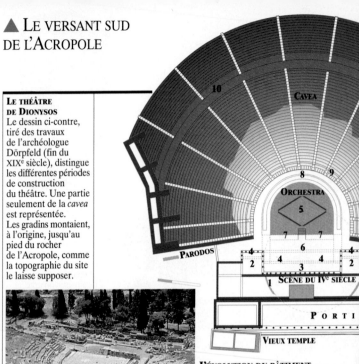

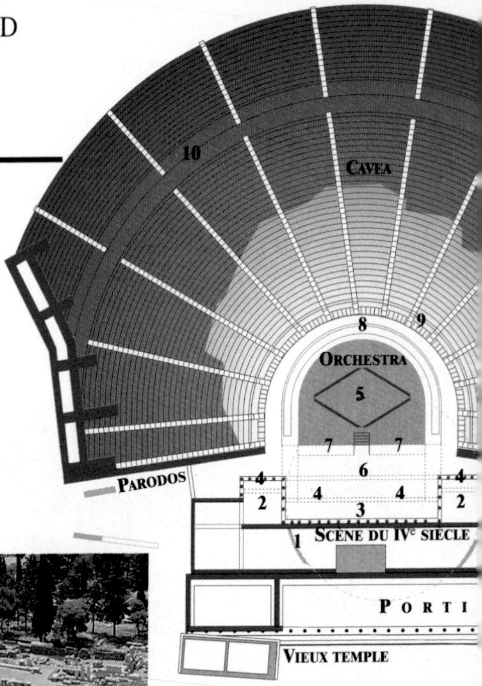

Le théâtre de Dionysos
Le dessin ci-contre, tiré des travaux de l'archéologue Dörpfeld (fin du XIXe siècle), distingue les différentes périodes de construction du théâtre. Une partie seulement de la *cavea* est représentée. Les gradins montaient, à l'origine, jusqu'au pied du rocher de l'Acropole, comme la topographie du site le laisse supposer.

10
Cavea
8
9
Orchestra
5
7 7
6
4 4 4 4
2 3 2
1 Scène du IVe siècle
Parodos
Porti
Vieux temple

L'évolution du bâtiment. L'*orchestra* sur laquelle se produisaient les acteurs n'était alors qu'une aire circulaire de terre battue, et la *skéné*, d'où vient le mot «scène», un simple baraquement en bois dépourvu d'ornement. La construction du théâtre en pierre débuta aux alentours de 400 av. J.-C. et ne fut achevée que sous Lycurgue, vers 330 av. J.-C. À cette époque, la tragédie et la comédie classique cédèrent le pas à la comédie nouvelle, et nombre de cités se dotèrent d'édifices afin d'accueillir des manifestations théâtrales à la popularité grandissante. Les ruines que l'on voit aujourd'hui sont pour la plupart d'époque romaine mais reprennent la structure architecturale des théâtres grecs.

La skéné. Au cours de la période classique de la dramaturgie grecque, chœur et acteurs évoluaient au même niveau, sur l'*orchestra,* devant la *skéné.* Le mot signifie «hutte» ou «tente». Il désignait, au début, une structure précaire en bois et toile, abritant les coulisses et les vestiaires des acteurs. Peu à peu, la *skéné* gagna en importance ; décorée, elle fournit un arrière-plan scénique. La première œuvre jouée devant un décor fut probablement la trilogie d'Eschyle, *L'Orestie*. Le théâtre achevé sous Lycurgue fut doté d'une *skéné* monumentale en pierre, formée d'une longue salle de 46 m de long sur environ 4 m de haut. Deux ailes, les *paraskénia*, flanquaient le *proskénion*, l'estrade où se produisaient les acteurs. À l'époque hellénistique ce dernier fut bordé

La frise de Dionysos
Réalisé sous Néron au Ier siècle ap. J.-C., ce haut-relief évoque des scènes du mythe dionysiaque. À l'extrémité gauche Zeus assis et Hermès debout portent Dionysos nouveau né.

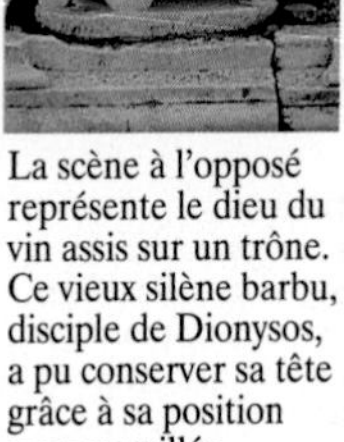

La scène à l'opposé représente le dieu du vin assis sur un trône. Ce vieux silène barbu, disciple de Dionysos, a pu conserver sa tête grâce à sa position recroquevillée. Elle lui donne l'air de supporter le poids de la scène sur ses épaules.

VIe siècle av. J.-C
Époque hellénistique
Époque romaine.

1. Orchestra du VIe siècle
2. Paraskénia
3. Proskénion du IVe siècle ap. J.-C.
4. Proskénion et paraskénia du Ier siècle av. J.-C.
5. Thymélé
6. Proskénion de Néron
7. Proskénion de Phaidros
8. Siège du prêtre de Dionysos Éleuthéros
9. Loge impériale
10. Diazôma inférieur

d'une colonnade. Les vestiges de la scène que l'on peut voir sont nettement postérieurs et datent du début du IVe siècle ap. J.-C. Le haut-relief qui orne sa base a été prélevé sur une structure antérieure, probablement érigée du temps de Néron (54-68). Il a été taillé pour s'ajuster à son nouvel emplacement. Les scènes représentées décrivent la vie de Dionysos, depuis sa naissance jusqu'à son entrée triomphale en Attique. Derrière la scène, un portique ouvert permettait au public de déambuler à l'abri des intempéries.

La cavea. Cette partie réservée au public était délimitée à l'ouest par des murs massifs. Elle pouvait accueillir environ 17 000 spectateurs, répartis en trois secteurs séparés par les *diazômata.* Les deux secteurs inférieurs comportaient 32 rangées de sièges, contre 14 pour la partie supérieure. Le *diazôma* supérieur prolongeait le *péripatos*, la voie publique qui fait le tour de l'Acropole. Le premier rang des gradins comportait 67 fauteuils en marbre du Pentélique pour es dignitaires. 60 d'entre eux sont toujours en place t conservent, pour la plupart, des inscriptions, avec le titre e ceux à qui ils étaient réservés ; ils datent du Ier siècle av. J.-C. nais sont la réplique exacte de ceux du théâtre bâti par ycurgue. Sous le règne l'Hadrien, une loge mpériale fut érigée lerrière le trône lu grand prêtre, et des tatues de l'empereur urent dressées en plusieurs endroits.

Le fauteuil du grand prêtre de Dionysos
Le trône central était réservé, comme l'indique son inscription, au grand prêtre de Dionysos. Il est plus imposant que les autres fauteuils du premier rang ; ses accoudoirs et ses pieds sont sculptés de reliefs sur les parties internes et externes.

PRÈS DU THÉÂTRE

L'Odéon de Périclès ● *81.* À l'ouest lu théâtre de Dionysos e dressait un odéon ectangulaire, construit en 445 av. J.-C. par Périclès. Ce bâtiment accueillait musiciens et athlètes durant les célébrations des Grandes Dionysies et e festival des Panathénées. 72 colonnes, réparties en 3 rangées bordaient les 4 côtés, permettant aux acteurs d'évoluer sur un vaste espace central. L'odéon fut détruit lors du sac de la ville par Sylla en 86 av. J.-C. ● *42*, et reconstruit un quart de siècle plus tard selon les plans d'origine par Ariobarzanes II, roi de la Cappadoce, qui étudia à Athènes dans sa jeunesse. Seules les fondations de ce bâtiment ont été mises au jour.

À l'époque romaine, une barrière de pierre fut érigée face à l'auditorium, pour protéger les spectateurs des fauves lors des jeux du cirque introduits par les Romains. L'*orchestra* du théâtre, à l'origine en terre battue, a été pavée de marbre puis entourée d'un drain en pierre pour évacuer les eaux de ruissellement. Au centre se dressait la *thymélé*, l'autel de Dionysos.

LA PANAGHIA SPILIOTISSA
Au-dessus du théâtre de Dionysos se trouve une grotte fermée par une grille. Elle abritait, dans l'Antiquité, un sanctuaire d'Artémis converti en chapelle chrétienne au début de la période byzantine. Cette dernière est connue sous le nom de Panaghia Spiliotissa, Notre-Dame-de-la-Grotte.

LE MONUMENT CHORÉGIQUE DE TRASYLLOS À gauche de la chapelle subsiste une paire de colonnes corinthiennes, seuls vestiges du monument chorégique (consacré à un chorège vainqueur ; riche citoyen qui financait un chœur lors des concours dramatiques et lyriques) de Trasyllos érigé en 320-319 av. J.-C.

LE PORTIQUE D'EUMÈNE II. D'une portée de 163 m, il relie le théâtre de Dionysos à l'odéon d'Hérode Atticus. Eumène II, roi de Pergame (197-159 av. J.-C.) l'offrit à la ville dans laquelle lui et son plus jeune frère Attale étudièrent dans leur jeunesse. La stoa comportait deux étages, avec 62 colonnes doriques en façade et 32 colonnes ioniques au centre. Selon Vitruve, elle servait, à l'occasion, d'abri pour les spectateurs.

LE MONUMENT CHORÉGIQUE DE NICIAS. À l'angle sud-est de la stoa, on peut voir les fondations de ce monument érigé en 320-319 av. J.-C. Il avait la forme d'un temple prostyle, avec un *pronaos* à l'ouest comptant 6 colonnes doriques. Détruit par les Hérules en 267 ap. J.-C. ses pierres servirent par la suite à la construction de la porte Beulé ▲ *132*, entrée principale de l'Acropole.

Sur cette gravure, on peut voir les deux colonnes du monument de Trasyllos, là où elles se dressent encore aujourd'hui.

L'ODÉON D'HÉRODE ATTICUS

SA STRUCTURE. Ce petit théâtre formant un hémicycle de 38 m de diamètre, a été construit en 161 ap. J.-C. par Hérode Atticus. Il était couvert à l'origine, semble-t-il, d'un toit en cèdre, du moins au-dessus des gradins, permettant de donner en toute saison des concerts de musique vocale et instrumentale (*odè* en grec signifie «chant»). La façade, percée d'arcades en plein cintre et de niches rectangulaires, abritait des statues. Elle comportait deux étages au centre, flanqués de deux ailes à trois étages, débouchant sur les *parodoi* ou passages latéraux, ainsi que sur les bords de la scène. Des escaliers intérieurs desservaient les différents étages. Au centre de la façade, adossé au bâtiment de scène, un porche voûté comportait trois entrées communiquant avec trois autres portes s'ouvrant sur la scène.

LA SCÈNE. Surélevée à un peu plus d'un mètre du sol, elle avait une longueur de 35 m pour une profondeur de 9 m. Une colonnade ornait l'arrière et les côtés. Elle supportait une sorte de balcon ou scène supérieure qui servait probablement aux acteurs jouant les rôles des dieux. Au-dessus, la ligne de fenêtres en plein cintre est le seul vestige encore visible de cette partie de l'édifice. L'*orchestra* devant la scène a conservé son dallage constitué d'une alternance de marbre blanc et de cipolin.

LA STOA D'EUMÈNE
Le mur du fond de cette stoa était soutenu par 40 contreforts et percé de fenêtres en plein cintre. Il fut dégagé lorsque la construction du mur de Valérien (253-260 ap. J.-C.) nécessita la destruction de la stoa.

Cette gravure du XVIIIe siècle offre une des premières reconstitutions du «théâtre de Bacchus». Il s'agit en réalité de l'odéon d'Hérode Atticus. Voyageurs et spécialistes faisaient alors la confusion entre les deux monuments, le théâtre de Dionysos, mentionné dans les écrits, étant enfoui dans le sol.

La cavea. Soutenue par des contreforts, elle comporte 32 rangs de gradins pouvant contenir jusqu'à 5 000 spectateurs. Un promenoir, communiquant avec les escaliers des ailes, couronnait la partie supérieure de l'hémicycle.
Le festival d'Athènes. Chaque été, de juin à septembre, le festival d'Athènes *372, 396* renoue, dans l'odéon restauré, avec la tragédie classique. Ces représentations attirent un public nombreux. Le festival accueille également des orchestres symphoniques, des spectacles de danse et des représentations d'opéra.

L'Asclépiéion

Une petite terrasse se dresse au-dessus de l'angle nord-ouest du théâtre. Là se trouvent les ruines d'un Asclépiéion, ou sanctuaire d'Asclépios, fondé en 419-418 av. J.-C. par un certain Télémaque. L'enceinte, mesurant 50 m de long sur 24 m de large, renfermait un temple, un autel et une stoa d'ordre dorique à deux étages.
Le culte d'Asclépios. Il s'est répandu en Grèce surtout à partir du IVe siècle av. J.-C. et plus de 300 sanctuaires lui étaient consacrés. L'un des mieux conservés est celui d'Épidaure ▲ *316*. Le dieu de la médecine, reconnaissable à ses attributs, le caducée et les serpents, est souvent associé à sa fille Hygieia, personnifiant la santé.
Le sanctuaire. On entre dans le site en passant sous les ruines de son propylon, une porte monumentale de la période romaine. Sur la droite se trouvent les ruines d'une stoa d'époque romaine et, sur la gauche, celles de la stoa dorique, édifiée au IVe siècle av. J.-C. au pied du rocher de l'Acropole. Elle servait de salle d'incubation ou de dortoir pour les patients de l'Asclépiéion. Elle s'étendait sur près de 50 m de long et 10 m

Deux acteurs, vêtus de costumes antiques, interprètent une tragédie sur la scène de l'odéon d'Hérode Atticus.

LE SANCTUAIRE D'ASCLÉPIOS
Ce sanctuaire a été consacré en 420 av. J.-C.

Né à Épidaure, le culte d'Asclépios a été introduit en Attique lors de la peste de 429 av. J.-C.

ASCLÉPIOS ET HYGIEIA
Sur cette stèle funéraire, Asclépios et sa fille Hygieia reçoivent les offrandes votives des mortels. On reconnaît ces derniers à leur taille, inférieure à celle des dieux.

de profondeur. Les deux étages comprenaient 17 colonnes doriques en façade et 6 colonnes ioniques le long de l'axe central. À l'extrémité ouest de la stoa, le rocher a été creusé sur 4 m de profondeur pour loger une vaste pièce. Au sol, on peut voir l'emplacement d'une fosse qui abritait sans aucun doute les serpents sacrés d'Asclépios. Les fondations d'un petit temple dédié à ce dernier et à sa fille Hygieia ont été découvertes à l'extrémité ouest de la stoa. Des fouilles ont aussi révélé la présence d'un grand autel au centre de l'Asclépiéion. La plupart des fragments de marbre visibles faisaient partie d'une basilique chrétienne, construite sur le site au milieu du Ve siècle ap. J.-C. Cette église était dédiée à saint Cosme et saint Damien, connus en Grèce sous le nom de *Haghii Anargyroi*, les «saints désargentés», car ils refusaient l'argent des pauvres à qui ils avaient prodigué des soins médicaux. La partie ouest du sanctuaire d'Asclépiéion occupe un promontoire. Les ruines de la partie nord constituent les seuls vestiges d'une stoa ionique datée de 400 av. J.-C. À l'arrière de la stoa, se trouvent quatre pièces dont le sol est en mosaïque de galets. Leur faisait face un portique de douze colonnes ioniques. Cette stoa devait également servir de dortoir pour les patients. Juste à l'ouest, se trouvent les vestiges d'un therme du VIe siècle av. J.-C., dont il ne reste plus qu'un morceau de bassin. Il était construit autour d'une source sacrée dédiée à la nymphe Alkippe. Les Anciens prêtaient aux naïades, nymphes des sources et des fleuves, le pouvoir de conférer aux eaux des propriétés médicinales. Les vertus curatives du soufre notamment étaient à l'origine de cette croyance. Mais ces divinités aux attraits souvent irrésistibles, n'exerçaient pas toujours sur les mortels un empire bienfaisant. Quiconque apercevait, pour son plus grand malheur, l'une d'entre elles se baignant, était aussitôt, dit-on, frappé de démence.

De Plaka à Monastiraki

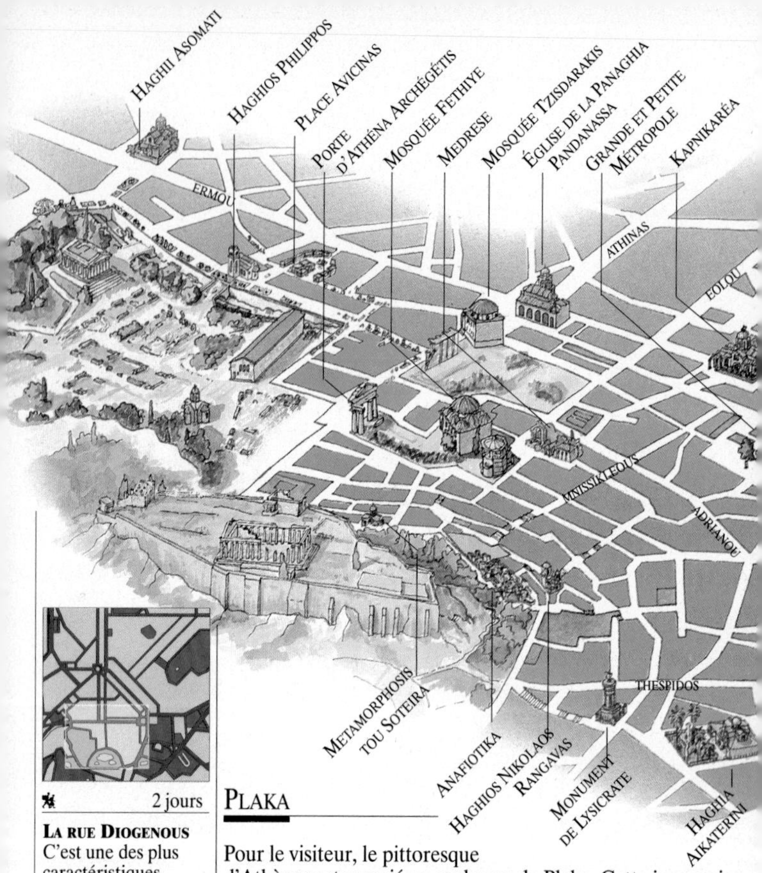

Haghii Asomati
Haghios Philippos
Place Avicinas
Porte d'Athéna Archégétis
Mosquée Fethiye
Medrese
Mosquée Tzisdarakis
Église de la Panaghia Pandanassa
Grande et Petite Métropole
Kapnikaréa
Ermou
Athinas
Eolou
Mnissikleous
Adrianou
Thespidos
Metamorphosis tou Soteira
Anafiotika
Haghios Nikolaos Rangavas
Monument de Lysicrate
Haghia Aikaterini

2 jours

La rue Diogenous
C'est une des plus caractéristiques de Plaka avec ses maisons basses à façades polychromes. Çà et là, des détails singuliers, une porte

ornementée, une statue de plâtre dans sa niche, disent tout l'amour des habitants pour leur quartier.

Plaka

Pour le visiteur, le pittoresque d'Athènes est associé au seul nom de Plaka. Cette impression est un peu hâtive. Il n'en reste pas moins que ce quartier est le seul rescapé du cordeau des urbanistes des années 1960 et 1970. Évitant le marteau-piqueur, il a cependant bien failli tomber sous les coups répétés d'un tourisme intempestif. Conscientes de la menace, les autorités ont réagi ; un programme de restauration, lancé en 1983, redonne peu à peu lustre et couleur aux maisons du XIXe siècle. Les faux orchestres de bouzouki n'assourdissent plus désormais le passant de leurs mélodies outrageusement amplifiées. Plaka retrouve son âme et son esprit souffle à nouveau un peu partout : sur les reliquaires d'argent des églises byzantines, chargés d'ex-voto, sur les pierres des monuments antiques, dans les cours intérieures des petites maisons à balcons de bois, dans les venelles grimpantes, dans l'antre sombre des tavernes souterraines où le vin résiné coule des foudres aux panses rebondies…

Étymologie. On s'interroge sur l'origine étymologique de son nom ; Plaka signifierait «la plate» par opposition à l'éminence de l'Acropole qui la domine superbement. Mais les multiples ruelles montantes infirment cette hypothèse. Une autre, plus probable, soutient que le mot vient de l'albanais *pliaka* qui veut dire «vieux». Quoi qu'il en soit, si l'on se sent un peu las des interminables avenues rectilignes striées de rues à angle droit, c'est ici que l'on viendra chercher une autre image de la ville.

La formation du quartier. En contemplant du sommet du Lycabette ou depuis les contreforts du mont Hymette la ville

En 1852, Athènes est une bourgade aux ruelles tortueuses en terre battue, et aux maisons basses à balcons en encorbellement.

tentaculaire, on a peine à imaginer qu'au début du XIXe siècle, Athènes n'était qu'un tout petit bourg. La plupart des maisons étaient groupées au pied de l'Acropole ▲ *130* et autour des Aérides. C'est ici le cœur du vieil Athènes. Avec l'expansion urbanistique qui suit l'indépendance grecque ● *51*, Plaka s'est développé de façon concentrique pour gagner les limites du quartier de Syntagma, siège de la jeune monarchie.

Le monument de Lysicrate
Il a été bâti pour commémorer la victoire du chœur de Lysicrate lors d'un concours dramatique disputé à l'occasion des Grandes Dionysies ● *40* de 335 av. J.-C.

Il supportait à l'origine le trépied remis au vainqueur. Dans l'Antiquité, la voie des Trépieds, jalonnée de ces trophées, partait de cet endroit pour rejoindre le théâtre de Dionysos ▲ *169*.

Le monument de Lysicrate

C'est le seul monument chorégique en bon état de conservation à Athènes. Il se dresse sur la petite place Lysicratou, au sud-est de l'Acropole, au milieu d'un enclos protégeant d'autres vestiges parmi lesquels les archéologues ont exhumé des socles de plusieurs monuments chorégiques.

Structure du monument. Une base de 3 mètres carrés supporte six colonnes corinthiennes placées en cercle, liées par un appareil en blocs de marbre concaves.

Au sommet, une architrave tripartite et une étroite frise représentant des scènes du mythe dionysiaque sont coiffées d'un toit conique en marbre, gravé de motifs feuillagés. Couronnant l'édifice, un appendice de pierre, sculpté d'un motif floral élaboré, servait de base pour le trépied remis au vainqueur. Sur la façade est, une inscription précise : «Lysicrate de Kikynna, fils de Lysitheides, était chorège ; la tribu Acamantis remporta la victoire avec un chœur de garçons ; Théon jouait de la flûte ; Lysiade, un Athénien, dirigeait le chœur ; Euainetos était archonte.»

Un monastère de capucins. Longtemps ce monument fut appelé la Lanterne de Démosthène. Une étroite pièce de lecture avait été aménagée dans la rotonde et l'on crut, jusqu'au XVIIe siècle, que l'orateur venait préparer là ses discours. Intégré à un monastère de capucins, fondé en 1669, le monument servit de bibliothèque aux moines. Les bâtiments conventuels brûlèrent au début de la guerre d'Indépendance. Le monument de Lysicrate, subit quant à lui, peu de dommages. Débarrassé des ruines qui l'entouraient, il a été restauré par la France en 1845.

Haghios Dimitrios. Rue Épiménidou, l'une des rues les plus pittoresques de Plaka, qui part du monument de Lysicrate, se trouve la petite chapelle (*paraklissi*) d'Haghios Dimitrios. Elle a été dotée d'une façade moderne mais l'intérieur témoigne de son ancienneté. Elle aurait été fondée au début de la période ottomane.

Autour de l'Acropole

Anafiotika. En haut de la rue Épiménidou, on empruntera la rue Stratonos longeant l'Acropole, pour rejoindre Anafiotika qui domine Plaka. Ce petit village a un caractère propre qui le distingue du reste du quartier. Son nom lui vient de ses premiers habitants, originaires d'Anafi, une petite île des Cyclades à l'est de Santorin. Venus se réfugier à Athènes en 1821, ils reconstituèrent l'habitat de leur île : des maisons basses, agrémentées de jardins murés, courant le long d'un labyrinthe de ruelles pavées de marbre. Malgré une loi de 1834 interdisant toute construction dans cette partie de la ville, Anafiotika grandit en quelques années à la faveur de la forte expansion urbaine amorcée au lendemain de la guerre d'Indépendance. Les Anafiotes, pénétrés de l'esprit insulaire, ont su préserver l'identité de leur îlot.

Haghios Nicolaos tou Rangava. Près d'Anafiotika, au bout de la rue Épicharmou, se trouve l'église Haghios Nicolaos tou Rangava. Datant du XIe siècle, elle a été reconstruite et agrandie au début

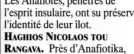

Hôtes de marque
Lord Byron, lors de son premier séjour à Athènes en 1811, écrit à son ami

Francis Hodgson : «Je vis dans un couvent de capucins. L'Hymette est en face de moi, l'Acropole derrière, le temple de Jupiter à ma droite, le Stade en face, la ville à ma gauche, Monsieur, quelle situation, quel pittoresque !» Chateaubriand séjournera également chez les capucins.

Plateia Filomousou Etaireias
Bordée d'immeubles néoclassiques et de

tavernes, la place de l'Association des amis des muses est un des lieux les plus agréables de Plaka.

Une ruelle au cœur d'Anafiotika.

Le musée des Instruments populaires ● *74*
Rue Pelopida, près de la tour des Vents, ce petit musée expose avec soin la collection du musicologue grec Anoyanakis. Le visiteur peut, au moyen d'écouteurs disposés sur chaque vitrine, écouter des enregistrements des instruments présentés.

du XXe siècle. L'église primitive suivait le plan cruciforme traditionnel mais, lors de la reconstruction, la nef a été étendue vers l'ouest, doublant sa portée, et une chapelle latérale prolonge le côté nord. On verra l'inclusion dans les murs de chapiteaux et de colonnes antiques.
Le musée Canellopoulos. Deux belles demeures néoclassiques, au pied de l'Acropole, abritent l'importante collection, remarquable d'éclectisme, réunie par Paul et Alexandra Canellopoulos. De la céramique protohistorique au textile copte en passant par les antiquités byzantines, la qualité des objets exposés n'a d'égale que l'élégance des bâtiments qui les renferment. On admirera en particulier de belles icônes et trois portraits d'époque romaine, peints sur bois, provenant de sarcophages découverts dans la région du Fayoum en Égypte.

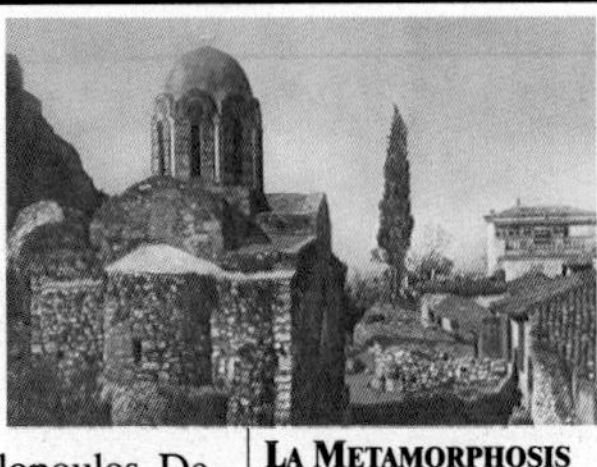

La Metamorphosis tou Soteira
L'église byzantine de la Transfiguration du Sauveur date du XIVe siècle. À l'intérieur, une grotte abrite une chapelle dédiée à Haghia Paraskevi, «sainte Vendredi». Un chapiteau protochrétien tient lieu d'autel.

Les Aérides

Les Aérides, «les Soufflants», sont les vents représentés sur les panneaux qui ornent les huit pans de la tour des Vents ▲ *210*. Par extension, on a donné leur nom au quartier alentour, situé à cheval sur Plaka et Monastiraki.
Le marché romain ▲ *210*. Entre la tour des Vents et la porte d'Athéna Archégétis, s'étend la place du marché romain. L'occupant turc y établit un marché au blé. Les vendeurs utilisaient encore d'antiques mesures de marbre trouvées sur place. Les habitations fermées sur leurs cours intérieures, entre lesquelles serpentaient d'étroites ruelles, étaient pour la plupart édifiées avec des matériaux prélevés sur les ruines.
La mosquée Fethiye. Au sud de l'Agora se dresse la Fethiye Djami ou mosquée de la Victoire. C'est la plus ancienne d'Athènes. Elle a été érigée en 1458, deux ans après la prise de la ville par Mehmet le Conquérant qui s'était rendu maître de Constantinople trois ans auparavant. Les Grecs la

La maison Logothetis
Le portail et le couloir d'accès à la cour intérieure sont les seuls vestiges de la luxueuse demeure de la famille Logothetis, très influente à Athènes sous la domination turque.

LA MEDRESE
Symbole de l'oppression turque, la Medrese a été rasée en 1919.

rebaptisèrent *Djami tou Staropazarou*, «la mosquée du marché au blé». Le bâtiment occupe au sol un carré de 15 m de côté. La coupole, peu profonde, repose sur un tambour bas rectangulaire bordé sur les quatre côtés de demi-coupoles. Sur la façade, un porche de cinq travées à coupoles s'ouvre sur une cour intérieure par quatre arcs en plein cintre. Dépôt d'objets antiques, la Fethiye Djami est actuellement fermée au public.

L'ÉGLISE DES TAXIARQUES. Située au nord du marché romain, l'église des *Taxiarchoï*, ou Archanges, date du XIe siècle. Elle a été totalement reconstruite après la guerre d'Indépendance ● *42* et à nouveau restaurée au cours des dernières années.

LA MEDRESE. En face de la tour des Vents se trouvait la Medrese, une école coranique turque fondée en 1721 par Mehmet Fahri, dignitaire à la cour du sultan Ahmet III. Les étudiants en théologie occupaient des cellules rassemblées autour d'une cour centrale. L'école accueillait à l'occasion les assemblées extraordinaires des autorités turques. Elle fut gravement endommagée lors des deux sièges de l'Acropole. Dans les dernières années de l'occupation turque, elle servit de prison, fonction qu'elle conserva sous la monarchie grecque jusqu'en 1911. Il n'en subsiste plus que le grand portail d'entrée, en ogive brisée.

EN REMONTANT VERS SYNTAGMA

HAGHIA EKATERINI. À quelques mètres en remontant la rue Lysicratou, on parvient à la petite église Haghia Ekaterini jouxtant les vestiges d'un bain romain. Elle date du XIIe siècle et possède de belles icônes ornées de cadres en marbre sculpté.

SOTEIRA TOU KOTAKI. Cette église est située à l'angle des rues Kodrou et Kidathinéon. Fondée au XIe ou XIIe siècle, elle a été reconstruite par les Russes en 1834, puis agrandie au début du XXe siècle.

HAGHIOS NIKODEMOS. À l'extrémité orientale de Plaka se trouve Haghios Nikodemos, l'église russe d'Athènes, construite dans la première moitié du XIe siècle. Son nom d'origine était Soteira (le Sauveur) Lycodimou. Elle servit de chapelle à un monastère détruit au XVIIIe siècle. Endommagée en 1827 lors d'un pilonnage de l'artillerie turque, elle fut abandonnée après la guerre d'Indépendance. Le tsar Nicolas Ier proposa au gouvernement grec de l'acquérir au profit de la communauté russe d'Athènes, en échange de sa restauration. Les travaux, engagés en 1850, s'achevèrent cinq ans plus tard.

LE MUSÉE D'ART POPULAIRE
Situé au n° 17 de la rue Kidathinéon, il regroupe des objets artisanaux du XVIIe siècle à nos jours : sculptures sur bois, broderies, vêtements, ainsi que des œuvres du peintre naïf Théophilos Hadzimichaïl (1868-1934). L'artiste rangeait pinceaux et couleurs dans ce coffre, décoré par ses soins.

Haghios Nikodemos On doit au tsar Alexandre II l'adjonction de ce clocher. L'intérieur de l'église a été décoré par le peintre allemand Thiersch.

Centre municipal des Arts et Traditions populaires. Au n° 6 de la rue Hadzimihali, le Centre municipal des Arts et Traditions populaires abrite une collection consacrée au patrimoine rural et à l'artisanat grec. Rassemblée par l'anthropologue Angeliki Hadzimihali, elle présente des reconstitutions d'habitats, des ouvrages de broderie, de tissage, de bois sculptés, des costumes, etc.

Rue Evangelistrias L'atmosphère autant que le nom de cette rue évoque la piété grecque. Partout ce ne sont que magasins vendant des icônes et toutes sortes d'objets nécessaires à l'exercice du culte. De nombreux artisans, ferronniers, orfèvres, peintres d'icônes… y ont pignon sur rue.

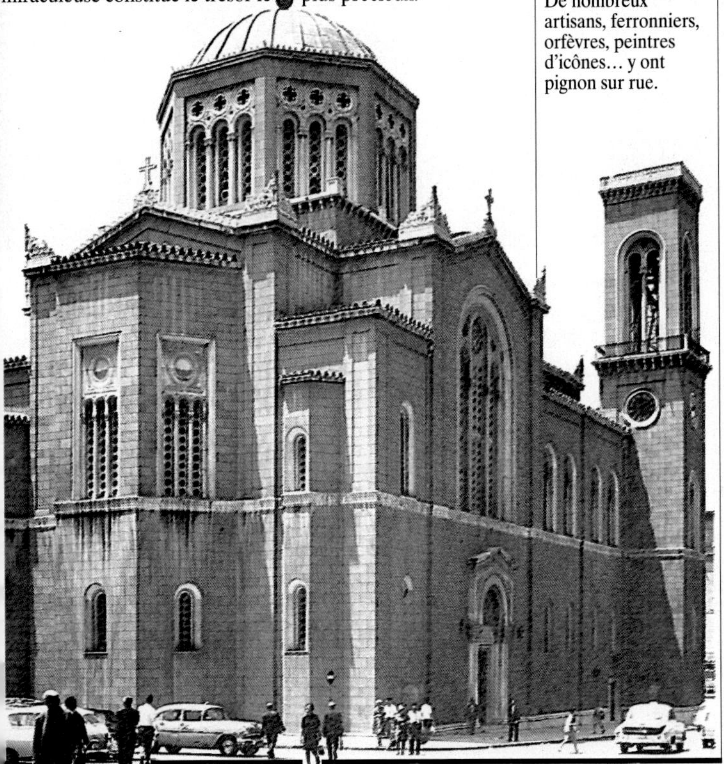

Place de la cathédrale

En remontant la rue Diogenous, on empruntera à gauche la rue Evangelistrias, pour gagner la cathédrale, siège de l'archevêque métropolite d'Athènes.

La cathédrale d'Athènes. La Grande Métropole domine de sa masse imposante la place Mitropoleos. Elle a été dessinée par les architectes Theophil von Hansen, Franz Boulanger et Dimitrios Zezos. La première pierre fut posée le jour de Noël de 1842 par le roi Othon et la reine Amalia, mais l'église ne fut achevée que vingt ans plus tard. Le 21 mai 1862, le roi et la reine la dédièrent à l'Annonciation de la Vierge.

La Petite Métropole ♥. Juste à côté de la cathédrale se trouve la Petite Métropole, dédiée à la Panaghia Gorgoépikoos, la «Vierge qui exhausse les vœux» dont l'icône miraculeuse constitue le trésor le plus précieux.

L'église byzantine de la Panaghia Gorgoépikoos, *la Vierge-qui-exauce-vite*, est l'ancienne cathédrale d'Athènes. Elle a été construite au XIIe siècle à l'aide d'éléments provenant d'édifices grecs antiques, romains, paléochrétiens ou byzantins plus anciens. Elle est également connue sous le nom de Saint-Éleuthère (Haghios Eleutherios), ou encore de Petite Métropole (Mikri Mitropolis). Sous l'occupation ottomane elle abritait le siège du métropolite grec d'Athènes.

Des bas-reliefs antiques
Certains bas-reliefs de la Petite Métropole proviennent d'édifices antiques. Le réemploi de tels ornements n'est sans doute pas sans rapport avec la présence à Athènes, à la fin du XIIe siècle, de Michel Choniates, savant et grand admirateur de l'Antiquité.

Cette représentation de la partie interne de la Petite Métropole s'appuie sur une gravure du XIXe siècle. Les peintures qui ornaient à cette époque la nef, le transept, le tambour et la coupole ont été recouvertes depuis d'un badigeon.

L'église, de type en croix inscrite avec coupole et narthex, a gardé son aspect d'origine, excepté les quatre colonnes soutenant la coupole, remplacées en 1833 par quatre piliers maçonnés.

Les soubassements sont constitués de blocs de marbre prélevés sur des monuments antiques. La partie supérieure est ornée de bas-reliefs dont les plus tardifs datent de la fin du XIIe siècle.

Les bas-reliefs
La façade de la Petite Métropole constitue un véritable musée de l'ornementation architecturale byzantine. La partie supérieure comporte des bas-reliefs aux sujets les plus divers : calendrier en forme de frise, labyrinthe inscrit dans un carré, croix byzantines, stèles funéraires, motifs animaliers, etc.

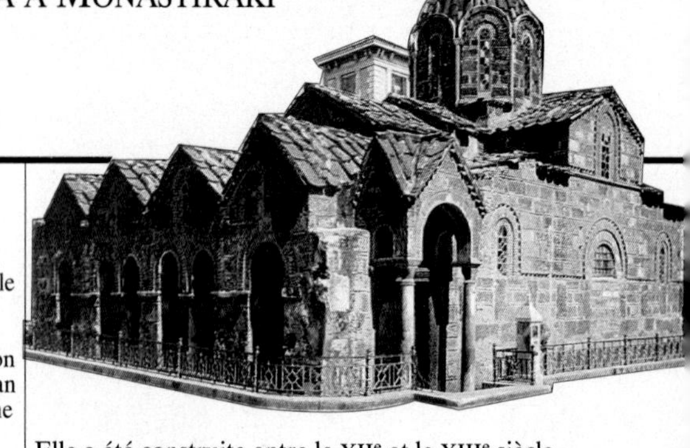

LA KAPNIKARÉA
Cette église du XIe siècle se dresse en bordure de Plaka sur une place à l'angle des rues Ermou et Kapnikaréa. Elle est dédiée à la Dormition de la Vierge. Son plan cruciforme, son dôme reposant sur un tambour octogonal, sa façade en brique ornée de frises denticulées et percée de fenêtres en plein cintre, ses colonnettes à chapiteaux sculptés en font un modèle

du style classique byzantin. Les fresques de la nef ont été réalisées dans les années cinquante par Photios Kontoglu.

Elle a été construite entre le XIIe et le XIIIe siècle à l'emplacement d'une église édifiée aux alentours de l'an 600. Certains blocs de marbre sculptés sont de cette époque. La multitude des inscriptions et reliefs font de la façade un véritable musée de la période classique byzantine et latine. L'église, abandonnée pendant la guerre d'Indépendance, fut transformée en bibliothèque avant d'être reconsacrée en 1868. Elle a été restaurée depuis selon les plans d'origine.

MONASTIRAKI

Monastiraki signifie «le petit monastère». C'est le nom que l'on attribuait à la Panaghia Pandanassa ou «maîtresse de l'Univers», l'église qui se trouve sur la place centrale de ce quartier. Cette dernière, d'où rayonnent sept rues commerçantes, constituait, déjà à l'époque ottomane, la partie basse d'un bazar qui s'étendait jusqu'au marché romain. Elle demeure depuis le domaine réservé des marchands de rue, des maroquiniers, des vendeurs de fruits et légumes, d'éponges, de noix de coco, de fruits secs et

Le musée des Arts décoratifs. Ce musée a réintégré la mosquée Tzisdarakis, après la restauration de cette dernière, endommagée par un tremblement de terre en 1981. Il expose l'importante collection Kyriazopoulos de céramiques et d'artisanat divers.

d'arachides… La construction en cours du futur métro a occulté son centre ; les palissades servent, jusqu'à nouvel ordre, de présentoir à toutes sortes de marchandises.

La Panaghia Pandanassa. Les origines de cette église, dédiée à la Dormition de la Vierge, remonteraient au Xe siècle. Mais la première preuve de son existence date de 1678. Elle faisait partie d'un couvent, fondé au Xe siècle, détruit en partie lors du percement du premier métro. Le bâtiment que l'on voit aujourd'hui a été rénové sans beaucoup de goût en 1911.

L'église Haghii Assomati. À l'angle des rues Ermou et Assomaton, cette église, construite sur un plan hexagonal, est consacrée aux «Saints Immatériels». Elle date de la seconde moitié du XIe siècle.

Céramiques contemporaines
Le professeur Kyriazopoulos a rassemblé une des plus importantes collections de céramiques du début du XXe siècle, provenant d'ateliers grecs et chypriotes.

Le marché aux puces

Les millions de mètres cube de béton coulés sur Athènes en l'espace de quelques décennies n'ont pas noyé son âme orientale. Pour s'en convaincre, il suffit de déambuler dans Monastiraki le dimanche matin. Ce jour-là, le flot des commerçants, qui a fait son lit dans les moindres recoins du quartier, gonfle démesurément. Les marchands ne ménagent pas leurs cordes vocales pour couvrir le hourvari général et attirer l'attention du chaland sur leurs étalages ou leurs devantures. Rues Ifestou, Kynetou, Adrianou, sur la place où se dresse l'église Haghios Fillipos et alentours, il faut alterner patience et jeu de coudes pour se frayer un chemin. Dans la profusion des marchandises proposées, il est bien difficile de séparer le bon grain de l'ivraie car le tourisme a favorisé, depuis une vingtaine d'années, l'industrie douteuse des Parthénons en matière plastique, des satyres-porte-clés au sexe proéminent et autres *tsaroukhis* d'*evzones*, ces chaussons de cuir rouge à pompon que portent les militaires en tenue de parade, transformés en pendentifs pour rétroviseurs de voitures. Mais si l'on regarde entre les rangées de prétendus objets d'art, apparaît en filigrane toute la mosaïque sociale de la ville et son histoire récente. Ici est le domaine des Russes, là celui des Albanais, plus loin celui des habitants des îles ; ailleurs encore celui des rescapés de la période hippie qui traînent leur nonchalance et leurs souvenirs le long du mur ouest de la bibliothèque d'Hadrien ▲ *210*, tirant de leur guitare ou de leur cithare

Palissades de la future station de métro «Monastiraki», grillages protégeant l'accès au site de l'Agora, grilles du périmètre archéologique de la bibliothèque d'Hadrien… tout est bon pour les marchands à la sauvette qui ne disposent pas, à la différence de leurs confrères antiquaires, de boutiques patentées.

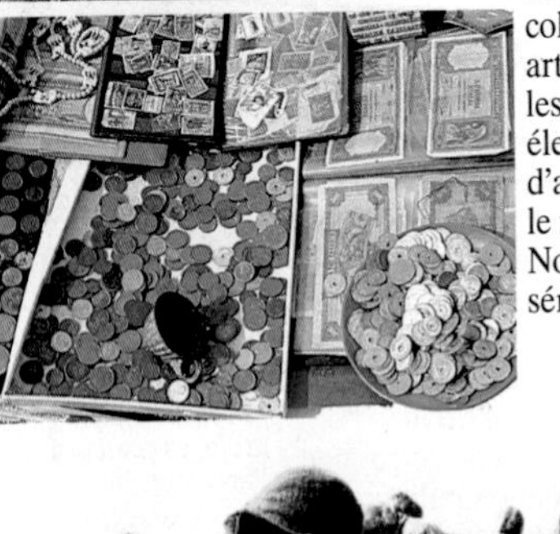

de suaves harmonies, l'esprit routard chevillé au corps. Les curiosités sont nombreuses, les bonnes affaires plus rares. Le temps est révolu où les familles venaient des campagnes brader la précieuse icône du trisaïeul pour s'offrir en retour la lampe de pacotille rêvée depuis longtemps. Aujourd'hui la broque, la fripe et les fausses antiquités restent abordables, tout comme les oripeaux de la soldatesque. En revanche, le bar années cinquante avec percolateur *ad hoc* ou la malle en parchemin bardée de décorations à l'effigie du *Raffles* ou du *Waldorf Astoria*, sont vendus à prix prohibitif par un antiquaire roué ayant pignon sur la place Avicinas.

La place Avicinas ♥. À l'angle des rues Ifestou et Kynetou, cette enclave, enchâssée entre des bâtisses modernes, est un havre voué de longue date à la chine. C'est ici que bat le véritable cœur du marché aux puces. Balloté par les vagues de flâneurs en marche, on échouera avec bonheur à la terrasse d'un petit café situé en face d'un ferronnier, avant de s'atteler à l'acquisition d'un gramophone, presque aussi antique que son propriétaire. Ici plus qu'ailleurs, le visiteur curieux fera sa provision de pittoresque. Le centre de la place est réservé aux brocanteurs qui déballent, à la première heure du jour, leur cargaison des plus hétéroclites : amas de vaisselles dépareillées, colifichets, bibelots, ferrailles… disposés artistement. Autour sont installés les vendeurs de meubles, d'appareils électroménagers, les quincaillers et d'authentiques antiquaires auprès de qui le marchandage n'est pas toujours aisé. Non loin de là, le site de l'Agora ▲ *210* a la sérénité des lieux appartenant à l'histoire.

L'Agora

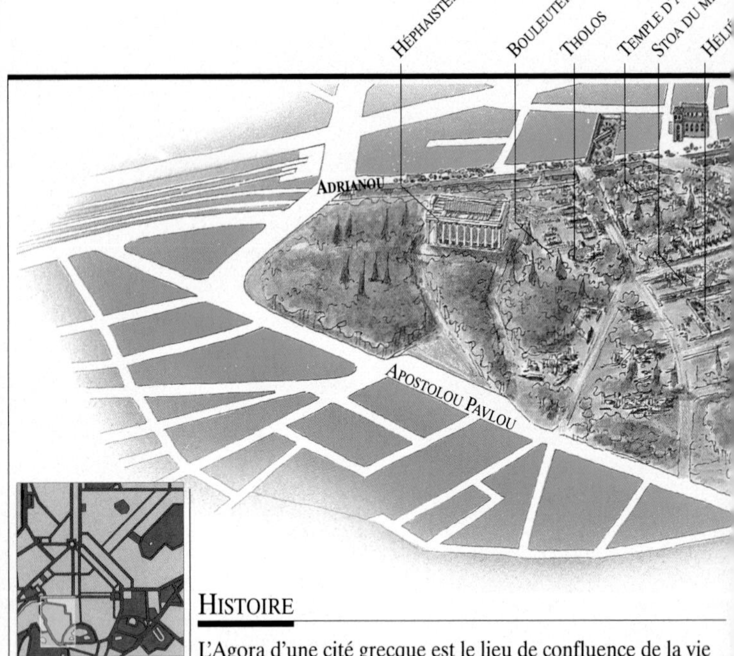

1/2 journée

HISTOIRE

L'Agora d'une cité grecque est le lieu de confluence de la vie publique et remplit, de ce fait, diverses fonctions : politique, religieuse (elle abrite des cultes et est elle-même un sanctuaire), économique et commerciale (c'est la place du marché). Le mot agora signifie «assemblée», c'est le lieu de réunion de l'Assemblée des citoyens. L'Agora est aussi le lieu de rencontre des Athéniens qui, sur la grande place centrale ou à l'ombre des *stoai* (galeries ouvertes d'un côté par une colonnade), se livrent à leur activité favorite : la conversation. On vient ici apprendre les nouvelles du jour, suivre l'enseignement des philosophes ou convier ses amis à un banquet. Le développement d'Athènes a entraîné une spécialisation des espaces et l'Assemblée a tenu ses séances sur la Pnyx ▲ *207*. L'Agora conserve la majorité des bâtiments publics.

MILLE ANS D'ARCHITECTURE ● *79***.** Le site est occupé dès le IIIe millénaire av. J.-C., mais c'est au début du VIe siècle av. J.-C., à l'époque du législateur Solon, que l'Agora acquiert sa position éminente au sein de la cité. À la fin du VIe siècle av. J.-C., les réformes de Clisthène, qui fut l'initiateur de la démocratie, sont l'occasion de la mise en chantier d'une série de monuments publics dans la partie sud-ouest de l'Agora. Les travaux dureront près de 1 000 ans. En 480 av. J.-C., le sac d'Athènes par les Perses endommage gravement les bâtiments civils et religieux édifiés à l'ouest de l'Agora. Restaurés, ils s'enrichissent, à la fin du Ve et au début du IVe siècle, d'édifices publics au nord et au sud. Au IIe siècle av. J.-C., l'Agora occupe son espace définitif. En 86 av. J.-C., les troupes romaines de Sylla détruisent une partie des ouvrages du côté sud. De la fin du Ier siècle av. J.-C. au IIe siècle ap. J.-C., des constructions nouvelles s'ajoutent

La première partie des fouilles achevée, l'École américaine entreprit un important travail paysager sur l'Agora. Arbres et arbustes ont été plantés pour embellir le site, mais, surtout, pour évoquer l'aspect de la couverture végétale d'Athènes dans l'Antiquité.

aux bâtiments existants. L'Agora est à nouveau ravagée en 267 ap. J.-C. par les Hérules. Des blocs de marbre prélevés sur ses ruines serviront à édifier le mur de fortification à l'est du site. Elle connaît, au Ve siècle, une dernière phase d'expansion avec la construction, en son centre, d'un vaste gymnase. Au VIe siècle son déclin est consommé.

Les fouilles de l'École américaine. La première campagne eut lieu en 1859. En 1890-1891, lors du percement des voies du train souterrain Athènes-Le Pirée, des structures anciennes furent mises au jour. Il faudra néanmoins attendre 40 ans pour que les fouilles reprennent, sous l'égide de l'*American School of Classical Studies* (l'École américaine d'études classiques), le 25 mai 1931. Elles n'ont été interrompues depuis que par la Seconde Guerre mondiale.

Devenue capitale du Royaume grec en 1834, Athènes connaît une fulgurante expansion. En quelques années, l'Agora devient l'un des quartiers les plus densément peuplés. En 1936, les autorités, avec le soutien financier de J. D. Rockefeller, relogent les 5 000 habitants que compte alors le site et rasent les constructions qui entravent les fouilles. Seule l'église des Saints-Apôtres est épargnée.

L'Héphaistéion

Le pseudo-Théseion. Dominant le site, au milieu des plates-bandes de gazon et des bosquets de lauriers-roses, l'Héphaistéion, se dresse au sommet du *Kolonos Agoraios*, la colline au nord-ouest de l'Agora. Il est consacré à Héphaistos, le dieu forgeron et à sa sœur Athéna. On y accède par deux escaliers latéraux qui mènent également au belvédère où une carte d'orientation facilite la reconnaissance des édifices. Longtemps ce temple a été pris pour un sanctuaire dédié à Thésée, en raison des exploits du roi légendaire d'Athènes figurés sur les métopes. Le Théseion, construit par Cimon en 475 av. J.-C., se trouverait en réalité sur le côté est de l'Agora, au pied de l'Acropole. L'Héphaistéion aurait, quant à lui, été bâti aux environs de 449 av. J.-C., deux ans avant le début des travaux du Parthénon. On ignore le nom de son maître d'œuvre. Échappant en plusieurs occasions à la destruction, ce temple est resté pratiquement intact jusqu'au milieu du VIIe siècle ap. J.-C., époque à laquelle il a été transformé en basilique chrétienne dédiée à saint Georges. Endommagée lors de la guerre d'Indépendance, cette basilique a été restaurée et reconsacrée peu après la fondation du Royaume.

Structure du temple. C'est un temple périptère hexastyle dorique ● *91*. Le stylobate et les superstructures sont en marbre du Pentélique. Les porches avant et arrière sont distyles *in antis*. La colonnade intérieure comportait deux étages de colonnes doriques, surmontées d'un entablement en bois. Une porte monumentale séparait le *pronaos* du *naos*. Ce dernier était dominé par une statue cultuelle colossale.

Le décor sculpté
Les reliefs de la frise et les métopes du temple, sculptés dans le marbre de Paros, représentaient

les travaux d'Héraclès et les exploits de Thésée. Seules 18 des 68 métopes ont été sculptées ; les 50 autres étaient probablement peintes. Les frontons du temple étaient également ornés de sculptures dont seuls des fragments subsistent. La frise du *pronaos* représente un combat livré devant six divinités assises. La frise ouest illustre le combat mythique des Athéniens et des Lapithes contre les Centaures. Parmi le groupe de droite, Thésée se reconnaît au grand bouclier rond qui arme son bras.

Les bâtiments de la démocratie athénienne

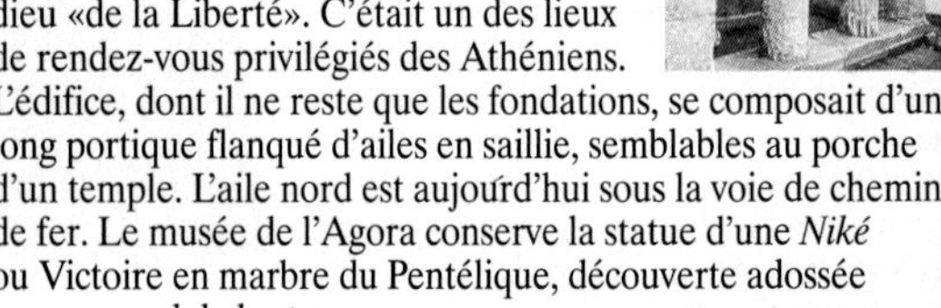

Au pied de la colline de l'Agora, un alignement de fondations marque l'emplacement des principaux édifices publics de l'Athènes antique.

La stoa de Zeus Éleuthéros ● *80*. Achevée dans le dernier tiers du Ve siècle av. J.-C., cette stoa à vocation civique et religieuse est consacrée à Zeus Éleuthéros, dieu «de la Liberté». C'était un des lieux de rendez-vous privilégiés des Athéniens. L'édifice, dont il ne reste que les fondations, se composait d'un long portique flanqué d'ailes en saillie, semblables au porche d'un temple. L'aile nord est aujourd'hui sous la voie de chemin de fer. Le musée de l'Agora conserve la statue d'une *Niké* ou Victoire en marbre du Pentélique, découverte adossée au mur nord de la stoa.

Le temple d'Apollon Patrôos. À une dizaine de mètres de là subsistent les fondations d'un petit temple ionique construit en 330 av. J.-C. : le sanctuaire d'Apollon Patrôos, père d'Ion, fondateur éponyme de la race ionienne.

Le sanctuaire de Zeus Phratrios et d'Athéna Phratria. Au nord du temple d'Apollon Patrôos se trouvent les vestiges d'un minuscule sanctuaire du milieu du IVe siècle av. J.-C. Il est consacré à Zeus Phratrios et Athéna Phratria, divinités tutélaires des phratries (associations cultuelles, les phratries regroupent les citoyens en des fraternités symboliques). Chaque tribu d'Attique est composée de trois phratries, elles-mêmes divisées en clans ou *géné*.

Le Métrôon. Sanctuaire dédié à la déesse Rhéa, mère des premiers dieux, *Meter Theon*, ce bâtiment, édifié au IIe siècle av. J.-C., abritait également les archives de l'État. Quatre pièces de taille différente, s'ouvraient sur un porche à colonnade. Le sanctuaire se trouvait probablement dans la deuxième pièce en partant du sud. La pièce nord, à deux étages, servait de salle de lecture. Au centre se dressait un autel.

Le Bouleutérion. Édifié au début du Ve siècle av. J.-C., le Bouleutérion ou Conseil d'Athènes est le plus ancien des édifices publics de l'Agora. Il abritait la Boulè ou Conseil des Cinq-Cents. On attribue à Solon, début du VIe siècle av. J.-C., la création de la Boulè athénienne, mais Clisthène, à la fin du VIe siècle av. J.-C., définit son mode de recrutement, étend ses compétences et porte le nombre de ses membres à 500. Ces derniers sont tirés au sort chaque année au sein des dix tribus d'Attique nouvellement créées. Ils sont chargés essentiellement d'élaborer les projets de lois, soumis pour vote à l'*Écclésia*, l'assemblée du peuple qui se réunit sur la Pnyx ▲ *207*. Un premier bouleutérion a été érigé au nord de la Tholos au début du Ve siècle av. J.-C. Les fondations en sont toujours visibles, à l'angle sud-ouest de l'Agora. À la fin du siècle, un nouveau bâtiment a été construit à l'ouest de l'ancien. Les deux édifices ont coexisté pendant trois siècles. L'ancien servait de dépôt pour les archives du Conseil avant d'être démoli au IIe siècle av. J.-C. et remplacé par le Métrôon.

La Tholos ● *80*. Au sud du Métrôon, des fondations circulaires signalent la Tholos, ou Prytanée, construite en 465 av. J.-C. Elle abritait une commission restreinte de la Boulè, le Conseil des prytanes. Centre nerveux du gouvernement, ce conseil est formé des 50 prytanes d'une tribu. Ils siègent pendant la dixième partie de l'année, en alternance avec les 50 représentants de chacune des

Le monument des héros éponymes
En face du Métrôon, on distingue les fondations d'un piédestal. Il portait à l'origine les dix statues des *Eponymoi*, les héros mythiques qui donnèrent leurs noms aux dix tribus d'Attique formées par Clisthène.
Aux flancs de la base de ce monuments, étaient affichés les avis, concernant les citoyens, inscrits sur des tablettes de bois passées à la chaux.

Cet instrument servait à tirer au sort les membres des tribunaux.

Statue d'Hadrien
Elle se dresse près du Métrôon. Athéna, coiffée de Victoires ailées et flanquée de ses attributs, le serpent et la chouette, orne, en bas-relief, la cuirasse de l'Empereur.

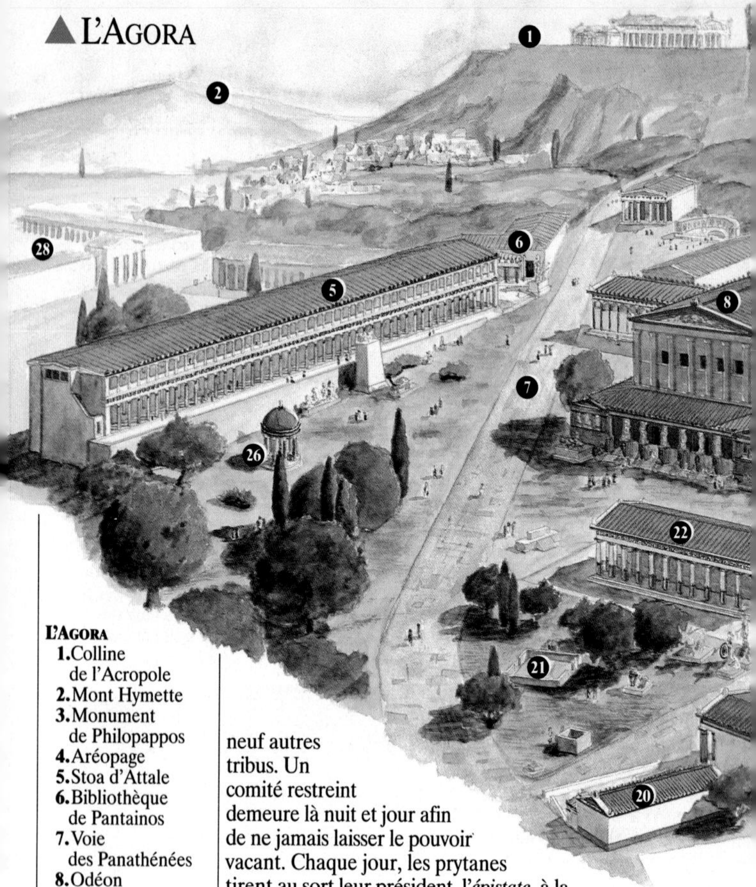

neuf autres tribus. Un comité restreint demeure là nuit et jour afin de ne jamais laisser le pouvoir vacant. Chaque jour, les prytanes tirent au sort leur président, l'*épistate*, à la tête pendant vingt-quatre heures du Prytanée, de l'*Ecclésia* et de la Boulè. Les prytanes étaient nourris aux frais de la cité et pratiquaient sacrifices et libations. La Tholos conservait, en outre, les étalons des poids et mesures.

LE GRAND ÉGOUT. À une quinzaine de mètres à l'est de la Tholos, un fossé partiellement couvert de dalles de pierre marque l'endroit où se rejoignaient les deux canaux du grand égout antique.

LA PRISON D'ÉTAT. Les vestiges se trouvent au sud-ouest de l'Agora. Les murs et le sol sont d'époque romaine mais les fondations datent du milieu du Vᵉ siècle av. J.-C. Socrate y aurait été incarcéré le mois précédant son absorption de la ciguë (poison avec lequel étaient exécutés les condamnés à mort à Athénes).

LE CŒUR DE LA VIE CIVIQUE

Longues galeries marchandes à portique, les *stoai* sont caractéristiques des agoras hellénistiques. Leur nom et leur fonction sociale se sont perpétués dans la ville moderne.

L'AGORA

1. Colline de l'Acropole
2. Mont Hymette
3. Monument de Philopappos
4. Aréopage
5. Stoa d'Attale
6. Bibliothèque de Pantainos
7. Voie des Panathénées
8. Odéon d'Agrippa
9. Stoa du Milieu
10. Place du Sud
11. Héliée
12. Fontaine du Sud-Ouest
13. Tholos
14. Bouleutérion
15. Héphaistéion
16. Arsenal
17. Métrôon
18. Temple d'Apollon Patrôos
19. Portique de Zeus Éleuthéros

LES SAINTS-APÔTRES DE L'AGORA
L'église des Haghii Apostoli, jouxtant la fontaine du sud-est, a été construite au Xᵉ siècle sur les fondations d'un nymphaion. Remaniée au XIXᵉ siècle, elle a été restaurée dans son état d'origine par l'École américaine d'études classiques. Les fresques qui ornent la coupole datent du XVIIIᵉ siècle.

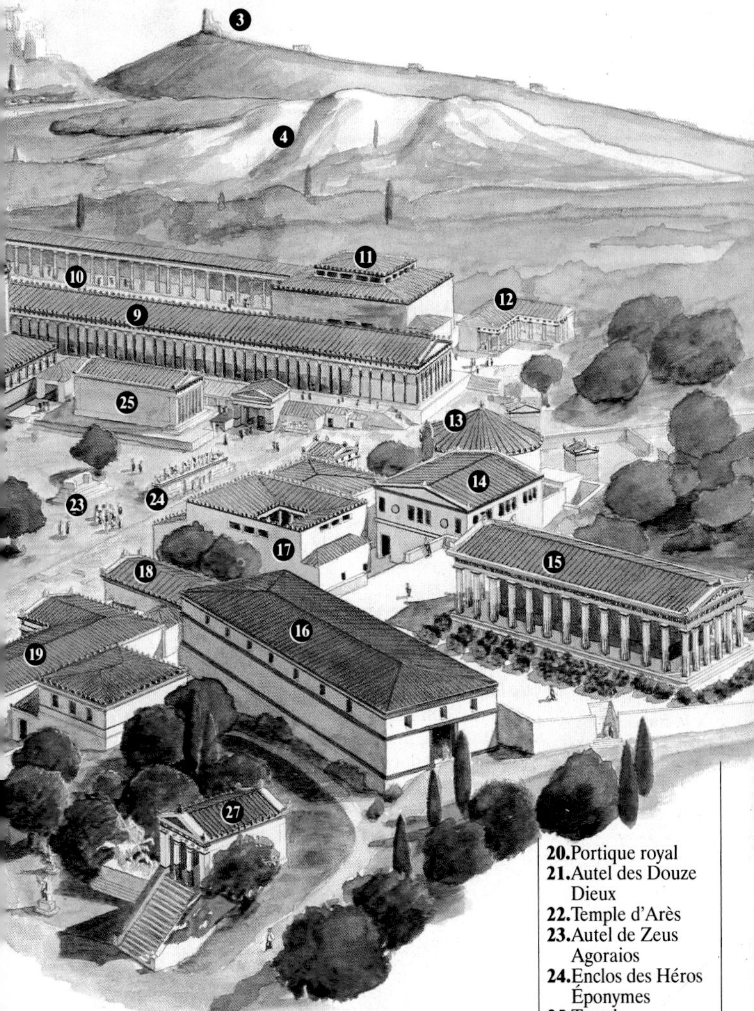

20. Portique royal
21. Autel des Douze Dieux
22. Temple d'Arès
23. Autel de Zeus Agoraios
24. Enclos des Héros Éponymes
25. Temple du Sud-Ouest
26. Temple monoptère
27. Temple hellénistique
28. Marché romain
29. Fontaine du Sud-Est

La place du Sud. Les fondations qui occupent l'extrémité sud du site archéologique forment un ensemble que l'on appelle la place du Sud. Le premier édifice de ce complexe est la stoa du Milieu qui s'étend de la voie des Panathénées au sud-est de la Tholos. Les fondations de la stoa du Sud II ● *80*, s'étendent sur environ 100 m, à l'est de la voie des Panathénées. Construite en remplacement de la stoa Sud I démolie, elle fermait l'Agora au sud. Une autre stoa, à colonnade ionique, bordait le côté est du quadrilatère.

L'Héliée. À l'autre extrémité de la place du Sud, on peut voir les fondations d'un grand bâtiment rectangulaire, à côté duquel se trouvent les ruines de la fontaine du Sud-Ouest. Il s'agirait du tribunal de l'Héliée, le plus important et le plus vaste des bâtiments judiciaires d'Athènes. Les tribunaux étaient constitués à partir de 6 000 jurés, les *héliastes*, choisis parmi les citoyens sans distinction de rang ou de fortune. Tribunal populaire, l'Héliée devint peu à peu un instrument aux mains des démagogues pour éliminer leurs adversaires politiques. Aristophane,

La stoa du Milieu
Construite au IIe siècle av. J.-C., c'était le plus grand des édifices de l'Agora, de 147 m de long sur 17 m de large.

dans sa pièce *Les Guêpes*, compose une satire de la justice d'Athènes. Socrate en fut victime. Les *héliastes*, manipulés par les politiques inquiets de l'influence grandissante du philosophe, l'accusèrent de corrompre, par ses discours, les mœurs de la jeunesse. Ils le condamnèrent à mort en 399 av. J.C., après un procès inique.

LA BIBLIOTHÈQUE DE PANTAINOS. Les vestiges visibles, au sud de la stoa d'Attale, sont ceux de la bibliothèque fondée par T. Flavius Pantainos, sous le règne de Trajan (98-117). L'édifice comprenait une cour bordée sur trois côtés par des portiques, le corps principal étant à l'est.

L'ARGYROKOPEION. Les vestiges situés derrière le Nymphaion et le temple du Sud-Est sont ceux de l'hôtel de la monnaie, l'Argyrokopeion, construit en 400 av. J.-C.

LA FONTAINE DU SUD-EST. Immédiatement à l'ouest de l'Argyrokopeion se trouvent les vestiges de la fontaine publique du Sud-Est. Elle date de 525-500 av. J.-C.

LE PROCÈS DE SOCRATE
Combattant toutes les tyrannies, Socrate est pourtant condamné par un gouvernement démocrate. Refusant la chance que lui offrent ses amis de se dérober, il boit la ciguë à la fois pour respecter les lois de la cité et pour souligner leur injustice lorsqu'elles sont en de mauvaises mains.

LA STOA D'ATTALE

Fondée par le souverain philhellène Attale II, roi de Pergame de 159 à 138 av. J.-C., cette stoa occupe la quasi-totalité de la partie est du site archéologique. Lieu de promenade et centre commercial, elle occupait, près de la voie des Panathénées, une position privilégiée pour les artisans et commerçants. Fréquentée pendant plus de quatre siècles, elle fut pratiquement rasée par les Hérules en 267 ap. J.-C.

Vingt et un magasins occupaient la partie ouest de la galerie inférieure. Certains d'entre eux ont été reconstitués.

UNE RECONSTRUCTION EXEMPLAIRE. Ses ruines ont été identifiées et mises au jour par les archéologues grecs dans la seconde moitié du XIXe siècle. En 1931, l'*American School of Classical Studies* a poursuivi les fouilles et le monument a été reconstruit en 1953-1956, selon les plans tracés par l'archéologue Jean Travlos.

L'ÉDIFICE. Mesurant 116 m de long sur 20 m de large, il dresse ses deux étages de galeries sur une plate-forme à trois degrés. Les chapiteaux des colonnades répondent à quatre ordres. Au niveau inférieur, la colonnade extérieure est de style dorique. La colonnade axiale est, quant à elle, d'ordre ionique. En haut, des doubles chapiteaux en ionique étiré couronnent les demi-colonnes extérieures tandis qu'à l'intérieur une adaptation du chapiteau palmiforme égyptien orne la colonnade.

LES MUSÉES DE L'AGORA. Tous les fragments architecturaux, sculptures et objets découverts sur le site de l'Agora, sont conservés dans la stoa d'Attale. Le portique du rez-de-chaussée abrite, au pied des colonnes et sur les murs des anciens

À l'étage inférieur, une colonnade dorique porte l'entablement décoré de triglyphes et métopes. Au-dessus, une double rangée de demi-colonnes cannelées, jointes par une section lisse, porte l'architrave. Un parapet en marbre court le long de la galerie. Le toit est couvert de tuiles romaines ou *tegula*, jointées par de petites tuiles creuses de recouvrement ou *imbrex*.

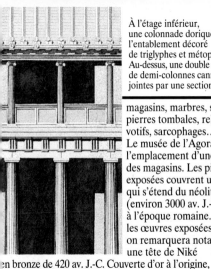

magasins, marbres, statues, pierres tombales, reliefs votifs, sarcophages… Le musée de l'Agora occupe l'emplacement d'une partie des magasins. Les pièces exposées couvrent une période qui s'étend du néolithique (environ 3000 av. J.-C.) à l'époque romaine. Parmi les œuvres exposées, on remarquera notamment une tête de Niké en bronze de 420 av. J.-C. Couverte d'or à l'origine, elle faisait partie intégrante d'une Victoire ailée. À chaque extrémité, un escalier permet d'accéder à l'étage supérieur de la stoa. Là, près des bureaux de l'École américaine, un petit musée présente une collection d'objets et inscriptions illustrant la vie quotidienne dans l'Antiquité, ainsi que des reliefs, statues, et fragments architecturaux. Par ailleurs, des maquettes offrent des reconstitutions de l'Acropole, de l'Agora et de la Pnyx.

On lit sur ces jetons d'ostracisme le nom de Thémistocle. Cet homme d'État édifia une partie des murs d'Athènes et prit une part décisive dans les victoires de Marathon et Salamines. Usant, voire abusant des deniers publics, il fut exilé en 472 av. J.-C.

Statuette en ivoire du IIe siècle ap. J.-C. figurant un jeune satyre.

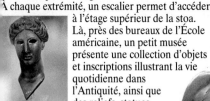

LE CENTRE DE L'ATTIQUE

LE TEMPLE MONOPTÈRE. Ce petit monument circulaire à huit colonnes de marbre vert surmontées d'une coupole en brique, a été construit au IIe siècle ap. J.-C. à l'ouest de la stoa d'Attale. Il abritait probablement la statue d'une divinité. Il reste quelques fragments de la corniche décorée et des colonnes.

L'AUTEL DES DOUZE DIEUX. Édifié sous l'archontat de Pisistrate ● *44,* (522-521 av. J.-C.) l'autel des Douze Dieux (Zeus, Héra, Poséidon, Athéna, Dionysos, Déméter, Arès, Aphrodite, Héphaistos, Apollon, Artémis, Hermès), cerné par un péribole, était le point à partir duquel on calculait les distances. Seule la partie sud-ouest est encore visible, l'autre étant sous la voie du métro.

LE TEMPLE D'ARÈS. Au sud de l'autel des Douze Dieux, un vaste rectangle jonché de pierres signale le temple d'Arès, dieu de la guerre. Il a été construit en 430 av. J.-C. Les restes d'un autel de marbre, dédié à Arès, et d'importants vestiges situés à l'extrémité ouest des fondations subsistent. Le temple, bâti à l'origine au pied du mont Parnès, à Acharnai, a été transféré sur l'Agora au début de la période romaine. C'était une copie presque conforme de l'Héphaistéion, tous deux œuvres du même architecte.

LA STOA DES GÉANTS Ce portique, ajouté en 150-175 ap. J.-C. au mur nord de l'odéon d'Agrippa est surnommé la stoa des Géants en raison des six gigantesques atlantes soutenant l'architrave. Ce groupe, dont il reste trois membres pour accueillir le visiteur près de l'entrée principale du site, était composé de trois géants et trois tritons. Les premiers, monstres de la terre, étaient pourvus d'une tête et d'un torse humains mais affublés d'une queue de serpent à la place des jambes. Les suivants, monstres de la mer, étaient mi-hommes mi-poissons. Lors de la construction du gymnase, ces géants furent déplacés pour orner la façade du nouvel édifice.

Cette tête d'Hermès a été découverte près de la stoa royale. Elle appartenait à un groupe d'Hermès phalliques gardant l'entrée de l'Agora, qui furent mutilés par les *Hermokopidai*, en 415 av. J.-C., au cours de la nuit précédent l'expédition contre la Sicile.

L'ODÉON D'AGRIPPA. Érigée en 15 av. J.-C. par Marcus Vipsanius Agrippa, cette colossale salle de spectacle couverte, plus grande que le Parthénon, fut incendiée lors du sac des Hérules en 267 ap. J.-C. Ses ruines servirent à édifier le dernier mur romain de fortification. Au début du Ve siècle un vaste gymnase, lieu d'entraînement sportif et établissement scolaire, fut construit à cet endroit

L'AUTEL DE ZEUS AGORAIOS. Entre l'odéon d'Agrippa et l'enclos des Héros éponymes se trouvent les vestiges d'un autel de la fin du IVe siècle av. J.-C., consacré à Zeus Agoraios, inspirateur de l'éloquence. L'édifice se dressait à l'origine sur la Pnyx.

AU NORD DU SITE

Le percement de la voie ferrée Athènes-le Pirée en 1890-1891 a isolé le nord de l'Agora du périmètre archéologique. Les fondations des deux monuments principaux, le portique royal et le portique peint, n'ont été mises au jour qu'en 1971. Les vestiges sont visibles depuis la rue Adrianou. Les fouilles se poursuivant, le lieu est fermé au public.

LA STOA ROYALE. Contre la voie de chemin de fer, apparaissent les fondations de la stoa Basileos ou «portique royal». Elle abritait le siège de l'archonte-roi. Après les réformes de Clisthène, ce magistrat assumait, en matière religieuse, les fonctions juridiques autrefois dévolues au roi. Il veillait à la célébration des mystères, présidait l'Aréopage et le tribunal des éphètes, ce dernier jugeant les homicides volontaires.

LA STOA POIKILÉ. La stoa Poikilé, ou «portique peint», était un des monuments les plus célèbres d'Athènes si l'on en croit l'enthousiasme qu'il suscite chez Pausanias. Érigée vers le milieu du Ve siècle av. J.-C., elle doit son nom aux scènes de bataille peintes sur ses murs par des artistes renommés. Lieu de promenade volontiers fréquenté par les poètes et les philosophes, la stoa servait également à l'occasion de cour de justice.

Le Céramique et les murailles d'Athènes

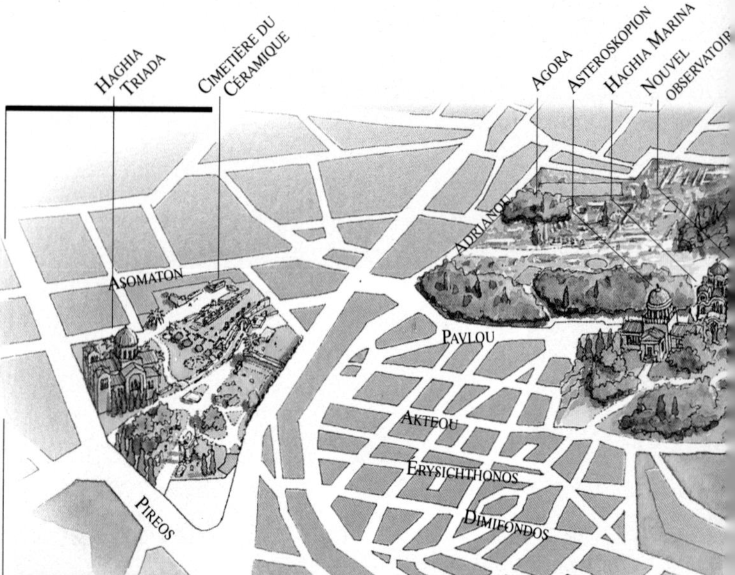

▲ Le Céramique et les murailles d'Athènes

Haghia Triada
Cimetière du Céramique
Agora
Asteroskopion
Haghia Marina
Nouvel observatoire
Adrianou
Asomaton
Pavlou
Akteou
Érysichthonos
Dimifondos
Pireos
Thessalonikis

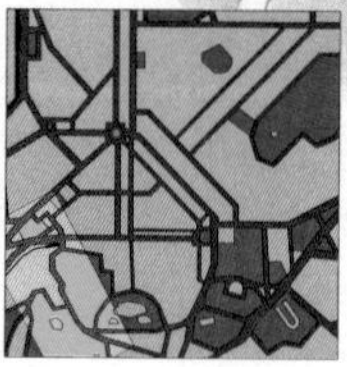

1 jour

La présence du fleuve Éridanos et le débouché commercial qu'offre la nécropole favorisent l'implantation, dans le quartier du Céramique, d'un important artisanat de potiers. Cette activité s'est prolongée jusque dans les années cinquante de ce siècle.

Le Céramique

Le Céramique est l'un des quartiers de la cité antique d'Athènes. D'après Pausanias, son nom lui vient de Kéramos, patron des potiers, fils de Dionysos et d'Ariane. Sis entre l'Agora et l'Académie, à 1,5 km au nord-ouest, le Céramique est coupé en deux par le mur de Thémistocle au lendemain des guerres Médiques ● *44*. Dans la partie ainsi créée hors les murs, s'implante la plus vaste nécropole athénienne ; à partir du début du VIe siècle, on cesse en effet, à Athènes comme dans les autres cités, d'enterrer les morts à l'intérieur de la ville. L'Agora se trouvait dans la partie intérieure.

Le site archéologique. Situé entre les rues Pireos, Ermou et Melidoni, il ne représente qu'une petite partie du quartier

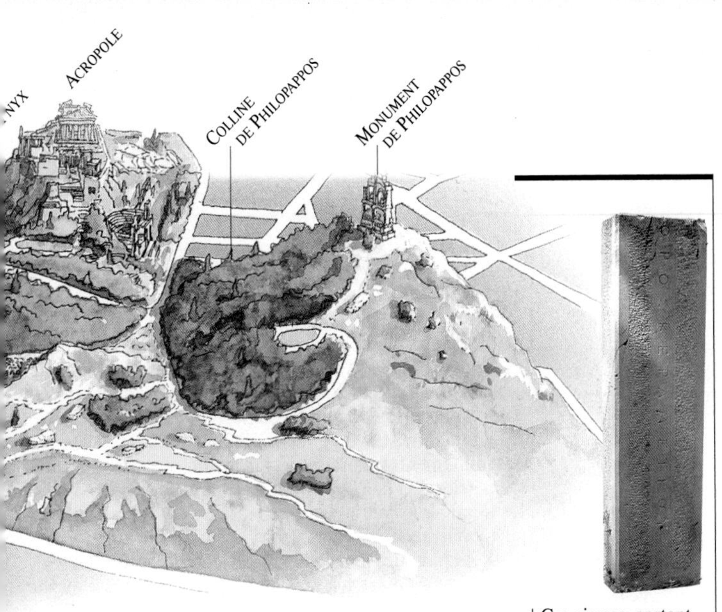

antique. Occupé par des tombes dès l'époque sub-mycénienne (XIIe siècle av. J.-C.), le Céramique est resté le principal cimetière d'Athènes jusqu'au sac de la ville par Sylla, en 86 av. J.-C. ● *47.* Abandonné après cet événement, il a disparu peu à peu sous le limon déposé par l'Éridanos. Des fouilles entamées sous la direction de la Société archéologique grecque en 1871 se poursuivent depuis 1913 sous l'égide de l'Institut archéologique allemand.

LE MUSÉE OBERLÄNDER. À gauche de l'entrée du site, le musée Oberländer, du nom du mécène qui contribua au financement des fouilles, rassemble une partie des objets découverts sur le site, l'autre étant conservée au Musée national. Le hall d'entrée abrite une série de monuments funéraires. Autour de la cour, les vitrines renferment le matériel découvert dans les tombes. Les objets, rangés par ordre chronologique, couvrent une période s'étendant du mycénien à la fin de l'époque romaine.

AU CARREFOUR DE DEUX ROUTES. Deux des axes principaux de l'Athènes antique passent par le Céramique : le Dromos et la Hiera Odos ou Voie sacrée. Le premier part de l'Académie, traverse le cimetière, franchit la porte du Dipylon, traverse l'Agora pour aboutir à l'Acropole ; la seconde, passant la Porte sacrée, conduit jusqu'à Éleusis. Elle rejoint l'allée des Tombeaux à la hauteur du sanctuaire des *Tritopatores* ou Ancêtres dont il ne reste plus que l'enceinte de forme triangulaire dans laquelle sont encastrées des bornes portant l'inscription *Horos Hieron Tritopatreion Habaton* (limite du sanctuaire des Tritopatores : défense d'entrer). La procession des Panathénées, qui avait lieu à l'issue des concours athlétiques du même nom, suivait le Dromos. Il s'agissait d'atteindre l'Acropole, en traversant l'Agora, pour conduire les animaux offerts en sacrifice à Athéna et apporter à la déesse de l'Érechthéion le péplos tissé pour elle par des petites filles athéniennes de bonne famille. Les pèlerins qui se rendaient aux mystères d'Éleusis ▲ *288,*

Ces pierres, portant l'inscription *Horos Kerameikou*, «Je suis la borne du Céramique», marquaient la limite entre le quartier du Céramique et celui du Kolonos Agoraios.

AMPHORE DU DIPYLON
Cette amphore a été découverte dans une des tombes géométriques du quartier du Dipylon. Elle date de la première moitié du IXe siècle av. J.-C. Les vases de cette époque comportent des lignes et des motifs géométriques, accompagnés souvent de frises représentant des personnages et des animaux stylisés.

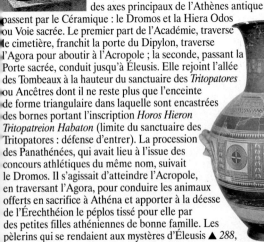

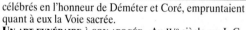

Loutrophore
Ce vase surmonte généralement les tombes de célibataires.

Lécythe
Il orne les tombes des vierges ou des jeunes filles non mariées.

Scène d'adieu en bas-relief sur un vase funéraire en pierre.

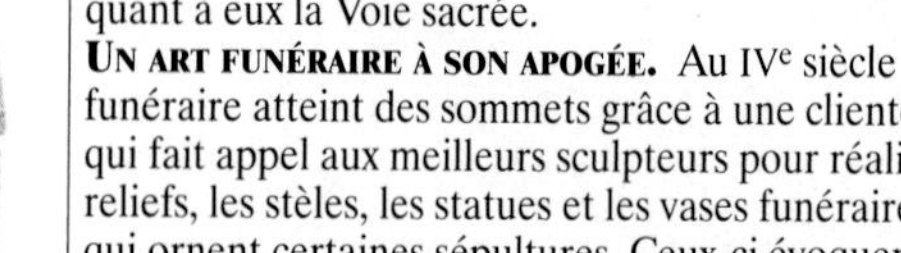

célébrés en l'honneur de Déméter et Coré, empruntaient quant à eux la Voie sacrée.

Un art funéraire à son apogée. Au IVe siècle av. J.-C., l'art funéraire atteint des sommets grâce à une clientèle fortunée qui fait appel aux meilleurs sculpteurs pour réaliser les bas-reliefs, les stèles, les statues et les vases funéraires en pierre qui ornent certaines sépultures. Ceux-ci évoquent la forme des kotyles, coupes à deux anses dans laquelle on mêlait le vin et l'eau, des loutrophores, vases à deux anses, ou des lécythes, vases à une anse dans lequel on portait l'eau nécessaire au culte funéraire. Les Athéniens rivalisent dans la richesse des monuments funéraires jusqu'aux lois somptuaires de Démétrios de Phalère imposant la simplicité en 317 av. J.-C. Le Céramique continue d'être employé comme cimetière à l'époque hellénistique et romaine. Mais l'art funéraire n'atteint plus, dès lors, le lustre des époques précédentes.

L'allée des Tombeaux ♥. Elle se trouve au milieu du site archéologique.

Elle est divisée en enclos, accordés en concession à de riches familles athéniennes et métèques. Ces enclos renferment des tombes de formes variées : petits édicules ornés de frontons et de sculptures en haut relief, stèles couronnées de palmettes, dalles quadrangulaires à fronton, grands vases funéraires en pierre décorés ou non de bas-reliefs. Sur le côté sud de l'allée, un enclos fermé par un arc de cercle contient un moulage du cénotaphe de Dexiléos ; l'original est au musée Oberländer. Plus loin, l'enclos d'Agathon et de Sosikratès, renferme, encadré par deux lécythes, un petit édicule portant les traces d'une scène peinte et une stèle représentant, en bas-relief, une scène émouvante : Korallion faisant ses adieux à son mari Agathon. La concession de Dionysos Kollytos est reconnaissable de loin à son édicule surmonté d'un taureau, réplique d'une sculpture en marbre pentélique. Signalons également la tombe de Lysimachidès avec le bas-relief de Charon, le passeur des Enfers et la chienne

La frise des cavaliers
Cette base en marbre d'un monument funéraire d'époque archaïque fut réutilisée dans une tour de la porte du Dipylon. Elle est conservée au musée Oberländer.

molosse en marbre de l'Hymette. À l'arrière de ces enclos qui surplombent l'allée, des stèles aux formes diverses hérissent la butte : simples colonnettes, sarcophages en dalles ou en forme de lit, loutrophores et lécythes. C'est là que s'élevait le sanctuaire d'Hécate avec ses deux autels. Sur le côté nord, en partant de la clôture du site, se trouve l'enclos d'Eubios avec la stèle d'Euphrosyné et la colonne de Bion que surmontait un loutrophore, ainsi que la stèle de Koroibos et le loutrophore de son petit fils Kleidémos. Dans la concession de Koroibos de Mélité, se dresse la célèbre stèle d'Hégéso montrant la fille de Proxenos, assise, choisissant un bijou dans une cassette tenue par une servante ; l'original, datant de la fin du Ve siècle, est aujourd'hui conservé au Musée national.

Les tombes publiques. En traversant la vaste étendue herbeuse le long de l'église d'Haghia Triada, déplacée et reconstruite au nord du site dans les années trente, on parvient au Dromos. La largeur exceptionnelle de cette voie s'explique par la nature des événements qui s'y déroulaient. Chaque hiver, en effet, on célébrait à cet endroit les *Épitaphia*, cérémonie funéraire en l'honneur des Athéniens et de leurs alliés morts à la guerre. Les cendres des morts étaient placées dans une tombe commune appelée le *Demosion Sema*. L'emplacement de cette dernière n'a pas été identifié, mais le long de la partie du Dromos contenu entre l'église et la clôture du site, on peut voir plusieurs autres tombes publiques dont celle des Lacédémoniens.

Mémorial de Dexiléos
Dexiléos, mort à vingt ans en 394 av. J.-C. dans un combat contre les Corinthiens, fut enterré dans une grande tombe publique. Ses parents lui érigèrent un cénotaphe dans l'enclos familial.

L'entrée d'Athènes

À l'est du site se trouve la porte du Dipylon, «double porte» par laquelle passent le Dromos et la Voie sacrée. Reconstruite à la fin du IVe siècle av. J.-C., elle avait la forme d'une cour rectangulaire, fermée sur trois côtés. Aux angles se dressaient quatre tours.

Ces colonnettes, humbles monuments funéraires de l'époque hellénistique et romaine, étaient destinées le plus souvent aux tombes d'esclaves.

L'allée des Tombeaux
Jalonnée par les sépultures des riches familles athéniennes, l'allée des Tombeaux est dominée par l'imposant taureau marquant l'enclos de Dionysos Kollytos.

Les multiples figurations de la mort dans l'Antiquité, les objets qui accompagnent le défunt dans sa tombe, le soin apporté par les artistes à la réalisation de certains monuments funéraires, sont autant de témoignages sur la croyance en la vie après la mort. Cette conception va s'imposer au VIe siècle av. J.-C. À partir de cette époque, il n'y a de pire infamie que de refuser à un mort une sépulture car c'est le condamner à errer pendant cent ans sur les rives du Styx, le fleuve des Enfers.

L'ekphora
Sur les détails de ce cratère monumental du Dipylon, le mort, étendu sur un chariot attelé, est entouré de ses parents et amis. Une frise, qui se poursuit sous les anses du vase, montre des personnages, les bras levés au ciel, se lamentant. Cette œuvre réalisée vers 740 av. J.-C., dans un style géométrique très épuré, offre une des premières représentations de l'ekphora. Au cours de ce rite on transportait le corps du défunt en charroi, jusqu'à la nécropole située hors les murs. L'action se déroulait avant l'aurore pour épargner au soleil ce spectacle.

La prothésis
C'est l'exposition du corps du défunt. Sur cette hydrie corinthienne de la seconde moitié du VIe siècle, le corps d'Achille est exposé sur un lit d'apparat, suivant le rite de la prothésis. Les armes du héros ont été placées devant lui. Les Néréïdes qui entourent le mort se lamentent en s'arrachant les cheveux.

Les lois somptuaires votées à l'époque de Solon et de Clisthène laissant les artistes dans le désœuvrement, les dirigeants athéniens redonnent, au Ve siècle av. J.-C., un peu de liberté à l'art funéraire. Ces larges stèles à fronton, sculptées en haut relief, apparaissent alors. Elles rassemblent souvent plusieurs personnages autour du mort. Ici la défunte, accompagnée de sa servante, fait ses adieux à son fils.

Le pentathlète
Ce fragment de stèle découvert en réemploi dans le mur de Thémistocle représente la tête d'un pentathlète. Cette figure masculine de profil d'époque archaïque (540 av. J.-C.), annonce, par la finesse de son exécution, la sculpture classique.

Les objets funéraires
On disposait dans la tombe du mort divers objets sensés l'accompagner dans la mort comme ce brûle-parfum en terre cuite en forme de sphinx du VIIe siècle av. J.-C., découvert dans une des tombes de la nécropole du Dipylon au Céramique.

Stèle funéraire
Cette reconstitution de stèle funéraire rassemble des pièces de diverses origines. Le sphinx, qui évoque probablement une mort héroïque, le guerrier à l'épée et le bas-relief de la gorgone proviennent du Céramique. Sur une longue et étroite plaque de marbre, l'image du mort, le plus souvent un personnage masculin, est représentée de profil, sculptée en bas-relief, dans un style propre à la fin de l'époque archaïque. Après les lois somptuaires de Solon, les décors figurés ont disparu au profit de simples épitaphes.

Le nautier Charon
Charon aide les âmes des morts à traverser le Styx, le fleuve des Enfers, à bord de sa barque. À partir du VIe siècle av. J.-C., on place à son intention une obole dans la bouche du défunt. Sur cette stèle du Céramique, appartenant au monument funéraire de Lysimachidès, Charon, dans sa barque, observe quatre personnages en train de banqueter.

LA FONTAINE PUBLIQUE
Située juste à l'entrée d'Athènes, elle comprenait à l'arrière un réservoir et à l'avant un portique où les femmes venaient puiser l'eau.

Le mur du fond était percé de deux ouvertures, d'où le nom de Dipylon. C'est la plus grande porte connue de la Grèce antique. La cour servait, en temps de paix, de lieu de rassemblement et de rencontre. En temps de guerre, on y attirait les attaquants, ainsi pris au piège. À gauche de la porte apparaissent les ruines d'une fontaine publique.

LE POMPÉION. À l'arrière de la muraille, entre la porte du Dipylon et la Porte sacrée se trouvent les ruines de trois bâtiments successifs. Le Pompéion classique, construit au début du IVe siècle av. J.-C. était un bâtiment oblong, avec une cour à péristyle et quelques pièces disposées autour. On y pénétrait du côté de la ville par une entrée monumentale. C'est dans ce bâtiment qu'étaient organisées les processions, et entreposés les accessoires utiles à ces dernières. Détruit en 86 av. J.-C., il fut remplacé au IIe siècle ap. J.-C. par un bâtiment de stockage à trois nefs et deux étages, puis enfin au IVe siècle par deux portiques réunis du côté de la ville par une porte triomphale. En continuant, on voit sur la gauche les ruines de la Porte sacrée qui, elle aussi en forme de cour, comporte deux passages, l'un à gauche pour l'Éridanos, l'autre à droite pour la Voie sacrée. Ses phases de construction et de réaménagement, de même que celles de la section de la muraille que l'on suit pour remonter jusqu'au musée, peuvent être reconstituées sur 1000 ans d'après les différents appareils employés.

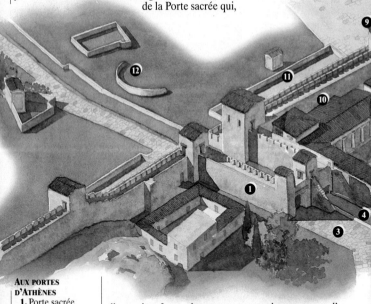

AUX PORTES D'ATHÈNES
1. Porte sacrée
2. Porte du Dipylon
3. Voie sacrée (vers Éleusis)
4. Éridanos
5. Pompéion du IVe siècle av. J.-C.
6. Bâtiment du IVe siècle ap. J.-C.
7. Dromos (vers l'Agora)
8. Fontaine publique
9. Tour
10. Mur de Thémistocle
11. Douves
12. Heroôn (tombe des héros)

LES MURAILLES

Au Ve siècle av. J.-C., à l'issue des guerres Médiques, Athènes s'entoure d'un nouveau rempart communément appelé «le mur de Thémistocle». Il est relié aux Longs Murs, corridor défensif formé d'une double rangée de murailles, édifiés par Périclès entre Athènes et Le Pirée pour garantir l'accès à la mer. À la fin du IVe siècle av. J.-C., un mur transversal,

le *diateichisma*, traverse l'enceinte entre la colline des Nymphes et celle des Muses, en passant derrière la Pnyx. Entre le Céramique et le monument de Philopappos, au sud de l'Acropole, se trouvent les traces les plus significatives de cet ouvrage de fortification. À la sortie du site archéologique, on emprunte le pont qui passe au-dessus de la voie ferrée, puis, à droite, la rue Thessalonikis et, à gauche, la rue Érysichthonos. À la hauteur de la rue Héracleidon, on aperçoit sur la droite les vestiges d'une partie de la muraille, puis au n° 29 de la rue Érysichthonos, d'autres fragments, visibles à travers une grille située au niveau de la chaussée. On se trouve ici à peu de distance de la porte Péraïque. Plus loin, des escaliers mènent à la rue Galatias qui se prolonge par celle d'Akamandos. Là était située la porte Démienne, juste au sud de l'endroit où le Long Mur nord rejoignait le mur thémistocléen. La rue Amphictyonos, à droite, permet de rejoindre la place Haghia Marina, où se dressait un sanctuaire de Zeus identifié par une inscription rupestre, en lieu et place de l'église actuelle. Une route gravit la colline et conduit au jardin du vieil observatoire astronomique. En face, le promontoire, sur lequel se dresse le nouveau télescope, offre un beau point de vue sur l'Acropole.

La Pnyx ● *81*. Au sud de l'observatoire se trouve le site de la Pnyx, où se déroule le Son et Lumière sur l'Acropole ▲ *130*. Cette terrasse où se réunissaient les citoyens (le mot pnyx signifie le lieu

La Pnyx
Sur cette plate-forme rocheuse située en face de l'Acropole, se tenaient les réunions de l'Assemblée des citoyens.

Au croisement des rues Érysichthonos et Héracleidon un enclos protège des blocs de fondation du mur de Thémistocle.

L'Astériskopion
L'ancien observatoire, dont le jardin occupe l'emplacement du sanctuaire des Nymphes, a été construit entre 1843 et 1846 par l'architecte danois Théophile von Hansen, grâce au mécène Simon Sinas.

HAGHIOS DIMITRIOS LOUMBARDIARIS
Cette chapelle porte le nom de la pièce d'artillerie turque utilisée contre les Grecs en 1656.

LE MONUMENT DE PHILOPAPPOS
Sur le bas-relief inférieur, une escorte de licteurs précède Philopappos, monté sur un quadrige et vêtu de la toge consulaire. Les trois niches de la partie supérieure abritaient chacune une statue : au centre, celle de Philopappos, à gauche, celle de son grand-père Antiochos IV, et, à droite, celle du fondateur de la dynastie, Seleucos Ier Nikator. Cet édifice suscite l'admiration des voyageurs depuis Cyriaque d'Ancône, qui, le premier, fit un relevé de ses inscriptions au XVe siècle.

où l'on est serré) a la forme d'un grand hémicycle ; sur le mur du fond, des niches votives creusées dans la roche attestent la présence d'un ancien sanctuaire dédié à Zeus Hypsistos, le «très haut». Au milieu de ce mur, une estrade à trois degrés signale la tribune qui, du Ve siècle au IVe siècle av. J.-C., accueillit les plus grands orateurs dont Aristide, Thémistocle, Périclès et Démosthène. Dominant cette dernière, siégeait, sur des gradins taillés dans le rocher, le bureau de l'Assemblée. À l'arrière de la terrasse supérieure limitée par une paroi rocheuse, on distingue les fondations de deux portiques, bordés au sud par le *diateichisma*. Au sortir de l'enceinte du nouvel observatoire, un sentier sur la gauche mène à la petite église d'Haghios Dimitrios Loumbardiaris. Au milieu des étendues herbeuses, apparaissent çà et là des fragments du mur.

LE MONUMENT DE PHILOPAPPOS ♥. En face de la petite église, un sentier, suivant de près le tracé du mur dont on peut voir une partie des fondations, monte vers le monument de Philopappos situé au sommet de la colline des Muses. En 294 av. J.-C., Démétrios Poliorcète y avait construit une forteresse pour commander l'enceinte ouest et l'accès au couloir passant entre les Longs Murs. Entre 114 et 116 ap. J.-C., les Athéniens y érigèrent un monument funéraire en l'honneur de C. Julius Antiochos Philopappos, dernier prince du royaume de Commagène et citoyen d'Athènes. Il mesurait à l'origine une dizaine de mètres de haut avec une façade concave. Derrière, une chambre funéraire contenait le sarcophage de Philopappos.

L'Athènes romaine

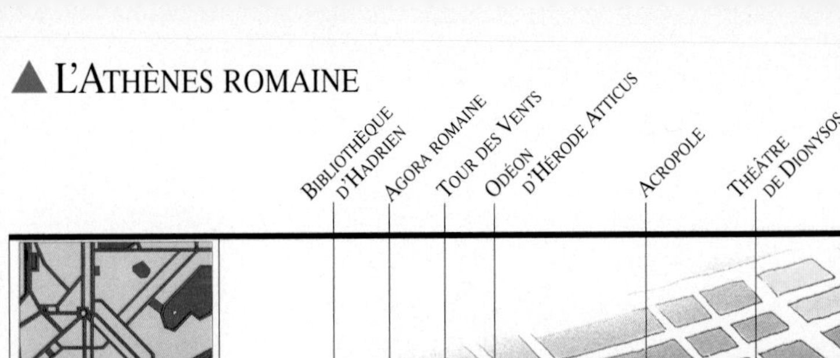

Mitropoleos
Adrianou
Areos
Polignatou
Dioskourou
Lissikrat
Dionissiou Aeropagitou
Robertou Galli

1 jour

L'empereur Hadrien
Fervent admirateur de la culture grecque, l'empereur philhellène Hadrien contribua largement à faire renaître Athènes de ses cendres, après les ravages causés par les troupes de Sylla en 86 av. J.-C. ● *48*. Quand il accéda au trône en 117 ap. J.-C., les Athéniens le nommèrent fondateur éponyme de l'une des tribus de la cité. Divinisé, il entra dans la ville cinq ans plus tard, paré du nom de Zeus Olympien. Au cours des vingt et une années que dura son règne, il effectua de nombreux séjours à Athènes qui, par ses soins, s'étendit vers l'est. Autour de l'Olympieion enfin achevé, un nouveau quartier se développa, repoussant les limites de la ville fixées par le mur de Thémistocle ● *47*.

Devenue, en 146 av. J.-C., province de l'Empire romain ● *40*, Athènes conserve son prestige de centre culturel et bénéficie des largesses de ses nouveaux dirigeants. Sous l'empereur Auguste et ses successeurs, elle s'agrandit sensiblement et connaît une ère de prospérité dont témoignent les nombreux édifices publics et religieux construits à cette époque.

La bibliothèque d'Hadrien

Avec 122 m de long sur 82 m de large, la «bibliothèque aux Cent colonnes» est le plus grand édifice public érigé par l'empereur Hadrien à Athènes. Ce complexe architectural, parallèle au marché romain, répondait au volume de ce dernier par ses dimensions et son orientation. L'entrée principale, au centre du mur ouest, encadrée par deux antes, était précédée d'un propylée à quatre colonnes corinthiennes, et flanquée de part et d'autre par sept colonnes lisses en légère saillie. Les murs latéraux comprenaient trois larges exèdres, rectangulaires au centre et semi-circulaires de chaque côté. La bibliothèque proprement dite, les salles de lecture et les archives se trouvaient à l'est du quadrilatère. Les plafonds des pièces, selon Pausanias, étaient faits d'albâtre rehaussé d'or. Ces bâtiments, coiffés d'un toit à une pente, donnaient sur une vaste cour à péristyle. Au centre de cette dernière se trouvait à l'origine un long et étroit bassin abandonné par la suite. Au début du Ve siècle ap. J.-C., un grand bâtiment quadrilobé avec un pavement de mosaïque occupait la moitié est de la cour. Il a été remplacé, au siècle

suivant, par une basilique paléochrétienne, puis, au XIe siècle, par l'église byzantine de la Megalia Panaghia, dont une illustration de 1842 nous montre le dôme, émergeant du sol. Les fondations et quatre colonnes surmontées d'un entablement sont les seuls vestiges de la basilique, que l'on aperçoit à travers les grilles des rues qui bordent le site archéologique de la bibliothèque, fermé actuellement au public. De grands pans du mur nord et deux exèdres sont toujours visibles, ainsi qu'une partie du mur est, mais le reste le plus significatif de la bibliothèque d'Hadrien est le mur ouest qui jouxte la mosquée Tzisdarakis, place Monastiraki ▲ *177*. Au XIIIe siècle, une petite église byzantine, les Saints-Apôtres-sur-les-Marches, était venue s'adosser au propylée de l'entrée. On distingue encore sur le mur la trace de ce bâtiment, détruit au XIXe siècle lors d'un incendie qui ravagea le marché.

La bibliothèque d'Hadrien
Sur ce dessin du mur ouest de la bibliothèque d'Hadrien, réalisé par Le Roy en 1755, on distingue trois des quatre colonnes du propylée de la porte d'entrée principale, ainsi qu'un fragment de l'entablement. Il ne subsiste plus de cette partie de l'édifice qu'une colonne. Les boutiques couvertes et la treille ont, elles aussi, disparu. Mais, tout comme au XVIIIe siècle, les marchands se livrent, à cet endroit, à une intense activité commerciale.

LE MARCHÉ ROMAIN
Devant la Fethihye Camii (la mosquée du Conquérant) s'étend la vaste cour à ciel ouvert de l'ancien marché romain.

LA TAVERNE PLATANOS
Une halte près du marché romain, à l'ombre d'un platane géant. Attenant à la terrasse, en contrebas, se trouvent les fondations d'un monumental panthéon, détruit probablement par les Hérules en 267 ap. J.-C. Pausanias en attribue l'érection à Hadrien.

LA «PORTE DU BAZAR»
Au milieu d'un quartier passablement ruiné par la guerre d'Indépendance ● *50*, surgit «la porte du Bazar». Sous la domination turque le quartier du marché romain avait recouvré son antique vocation commerciale. La porte d'Athéna Archégétis était ainsi devenue l'entrée du bazar turc.

LE MARCHÉ ROMAIN

Un édit d'Hadrien concernant la vente de l'huile, gravé sur un bloc de marbre enclavé dans une maison voisine de la porte d'Athéna, atteste la présence d'un marché. Sa fondation remonte à l'époque augustéenne.

LA PORTE D'ATHÉNA ARCHÉGÉTIS. Cette porte monumentale marquait l'entrée du marché romain. Un propylée surmonté d'un entablement porte un fronton décoré d'acrotères. Une inscription sur le linteau rappelle qu'elle fut érigée par le peuple d'Athènes grâce à la générosité de Jules César puis d'Auguste, entre 10 av. J.-C. et 2 ap. J.-C., et dédiée à Athéna Archégétis («Celle qui gouverne»). Trois ouvertures entre les colonnes, un portail central pour les véhicules attelés et les cavaliers, et deux petites portes de chaque côté pour les piétons, s'ouvraient sur la cour rectangulaire du marché romain.

LE MARCHÉ ROMAIN. La place dallée de marbre, que domine la tour des Vents, mesure 112 m de long sur 96 m de large. Elle était bordée d'un double péristyle. Des portiques, conservés sur les côtés sud et est, abritaient les magasins. La colonnade supportait une architrave, une corniche avec des gargouilles à tête de lion, et un toit à double pente. Au sud, une colonnade dorique intérieure était séparée de la partie sud du péristyle par un degré. Au centre se dressait une petite fontaine. À droite de l'entrée du site, on distingue les fondations carrées des premières latrines publiques de la ville.

«Souvenez-vous, Quintus, que vous commandez
à des Grecs qui ont civilisé tous les peuples,
en leur enseignant la douceur et l'humanité,
et à qui Rome doit les lumières qu'elle possède.» Cicéron

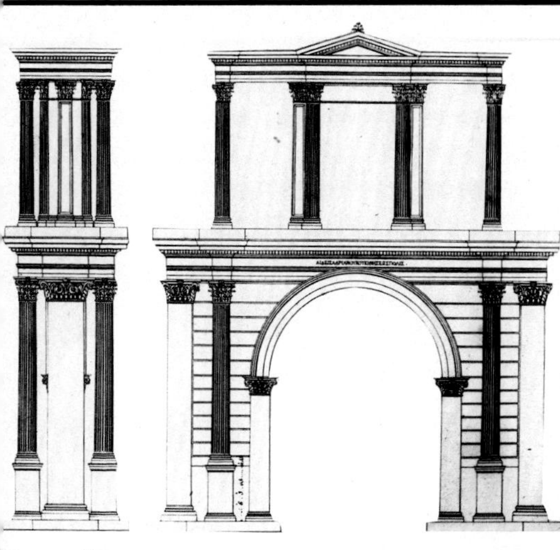

Un détail du chapiteau à feuilles d'acanthe des colonnes corinthiennes qui flanquent la partie supérieure de l'arc d'Hadrien. La détérioration des goujons internes qui scellent les tambours des colonnes a nécessité, ici comme sur d'autres monuments d'Athènes, un cerclage de fer pour éviter l'éclatement.

L'arc d'Hadrien

Cet arc triomphal en marbre pentélique, situé au sud-est de l'Acropole, a été érigé par les Athéniens pour honorer Hadrien. Il se dresse sur la limite séparant l'ancienne ville d'Athènes et le nouveau quartier créé par l'empereur romain. Les inscriptions sur la frise de l'arc soulignent cette division : sur le côté face à l'Acropole on peut lire «Ici est l'ancienne Athènes, la ville de Thésée», et sur l'autre côté «Ici est la ville d'Hadrien et non plus celle de Thésée.» La porte mesure 13,5 m de large sur 18 m de haut. L'arc en plein cintre repose sur des pilastres corinthiens ; ces derniers étaient à l'origine flanqués de colonnes corinthiennes dressées sur des bases rectangulaires et reliées au mur par des consoles demeurées en place. L'attique, ou partie supérieure de la porte, était percée de trois ouvertures encadrées de pilastres corinthiens portant l'architrave ; les ouvertures médianes comportaient des colonnes corinthiennes légèrement en saillie pour soutenir l'architrave ainsi que le fronton couronnant la partie centrale.

Sur ce dessin de Stuart (1751) l'arc d'Hadrien, en arrière-plan duquel se profile l'Olympieion, se dresse en pleine campagne. Cette vision pastorale des bords de l'Ilissos est bien éloignée de la réalité actuelle. Les panneaux de marbre obstruant la partie supérieure, et dont le dessin montre des fragments, n'existent plus : la reine Amélie les fit ôter pour ajouter à l'élégance du monument.

Construite par l'architecte syrien Andronikos Kyrrestès au Ier siècle avant J.-C., la tour des Vents, édifice octogonal à l'est du marché romain, faisait office de girouette, de cac solaire et d'horloge hydraulique. Au sommet de la tour piv pour indiquer la direction du vent, un triton-girouette en b aujourd'hui disparu. On crut au Moyen Âge qu'il s'agissait tombeau de Socrate. Sous la domination turque, elle fut oc par une communauté de derviches tourneurs.

La tour, en marbre du Pentélique, mesure 12,3 m de haut pour un diamètre de 7,9 m. Elle se dresse sur une plate-forme à trois degrés. Des entrées au nord-ouest et au nord-est ouvraient sur des portiques rectangulaires à deux colonnes corinthiennes. Au sud, un mur presque circulaire marque l'emplacement d'un ancien réservoir.

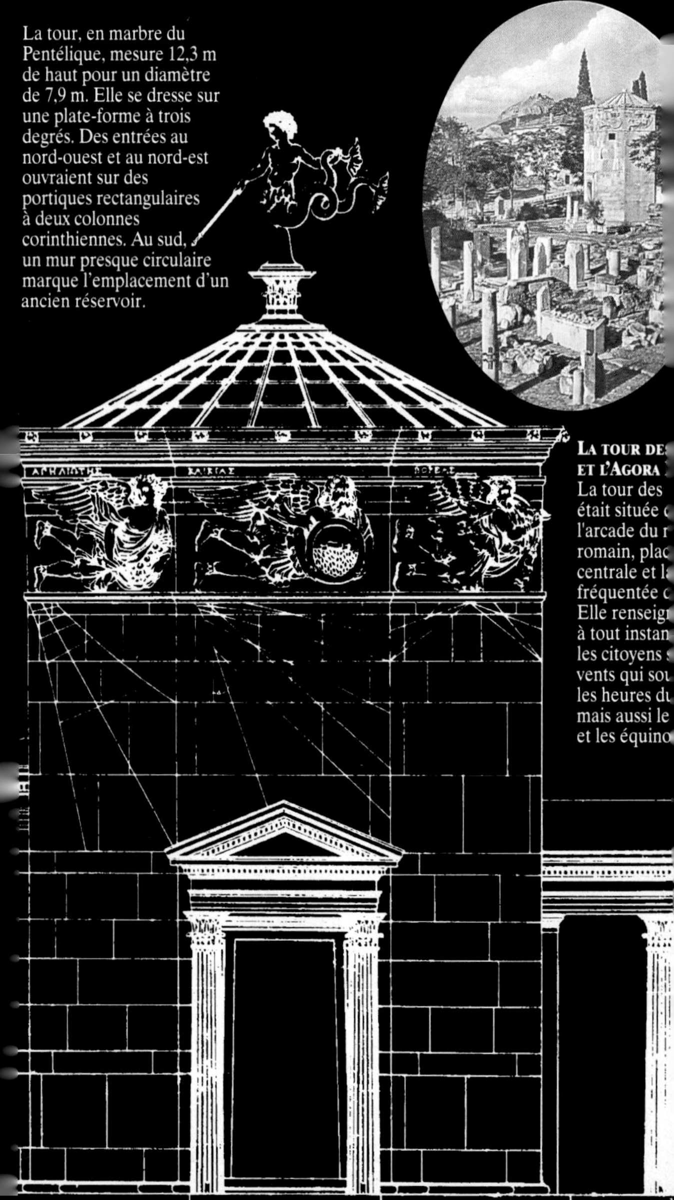

La tour de[s] et l'Agora [...]
La tour des [...] était située [...] l'arcade du [...] romain, plac[...] centrale et l[...] fréquentée [...] Elle renseig[...] à tout instan[...] les citoyens [...] vents qui sou[...] les heures du [...] mais aussi le[...] et les équino[...]

NOTOΣ

1 2 3 4 5 6 7 8

N

Les Soufflants
Chacun des huit bas-reliefs de la frise sur la partie supérieure de la tour représente une figure ailée personnifiant un vent.
1. Borée, le vent du Nord, est représenté par un homme barbu embouchant une conque.
2. Kaikias vide un plein bouclier de grêlons.
3. Apéliotès, jeune homme à la tunique remplie de fruits et d'épices, incarne le vent de l'Est.
4. Euros est représenté en vieillard drapé dans un large manteau.
5. Notos, le vent du Sud qui amène la pluie est symbolisé par un jeune homme vidant une urne.
6. Lips se distingue au curieux élément de navire, l'aplustre, qu'il tient à la main.
7. Zéphyros, à l'ouest, annonce le printemps en déversant des fleurs retenues dans le pli de son vêtement.
8. Skiron porte un vase qu'il s'apprête à renverser, annonçant la saison des déluges.

Sous la domination ottomane, une communauté de derviches tourneurs de l'ordre Mevlevi utilisa la tour des Vents comme *tekke,* ou monastère. Ils cherchaient, avec leur danse tournante, la *sema*, à tendre vers le divin, accompagnés par les battements des tambours et les mélodies du *ney*, la flûte turque. Leur cérémonie avait lieu chaque vendredi après la prière de midi. Pendant les premières années de la monarchie othonienne ● *50*, la tour des Vents abrita le culte catholique.

L'Olympieion

L'Olympieion est, avec le Parthénon ▲ *127* et l'Héphaistéion ▲ *189,* le monument athénien qui a toujours eu la faveur des voyageurs, artistes, photographes et écrivains. Chateaubriand, sensible à la grandeur de ce monument se dressant sur une vaste esplanade dénudée, évoque ainsi la majesté de ses colonnes : «Comme elles sont isolées et dispersées sur un terrain nu, elles font un effet surprenant : elles ressemblent à ces palmiers solitaires que l'on voit çà et là parmi les ruines d'Alexandrie.» L'une des trois colonnes subsistant à l'extrémité est du temple a été renversée par un orage en 1852.

Si l'on en croit Thucydide, le temple de Zeus Olympien est l'un des plus anciens sanctuaires de la ville. Selon la légende, il aurait été édifié à l'endroit où s'écoulèrent les dernières eaux du déluge. Les Pisistratides voulaient un monument comparable en taille aux colossaux temples archaïques de la Grèce orientale, l'Héraion de Samos et l'Artémision d'Éphès Ils lancèrent sa construction dans la deuxième moitié du VIe siècle av. J.-C. Le bâtiment ne fut achevé que six siècles et demi plus tard. L'édifice répondait à la structure des temples diptères. Mais lorsque Hippias, fils de Pisistrate, fut exilé en 510 av. J.-C., mettant fin à la tyrannie des Pisistratides, seuls le stylobate et peut-être quelques colonnes étaient en place. Les travaux ne reprirent qu'en 174 av. J.-C. sous la direction du roi séleucide Antiochos IV (175-163 av. J.-C.). Ce dernier fit appel à l'architecte romain Cossutius qui opta pour l'ordre corinthien. Les dimensions du temple étaient pratiquement les mêmes que celles du bâtiment précédent : 108 m sur 41 m le long du stylobate. Cent quatre colonnes corinthiennes se répartissaient en deux rangées de vingt colonnes de chaque côté et trois rangées de huit colonnes (octastyle) à chaque extrémité. Vitruve précise qu'il s'agissait d'un temple à cell ouverte. D'après sa description et d'autres source il semble que l'Olympieion étai toujours inachevé trois siècles après mort d'Antiochos en 163 av. J.-C.

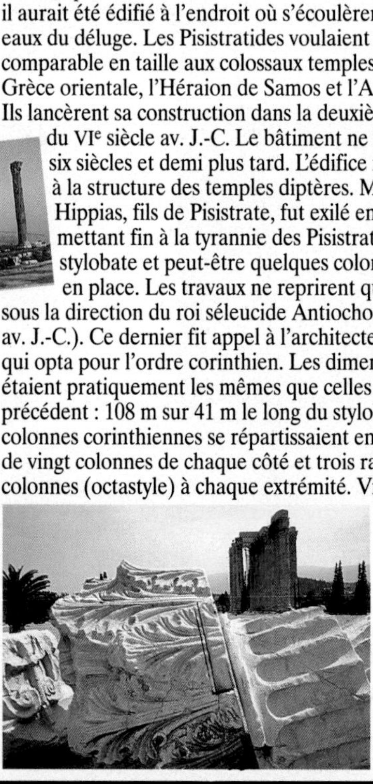

Hadrien assuma l'achèvement de l'Olympieion à l'occasion de sa deuxième visite à Athènes, en 125 ap. J.-C. On ignore l'ampleur des travaux alors entrepris mais une chose est sûre : c'est à l'empereur romain que l'on doit l'impressionnant péribole qui cerne la vaste esplanade sur laquelle est érigé le temple. Ce mur de soutènement, structure massive en poros rustique de 206 m sur 129 m, était étayée par cent contreforts. Les travaux prirent fin en 131-132. Peu après, Hadrien vint à Athènes consacrer le temple et la colossale statue cultuelle chryséléphantine de Zeus Olympios, divinité à laquelle il fut associé au moment de sa déification. Par la suite, l'histoire architecturale de l'Olympieion devient plus confuse. On sait qu'une partie du mur d'enceinte a été détruite pour servir de matériau de remblai pour la nouvelle ligne de fortifications construite par l'empereur Valérien dans les années 253-260. Le temple subit des dommages importants lors du sac des Hérules en 267 ● *46*.

Il est peu vraisemblable qu'il ait été reconstruit juste après, alors qu'Athènes connaissait un déclin à la fin de la domination romaine. Au moment où débute l'ère byzantine, l'Olympieion est totalement en ruine. Quand Cyriaque d'Ancône visite Athènes en 1436, il ne trouve que 21 des 104 colonnes encore debout. Aujourd'hui il n'en reste plus que 15 ; outre les assauts du temps, le bâtiment a subi ceux de l'histoire. Le 27 avril 1759, le voïvode Tzisdarakis fit sauter une des colonnes pour fabriquer, avec les débris, la chaux nécessaire à la construction de la mosquée qui porte son nom, place Monastiraki ▲ *178.* Pour cet acte de vandalisme, qui souleva l'indignation du peuple athénien, le gouverneur turc fut mis à l'amende par le pacha d'Eubée. La colonne gisant au sol a été, quant à elle, couchée par un cyclone en 1852. La mosquée Tzisdarakis est aujourd'hui le siège du musée des Arts et Traditions populaires ▲ *186*.

Les bains d'Hadrien
Près de l'entrée du site, les fondations d'un long bâtiment en forme de basilique, à l'abside couverte d'une mosaïque de marbre, marquent l'emplacement des bains d'Hadrien. Derrière, on aperçoit une structure de briques superposées : il s'agit de l'hypocauste, un système de réchauffement de l'eau par le sol.

Fête près de l'Olympieion
Les Athéniens ont de tous temps vénéré l'Olympieion et, jusqu'à une époque récente, ils venaient festoyer près de ce temple le premier lundi de Carême et le troisième jour après Pâques. Christian Perlberg a donné, en 1838, une vision romantique du *Koulouma*, la fête du dernier lundi de carnaval où le peuple se rassemblait autour d'un frugal repas composé d'olives et de pain, pour chanter et danser.

UN STADE OLYMPIQUE Entre 1869 et 1879, E. Ziller dirigea les fouilles du stade panathénaïque, restauré ensuite selon les plans d'origine avec les mêmes matériaux. Bien qu'inachevé, le stade put accueillir la foule qui se pressait à l'entrée pour assister, le 5 avril 1896, aux premiers Jeux olympiques modernes ▲ *358*. La dernière pierre posée en 1906, on organisa des Olympiades pour célébrer l'événement qui rassembla 50 000 spectateurs.

L'ODÉON D'HÉRODE ATTICUS L'*orchestra*, pavée de marbre, est formée d'un hémicycle de 29 m de diamètre. La *cavea* est cernée d'un mur de soutènement massif. Les 34 rangées de gradins peuvent accueillir jusqu'à 5 000 spectateurs. Au fond, percés d'arcades, se dressent les vestiges du bâtiment de scène.

LES AUTRES MONUMENTS DE L'ATHÈNES ROMAINE

LE STADE PANATHÉNAÏQUE. Le stade, situé au bout de l'actuelle avenue Vassileo Konstantidinou, a été construit sous Lycurgue en 330-329 av. J.-C. Enchâssé dans un ravin, entre deux petites collines sur la rive gauche de l'Illisos, il offrait pour tout siège aux spectateurs de simples terrasses creusées à même le sol. Seuls quelques fauteuils de marbre furent aménagés pour les notables. À l'origine, le stade serv aux compétitions athlétiques disputées lors des Panathénées ▲ *40*. À partir de 132 ap. J.-C., il fut utilisé pour les concour et spectacles des *Adriana Olympia*, un festival quinquennal organisé par l'empereur Hadrien. À cet occasion avaient lieu aussi les jeux du cirque : combats de gladiateurs ou lutte contre des bêtes sauvages, pratiques inconnues en Grèce avant la conquête romaine. À l'ouverture des Jeux panathénaïques, en 140 ap. J.-C., Hérod Atticus, qui présidait le festival, promit au peuple d'Athènes la construction d'un nouveau stade qui serait inauguré lors des prochains jeux. Il tint parole : le nouvel édifice, tout en marbre du Pentélique, lui fut dédié à l'ouverture des Panathénées de 144.

L'ODÉON D'HÉRODE ATTICUS. On doit aussi à ce riche citoye athénien, ami de l'empereur Hadrien, la construction d'un vaste odéon sur le versant sud de l'Acropole ▲ *174*. Pausanias précise que Hérode Atticus bâtit l'odéon à la mémoire de sa femme Regillia qui mourut en 160 ou 161 ap. J.-C. On y donnait en toutes saisons des concerts et des pièces dramatiques.

Syntagma et ses musées

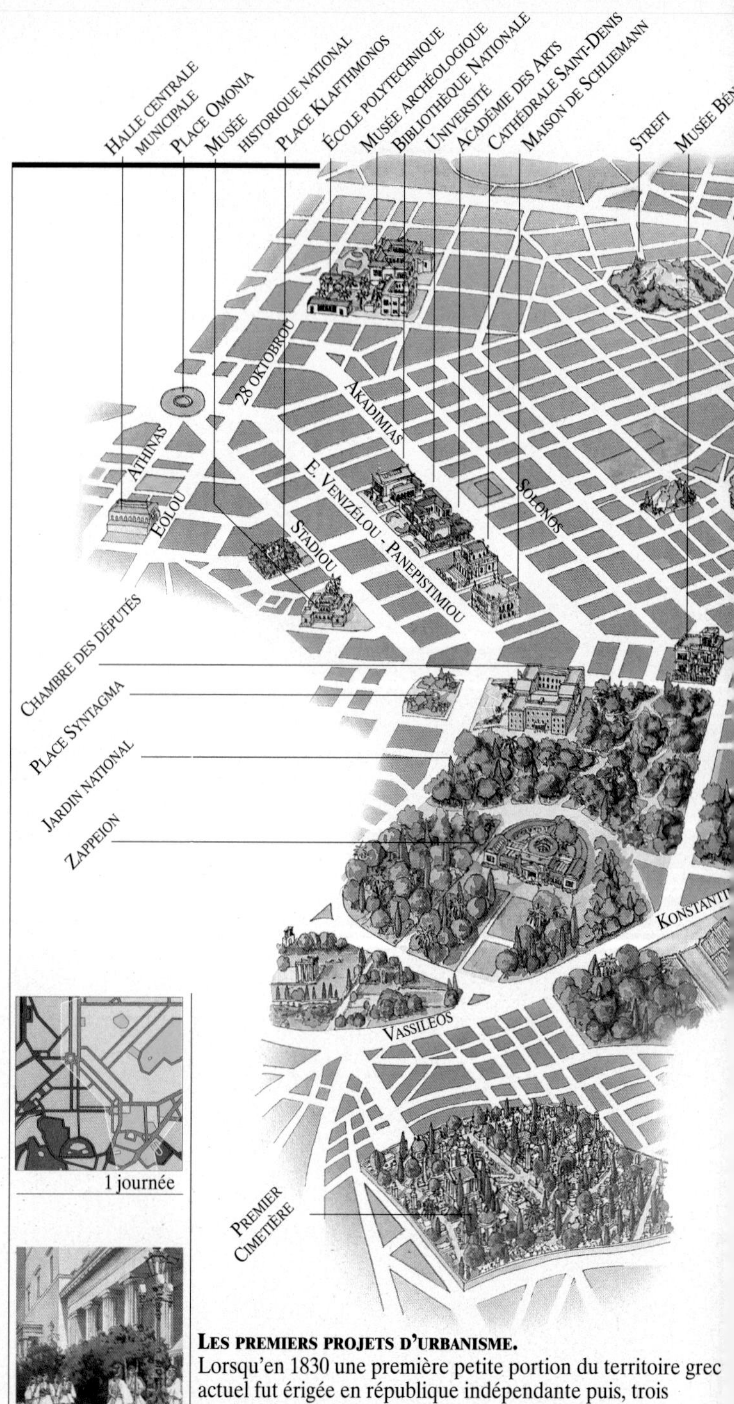

Relève de la garde devant le palais présidentiel.

Les premiers projets d'urbanisme.
Lorsqu'en 1830 une première petite portion du territoire grec actuel fut érigée en république indépendante puis, trois années plus tard, en royaume, Athènes n'était que la «malheureuse bourgade» décrite par Chateaubriand, ravagée et ruinée par dix années de guerre. Les premiers plans d'urbanisme conçus pour la nouvelle capitale et signés en 1833 par Cléanthis et Schaubert, ne se matérialisèrent jamais : ils étaient contraires aux intérêts des propriétaires fonciers, grands ou petits, et nécessitaient plus d'argent que l'État ne pouvait en investir.

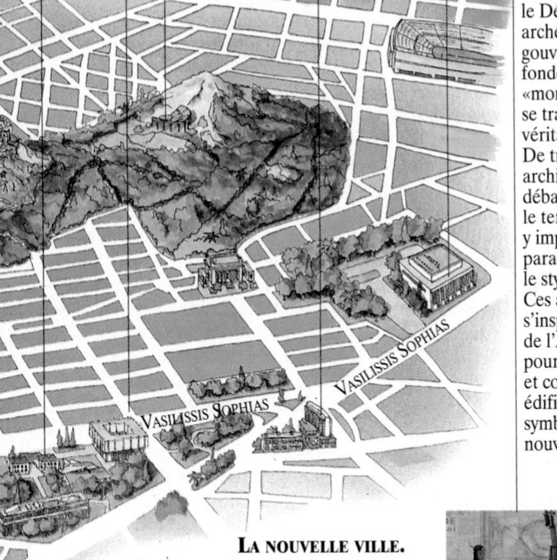

En 1834, Athènes devient capitale du nouveau Royaume. La même année, le Département archéologique gouvernemental est fondé et la ville, alors «monceau de ruines» se tranforme en une véritable ruche. De très nombreux architectes étrangers débarquent sur le territoire et y importent, paradoxalement, le style néoclassique. Ces architectes s'inspirent de l'Antiquité pour concevoir et construire les édifices de prestige symbolisant le nouvel État.

LA NOUVELLE VILLE. Hormis quelques aménagements concertés, la nouvelle ville se construisit de manière anarchique, sans plan d'ensemble, ni vision prospective. Les militaires, au pouvoir entre 1847 et 1860, pratiquèrent une politique plus dure : sur simple décret, on expropriait sans indemnisation ; les forces armées évacuaient des quartiers entiers là où de nouvelles rues devaient être percées. Dans la seconde moitié du XIXe siècle, les gouvernements successifs eurent recours à des missions techniques étrangères, françaises pour la plupart : mais ces conseillers élaboraient des projets impossibles à réaliser, puis repartaient, laissant des plans inutilisables et des architectes perplexes. Les projets ambitieux qui devaient rehausser le prestige de la capitale furent bientôt abandonnés. Le plan d'urbanisme défini entre 1876 et 1879, de moindre

EVZONES
C'est le roi Othon qui mit à la mode la jupette à plis, dite fustanelle, et choisit le costume de la garde nationale.

L'ACROPOLE, DANS LA PERSPECTIVE DU BOULEVARD OLGAS
L'architecte allemand Schinkel, poussant à l'extrême la volonté de renouer avec le passé, soumettra au roi un projet de palais sur l'Acropole, qui ne sera pas réalisé.

envergure, fut plus réaliste : plusieurs centaines de modifications furent réalisées dans le dernier quart du XIXe siècle. C'est à cette époque, entre 1882 et 1889 que des ingénieurs français firent percer l'avenue Alexandras, où s'engouffre la lumière rougeoyante du crépuscule, et l'avenue Syngrou fuyant vers la mer, deux réussites incontestables.

LE NÉO-CLASSICISME. C'était alors, dans toute l'Europe, le règne incontestable du style classique. Si, dans un premier temps, le classicisme romantique fut importé en Grèce, très vite les architectes participèrent, influencés par l'architecture antique qui les entourait, à la naissance d'un classicisme grec, qui se distingua peu à peu des écoles française et allemande, affirmant son caractère original.

LE STYLE NÉO-HELLÉNIQUE. L'adaptation grecque du classicisme romantique est communément appelée style néo-classique. C'est un mélange savant et équilibré de la plupart des styles architecturaux élaborés en Grèce depuis l'Antiquité jusqu'à la chute de Constantinople, et des courants classicisants occidentaux à partir de la Renaissance. Cette architecture, bien plus que toute autre forme d'expression artistique ou culturelle, porte l'empreinte de la société grecque du XIXe siècle : celle-ci affirmait en ce domaine son caractère propre, né de l'assimilation de ses héritages et des influences étrangères. L'architecture de cette époque témoigne de l'aspiration à la dignité, à l'élégance, voire à l'austérité. Tous les styles furent mis à contribution, du dorique au style Renaissance éclectique, du style byzantin au lointain gothique.

UN HABIT DE MARBRE. Un grand nombre d'édifices de cette époque ont disparu dans la dilatation du tissu urbain s'accroissant pour accueillir une population de plus en plus dense : deux millions de Grecs d'Asie Mineure furent

SYNTAGMA
Le quartier tel qu'il apparaît aujourd'hui, et la rue Georges Ier au début du siècle.

LE JARDIN NATIONAL
■ *34.* Le parc de la résidence royale fut élaboré en 1839 par les architectes Kalkos et Barauld, et réalisé par le jardinier en chef de la reine Amalia qui en était l'instigatrice. Il fut planté de 150 000 fleurs et essences importées d'Italie, puis, en 1841, de spécimens de la flore grecque.

rapatriés dans les années vingt et la guerre civile fut suivie, dans les années cinquante, par un massif exode rural. Les constructions encore visibles donnent raison aux voyageurs du XIXe siècle qui, au seuil de la ville, sentaient qu'elle avait été construite avec amour. Les veines de marbre avaient été rouvertes, et le marbre blanc du mont Pentélique revêtait les édifices publics, habillait les corniches des hôtels particuliers, les marches des perrons, apportait à la ville un grand luxe de lumière. Au centre d'Athènes, apparurent de superbes jardins ponctués de fontaines, où bruissait au crépuscule le chant mêlé des feuillages et de l'eau vive. Athènes devint le centre intellectuel du pays. S'y s'installèrent le haut personnel politique, les administrateurs et les hommes politiques, des historiens et des professeurs.

Le Zappeion
Ce palais des expositions se dresse dans un jardin planté de pins, de platanes et de cyprès, derrière l'Acropole et face au stade Panathénique. Il fut construit entre 1874 et 1888 sur les plans des architectes F. Boulanger et T. Hansen.

Au sud de la place Syntagma

Le parlement. À l'avènement du roi Othon de Grèce, son père Louis Ier de Bavière finança la réalisation d'un palais qui domine toujours de sa masse imposante la place de la Constitution ou platia Syntagma. Construit entre 1836 et 1840, sur les plans de l'architecte bavarois F. von Gartner, il fut réaménagé en 1930 pour devenir le siège du Parlement.

Le Jardin national ■ *34.* Des vestiges romains furent mis au jour lors des travaux que nécessita sa création : pavement en mosaïque d'une villa, fragments de colonnes de l'enceinte d'Hadrien, qui concourent toujours au charme de ce vaste parc où les Athéniens viennent rechercher la fraîcheur et le calme.

Le Zappeion Megaron. Dans la portion sud du Jardin national, se dresse le Zappeion, du nom de son fondateur, Zappas. Le rêve de ce grand homme était de voir revivre les Jeux olympiques à Athènes : il fut l'inspirateur des quatre premières Olympiades, nom que portaient les activités sportives et commerciales qui se déroulèrent à Athènes avant les premiers Jeux olympiques de 1896 ▲ *358*.

Le cimetière. Le premier cimetière d'Athènes fut créé à la lisière sud-ouest d'Ardittos. L'organisation de l'enceinte de l'église Saint-Lazare, en tant que cimetière municipal de la nouvelle capitale, date de 1838. Un édit prévoyait *«que les*

Monuments funéraires, dans le cimetière d'Athènes.

La demeure de la famille Saripolos date de la seconde moitié du XIXe siècle, période de transition à Athènes où des tendances diverses culturelles et artistiques coexistent, la classe politique s'efforçant de moderniser l'État. Une bourgeoisie éclairée émerge et contribue à la formation de cette nouvelle société athénienne. Elle laisse son empreinte esthétique sur la ville, adoptant des courants divers en architecture : classicisme, romantisme et style néo-classique, savant ou populaire.
La famille Saripolos est représentative de cette évolution.

Nicolas Saripolos Né à Larnaka, à Chypre, en 1817, il fut le premier professeur de droit constitutionnel de l'Université. Il étudia le droit à Paris (1837-1844), fut un ami intime des hellénistes Felix Désiré Dehèque et Émile Egger et étudia les classiques avec eux. Jeune homme, il a été influencé par le romantisme français et une éducation classique.

DÉCORATION. Des divans, des fauteuils, une table, un petit guéridon ainsi que des chaises meublent le salon. Ci-contre le petit guéridon noir du salon, souvenir du passé, a été pieusement conservé dans la nouvelle maison construite par la suite.

MURS ET PLAFONDS À MOULURES, COLONNES ANTIQUES, PAVEMENTS DE MARBRE. Pénétré de culture classique, Nicolas Saripolos a voulu une demeure combinant les styles anciens. Les meubles et les murs témoignent de cette nostalgie pour le passé.

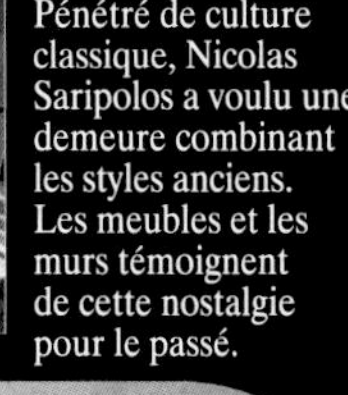

LES CHAMBRES L'une des chambres de l'étage supérieur, avec son lit en cuivre du XIXe siècle et sa tapisserie. Le peintre a rendu avec minutie le pli d'un couvre-lit, la lumière filtrée, et les détails qui révèlent la présence des occupants.

LA BIBLIOTHÈQUE GENNADION. Fondée par J. Gennadius, elle abrite une collection de plus de 24 000 ouvrages sur des sujets se rapportant à la Grèce.

LE MUSÉE BÉNAKI
L'édifice a connu depuis sa fondation de nouveaux ajouts, en 1965, 1968 et 1973. Des aménagements destinés à améliorer la présentation des œuvres sont actuellement en cours. Les collections comportent surtout des bijoux, des exemples d'art byzantin et post-byzantin, ainsi que des exemples d'artisanat moderne, en particulier les costumes folkloriques.

cimetières soient pareillement installés à distance suffisante de la ville et de la bourgade, plantés d'arbres et de haies». Dans ce labyrinthe de marbre et de feuillage, hérissé de petits temples antiques et d'élégantes sculptures, les Athéniens du siècle passé rejoignent leurs ancêtres. Érudits, politiciens, banquiers, architectes, poètes et commerçants y reposent pour toujours dans un rêve néo-classique. Calme, luxe et vanité... c'est l'intimité avec la gloire du passé et l'honneur éternel de mourir à Athènes !

LE PALAIS PRÉSIDENTIEL. Le nouveau palais, qui se dresse à l'angle des rues Hérode-Atticus et Roi-Georges-II, fut construit entre 1891 et 1897 pour le prince héritier Constantin qui venait d'épouser la princesse Sophie de Russie. L'architecte E. Ziller, qui en assuma la réalisation, utilisa des plans dessinés en 1887 par T. Hansen pour une résidence estivale. À la demande de la princesse Sophie, Ziller devait en accentuer le caractère privé. Ce nouveau palais accueillit tour à tour Constantin Ier, Alexandre, Georges II, Paul II et Constantin II jusqu'en 1967. C'est aujourd'hui le palais présidentiel.

L'AVENUE VASILISSIS SOPHIAS

LE MUSÉE BÉNAKI. Il occupe un hôtel particulier construit à la fin du XIXe siècle, sur les plans de l'architecte Anastasios Metaxas, celui-là même qui travailla à la restauration du stade panathénaïque. Acquis en 1910 par la famille Bénaki qui venait de s'installer à Athènes, il fut embelli et agrandi par le même architecte. Bien que tardif, cet édifice de style néo-classique reste un exemple typique des élégantes demeures aristocratiques du XIXe siècle. Il fut transformé en musée en 1930 par Antoine Bénaki, riche collectionneur établi au Caire. Il regroupe des objets d'art d'origines et d'époques très diverses : antiquités égyptiennes ; pièces d'orfèvrerie et bijoux antiques, hellénistiques, byzantins et vénitiens ; porcelaines chinoises de la dynastie Tang (VIIe au IXe siècle) ; icônes et manuscrits byzantins ; superbes étoffes turques et vénitiennes (XVIe au XVIIIe siècle) ; ainsi que les deux seules œuvres du Greco visibles en Grèce. Le musée comporte une bibliothèque de quelque 80 000 volumes, et des archives photographiques considérables sur l'histoire grecque contemporaine.

MUSÉE DES ARTS CYCLADIQUES ET DE LA GRÈCE ANTIQUE, FONDATION GOULANDRIS ▲ *240*. Ayant quitté le musée Bénaki, on continue sur Vasilissis Sophias, puis on tourne à gauche dans la rue Néofitou Douka où se trouve le musée fondé par Nicolas P. Goulandris. Ses collections, allant des débuts de l'âge du bronze jusqu'à la fin de l'Antiquité, mettent l'accent sur l'art le plus ancien des Cyclades,

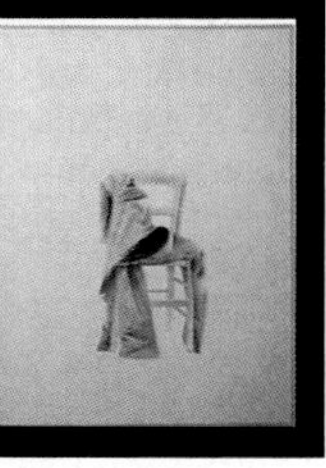

Ci-dessus, œuvre grecque du peintre contemporain Danil

ART MODERNE ET CONTEMPORAIN À LA PINACOTHÈQUE Les œuvres de Volonakis, de Lytras, de Guyzis ou de Iakovidis correspondent à une époque charnière où l'art grec intègre les apports occidentaux. Leurs successeurs élaboreront un style plus proprement grec. Les artistes les plus connus sont aujourd'hui les peintres Ghikas, Parthenis, Kontoglu et Théophile Hadjimichail et les sculpteurs Prosalentis et Halepas.

es îles au cœur de la mer Égée. Le premier étage abrite 30 pièces d'art cycladique, datées du IIIe millénaire avant otre ère, dont les plus remarquables sont les idoles en ıarbre, qui étaient enterrées avec des offrandes votives. Elles eprésentent la déesse de la fertilité qui était adorée en mer ;gée et en Anatolie, du néolithique à la fin de l'âge du ronze. Le deuxième étage est réservé à près de 300 œuvres 'art, datées de 2000 av. J.-C. environ au IVe siècle ap. J.-C.)n a rassemblé là des poteries, en particulier celles de la ériode classique, ainsi que des œuvres en or, en argent, n bronze, en marbre et en verre.

.E MUSÉE BYZANTIN. Un des plus anciens hôtels particuliers le l'avenue est celui de la duchesse de Plaisance et épouse ıu troisième consul Charles François Lebrun. Philhellène onvaincue, elle se rendit en Grèce pour la première ois à la fin de la guerre d'Indépendance. À la mort le sa fille, en 1837, elle vint s'installer à Athènes où lle se fit construire un hôtel particulier entre 1840 t 1848. Cet édifice d'inspiration byzantine, conçu ar Saint Kléanthis, fut, sous le règne du roi)thon, le point de rencontre favori de a meilleure société. Il abrite aujourd'hui e Musée byzantin.

.E MUSÉE MILITAIRE. Au sortir du Musée yzantin, on poursuit la promenade le long le l'avenue Vasilissis Sophias jusqu'à la rochaine rue, où l'on découvre le Musée nilitaire. Dans les salles sont exposés 'es souvenirs des divers conflits auxquels

LE PALAIS D'ILION La résidence de Schliemann, réalisée par l'architecte Ziller en 1878, est devenue le musée de la Numismatique, après avoir abrité l'Aréopage, la cour suprême de la Grèce.

Avenue Stadiou.

Ci-contre, statue équestre de Théodore Colocotronis devant le Musée national historique.

Avenue Philhellinon au début du siècle.

les Grecs ont participé de l'Antiquité jusqu'à nos jours.
LA PINACOTHÈQUE NATIONALE. Près de l'hôtel Hilton, se présente l'avenue Vassileos Konstantinou : la Pinacothèque ou Ethniki Pinakotheke se trouve à l'angle de la rue Rizzari, qui s'ouvre sur la droite. Les collections permanentes comprennent surtout des peintures et des sculptures grecques des XIXe et XXe siècles. Le musée possède aussi des œuvres des grands artistes européens, dont une sculpture de Rodin, et des peintures de Bruegel, du Caravage, de Delacroix, du Greco, de Picasso et d'Utrillo. On y appréciera aussi les tableaux d'artistes grecs ou étrangers, qui représentent Athènes à la fin de l'occupation turque et durant les premières années du règne d'Othon.

KOLONAKI

Il est préférable, pour rejoindre la place Syntagma, de traverser le quartier de Kolonaki, qui s'étend le long de la rive nord de l'avenue Vasilissis Sophias. Pour beaucoup d'Athéniens, c'est la partie la plus agréable d'Athènes. Sa population, où se mêlent étrangers, hommes politiques, intellectuels et mondains, aurait fait les délices de Balzac. Le quartier se déploie au pied du Lycabette d'où la vue s'étend de l'Acropole à l'île de Salamine. Il regroupe quantité de boutiques, galeries, cafés et restaurants, les agences de mode, quelques ambassades, plusieurs bibliothèques, les Écoles archéologiques française, anglaise et américaine. Kolonaki est le nom d'une colonne qui se trouvait sur la place de la Citerne, platia Dexamenis, point de départ de l'aqueduc d'Hadrien. Cette place étagée, nichée dans le

Saint-Denis
Les plans de cette basilique ont été dessinés par Von Klenze, l'architecte de Louis Ier de Bavière.

flanc de la colline, est au cœur de la vie nocturne de la capitale, avec son cinéma en plein air, ses restaurants et ses cafés. Dans la journée, c'est la place Philikis Eterias qui joue ce rôle : tout Athénien qui se respecte se doit d'y passer un moment à la terrasse de l'un de ses cafés. Le quartier de Kolonaki reste donc un des lieux de rencontre les plus courus d'Athènes même si, en raison de la pollution, nombre de ses habitants ont émigré vers la banlieue nord ou Kifissia.

Vendeur ambulant de *koulourias* : sorte de croissants.

Avenues Stadiou et Eleftheriou Venizélou

Le Musée national historique ▲ *234*. Il occupe l'ancien Parlement édifié entre 1858 et 1871 sur des plans de F. Boulanger. Le musée abrite des collections allant de la période byzantine au XIXe siècle, avec une documentation très riche sur la guerre d'Indépendance : portraits et souvenirs des combattants, figures de proues des bâtiments grecs ayant pris part à la guerre, etc.

La trilogie athénienne. La Bibliothèque nationale, l'Université et l'Académie forment une véritable trilogie du néo-classicisme athénien du XIXe siècle. Les matériaux employés dans les trois bâtiments sont identiques : pierre du Pirée pour le rez-de-chaussée et marbre du Pentélique pour les étages, les colonnades et les escaliers.

Avenues Akademias et Stadiou
Elles portent le nom de ces deux institutions qui pour les Athéniens symbolisent leur héritage antique : l'université, temple de l'esprit, et le stade, temple du corps.

L'Université. L'Université nationale et kapodistrienne fut construite entre 1839 et 1864 sur des plans de C. Hansen. Elle fut financée par les dons des Grecs de la diaspora et des philhellènes. Ce bâtiment sobre et élégant, qui fut «le plus beau monument de la ville moderne», reste la plus intéressante réalisation du règne d'Othon. L'édifice en H, directement inspiré de l'Antiquité, est orné, en façade, d'une colonnade ionienne et de sculptures de I. Kossos et G. Fytalis, parmi lesquelles sont figurés Rhigas Velestinlis et le patriarche Grégoire V, premières victimes lors des révoltes contre l'occupant turc. À l'intérieur, une vaste peinture murale de K. Rahl et E. Lebiedzky représente le chœur des muses dansant autour du trône du roi Othon, allégorie du renouveau des sciences et des arts dans la Grèce libérée.

Le Musée de la ville d'Athènes
Situé sur la place Klafthmonos, ce palais fut la résidence du roi Othon en 1836. Depuis 1980, le musée de la ville d'Athènes y présente ses collections retraçant l'histoire de la ville par de très riches documents, notamment une grande maquette d'Athènes en 1842.

L'Académie. À droite de l'Université, se dresse l'Académie (1859-1885). Si les plans furent conçus par T. Hansen, ils furent légèrement modifiés par E. Ziller qui supervisa les travaux. L'Académie, qui coûta 3 000 000 drachmes, fut financée par le baron Simon Sinas, un banquier grec installé en Autriche où il fut anobli. Construite dans le style ionien des édifices publics de l'Antiquité, elle porte l'empreinte de l'éclectisme ornemental caractéristique du néo-classicisme athénien fin de siècle. Sa frise est décorée de peintures murales de K. Rahl représentant des scènes mythologiques, tandis que des statues d'Apollon et de Minerve, dressées sur des hautes colonnes, dominent sa façade.

La Bibliothèque nationale. Située à gauche de l'Université, elle fut également conçue par T. Hansen, et

L'AVENUE STADIOU
Plusieurs édifices publics furent élevés au XIXe siècle dans cette avenue et son voisinage, comme, l'Imprimerie royale (1834) et l'Hôpital civil (1836-1842). Belle, un voyageur du XIXe siècle, relata avec quelle furie mi-vaniteuse, mi-patriotique, les Athéniens remplirent leur capitale d'une kyrielle de fondations éducatives ou charitables, qui aurait suffi pour une population six fois plus grande.

Café rue Amalias, niché dans un coin de verdure.

L'UNIVERSITÉ
La plupart des constructions monumentales qui ornaient le centre ville, tout comme la plupart des grands édifices publics, furent des initiatives privées.

RUE KORAIS ET DE L'UNIVERSITÉ
À l'angle de ces deux artères se trouvait autrefois l'un des plus vieux cafés d'Athènes, le *Gambetta*. Cet homme politique français était un modèle pour les libéraux et les radicaux grecs. Le café fut détruit lors des reconstructions des années cinquante.

réalisée par E. Ziller. Achevé en 1903, cet édifice de style dorique qui manque quelque peu de légèreté, incorpore un imposant double escalier de style Renaissance et une statue de M. Valianos, l'aîné des trois frères qui financèrent sa construction.

LA PLACE OMONIA

La place de la Concorde ou *platia Omonias* est sans doute le site urbain qui a le plus souffert des profondes modifications de la physionomie d'Athènes au cours de ces cinquante dernières années. Véritable centre de la vie athénienne au début du siècle, avec ses cafés, ses restaurants et sa grande gare souterraine, elle est aujourd'hui devenue le lieu de rassemblement des plus déshérités. Les quatre hôtels du XIXe siècle qui accueillaient les touristes à la Belle Époque l'*Excelsior*, le *Carlton*, l'*Alexandre-le-Grand* et le *Baguion*, sont maintenant délabrés et perdus au milieu des constructions uniformes des années cinquante et soixante. Les Athéniens ne passent à Omonia que de jour et en voiture ; ils ne s'y arrêtent qu'au petit matin pour acheter les premiers journaux et discuter les nouvelles avec leurs concitoyens anonymes.

AU SUD DE LA PLACE OMONIA

LA PLACE DE LA MAIRIE. Dans le quartier le plus vivant de la capitale, se trouve ce que les Athéniens appellent toujours l'*Agora*, la place de la Mairie, distante de quelques centaines de mètres de la place Omonia. D'importantes découvertes archéologiques y furent mises au jour il y a une vingtaine d'années, à la faveur de travaux entrepris pour un garage municipal ; la place fait depuis l'objet de vastes fouilles. Elle garde son charme auquel concourent surtout les immeubles de la Banque nationale et de l'hôtel Melas, situés à l'est.

L'Académie.

Façade de la Bibliothèque nationale.

La Banque nationale. Elle occupe l'ancien hôtel particulier de G. Stavros, fondateur de la banque en 1841, ainsi que l'ancien hôtel d'Angleterre. Les travaux de réfection et d'aménagements exécutés en 1900 furent confiés aux architectes N. et A. Balanos qui optèrent pour un style Renaissance. L'hôtel particulier Melas, qui servit longtemps de Poste centrale, fut racheté par la banque. Annexe de cette dernière, il accueille aujourd'hui des expositions.

La mairie. À l'ouest de la place, se dresse la mairie, une construction plutôt lourde et un peu semblable à une caserne, dont la forme est caractéristique de plusieurs édifices publics de la seconde moitié du XIXe siècle. Elle fut élevée entre 1872 et 1878, sur des plans de P. Kalkos. Dans les premières années, la mairie n'en occupa que le 1er étage, les ateliers et magasins loués au rez-de-chaussée devant permettre de rembourser l'emprunt de 130 000 drachmes contracté pour financer la construction.

Fronton et colonnes doriques de la Bibliothèque nationale.

Les halles municipales. Elles furent construites entre 1876 et 1886 sur des plans de l'architecte Kouméli s. Elles devaient remplacer le vieux marché de la période ottomane, établi sur les ruines de la Poikilé, «avec ses misérables baraques».

La rue Eolou. Cette étroite et sinueuse rue piétonne porte le nom du dieu des vents, Éole. Bordée sur toute sa longueur de nombreuses petites boutiques, elle abrite également deux églises du XIXe siècle, réalisations des architectes Zezos et de Ziller. Dans ce périmètre, où se concentraient les pouvoirs publics, battait le cœur gonflé d'espoir du petit royaume. De nombreux personnages, grecs ou étrangers, y firent construire leurs hôtels particuliers : le palais Prokesh

LE VIEUX MARCHÉ D'ATHÈNES
Ce marché central est aujourd'hui l'un des grands pôles de la capitale : il attire durant la journée une foule de clients, et, le soir venu, les sans domicile fixe ainsi que les noctambules qui viennent s'y restaurer.
Il compte plusieurs restaurants où l'on peut déguster des spécialités devenues rares ailleurs.

von Osten (1836) qui accueille aujourd'hui le Conservatoire ; le palais Serpieris (1880), occupé par la Banque agricole ; le palais Limnios, aménagé en hôtel Grande-Bretagne.

AU NORD DE LA PLACE OMONIA

LE THÉÂTRE NATIONAL. Jusqu'à la fin du XIXe siècle, Athènes ne possédait qu'un théâtre de pierre, le théâtre d'Athènes ou théâtre Boukouras, inauguré en 1840. Les artistes se produisaient en plein air, aux alentours du Jardin royal et d'Omonia. Le Théâtre municipal, construit entre 1873 et 1888, sur des plans d'E. Ziller, répondit aux besoins accrus d'une vie théâtrale en plein épanouissement. Dix ans plus tard le roi Georges Ier utilisa un don de 1 000 000 drachmes que lui fit un riche négociant grec installé à Londres pour la construction d'un troisième théâtre. Ce Théâtre royal, édifié entre 1895 et 1901 sur des plans d'E. Ziller, fut à son origine réservé à la cour. Construit dans le style renaissant italien, sa décoration et son aménagement intérieurs étaient inspirés du Théâtre populaire de Vienne. Des ingénieurs viennois surveillèrent la réalisation de ses équipements : ce qui se faisait de plus moderne à l'époque en matière de chauffage, d'éclairage et d'installations scéniques. C'est aujourd'hui le Théâtre national.

LE MUSÉE ARCHÉOLOGIQUE ▲ *236*. La protection du patrimoine archéologique fut un des principaux soucis du royaume de Grèce dès sa création ; les vingt années précédant la guerre d'Indépendance avaient vu le départ de nombreuses antiquités pour les musées de Paris, Londres, Munich ou Berlin. Pendant plus de trente ans, les antiquités

« La Grande place qui se trouve devant le Palais s'appelle le Syntagma, ou place de la Constitution. C'est la démocratie qui donne tout son charme à la place.»

David Hogarth

ırent rassemblées et exposées à la périphérie et à l'intérieur es temples tels que le Parthénon, la Stoa d'Hadrien u le Héphaistéion, attendant qu'un musée archéologique ıt construit. Un premier projet vit le jour en 1835 : signé ar l'architecte Leo von Klenze et largement inspiré e l'une de ses réalisations précédentes, la Pinacothèque e Munich, il s'agissait d'un pantechneion, bâtisse noble t imposante, mais austère et refermée sur elle-même. Seule ıt retenue l'idée d'un musée central à l'occidentale. Après lusieurs autres propositions d'architectes occidentaux on retenues, un concours international fut organisé en 1858. .e jury, constitué par l'Académie de Munich n'élut aucun ainqueur, et les projets exposés à Athènes, bien que suscitant admiration furent tous jugés irréalisables. Plusieurs nnées plus tard, le gouvernement confia enfin la délicate ntreprise à un architecte grec, . Kalkos, qui construisit le musée ntre 1866 et 1880.

'École polytechnique. À côté u Musée archéologique, s'élèvent es bâtiments néo-classiques de École polytechnique. Elle fut rigée entre 1862 et 1884, sur des lans de l'architecte grec Lyssandros Kaftantzoglou qui la dota d'élégantes olonnades ioniennes et doriques. .es trois commanditaires, les ommerçants Stournaris, Averof et asitsas, lui donnèrent le nom de Metsovion, en souvenir u village d'Épire, Metsovo, dont ils étaient originaires. 'École polytechnique, qui intègre une école des Beaux-Arts t plusieurs écoles d'ingénieurs, symbolisa, de la fin du XIXe au début du XXe siècle, le renouveau des sciences et des arts grecs, ainsi que l'occidentalisation et la modernisation de la société. Elle forma un grand nombre d'ingénieurs, futurs acteurs de la profonde transformation du paysage de l'Attique. Les trois bâtiments néo-classiques de deux ou trois étages conçus par L. Kaftantzoglou furent complétés, entre 1923 et 1956, par deux autres édifices de plusieurs étages. L'École polytechnique fut galement le lieu de la première manifestation massive 'opposition à la dictature des Colonels.

L'École polytechnique.
La place Omonia.

Essor de la capitale au XIXe siècle.
Des maisons et des palais furent construits, des boulevards furent percés... Parallèlement des partis furent formés, et d'élégants salons furent créés. Poètes, savants, et hommes politiques, rivalisèrent dès la fin du siècle avec l'élite de l'Europe.

Ci-contre, le Théâtre national.
Ci-dessous, le Musée archéologique national.

Le musée est installé depuis 1960 dans le palais de l'ancienne Chambre des députés. Il abrite les collections de la Société historique et ethnologique fondée en 1882 et présente l'histoire de la Grèce depuis la prise de Constantinople jusqu'à nos jours. C'est le musée des grands hommes au moment de la formation de l'État-nation : il regroupe portraits, drapeaux, armes et armures, costumes et objets des grandes figures de l'histoire de l'Indépendance et une collection de souvenirs des chefs de guerre et des premiers rois.

ARMURE CRÉTOISE XVIe SIÈCLE La conquête ottomane s'achève au XVIe siècle durant les règnes de Suleyman le Magnifique et de Sélim II qui chassent les Hospitaliers, les Vénitiens et les Génois de la Méditerranée orientale. La Crète, vénitienne, sera conquise en 1699.

DRAPEAU D'UN RÉGIMENT DE L'ARMÉE DE TERRE Il date de la période des guerres Balkaniques (1912-1913). Il porte une représentation de saint Georges et, de chaque côté, les noms brodés des batailles auxquelles le régiment a participé en Macédoine.

COUTELAS DE GEORGAKIS OLYMPIOS Il était membre de la Philiki Eteria, fondée à Odessa en 1814 par trois commerçants grecs. Cette dernière était la plus importante société secrète, d'inspiration maçonnique, qui prépara la révolution nationale.

SCEAU DE L'ARÉOPAGE. Constitué de quatre parties que l'on réunissait sur une base en fer vissée sur un manche en bois. Chaque membre détenait une des parties, le président la base et la vis.

CARABINE LONGUE DU DÉBUT DU XIXe SIÈCLE. Elle appartint à Théodore Colocotronis, héros de la lutte pour l'indépendance nationale.

Le Musée national historique est installé, rue Stadiou, dans un palais construit en 1871 par l'architecte français Boulanger.

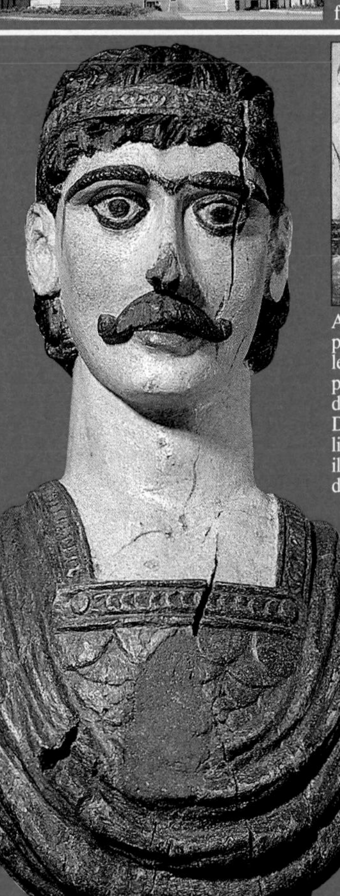

Aquarelle de style populaire représentant les vaisseaux ayant participé à la bataille de Navarin.
De très nombreuses lithographies illustrèrent les épisodes de la guerre d'Indépendance.

Bague de Georges Ainian
Membre de la Société des Amis, cette bague lui servit de signe de reconnaissance pour ses contacts en Grèce, en 1820. Elle porte les symboles de la Société secrète : la croix pour la foi, la flamme pour le désir de liberté, l'ancre pour la détermination.

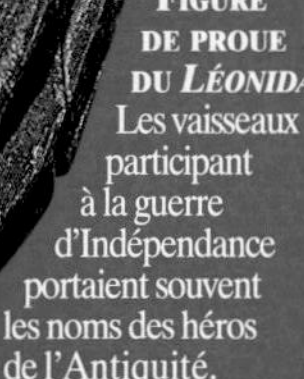

Figure de proue du *Léonidas*
Les vaisseaux participant à la guerre d'Indépendance portaient souvent les noms des héros de l'Antiquité.

L'amiral Canaris
Assiette de la série «Quête pour les Grecs», vendue par les dames de la haute société française pour défendre la cause philhellène.

«La prise de Constantinople»
Le musée possède huit des vingt quatre œuvres originales de Zografos, peintes sur instruction du Général Makriyanis, héros de la révolution qui apprit à lire et à écrire pour rédiger ses mémoires sur la guerre d'Indépendance.

Le masque d'Agamemnon
Ce masque mortuaire en or fut découvert à Mycènes par Schliemann, dans la tombe V du premier cercle. L'archéologue crut qu'il s'agissait de celui du roi légendaire de Mycènes et d'Argos, d'où son surnom. Il date du XIVe siècle av. J.-C.

Coupe en or, tombe IV de Mycènes
Cette coupe est tout à fait remarquable pour l'originalité de sa forme : de très fins filets d'or tressés relient le pied aux deux anses sur lesquelles reposent des oiseaux.

Gobelet en or de type kyatos

Rhyton en forme de tête de lion
Ce vase à libations en or a été trouvé dans la tombe IV du premier cercle des tombes, sur l'acropole de Mycènes. Il date du XVIe siècle av. J.-C. Sa symétrie et la schématisation des détails sont particulièrement originaux.

Gobelet en or du XVe siècle av. J.-C.
Ce chef-d'œuvre d'orfèvrerie mycénienne provient d'une tombe à tholos de Vaphio, en Laconie.

Le Musée archéologique national d'Athènes, construit entre 1850 et 1889, est le plus ancien musée de Grèce. En 1891, toutes les antiquités, jusque là dispersées, y furent transférées. L'accumulation rapide d'œuvres d'art, résultat des nombreuses fouilles entreprises dans tout le pays, a conduit les autorités à y ajouter une aile en 1939. Il fut réorganisé sous la direction de Christos Courousos, peu après la Seconde Guerre mondiale. Sont exposés des objets provenant de tout le monde hellénique et représentatifs de toutes les périodes de l'art grec antique jusqu'à l'époque romaine. Les œuvres sont regroupées par ordre chronologique, en fonction des matériaux utilisés, et par collections privées.

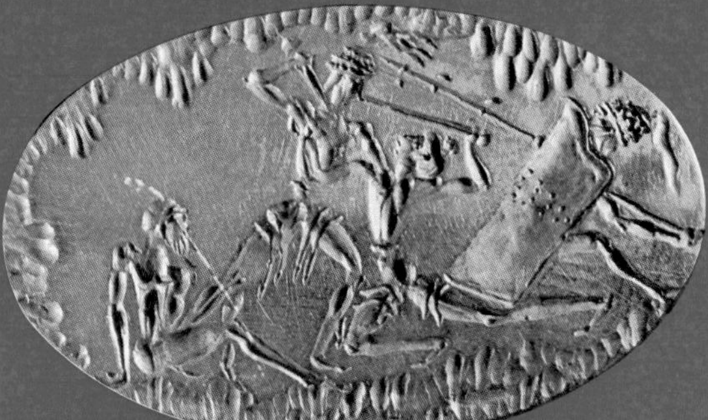

BAGUES-CACHETS EN OR
Ce type de bagues permettait d'apposer sa marque sur des objets personels, paquets ou jarres. Le talent des graveurs et des orfèvres leur conféra néanmoins la valeur de bijoux, voire de talismans. Ces trois bagues-cachets de Mycènes donnent un échantillon de la thématique de leurs décors : scènes de combat à deux, trois ou quatre personnages ; scènes de chasse dont on peut rapprocher les scènes de pêche ou de tauromachie ; et enfin les scènes religieuses où les personnages sont essentiellement féminins, comme ici, ces deux prêtresses officiant.

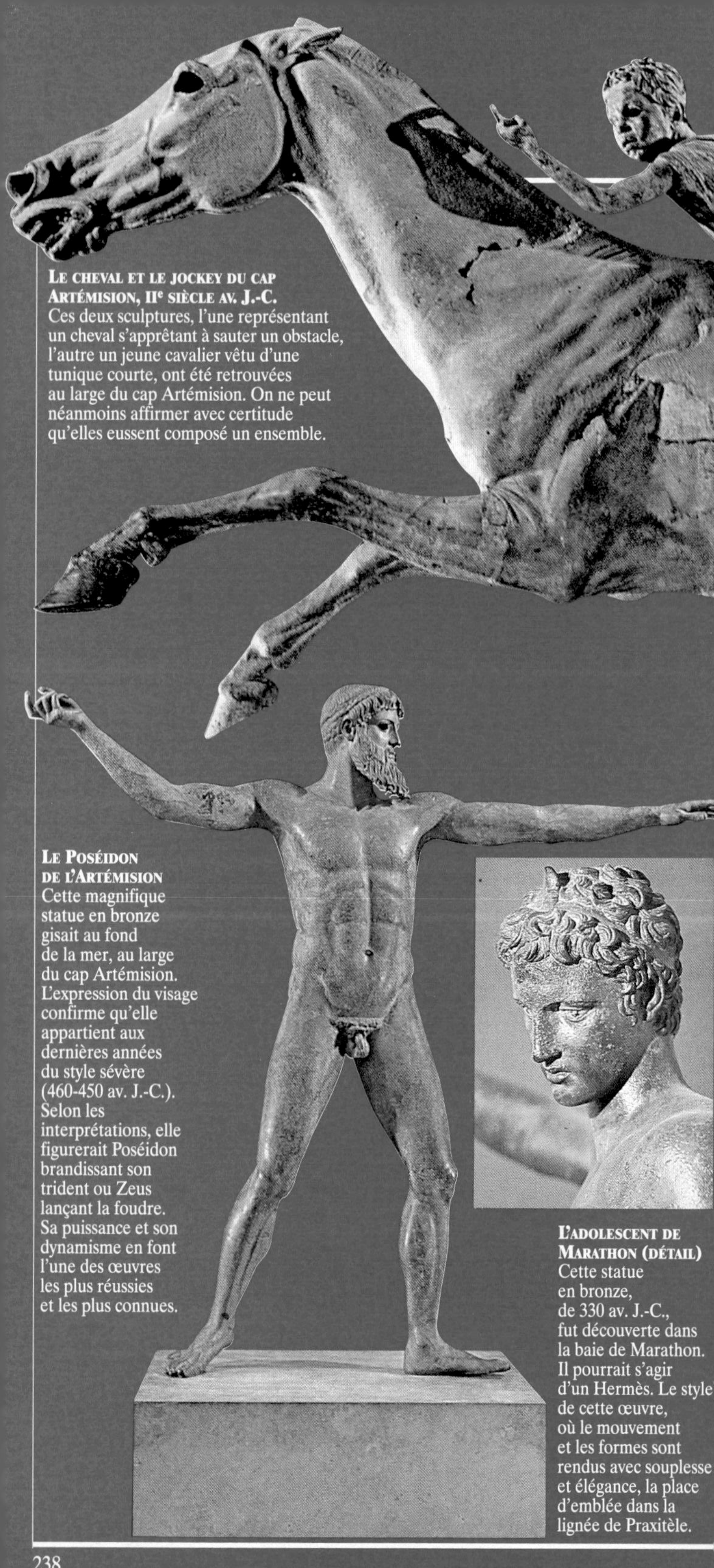

Le cheval et le jockey du cap Artémision, IIe siècle av. J.-C. Ces deux sculptures, l'une représentant un cheval s'apprêtant à sauter un obstacle, l'autre un jeune cavalier vêtu d'une tunique courte, ont été retrouvées au large du cap Artémision. On ne peut néanmoins affirmer avec certitude qu'elles eussent composé un ensemble.

Le Poséidon de l'Artémision Cette magnifique statue en bronze gisait au fond de la mer, au large du cap Artémision. L'expression du visage confirme qu'elle appartient aux dernières années du style sévère (460-450 av. J.-C.). Selon les interprétations, elle figurerait Poséidon brandissant son trident ou Zeus lançant la foudre. Sa puissance et son dynamisme en font l'une des œuvres les plus réussies et les plus connues.

L'adolescent de Marathon (détail) Cette statue en bronze, de 330 av. J.-C., fut découverte dans la baie de Marathon. Il pourrait s'agir d'un Hermès. Le style de cette œuvre, où le mouvement et les formes sont rendus avec souplesse et élégance, la place d'emblée dans la lignée de Praxitèle.

La collection de sculptures du musée est principalement constituée d'originaux de haute qualité, provenant des grands sanctuaires et des principales cités. Elle offre une vision complète de l'évolution de la sculpture grecque.

BUSTE DE PRIAPE
Ce type de buste ithyphallique, placé à l'entrée d'un domaine, était censé lui assurer la prospérité.

KOUROS DE 525 AV. J.-C.
Un épigramme gravé sur la base de ce *kouros* indique qu'il était placé sur la tombe de Kroisos. Il fut découvert à Anavyssos, en Attique.

HOPLITES ET CHAR, RELIEF DE 490 AV. J.-C.
Ce fragment provient d'une base de *kouros* qui avait été encastrée dans le mur de Thémistocle. Elle représente une procession d'hoplites, précédée d'un char à deux chevaux ou *bige*.

▲ Le musée d'Art cycladique et d'art grec antique

Les conditions géophysiques particulièrement clémentes des Cyclades y permirent l'émergence de l'une des toutes premières civilisations de Grèce, entre 3200 et 2000 av. J.-C. Le marbre, présent en abondance sur ces îles, caractérise l'art cycladique qui, par ses formes épurées, schématiques, voire quasi abstraites, fut unique en son genre. C'est à partir de 1961 que Nicolas P. Goulandris commence à collectionner des antiquités grecques. Très vite il se passionne tout particulièrement pour l'art cycladique dont il réunira plus de 200 pièces. Lames d'obsidienne, récipients et vases en argile cuite ou en marbre, et figurines en marbre sont exposés au rez-de-chaussée et au premier étage du musée, inauguré en 1986.

Figurine masculine en marbre
Cette figurine de 25 cm de haut est sans doute la représentation d'un chasseur ou d'un guerrier, comme le laisse supposer le baudrier décoré de chevron qui est passé à son épaule et barre son buste.

Plat en forme de poêle à frire
Cet objet en argile cuite, de 16 cm de diamètre, appartient au groupe de Kampos. Son décor, complexe, consiste en des dessins curvilignes incisés dans l'argile avant sa cuisson.

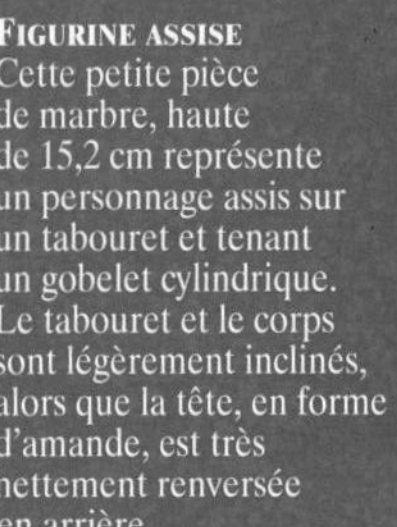

Figurine assise
Cette petite pièce de marbre, haute de 15,2 cm représente un personnage assis sur un tabouret et tenant un gobelet cylindrique. Le tabouret et le corps sont légèrement inclinés, alors que la tête, en forme d'amande, est très nettement renversée en arrière.

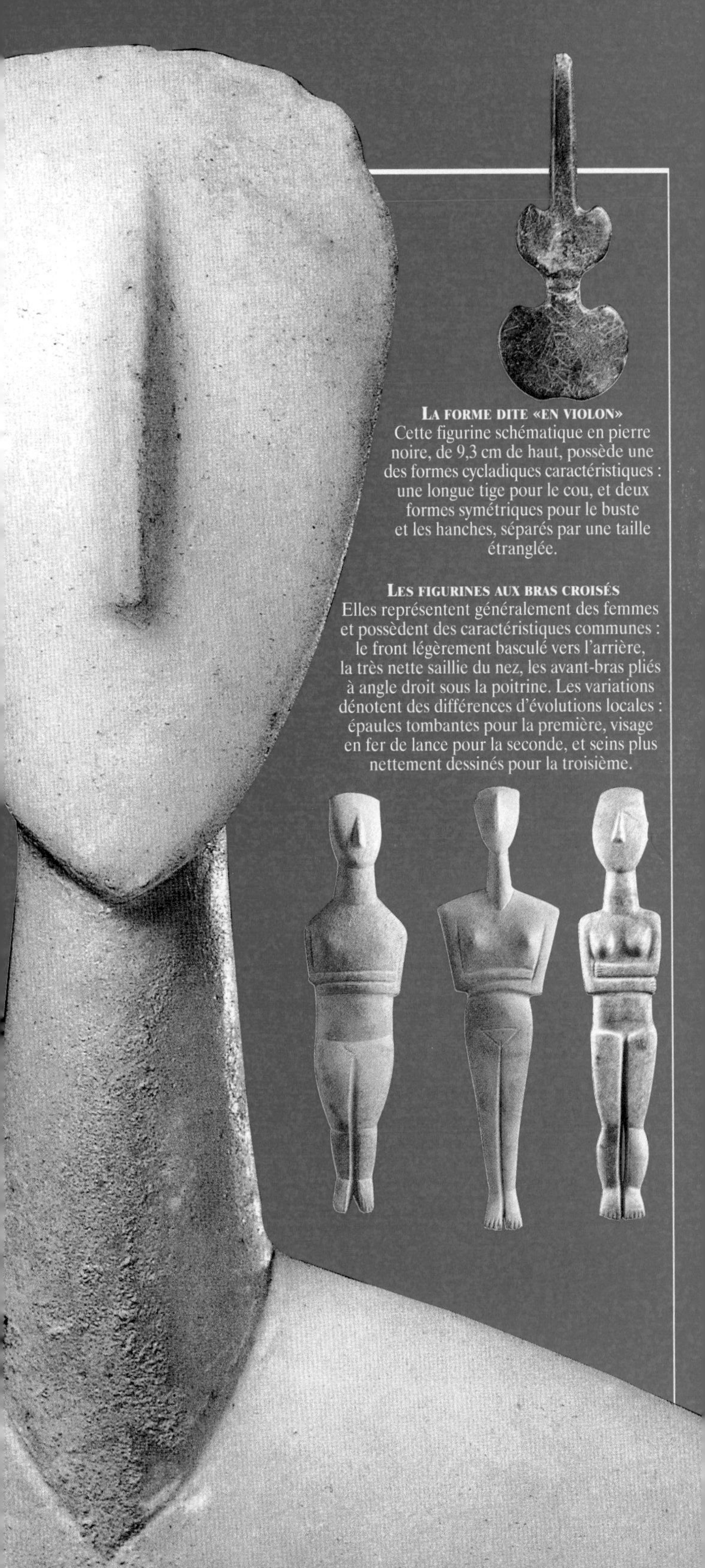

La forme dite «en violon»
Cette figurine schématique en pierre noire, de 9,3 cm de haut, possède une des formes cycladiques caractéristiques : une longue tige pour le cou, et deux formes symétriques pour le buste et les hanches, séparés par une taille étranglée.

Les figurines aux bras croisés
Elles représentent généralement des femmes et possèdent des caractéristiques communes : le front légèrement basculé vers l'arrière, la très nette saillie du nez, les avant-bras pliés à angle droit sous la poitrine. Les variations dénotent des différences d'évolutions locales : épaules tombantes pour la première, visage en fer de lance pour la seconde, et seins plus nettement dessinés pour la troisième.

Le musée d'Art cycladique et d'art grec antique

La collection d'art grec antique est exposée au second étage du musée. Les pièces, datant de 2000 à 400 av. J.-C., sont réparties par époques, en cinq sections : céramiques minoennes et mycéniennes ; art géométrique ; art archaïque ; céramiques à figures noires ; céramiques à figures rouges et bronzes. Cette collection unique qui comprend aujourd'hui près de 300 objets, s'est enrichie à plusieurs reprises de nouvelles acquisitions de N. P. Goulandris et de donations privées, comme celle de Lambros Evtaxias.

Kylix de style géométrique
Les kylix, bas et très évasés, font partie des coupes à boire. Ils étaient peints aussi bien à l'extérieur qu'à l'intérieur, comme on peut le voir ici. Celui-ci date d'environ 730 av. J.-C.

Amphore à figures noires
Cette amphore, réalisée entre 540 et 530 av. J.-C., dans un atelier de Chalcédoine, est l'œuvre du peintre Polyphème. Entre deux lions est figuré un sphinx, animal fabuleux à corps de lion ailé représenté le plus souvent, comme ici, avec un buste et un visage de femme.

Amphore à figures noires, 515-510 av. J.-C.
Elle est décorée d'un épisode de la gigantomachie, «combats des dieux et des géants». Ici, Poséidon, reconnaissable à son trident, affronte Polybotes en armes.

Céramiques à figures rouges
Les vases grecs de la période classique sont peints de figures rouges sur fond noir. À gauche, un vase d'environ 460 av. J.-C. sur lequel est représenté un satyre usant d'une pioche. À droite, un cratère de 350-340 av. J.-C., œuvre d'un atelier d'Apulie, en Italie méridionale.

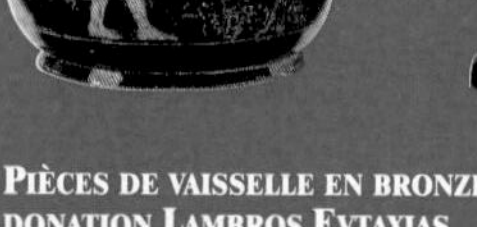

Pièces de vaisselle en bronze, donation Lambros Evtaxias
À gauche, une hydrie, vase utilisé pour puiser l'eau, pourvue de deux petites anses horizontales et d'une grande anse verticale. Celle-ci provient probablement du sanctuaire de Zeus à Dodone et date de 450 av. J.-C. À droite, un seau à deux anses de style macédonien (IVe siècle av. J.-C.) : une gravure, finement ouvragée, orne le pourtour et l'espace sous les anses.

Le Pirée

PHILIPS' PLANISPHERE
SHOWING THE PRINCIPAL STARS
VISIBLE FOR EVERY HOUR
IN THE YEAR.
FEBRUARY
MARCH
MAY
JUNE
AUGUST

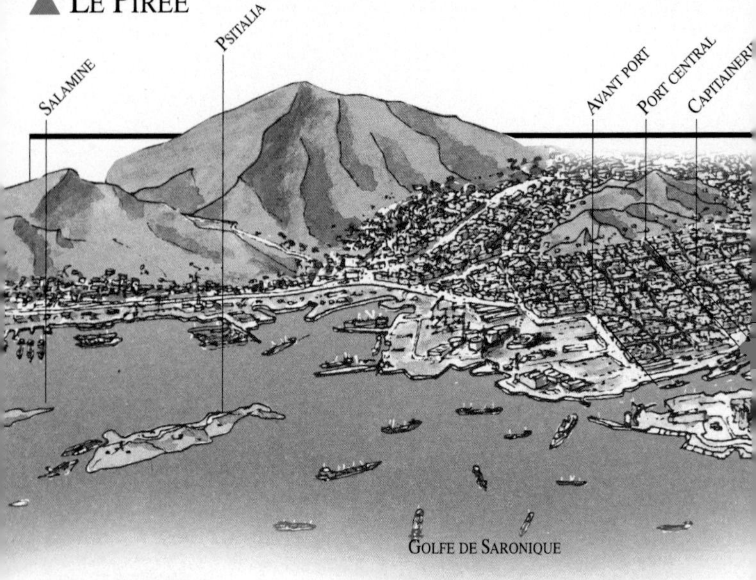

SALAMINE
PSITALIA
AVANT PORT
PORT CENTRAL
CAPITAINERIE
GOLFE DE SARONIQUE

La ville du Pirée et ses ports occupent la presqu'île d'Akté, sur la côte de la mer Égée. Depuis Athènes, distante de 10 km, on s'y rend facilement et rapidement par le train électrique Kifissia-Le Pirée, à partir des stations de la place Omonia ou de Monastiraki ▲ *178*.

1/2 journée

LE PIRÉE ET LA PUISSANCE MARITIME D'ATHÈNES

Depuis l'Antiquité, Le Pirée est le principal port d'Athènes et le centre de son commerce. Au début du Ve siècle av. J.-C., Athènes ne possède ni véritable marine, ni port aménagé. Après la bataille de Marathon ● *45*, ▲ *258*, Thémistocle convainc ses concitoyens de se doter d'une marine de guerre et d'édifier sur la presqu'île d'Akté un complexe maritime. Cet ensemble est destiné à remplacer le médiocre mouillage du Phalère. Les sommes nécessaires à son aménagement proviendront de la mine d'argent du Laurion dont l'exploitation commence en 483 av. J.-C. Thémistocle fait aménager trois ports : au nord, Kantharos, un port de commerce, dont le site correspond au port central actuel ; et au sud, deux ports de guerre, l'un dans la rade de Zéa et l'autre, Munichie, l'actuel port de Micro Limano. La démocratie athénienne avait de grands besoins et peu de ressources : l'Attique étant pauvre en blé, en minerais et en bois, les Athéniens étaient dans l'obligation d'importer ces produits de leurs colonies

LA VILLE ET LES PORTS
D'importants tronçons des murailles qui protégeaient la péninsule d'Akté, côté mer, sont encore visibles aujourd'hui. Ces murailles ont été édifiées par Conon en 394 av. J.-C. Un siècle auparavant, Thémistocle entourait la ville d'Athènes de murailles semblables.

Le port et la marine grecque au début du siècle.

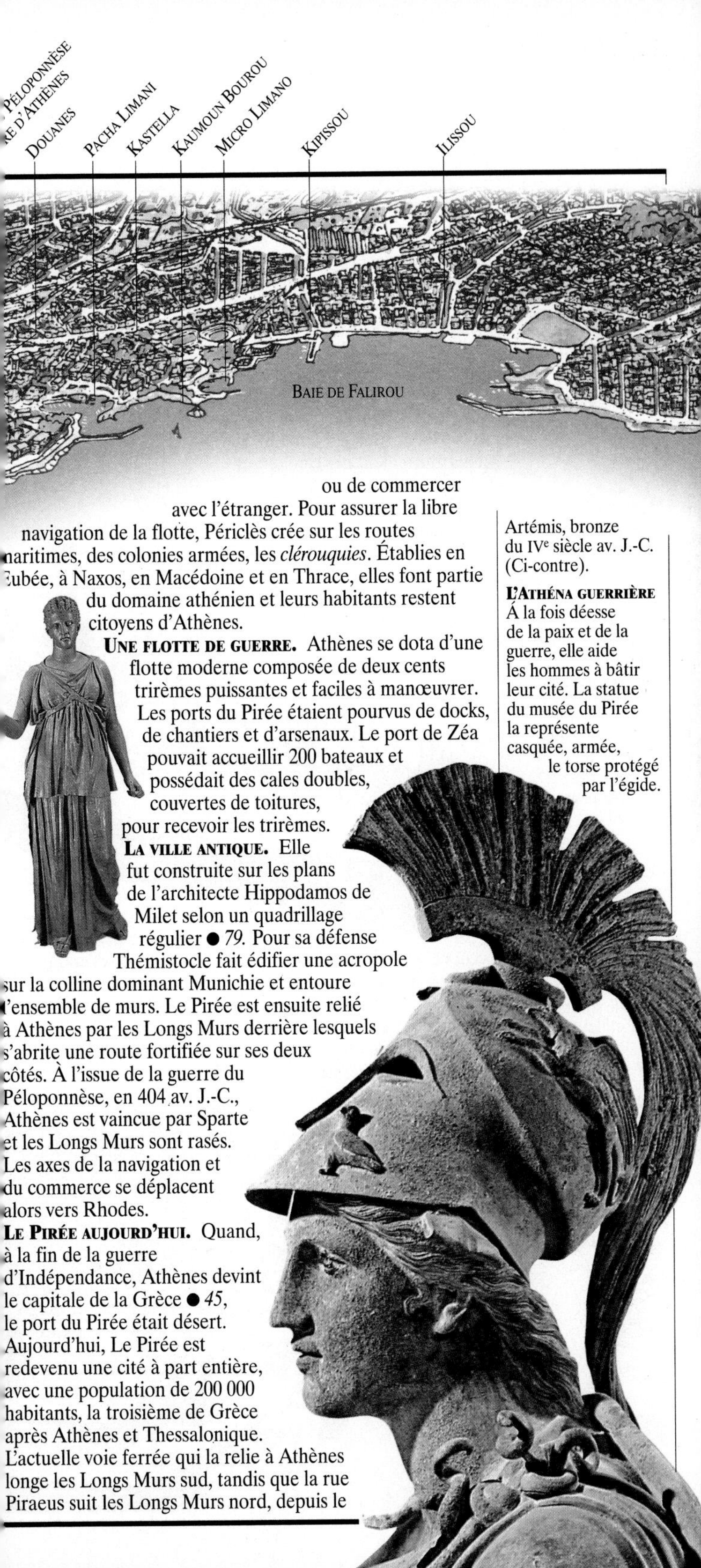

ou de commercer avec l'étranger. Pour assurer la libre navigation de la flotte, Périclès crée sur les routes maritimes, des colonies armées, les *clérouquies*. Établies en Eubée, à Naxos, en Macédoine et en Thrace, elles font partie du domaine athénien et leurs habitants restent citoyens d'Athènes.

UNE FLOTTE DE GUERRE. Athènes se dota d'une flotte moderne composée de deux cents trirèmes puissantes et faciles à manœuvrer. Les ports du Pirée étaient pourvus de docks, de chantiers et d'arsenaux. Le port de Zéa pouvait accueillir 200 bateaux et possédait des cales doubles, couvertes de toitures, pour recevoir les trirèmes.

LA VILLE ANTIQUE. Elle fut construite sur les plans de l'architecte Hippodamos de Milet selon un quadrillage régulier ● *79*. Pour sa défense Thémistocle fait édifier une acropole sur la colline dominant Munichie et entoure l'ensemble de murs. Le Pirée est ensuite relié à Athènes par les Longs Murs derrière lesquels s'abrite une route fortifiée sur ses deux côtés. À l'issue de la guerre du Péloponnèse, en 404 av. J.-C., Athènes est vaincue par Sparte et les Longs Murs sont rasés. Les axes de la navigation et du commerce se déplacent alors vers Rhodes.

LE PIRÉE AUJOURD'HUI. Quand, à la fin de la guerre d'Indépendance, Athènes devint le capitale de la Grèce ● *45*, le port du Pirée était désert. Aujourd'hui, Le Pirée est redevenu une cité à part entière, avec une population de 200 000 habitants, la troisième de Grèce après Athènes et Thessalonique. L'actuelle voie ferrée qui la relie à Athènes longe les Longs Murs sud, tandis que la rue Piraeus suit les Longs Murs nord, depuis le

Artémis, bronze du IVe siècle av. J.-C. (Ci-contre).

L'ATHÉNA GUERRIÈRE
Á la fois déesse de la paix et de la guerre, elle aide les hommes à bâtir leur cité. La statue du musée du Pirée la représente casquée, armée, le torse protégé par l'égide.

Emblème de la marine grecque.

Maquette d'un bateau à vapeur
En 1827, Ioannis Kapodistrias, nouvellement nommé gouverneur de la Grèce, dote le pays d'une flotte moderne. Des navires à vapeur sont commandés en Angleterre. Le musée naval du Pirée présente une collection de maquettes des principaux vaisseaux.

La ville moderne
Elle date en grande partie du XIXe et du début du XXe siècle. Le long des quais, bordés de terrasses de café accueillantes, s'offre le spectacle des flottilles de bateaux et de barques.

square Omonia jusqu'au port. Des vestiges de ces murs peuvent être aperçus à partir de la station Phalère, un peu avant Le Pirée, entre la rue Piraeus et le nouveau stade. La plus grande partie de la ville est bâtie sur la presqu'île d'Akté où une promenade à pied permet de découvrir les ruines de l'enceinte de Conon.

Le port central. Une courte promenade conduit de la station de métro «Le Pirée» jusqu'au littoral nord et au port principal, l'ancien Kantharos. Sa partie intérieure est réservée aux ferries qui desservent les îles du golfe Saronique et de la mer Égée, la Crète et les pays de la Méditerranée. Le matin, les quais fourmillent des camions et des passagers qui embarquent. À l'est de la place Karaiskakis, se présente le quai Poseidonos qui conduit au Dimarchion, l'hôtel de la ville du Pirée. Non loin, se dresse la cathédrale Haghia Triada qui constitue le principal repère pour les marins rentrant au port.

Pacha Limani et Marina Zéa. La base étroite de la péninsule est occupée par le Pacha Limani ou port du Pacha. À l'époque de l'occupation turque, ce petit port servait d'ancrage principal à la flotte ottomane. C'est aujourd'hui le mouillage des bateaux de plaisance. À son avant-port, se trouve la Marina Zéa d'où part également un certain nombre de bateaux pour les îles.

«Au-dedans, les rameurs peuvent abandonner leur vaisseau sans amarre sitôt qu'ils ont atteint la ligne de mouillage.»

Homère

Vue du ciel de Micro Limano et de Marina Zéa.

La marine marchande
Depuis la fin de la Seconde Guerre mondiale, le port de commerce s'est beaucoup agrandi. Les rades d'Athènes du Pirée et d'Éleusis accueillent les gros tankers. Elles se doublent d'une importante zone industrielle où sont installés des chantiers de construction navale et des raffineries de produits dérivés du pétrole.

Micro Limano. Environ 1 km au sud-est se situe Turko Limano, le port des Turcs, l'antique Munichie. Il vient d'être rebaptisé Micro Limano, le Petit Port. Il est très apprécié des Athéniens qui aiment s'y rendre le soir pour se promener au bord de sa baie en forme de croissant. Le long de ses quais sont installés de nombreux restaurants dont les tables s'avancent jusqu'à la proue des bateaux de pêche et des yachts. On peut y goûter d'excellents plats de poissons.

Le Musée archéologique. Il est installé rue Tricoupis, à côté du théâtre de Zéa. Il possède une riche collection de statues, de reliefs et de stèles funéraires. On peut notamment y admirer les quatre statues de bronze qui furent découvertes au large du Pirée en 1959 : une statue d'Athéna, caractéristique du second classicisme, et deux statues d'Artémis, datant du IVe siècle av. J.-C., ainsi qu'une statue d'Apollon, de type kouros, datant de la fin du VIe siècle av. J.-C.

Le Musée naval. Ce musée, situé sur le quai de la Marina Zéa, en bas de la rue Phréatidos, retrace l'histoire de la marine grecque de l'Antiquité à nos jours. Parmi les objets les plus anciens, on remarquera des obsidiennes taillées dont certaines peuvent être datées de 8000 av. J.-C. Les voyages mythiques d'Ulysse, les grandes batailles navales de l'Antiquité sont représentées sur des vases, des bas-reliefs, des fresques, la plus célèbre étant celle trouvée à Akrotiri, dans l'île de Théra (Santorin). On pourra également voir des maquettes des différents types de navires grecs, des trirèmes antiques aux bateaux modernes, ainsi que des dessins et des plans des plus célèbres batailles navales grecques, bataille de Salamine, de Lépante et de Navarin ● *54*. Dans les jardins sont exposés des canons, des obus et des torpilles. Des vestiges du mur de Thémistocle sont encore visibles sur le quai Thémistokleous, notamment dans l'enceinte du musée.

Ports de plaisance
Les ports de Zéa et de Micro Limano sont maintenant des ports de plaisance, ils occupent la partie sud de la presqu'île, et accueillent les yachts des plaisanciers et les bateaux de location, tandis que Kantharos, au nord, reste le principal port commercial.

LE PIRÉE

C'est aujourd'hui l'un des ports les plus actifs du monde avec quelque 25 000 navires et 16 000 tonnes de marchandises qui y transitent : le gros de l'activité industrielle et économique du pays se concentre dans le triangle qu'il forme avec Athènes et Éleusis, d'où, hélas, un taux de pollution un peu élevé. Néanmoins l'ambiance cosmopolite et mouvante, typique des grands ports, y est toujours aussi prenante : c'est le va-et-vient incessant des marins et des voyageurs venant des quatre coins du monde, le chant des sirènes et la brise du large. Le Pirée est vaste et ses aspects multiples : celui, laborieux, des docks et des arsenaux ; celui, affairé, des quais d'embarquement (50 000 passagers par an) ; celui, plus nonchalant, du port de plaisance, du marché et des tavernes. Autour du petit port, Micro Limano, se concentrent les restaurants servant les poissons fraîchement pêchés et le poulpe dont les Grecs sont particulièrement friands.

ÉGLISES ET MONASTÈRES BYZANTINS

LE MONASTÈRE DE KAISARIANI

Moni Kaisariani est niché dans un vallon, sur les flancs du mont Hymette, à 5 km d'Athènes. Il offre aux visiteurs l'image quasi inaltérée d'un monastère byzantin du Moyen Âge. Son exceptionnel état de conservation permet d'appréhender l'organisation de ses éléments et son caractère défensif ; la forme des divers bâtiments exprime la spécificité de leur destination : cellules, réfectoire, cuisine, bain, fontaine, etc. Plusieurs documents du XIIIe siècle font mention du monastère de Kaisariani. Plus tard, sous la domination ottomane, il fut particulièrement florissant et ses higoumènes réputés pour leur érudition. Le katholikon, dédié à la Présentation de la Vierge, se dresse au centre de la cour. Datant du début du XIIe siècle et en parfait état de conservation, il est en croix inscrite avec une coupole soutenue par quatre colonnes. Il est précédé d'un narthex, surmonté également d'une coupole, et flanqué au sud d'une chapelle dédiée à saint Antoine. Du point de vue des formes et des volumes, le katholikon est remarquable de sobriété : le dôme est souligné d'une simple corniche, le parement composé de pierres taillées séparées par des briques horizontales. L'arc de la façade nord offre un superbe exemple de l'habileté des tailleurs de pierres du Moyen Âge.

LES FRESQUES. À l'intérieur, le templon d'origine est toujours visible, ainsi que son décor, également du XIIe siècle. Les fresques de cette époque ont en revanche disparu. De superbes peintures les ont remplacées, probablement au milieu du XVIe siècle : un Christ Pantocrator est représenté au centre

DAPHNI
Katholikon et façade du monastère, Xe siècle.

MONI KAISARIANI
Le monastère se découpe au fond d'une vallée entièrement reboisée.

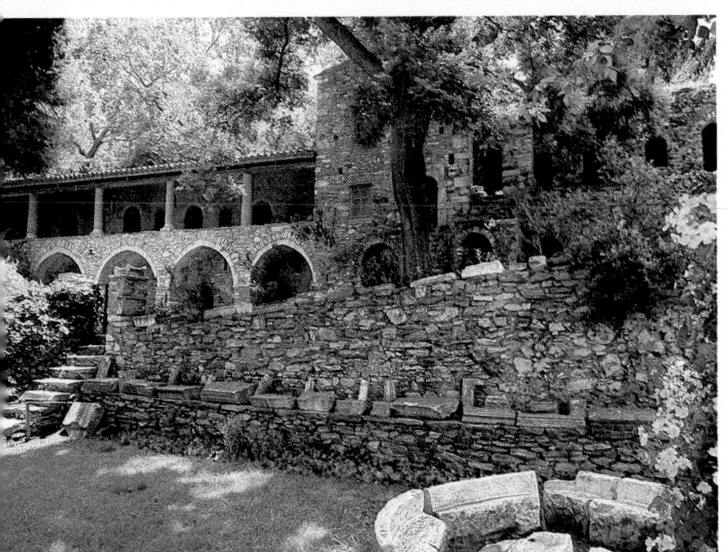

de la coupole, la Sainte Liturgie sur les murs de l'abside, et les grandes fêtes de l'Église orthodoxe sur ceux de la nef. Les fresques du narthex ont quant à elles été exécutées en 1682 par le peintre Ioannis Hypatos, originaire du Péloponnèse, d'après l'inscription visible au-dessus de l'entrée.

Bâtiments de Daphni, dans leur écrin de verdure.

NATIVITÉ
Devant la grotte, la Vierge et l'Enfant, et les anges.

LE MONASTÈRE DE DAPHNI

Le monastère de Daphni est le plus important monument byzantin de la région d'Athènes, tant par la splendeur de ses remarquables mosaïques byzantines que par l'excellent état de conservation de son architecture. Il est situé à 11 km du centre, sur la route qui, dans l'Antiquité, reliait Athènes à Éleusis, l'actuelle nationale 8.

HISTOIRE. Ses origines sont mal connues mais l'importance de la construction laisse supposer qu'il s'agit d'une fondation impériale du Ve siècle. Le site du monastère aurait été occupé par un temple dédié à Apollon dont l'un des attributs est le laurier, en grec *daphni*. Ce temple fut détruit en 395, lors d'une invasion des Goths, survenue au moment du partage de l'Empire romain par Théodose. De cet édifice, il ne subsiste qu'une colonne ionique réutilisée par les moines qui l'ont placée au milieu de l'entrée sud de l'exonarthex. Parmi les constructions des Ve et VIe siècles, sont encore visibles les vestiges d'une enceinte carrée, contre laquelle étaient bâties les cellules : fortifiée au Moyen Âge, elle était pourvue de tours et de contreforts à arcades. L'église du temps de Justinien, plus importante que celle d'aujourd'hui, disparut au VIIIe siècle. Entre le VIIe et le IXe siècle – époque des grandes migrations de peuples à travers l'Europe et, pour Byzance, celle où se multiplièrent les problèmes de succession et où les questions religieuses divisèrent l'opinion ● *48* – la région se dépeuple énormément. Le couvent sera reconstruit au IXe siècle sous la dynastie des Comnènes, si bien que certains auteurs se demandent s'il n'était pas rattaché au monastère de Daphni, établi à Constantinople, ce qui expliquerait mieux son nom qu'un lointain rapport avec le culte d'Apollon.

LES MOSAÏQUES BYZANTINES
Les sujets devaient être immédiatement identifiables ; aussi les couleurs, comme les représentations des personnages, étaient soumises à des règles précises : avant la Crucifixion, le Christ est vêtu de bleu et d'or, après la Résurrection, de pourpre et d'or.

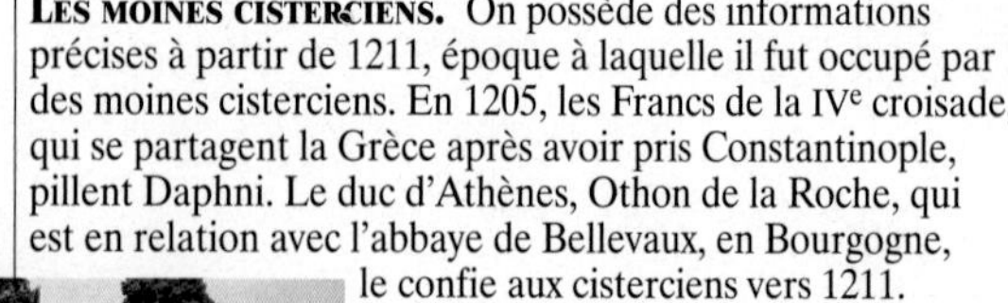

LES MOINES CISTERCIENS. On possède des informations précises à partir de 1211, époque à laquelle il fut occupé par des moines cisterciens. En 1205, les Francs de la IVe croisade, qui se partagent la Grèce après avoir pris Constantinople, pillent Daphni. Le duc d'Athènes, Othon de la Roche, qui est en relation avec l'abbaye de Bellevaux, en Bourgogne, le confie aux cisterciens vers 1211. La famille de la Roche, puis Gautier de Brienne, y seront enterrés. Ce sont les cisterciens qui ajoutent l'exonarthex de style gothique, et surmontent le narthex d'un étage pour abriter la bibliothèque, le trésor et, peut-être un logement. On y accède par un escalier situé du côté nord. Il est vraisemblable que l'abbaye ait perdu peu à peu l'importance qu'elle avait eue lors de l'installation des Francs dans la région, car, en 1412, le dernier abbé n'y fut pas enterré. Au moment de l'invasion turque, vers 1458, les cisterciens se retirent. Le couvent sera occupé au XVIe siècle par des moines orthodoxes qui bâtiront les cellules et le cloître de la cour carrée.

La façade sud du katholikon du monastère de Daphni.

LE MONASTÈRE. Le katholikon de Daphni, dédié à la Dormition de la Vierge, s'élève au milieu d'une enceinte fortifiée de plan carré, de 100 m de côté. Cette enceinte est considérée comme plus ancienne que l'église et date peut-être du règne de Justinien. Au nord du katholikon, s'étendent les ruines du réfectoire du monastère, bâti à la même époque que l'église, au XIe siècle. Dans les cellules des moines qui ont été restaurées, sont exposés des fragments architecturaux en marbre.

LE MUSÉE. Endommagé au moment de la guerre d'Indépendance, Daphni est

L'ÉGLISE
Si l'on observe l'église de l'extérieur, on se rend compte que les grands blocs rectangulaires du soubassement sont disposés en croix, à intervalles réguliers, jusqu'au niveau des fenêtres, et que celles-ci s'ornent d'arcs en fines briques rouges qui, s'inscrivant dans un triangle équilatéral, sont dits en tiers-point. À l'ouest, l'élégance de la triple arcature est encore soulignée par la présence de deux minces cyprès, plantés de part et d'autre, qui s'élancent jusqu'à la coupole. Leur feuillage sombre contraste avec le gris léger d'un petit olivier voisin.

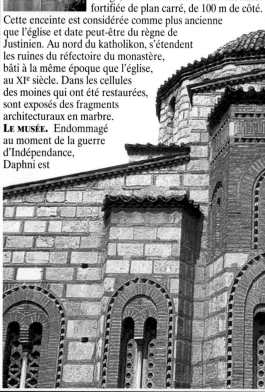

PRÈS DES COTEAUX RIANTS DE L'HYMETTE ÉMAILLÉ DE FLEURS EST UNE FONTAINE SACRÉE ; UN MOL GAZON VERT COUVRE LE SOL. (...) LE ROMARIN, LE LAURIER, LE MYRTE SOMBRE PARFUMENT L'AIR

OVIDE

RINCEAUX ET ENTRELACS
L'iconoclasme, qui proscrivait l'image, avait favorisé la diffusion d'un style décoratif, à motifs géométriques, végétaux et animaux. Par la richesse de ses matériaux et par la combinaison de polychromie, la décoration intérieure donnait un aspect luxueux aux parties sculptées des édifices sacrés.

désaffecté. Transformé en musée, il est restauré en 1955, mais son église et son enceinte sont très abîmées par un tremblement de terre, en 1981.

L'ÉGLISE. Le plan du katholikon, un octogone surmonté d'une coupole, est caractéristique de la Grèce continentale, dont l'archétype est celui de l'église du monastère Saint-Luc-en-Phocide. La coupole, très large, est portée par quatre arcs et quatre trompes d'angle ● *94*. Aux angles du sanctuaire tripartite, quatre chapelles complètent la structure de l'édifice dont l'harmonie des proportions est remarquable. On pénètre dans le katholikon par la porte sud, en passant par la cour du cloître. Les revêtements en marbre de la base des murs ont disparu mais les admirables mosaïques des parties hautes sont assez bien conservées. Elles sont considérées comme formant l'un des ensembles les plus représentatifs de la Renaissance byzantine, et on les compare à celles d'Hosios Loukas, sur la route de Delphes, et à celles de la Nea Moni, dans l'île de Chio. On estime qu'elles ont été exécutées par des artistes venus de Constantinople : la finesse du dessin, les corps en général très allongés qui rappellent la statuaire antique – dont témoigne en particulier le *Baptême du Christ* – et l'attitude dansante des personnages haussés sur la pointe des pieds dans les scènes de foule font que les historiens de l'art les rapprochent de

UNE VASTE COUPOLE
C'est une église byzantine sur plan en croix grecque, dont les quatre branches égales sont coiffées, à la croisée, d'une vaste coupole, suivant l'exemple de Sainte-Sophie de Constantinople. Des chapelles et d'autres salles ont été créées aux angles. À l'extérieur, pour la décoration, on employait des entrelacements de motifs en brique et des moulures. On les retrouve également autour des fenêtres à arcs qui percent le tambour de la coupole.

LE CHRIST PANTOCRATOR
Ce chef-d'œuvre de l'art byzantin orne le centre de la coupole principale de l'église de la Dormition de la Vierge, à Daphni. L'image, saisissante et majestueuse, représente le Christ Pantocrator, le «Maître de l'Univers», entouré des prophètes. La grande coupole symbolise le Ciel.

LA NATIVITÉ
On y retrouve la profondeur et le naturel des enluminures : grâce des gestes, multitude des détails, souplesse des drapés... La palette des couleurs et l'abondance de l'or rappellent également le décor des livres.

certaines enluminures. L'on découvre d'abord, au centre de la coupole, l'immense *Christ Pantocrator* entouré des seize prophètes, d'Isaïe à David. C'est un Christ du Jugement dernier que l'artiste a traité d'une manière abstraite : le regard lointain, il serre la Bible contre son cœur et prend appui du pouce sur la croix de la reliure, rappel de celle de l'éclatante auréole. Les historiens de l'art considèrent que l'aspect un peu oriental de son visage renforce l'hypothèse d'un déplacement à Daphni de plusieurs mosaïstes de Constantinople. Les personnages des autres fresques ont pour leur part le plus souvent des visages paisibles. Dans l'abside, la Vierge est entourée des archanges Michel et Gabriel. Aux trompes d'angle de la coupole, on trouve, comme à Hosios Loukas, les douze fêtes liturgiques : l'Annonciation, la Nativité, le Baptême, où figurent la main de Dieu et une colombe, et la Transfiguration. Treize autres scènes ornent la nef centrale, dont certaines s'adaptent aux courbures de la voûte, ainsi que de nombreux saints et des anges aux ailes immenses, toujours sur fond or. Dans la branche sud de la croix se succèdent : *Les Mages*, *Le Christ descendant aux Limbes*, *L'Incrédulité de Thomas*, et *La Présentation du Christ au Temple*. Dans la branche nord de la croix, on reconnaît tour à tour *La Nativité de la Vierge*, une *Crucifixion*, où la Vierge et Jean manifestent leur tristesse, *L'Entrée à Jérusalem* et *La Résurrection de Lazare*. À l'entrée de la nef centrale, face à l'abside, apparaît la *Dormition de la Vierge*, à laquelle le couvent a été voué. Diverses scènes de la vie de la Mère de Dieu, dont *La Présentation au Temple*, *La Bénédiction* et *La Prière de Joachim et d'Anne*, font pendant, à l'intérieur du narthex, à *La Cène*, au *Lavement des pieds* et à *La Trahison de Judas*. L'exonarthex ne comporte pas de décor. Les historiens de l'art n'ont pas manqué de comparer ces œuvres avec d'autres de la même époque : les mosaïques sur fond or de la basilique Saint-Marc, à Venise, dont la construction commence dans la seconde moitié du XIe siècle, sont exécutées peu après celles de Daphni et respectent la tradition iconographique codifiée au mont Athos. Un autre rapprochement intéressant a été effectué avec les églises contemporaines de Kiev, en particulier avec Sainte-Sophie. Ces comparaisons ont permis de dater le décor de Daphni des environs de l'an 1100.

HOSIOS LOUKAS ● 94

L'église à coupole du monastère de Saint-Luc-en-Phocide, fondation impériale du XIe siècle, est dédiée

Hosios Loukas, l'ermite Loukas le Stiriote, ascète qui accompli nombre de miracles et de prophéties. Hosios Loukas est l'une des plus belles églises du monde byzantin, située à 150 km d'Athènes et à 40 km de Delphes, justement célèbre pour la beauté de ses mosaïques, caractéristiques du second âge d'or de l'art byzantin.

STRUCTURE DE L'ÉGLISE. L'extérieur de l'église est simple et imposant. À l'intérieur, la nef centrale supporte une grande coupole : carrée à la base, elle devient octogonale par le jeu de quatre arcs qui coupent chaque coin en formant des demi-coupoles plus petites, les trompes. Pour souligner et mettre en valeur les lignes verticales de l'édifice, les architectes ont utilisé des colonnes, des piliers et, à l'extérieur, des contreforts. La lumière pénètre dans l'église par de multiples ouvertures percées dans le tambour de la coupole. Le système de voûtes et de contre-voûtes joue un rôle fondamental dans la statique de la construction.

LA DÉCORATION INTÉRIEURE. Chaque détail des mosaïques à fond d'or doit mener l'œil vers la contemplation de la coupole qui surmonte les bras égaux de la croix. L'image ici est source d'enseignement : les teintes dorées des mosaïques symbolisent la lumière et affirment la domination du monde céleste. Toute la doctrine orthodoxe est mise en images selon un programme iconographique immuable qui permet aux fidèles de lire l'église comme un livre sacré. L'organisation des mosaïques d'Hosios Loukas est l'illustration de ce programme.

LE NARTHEX. Au-dessus de la porte centrale, se trouve le *Christ Pantocrator*, tenant la Sainte Bible ouverte où l'on peut lire : «Je suis la lumière du monde ; celui qui me suit ne marchera pas dans les ténèbres, car il aura la lumière de vie.» À droite du Pantocrator, *La Crucifixion du Christ* et

COUPE DE L'ÉGLISE À COUPOLE D'HOSIOS LOUKAS
Publiée en 1901 in *The Monastery of St Luke of Stiris in Phocis.* La coupe met en valeur le riche décor intérieur des murs en marbre polychrome et son iconostase en marbre sculpté. Les trompes du tambour de la grande coupole, la petite coupole du sanctuaire, la nef et le narthex sont entièrement décorés de mosaïques à fond d'or. La hiérarchie des images part du pavement, qui symbolise le monde terrestre et où sont figurés les saints. Puis viennent la nef, le sanctuaire, les trompes et l'abside où Marie, la Mère de Dieu, domine. Le cycle s'achève en s'élevant jusqu'à la grande coupole qui symbolise le ciel.

HOSIOS LOUKAS
Le monastère est situé en contrebas du sommet du mont Pleistos, à une altitude de 400 m.

Les hauts piliers et les contreforts soulignent l'élégance de la façade extérieure du monastère.

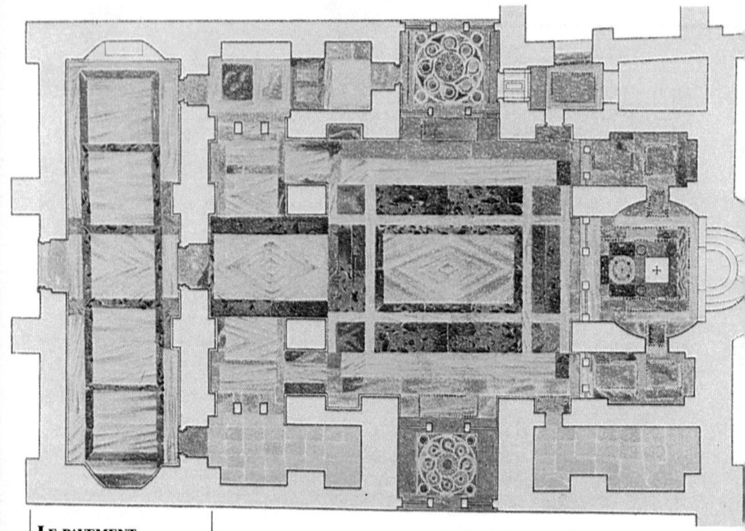

LE PAVEMENT INTÉRIEUR D'HOSIOS LOUKAS
Il est fait de marbres rouges, gris et ocres.

MOSAÏQUES
L'église est ornée de plus de 140 portraits de saints, dont celui de saint Luc. Dans les arches de la coupole, les décorateurs de l'église ont représenté saint Gabriel et saint Théodore de Thiro.

La Descente aux enfers. À l'extrémité droite du narthex, dans la niche, *Le Christ et ses apôtres*, à ses pieds Thomas. À gauche de la grande entrée, la mosaïque de *La Crucifixion* : sous la croix où le Christ est mort, Marie et l'apôtre saint Jean se lamentent ; au-dessus du Christ, la lune et le soleil sont représentés avec des visages humains. À l'extrémité gauche du narthex, *Jésus lave les pieds de l'apôtre Pierre*.

LA NEF CENTRALE. La surface des trompes est ornée de mosaïques qui narrent les épisodes de la vie de Jésus qui donnent lieu aux douze grandes fêtes liturgiques de l'année, dont *La Présentation de la Vierge*, *La Nativité* et *Le Baptême du Christ*. Sur l'une des trompes qui soutient la coupole, est représenté *Le Baptême du Christ* : saint Jean-Baptiste procède au baptême dans les eaux du Jourdain ; tout en haut, la main de Dieu désigne Jésus, «Celui-ci est mon Fils bien-aimé».

LES MOSAÏQUES DU SANCTUAIRE. Avec l'abside, on entre dans le monde des symboles. Au-dessus de l'autel, au plafond de la petite coupole, l'on aperçoit une représentation de la scène de la Pentecôte : le Saint-Esprit descend sous la forme d'une colombe sur les apôtres. Le centre de l'abside est occupé par la Vierge à l'Enfant. Sur la demi-coupole de l'abside, Marie, assise, tient l'enfant Dieu dont la main est levée dans un geste de bénédiction.

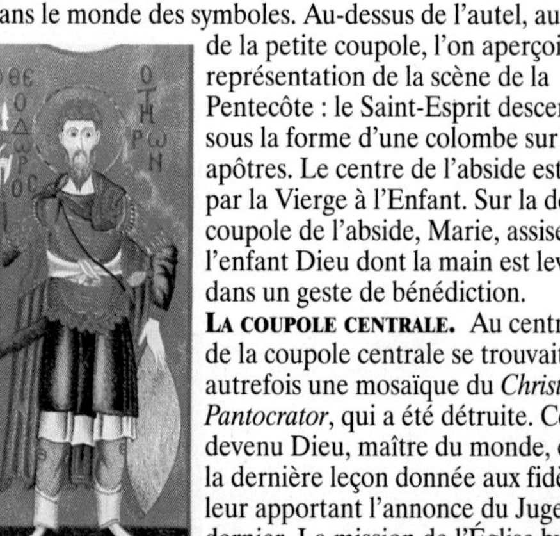

LA COUPOLE CENTRALE. Au centre de la coupole centrale se trouvait autrefois une mosaïque du *Christ Pantocrator*, qui a été détruite. Ce Christ devenu Dieu, maître du monde, était la dernière leçon donnée aux fidèles, leur apportant l'annonce du Jugement dernier. La mission de l'Église byzantine, fidèle au christianisme ancien, était de convaincre, de guider les hommes dans la foi orthodoxe.

Autour du cap Sounion

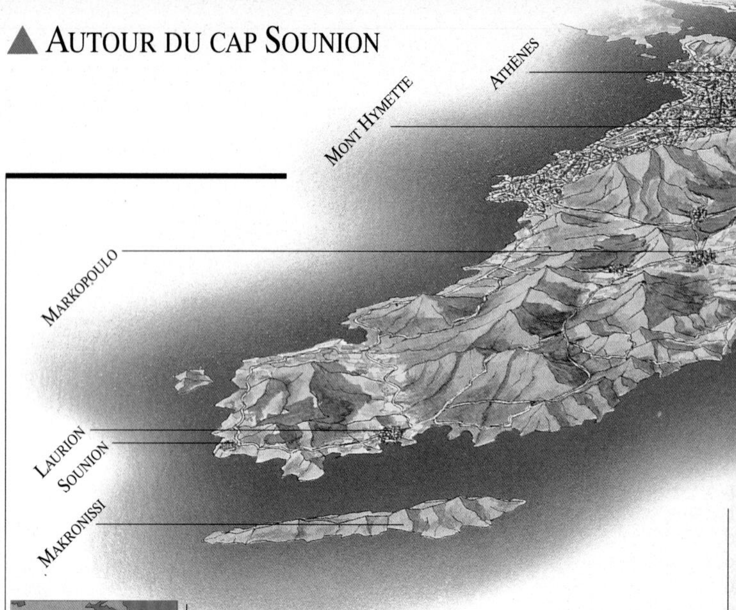

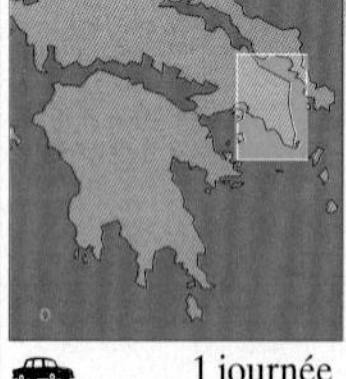

1 journée

LE CAP SOUNION

En partant du Pirée ▲ *244*, on longe la côte du golfe Saronique jusqu'au cap Sounion, autrefois appelé cap Colonne, situé à 68 km d'Athènes. Sounion forme, à l'extrémité sud de l'Attique, un promontoire qui domine la mer presque à pic. Le site est particulièrement beau au coucher du soleil, quand les collines, la mer et les îles voisines sont baignées de lumière. Sounion est couronné par le temple de Poséidon. Dès la plus haute antiquité un culte y était sans doute pratiqué. Le cap était bien connu des navigateurs antiques qui le doublaient dans un sens et dans l'autre, des eaux de la mer Égée à celles du golfe Saronique. Homère l'appelle déjà «cap sacré» dans le passage où Nestor raconte à Télémaque le voyage qu'il fit au retour de Troie : «Nous touchions au Sounion, au promontoire sacré d'Athènes.»

LE SIÈCLE DE PÉRICLÈS. Les fouilles archéologiques attestent que le culte du dieu Poséidon remonte au VIe siècle av. J.-C. environ. Le temple actuel fut édifié sous Périclès, peu après le milieu du Ve siècle av. J.-C., à une époque où Athènes était riche et puissante. Les plans furent commandés à un architecte, disciple d'Ictinos, et les sculptures aux élèves de Phidias. Son architecture et ses dimensions, 31 m sur 13 m, sont presque identiques à celles de l'Héphaistéion ▲ *189* de l'Agora d'Athènes qui fut achevé en 440 av. J.-C. : l'historien William Bell en conclut que ces deux temples avaient été conçus par le même architecte.

LE SITE ARCHÉOLOGIQUE. On accède au sanctuaire par les propylées. C'était un portique, divisé par deux colonnes centrales, avec, au centre, des escaliers doublés d'une large rampe empierrée ; seules en subsistent les bases.

NAVIGATEURS DOUBLANT LE CAP
Gravure du XVIIIe siècle.

LORD BYRON
Il se rendit à Sounion et grava son nom sur l'une des colonnes du temple.

LE TEMPLE DE POSÉIDON

C'est un temple dorique périptère, avec 6 colonnes en façade et 13 colonnes sur les côtés. Sur les 34

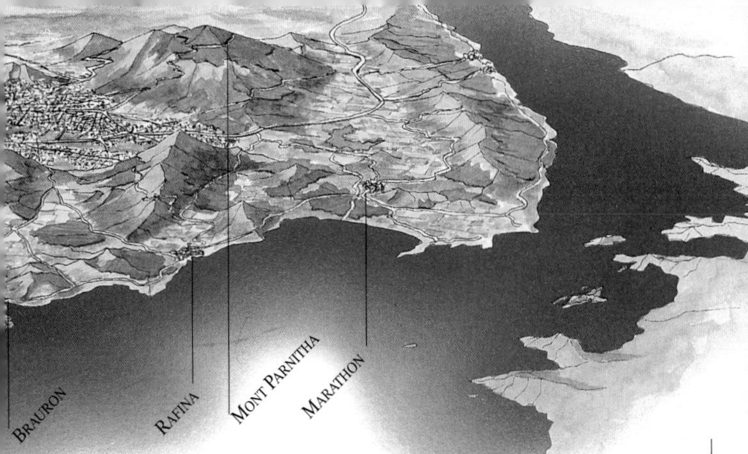

olonnes du péristyle d'origine, 15 ont été relevées, 9 sur le côté ıord, 6 sur le côté sud. 4 d'entre elles ont été relevées lors de a restauration de 1958-1959. Elles sont taillées dans du marbre les carrières d'Agriléza et sont plus élancées que celles le l'Héphaistéion : 6 m de hauteur pour un diamètre constant l'*entasis* de 1 m ; elles n'étaient pas galbées. Les cannelures ont moins nombreuses : on en compte 16 au lieu des 20 abituelles, afin que les arêtes soient plus ésistantes aux attaques de l'air marin.

LE SOCLE. Le temple est construit sur ın soubassement ● *90* de deux terrasses uperposées : le stéréobate est composé le deux parties, un socle primitif au nord et une partie plus récente datant du Ve siècle av. J.-C. Il comportait une cella ıvec un *pronaos* et un *opisthodome* *90* à deux colonnes *in antis*. Le dallage en marbre a disparu.

LES MÉTOPES DE LA FRISE. Une frise en marbre sculptée lécorait l'architrave du *pronaos*. Les grandes dalles de a frise en marbre blanc de Paros portent des sculptures peu aillantes qui représentent des combats de Centaures et de Lapithes, des scènes de Gigantomachie et les exploits le Thésée. Quatorze dalles de cette frise, toutes fortement corrodées par le temps et les intempéries, ont été retrouvées et sont exposées sous un petit hangar, près des propylées.

LES MINES DE LAURION. En quittant Sounion, la route du cap emonte vers Laurion, célèbre dans l'Antiquité pour ses mines l'argent et de plomb. Elles firent la prospérité d'Athènes au Ve siècle av. J.-C. Son riche gisement était, selon Plutarque, une véritable «source d'argent» et un «trésor de la terre». En 484, Thémistocle utilisa les revenus de la mine pour a construction de la flotte ▲ *244.* Elles furent exploitées par des compagnies grecques et françaises au siècle dernier. On peut visiter les installations minières de l'époque classique.

LA BEAUTÉ DU SITE
Les blanches colonnes du temple ont séduit le poète Jean Moréas : «Sunion, Sunion, sublime promontoire, Sous le ciel le plus beau».

ENTRE LES COLONNES
On aperçoit la façade du *pronaos*, et l'unique colonne restante, entre les piliers des murs de la cella.

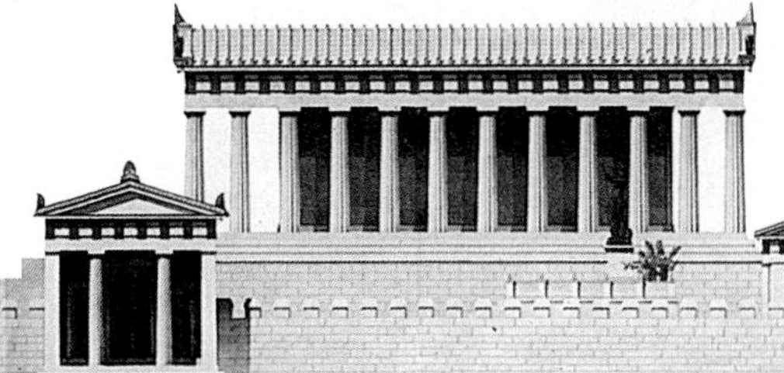

FAÇADE LATÉRALE RESTAURÉE DU TEMPLE DE POSÉIDON
Dessin de Louvet, envoi de l'École des Beaux-Arts de 1855.

LA PLAINE DE MARATHON
Elle est encadrée de hautes montagnes : au fond la mer, les montagnes de l'Eubée et la cime du mont Ocha.

LÉCYTHE
Ce vase à huile, en forme de cylindre allongé, orné d'une anse, se trouve à l'entrée du musée de Marathon.

CASQUE D'HOPLITE
Ce soldat de ligne portait, pour se protéger, un casque muni de deux oreilles de métal qui couvraient les joues.

BRAURON

À 30 km de Laurion, à deux pas de la mer, Brauron (la moderne Vraona) occupe un site enchanteur entouré de vignes. Ce fut un haut-lieu du culte d'Artémis. Du sanctuaire d'Artémis Brauronia, probabalement construit par Pisistrate au VIe siècle av. J.-C., subsiste le grand portique dorique, entièrement restauré. Le musée, près du site, abrite sculptures, céramiques et reliefs consacrés au culte de la déesse, ainsi que divers objets cycladiques, mycéniens et géométriques découverts dans les environs.

MARATHON

Aujourd'hui, Marathon, n'est plus qu'une plaine où un lac artificiel sert de réserve d'eau. Son nom évoque une célèbre victoire des Grecs sur les Perses ● *44*.

LA BATAILLE DE MARATHON. En 490 av. J.-C., la flotte de Darius, forte de 600 navires, débarque dans la baie de Marathon. Cette armée est destinée à marcher sur Athènes distante de 40 km. Sparte n'intervient pas ; Platées envoie quelques hoplites. Les Athéniens attaquent et, sous les ordres de Miltiade, rejettent l'ennemi à la mer. Hérodote raconte la bataille : «Les Perses voyant leurs adversaires charger à la course attendirent le choc. À leur petit nombre, à leur manière d'attaquer en courant, ils les jugèrent atteints d'une folie qui allait en un clin d'œil les perdre... Mais aux deux ailes Athéniens et Platéens eurent le dessus, ils mirent en déroute les corps qui leur étaient opposés, puis, s'étant rejoints, se tournèrent contre ceux qui avaient enfoncé leur centre. La victoire des Athéniens fut complète.»

LE TUMULUS OU SOROS. Les Grecs enterrèrent leur morts sous un tumulus qui se dresse encore sur le site de Marathon. Ce tombeau fut élevé pour recevoir les cendres des 192 Athéniens tués pendant la bataille. On y a

«Ces hommes avaient au cœur un courage indomptable lorsqu'ils attaquèrent hors des murs l'ennemi.» Inscription

etrouvé des fragments de lécythes et de ases du début du Ve siècle av. J.-C. Le musée xpose les objets trouvés sur les lieux de la ataille, statues et inscriptions. Chaque année, le illage organise une course, en souvenir du messager grec ui courut de Marathon à Athènes pour annoncer la ictoire sur les Perses. Au sortir de la ville, on se dirigera ers Grammatiko puis Haghia Marina : à mi-chemin de ces eux bourgs est indiquée la direction du site de Rhamnonte.

Rhamnonte

'acropole et la forteresse antique de Rhamnonte – les mieux onservées de l'Attique – sont installées dans un cadre xceptionnel, sur une colline en bord de mer, d'où l'on ontrôlait le golfe d'Eubée. Près de la ville antique, au pied e l'Acropole, se trouvait un port, à l'embouchure de la rivière.

Le petit temple de Thémis. Rhamnonte s'organise autour d'une terrasse à laquelle on accède par une rampe. La base des murs du temple dorique date du VIe siècle av. J.-C. : elle est composée de grandes pierres polygonales. De taille modeste, le temple fut utilisé comme trésor. Dans la cella, les archéologues découvrirent trois statues dont celle de Thémis.

Le temple de Némésis. Le programme e Périclès ● *46* comprenait, outre la reconstruction e l'Acropole, l'édification des temples d'Héphaistos t de Dionysos à Athènes, du temple de Poséidon à Sounion, t du temple de Némésis à Rhamnonte. C'est un temple ériptère dorique ● *90*, édifié sur un soubassement à trois egrés. Il date du milieu du Ve siècle av. J.-C. Pausanias ndique que dans sa cella se trouvait une statue e Phidias, dont il ne reste aujourd'hui que la base.

L'Amphiaraion d'Oropos.

Pour se rendre à Oropos, il faut revenir Grammatiko puis prendre les directions e Varvanas, Kapandriti, Kalamos et Markopoulos.

Le sanctuaire. Il s'élève sur les deux rives d'une etite rivière bordée d'arbres. Dans l'Antiquité, l dépendait d'Oropos, petite ville et port de pêche, itué à 10 km, qui fit partie tantôt de la Béotie, antôt de l'Attique. Les pèlerins venaient de toute a Grèce au sanctuaire. Les oracles rendus par es prêtres d'Amphiaraos étaient si célèbres que 'on prétend que Crésus y envoyait consulter.

Chapiteau d'ante, temple de Némésis, à Rhamnonte. Deux archéologues, Gell et Gandy, rédigèrent au début du XIXe siècle une étude décrivant les monuments de Rhamnonte. Comme le montre la reproduction du chapiteau dessiné par J.-P. Gandy, ils étudièrent les techniques de gravure et de peinture des moulures ainsi que celles des toitures et des caissons peints des plafonds du temple.

Pierres polygonales Fondations et murs du temple de Némésis.

Costumes des bergers en Attique, vers 1910.

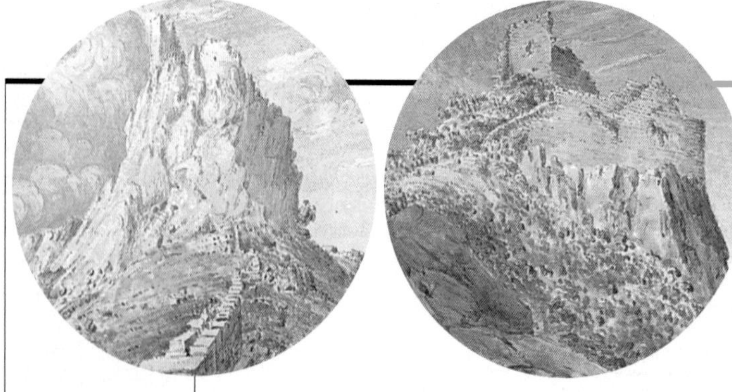

Acropoles antiques
Les forteresses d'Orchomène et de Rhamnonte conservent les plus beaux vestiges de fortifications grecques.

Le petit théâtre
Le théâtre du sanctuaire d'Oropos se trouve à l'arrière du portique. Les gradins de tuf sont très érodés, mais les murs de la scène, les demi-colonnes bordant le proscénium, et une skéné de 4 m de profondeur, sont toujours visibles.

Fauteuils d'orchestre
Des gradins du théâtre il ne reste que les cinq sièges en marbre de la *proédria*, ornés de reliefs et d'inscriptions au nom du prêtre d'Amphiaraos.

Le sanctuaire était dédié à Amphiaraos, l'un des sept chefs qui assiégèrent Thèbes. Ce héros était considéré comme un dieu guérisseur. On accède au site par un chemin parallèle à la rive gauche de la petite rivière. À droite, apparaît le temple d'Amphiaraos, édifié au début du IVe siècle av. J.-C., d'ordre dorique ● *91*. Sa cella est divisée en deux parties, et son *pronaos* est bordé de 8 colonnes. Les fondations ont été restaurées. Devant le temple, on aperçoit l'autel et, toute proche, la source sacrée censée posséder des vertus curatives.

Le musée. Ses collections comprennent des inscriptions et, dans une cour intérieure, des fragments d'architecture du temple et du portique.

L'Enkoimetrion. Ce portique se trouve à l'extrémité du chemin. Long de 130 m, il était bordé d'une banquette sur laquelle les malades prenaient place pour subir le traitement appelé *enkoimisis* ou incubation : les patients sacrifiaient un bélier dans la peau duquel ils s'enveloppaient pour la nuit. Les prêtres interprétaient alors leurs rêves et prescrivaient des thérapies. Dans le sanctuaire des oracles étaient également rendus par l'interprétation des rêves.

Le petit théâtre antique. Situé derrière l'Enkoimetrion, il est assez bien conservé. Il accueillait 3 000 spectateurs. L'orchestra n'avait que 12 m de diamètre ; le proscénion de la scène était décoré de 8 demi-colonnes doriques sur lesquelles venaient se fixer des décors peints sur des panneaux de bois. L'acoustique du théâtre était réputée excellente. En face, le long de la rivière, s'alignent les ruines du *sanatoria* et des hôtels où les patients étaient hébergés. Au sortir de l'Amphiaraion, on reviendra sur ses pas jusqu'à Kapandriti, où l'on retrouvera la route d'Athènes par Kifissia. Kifissia, son harmonieuse place Kefalari, ses jardins et ses rues bordées de belles demeures du XIXe siècle, de boutiques luxueuses et de restaurants, sera une dernière étape agréable avant le retour à la capitale.

Delphes

LA FONTAINE CASTALIE
Elle capte une source qui coule dans le ravin des Phédriades. Les voyageurs y gravaient leur nom.

ALBERT TOURNAIRE
Il fut l'architecte de la «Grande Fouille» de 1892 à 1901.

VOYAGEURS À DELPHES

Le site antique de Delphes ne tomba jamais dans l'oubli. Même si le village édifié sur les ruines prit le nom de Castri, on conserva toujours le souvenir que l'oracle d'Apollon avait été établi dans ce paysage grandiose : à proximité de la source sacrée Castalie qui coule entre les deux Phédriades, «les brillantes», avancées rocheuses du massif du Parnasse dominant la vallée du Pleistos. Quelques vestiges restèrent d'ailleurs constamment visibles : le stade, la fontaine Castalie, les hémicycles argiens. Plusieurs voyageurs en notèrent la présence, dont le plus ancien fut Cyriaque d'Ancône, dès le XVe siècle ▲ *208, 217*.

L'ÉCOLE FRANÇAISE D'ATHÈNES

C'est seulement au siècle dernier, avec l'essor de l'archéologie et la création en Grèce des établissements étrangers destinés à promouvoir cette discipline, que l'on s'intéressa véritablement au sanctuaire d'Apollon. Après quelques sondages, parfois développés, menés par des chercheurs isolés, allemands et français, l'École française d'Athènes obtint du gouvernement grec une concession de dix années pour réaliser une fouille complète de l'endroit. Les négociations avaient duré plus de dix ans et deux directeurs de l'époque,

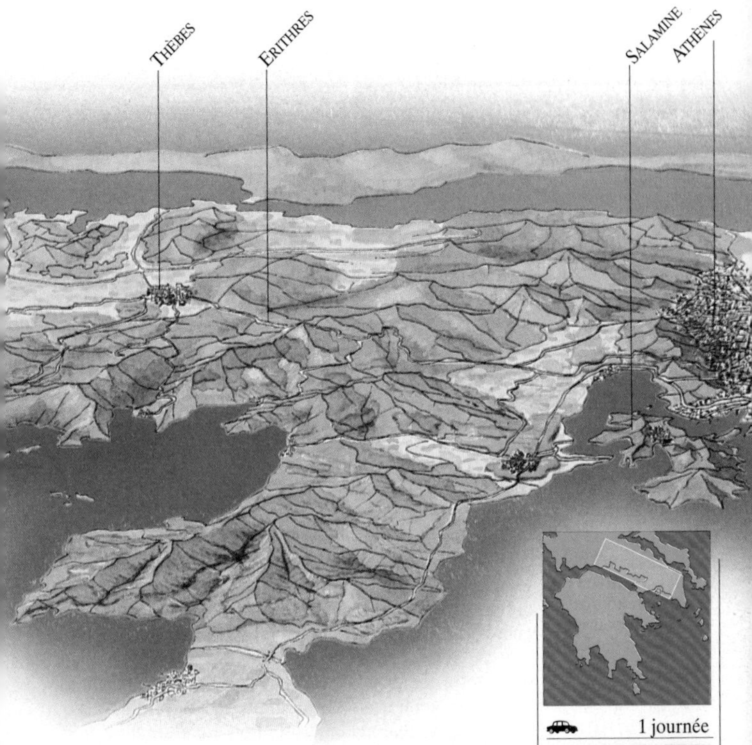

Thèbes

Erithres

Salamine

Athènes

1 journée

Paul Foucart et Théophile Homolle, avaient dû faire montre de toute leur habileté et de toute leur ténacité pour éliminer la rude concurrence américaine et allemande : des compensations diplomatiques et surtout commerciales (importation, notamment, de raisin de Corinthe) étaient la contrepartie de cette faveur obtenue *in extremis*. Le gouvernement français accepta de financer cette vaste entreprise ; il fallait déplacer un village entier afin de pouvoir accéder aux couches archéologiques. Les indemnités d'expropriation ainsi que les frais de fouilles devaient être couverts par un crédit de 400 000 francs de l'époque, voté par la Chambre en 1891. Désormais, la France pouvait rivaliser sur la scène de l'archéologie grecque avec l'Allemagne qui avait gagné, une quinzaine d'années plus tôt, un grand prestige avec ses découvertes à Olympie.

Le village de Castri
Les maisons du village de Castri au moment des premiers coups de pioche de la fouille en 1892 et la mise au jour du mur polygonal sous le portique des Athéniens, durant les fouilles de 1893.

La «Grande Fouille»

En 1893, commençait un des plus grands chantiers de l'histoire de l'archéologie, au point que le nom de «Grande Fouille» suffira désormais à l'évoquer. Le village de Castri fut rasé et reconstruit plus loin ; un réseau de chemin de fer fut mis en place pour l'évacuation de milliers de mètres cubes de déblais ; plusieurs centaines d'ouvriers se relayèrent sous les ordres des membres de l'École française. Parmi eux, citons

FAVISSA DE L'AIRE
Cette applique d'ivoire traitée en relief représente la lutte des enfants de Borée contre les Harpies, épisode de la conquête de la toison d'or par les Argonautes.

CLÉOBIS ET BITON
Le premier kouros *276* fut découvert dans un mur moderne, au nord-ouest du trésor des Athéniens, le 30 mai 1893.

LA «GRANDE FOUILLE»
Au début des travaux, fut installé un réseau de voies ferrées Decauville (industriel français inventeur du système), au bas du village. Trente wagonnets furent rachetés au chantier de l'isthme de Corinthe.

E. Bourguet et P. Pedrizet, ainsi que l'architecte A. Tournaire, dont la grande restitution graphique du site orne encore le musée. Les travaux suivirent grossièrement le cours de la Voie sacrée, la découverte rapide des vestiges du trésor des Athéniens confirmant les espoirs placés dans cette fouille. Le trésor de Siphnos, le théâtre, le temple suivirent, ainsi qu'une quantité considérable de statues dont le célèbre Aurige en avril-mai 1896, et environ 10 000 inscriptions. Ces dernières font de Delphes un véritable «livre de pierre» irremplaçable pour notre connaissance de la civilisation grecque. On termina par le dégagement du sanctuaire d'Athéna à Marmaria, en contrebas du domaine d'Apollon. Le journal *Le Tour du Monde* rendait ainsi compte des fouilles en Grèce en 1896 : «L'automne va voir reprendre les diverses campagnes de fouilles archéologiques. Les recherches avaient été fructueuses, ce printemps dernier. Ici même, T. Homolle nous a raconté la mise au jour de la belle statue de bronze du conducteur de char. Des inscriptions nombreuses ont été relevées en même temps par lui et ses collaborateurs ; le déblaiement du Stade a été continué et ils y ont trouvé, vers le centre, à quelque cinq mètres de profondeur, une estrade de marbre sur laquelle prenaient séance les juges des jeux.» En 1903, le site fut solennellement remis aux autorités grecques, un premier musée construit pour accueillir les trésors découverts, et T. Homolle déclara : «Le champ de fouilles de Delphes est définitivement clos.»

«VERS DELPHES NOUS VOGUIONS, ALLANT PORTER LA DÎME :
MÊME VAISSEAU, MÊME OURAGAN, ET MÊME ABÎME.»

ANTHOLOGIE PALATINE

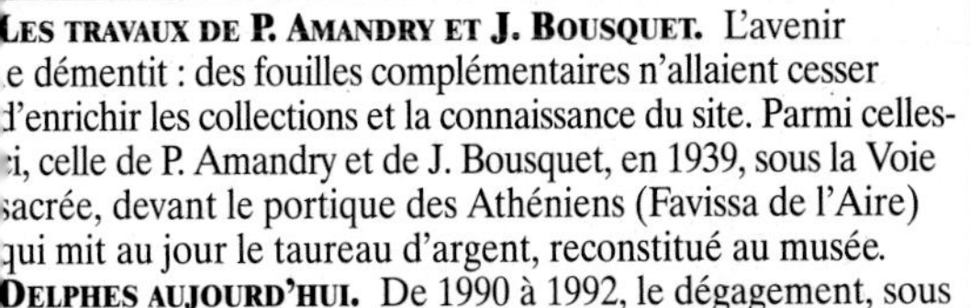

LES TRAVAUX DE P. AMANDRY ET J. BOUSQUET. L'avenir le démentit : des fouilles complémentaires n'allaient cesser d'enrichir les collections et la connaissance du site. Parmi celles-ci, celle de P. Amandry et de J. Bousquet, en 1939, sous la Voie sacrée, devant le portique des Athéniens (Favissa de l'Aire) qui mit au jour le taureau d'argent, reconstitué au musée.

DELPHES AUJOURD'HUI. De 1990 à 1992, le dégagement, sous la fondation du char des Rhodiens, d'une partie du sanctuaire restée vierge lors de la «Grande Fouille», permit de préciser la chronologie de l'occupation du site aux époques les plus anciennes : les méthodes modernes permettent ici des progrès décisifs que les fouilleurs du siècle dernier ne pouvaient espérer. Parallèlement, un immense travail de déchiffrement des inscriptions, de restauration de milliers de fragments d'architecture ou de sculpture se poursuit. Le gigantesque puzzle dont les innombrables éléments furent mis au jour par la «Grande Fouille» est complété.

UN CENTRE SPIRITUEL

La connaissance de l'histoire de Delphes permet de mieux comprendre l'importance de ce site : si Delphes suscita le grand intérêt des archéologues, c'est qu'il constitue l'une des pierres angulaires de la civilisation grecque ; il est le «nombril du monde» pour les anciens, omniprésent dans leur littérature et dans leurs représentations. Sa fortune exceptionnelle provenait essentiellement de son oracle, dont l'influence ne faiblit pas tout au long de l'Antiquité.

UN RÔLE POLITIQUE. Peu de décisions politiques importantes étaient prises sans consultation préalable de la Pythie. Thémistocle, lors des guerres Médiques (490-480 av. J.-C.) ● *45*, fut le dernier à en faire usage, comprenant que le «rempart de bois» dans lequel l'oracle voyait le salut des Grecs contre les Perses n'était autre qu'une flotte de guerre dont ils devaient

LA DÉCOUVERTE DE L'AURIGE
En avril 1896, la partie inférieure d'une statue en bronze est découverte. Le chef-d'œuvre de la sculpture en bronze, gloire du musée de Delphes, revoyait le jour. Le mois suivant, seront trouvés d'autres éléments du grand quadrige : trois pieds de chevaux, des fragments du timon et l'essieu du char, le bras gauche d'un enfant, peut-être un écuyer ?

L'AURIGE
Il faisait partie d'un quadrige de bronze, consacré vers 476 av. J.-C., par le tyran de Géla, après sa victoire aux Jeux pythiques. Debout, le jeune conducteur de char mesurant 1, 80 m, tient dans sa main droite les rênes. Le bras gauche a disparu. Il porte la longue tunique qui tombe en plis droits et austères, rappelant les cannelures des colonnes, et sa tête est ceinte du bandeau de la victoire. Ses yeux lumineux sont en pierres de couleur. D'une simplicité élégante, noble et sereine, l'Aurige est, sans doute, le bronze le plus parfait que nous a offert l'Antiquité.

RESTAURATION DE LA THOLOS
Christos Kaltsis était contremaître des fouilles de l'École française en 1936. Il rassembla les éléments nécessaires à la restauration de la Tholos et à celle du temple.

se munir d'urgence. En raison de ce langage énigmatique, Apollon était surnommé Loxias, l'«Oblique». La renommée du sanctuaire dépassait largement le monde grec : les Pharaons et les rois de Perse y consacrent des offrandes, faisant de Delphes un centre de spiritualité mondial. Les richesses qui s'y entassent sont colossales. À l'époque classique, Socrate reprend à son compte les devises de sagesse gravées dans le temple d'Apollon : «Connais-toi toi-même» et «Rien de trop».

L'AMPHICTYONIE. L'administration est assurée par une association internationale (composée de cités ou de ligues grecques indépendantes), appelée Amphictyonie. Celle-ci réunit deux fois par an les délégués des États membres, en nombre fixe (24). Elle organise aussi, tous les quatre ans, les Jeux pythiques. Ces concours sont l'équivalent des Jeux olympiques mais, étant dédiés à Apollon, il y entre une part artistique, musicale et dramatique, plus importante. De plus, purement religieuse à ses débuts, l'Amphictyonie gagne un tel prestige qu'elle finit par devenir un tribunal d'arbitrage international, établissant une codification de la guerre et d'autres lois communes, au point qu'on a pu la comparer, excessivement toutefois, à nos organisations internationales modernes. Son rôle essentiel était en fait de préserver et d'administrer la fortune d'Apollon, notamment la terre sacrée : la vallée du Pleistos, le massif du Cirphis et le versant sud de la vallée. Au besoin, elle déclenchait une «guerre sacrée» contre les impies. La cité de Delphes, petite bourgade

insignifiante, est membre de l'Amphictyonie : dépossédée du sanctuaire par l'association, elle garde néanmoins le contrôle de l'oracle. N'ont été dégagés que quelques quartiers d'habitation d'époque relativement récente, des époques romaine et byzantine surtout.

L'ÂGE D'OR DU SANCTUAIRE

L'âge d'or du sanctuaire d'Apollon, comme celui de Zeus à Olympie, se situe à l'époque archaïque. Il reste brillant jusqu'à la conquête romaine. Durant cette période, ses richesses sont convoitées par les Perses en 480, puis les Gaulois de Brennus en 279. D'autres tentent d'en obtenir le contrôle par le biais de l'Amphictyonie : les Thessaliens (Ve-IVe siècle av. J.-C.), Philippe et Alexandre de Macédoine en 346 et en 323 av. J.-C., les Étoliens de la ligue du nord-ouest au IIIe siècle, s'y sont essayés tour à tour. Quiconque exerçait une influence sur Delphes bénéficiait d'un prestige

TEMPLE D'APOLLON Dans ce bel envoi, Albert Tournaire anime cette scénographie du temple de personnages. Il propose un ordre intérieur à deux étages, ionique puis dorique, encadrant une grande statue d'Apollon. Il suppose une ouverture dans le toit, s'inspirant de Justin qui avait déclaré en 278 que le Dieu était descendu dans son temple «par les ouvertures du faîte».

et d'une autorité considérables en Grèce. À partir du IIe siècle av. J.-C. cependant, vidé de sa fonction politique, le sanctuaire décline peu à peu. À l'époque impériale le pèlerin visite un musée au moins autant qu'il accomplit un rite religieux. L'Amphictyonie s'éteint vers la fin du IIIe siècle de notre ère, précédant de peu la disparition du paganisme.

LA VISITE DU SITE

LA THOLOS
Reconstitution par K. Gottlob (mai 1962) de la Tholos en marbre et mise en perspective des sanctuaires de Delphes dans l'Antiquité.

LE TEMPLE D'APOLLON ET LE THÉÂTRE
Édifié au IVe siècle, ce théâtre pouvait contenir 5000 spectateurs. Il domine le temple d'Apollon où la Pythie rendait ses oracles, et ouvre sur le grandiose cirque de Delphes.

Il existe en réalité à Delphes deux sanctuaires distincts : le plus grand, consacré à Apollon, au nord-ouest, et un plus petit, en contrebas, au sud-est, réservé à Athéna Pronaia, «celle qui habite en avant du temple». L'association de ces deux cultes n'est guère expliquée. Notre connaissance du site reste encore très imparfaite. Bien des monuments ne sont pas identifiés ni restitués avec certitude, d'autres le sont, mais on ne sait à quelles fondations les rattacher, ce qui interdit de les remonter dans le sanctuaire. La configuration géologique du terrain et les nombreux tremblements de terre expliquent que la topographie ait ici été bouleversée plus qu'ailleurs. Pour le sanctuaire d'Apollon lui-même, Pausanias, auteur d'un récit de voyage au IIe siècle de notre ère, *la Périégèse*, est un précieux auxiliaire. Les traces apparentes

«Avoir choisi Delphes pour y mettre la Pythie est un coup de génie. C'est un paysage à terreurs religieuses, vallée étroite entre deux montagnes presque à pic.»

Gustave Flaubert

aujourd'hui donnent une image mutilée, correspondant à l'état impérial. À cette époque, les offrandes anciennes sont pour la plupart toujours visibles, mais s'y sont ajoutées de multiples consécrations plus récentes, si bien que notre vision est comparable à celle d'un téléobjectif qui écraserait les perspectives chronologiques. Le sanctuaire, durant ses neuf siècles d'existence, n'a pas toujours présenté le même aspect. Sa topographie d'ensemble, extension et grands volumes, est néanmoins fixée dès la fin du VIe siècle av. J.-C. On doit l'imaginer surchargé de bâtiments, de statues bariolées produisant l'effet d'un luxueux désordre. La visite peut suivre l'itinéraire le plus courant dans l'Antiquité. Les pèlerins arrivaient par la route de Thèbes, ou depuis le nord-ouest par le massif du Parnasse et Amphissa. Mais le plus souvent, c'est le port situé à proximité de la moderne Itéa qui servait d'accès.

Fontaine Castalie
«… Un torrent descend du Parnasse par une fissure entre deux pics escarpés, le pic Nauplia et celui d'Hyameia, d'où fut, dit-on, précipité le fabuliste Ésope par les habitants de Delphes. Parvenu à l'extrémité de cette fissure étroite, le torrent est recueilli dans un court passage voûté et s'écoule dans un bassin carré, creusé par la nature même dans le rocher, mais agrandi un peu de main d'homme. Ce bassin, qui a environ trente pieds de longueur sur dix de largeur, renferme la célèbre fontaine de Castalie, dans laquelle se baignait la Pythie avant de rendre ses oracles.»
J.-A. Buchon, *La Grèce continentale et la Morée.*

Marmaria

Ce faubourg, dont le nom désigne un lieu où il y a des marbres, fut ainsi nommé car les habitants de Castri s'en servaient comme d'une carrière, récupérant les blocs antiques encore apparents : certains furent retrouvés, quelques centaines de mètres plus haut, dans les parties supérieures du sanctuaire d'Apollon. Ceci explique pour une part l'extrême difficulté du travail des archéologues dans un site comme Delphes.

Vue générale de Delphes (1803)
Aquatinte colorée par W. Walker.

Le sanctuaire d'Athéna. Le sanctuaire établi en ces lieux est consacré à Athéna, à qui est confiée la protection du domaine de son demi-frère Apollon. Hérodote nous apprend qu'elle provoqua un tremblement de terre qui stoppa définitivement les Perses, en 480 av. J.-C., alors qu'ils s'apprêtaient à piller Delphes.

Les téménos des héros. Les textes de Pausanias ne nous ont presque rien transmis sur ces monuments. Aussi les identifications sont-elles difficiles. En contrebas, à gauche de l'entrée du sanctuaire, peuvent se repérer les fondations de deux petits édifices du VIe siècle av. J.-C., peut-être consacrés à des héros locaux, Phylacos et Autonoos, mentionnés par Hérodote.

Le temple d'Athéna Pronaia. On rencontre ensuite le grand temple

Fragment de chéneau à lotus et palmettes
Aquarelle de A. Tournaire.

ANTÉFIXE À PALMETTE
Peinte en rouge et crème, elle provient du toit de la Lesché (club) des Cnidiens, construit vers 470 av. J.-C. pour abriter les peintures de Polygnote de Thasos. Aquarelle de A. Tournaire, 1893.

RESTAURATION DE 1938
«C'est en 1938 que fut réalisée l'anastylose partielle qui est toujours en place. Les tambours de colonnes, malgré leur état fragmentaire, étaient d'un travail si précis que l'architecte dut se rendre à l'évidence : au lieu de quatre, il en fallait cinq par fût, ce qui donnait à la colonne un caractère beaucoup plus élancé que tout ce que l'on connaissait dans l'ordre dorique du Ve siècle ou même du début du IVe siècle. Un nouvel examen des pièces en 1991 permit de constater que les deux chéneaux ont la même courbure et qu'ils ont dû se succéder sur la Tholos.»
La Redécouverte de Delphes. E.F.A.

en tuf, d'ordre dorique, de 6 fois 12 colonnes, dont deux sont encore dressées. Cet édifice fut consacré à Athéna vers la fin du VIe siècle av. J.-C. Son état de conservation remarquable lors de la «Grande Fouille» avait permis une restauration du péristyle. Mais un éboulement survenu en 1905, et dont il reste un gros amas rocheux au milieu des ruines actuelles, anéantit ce travail. Ce temple fut construit sur l'emplacement d'un sanctuaire archaïque, monument de même destination, plus petit, dont il subsiste des chapiteaux de colonnes doriques, posés sur le bord ouest du stylobate, dits «en galette» car l'échine est très aplatie. Remarquables par leur silhouette qui nous renvoie au VIIe ou au début du VIe siècle av. J.-C., ces chapiteaux appartenaient sans doute à l'un des plus anciens temples en pierre connus dans tout le monde grec.

LES AUTELS D'ATHÉNA ET DE ZEUS. Sur le côté est du temple se trouvent divers autels, découverts dans le secteur mais non en place. Ils sont consacrés à Athéna et à Zeus, des inscriptions du Ve siècle av. J.-C. en témoignent. Sur le mur de soutènement, on déchiffre les noms d'Ilithyie, déesse des accouchements, et d'Hygie, déesse de la santé.

LA VOIE SACRÉE. À l'ouest du temple subsistent les fondations de deux trésors de marbre. Un trésor est un édifice grossièrement quadrangulaire, en général doté d'une ouverture gardée par deux colonnes placées entre les murs latéraux, ou colonnes *in antis* ● *90*. Les cités bâtissaient ces édifices pour abriter leurs offrandes, rivalisant entre elles de luxe pour afficher leur puissance : dévotion et propagande sont ici liées.

«Dites à l'empereur : «Le temple est en ruine.
Phébus ne parle plus. Les lauriers sont flétris.
Et les flots de la source à jamais sont taris. »

L'Oracle de Delphes à Oribase

Plan du village de Castri
Le plan de Tournaire (1896) indique l'emplacement du sanctuaire d'Apollon et la progression des fouilles, approximativement du sud vers le nord.

Trésor dorique. Le premier trésor du début du Ve siècle av. J.-C., d'ordre dorique, demeure anonyme. Le second, à l'ouest, de la fin du VIe siècle av. J.-C., est d'ordre éolique. Sa facture est soignée ; l'on peut voir le tore cannelé et la frise de perles dans la partie conservée des murs. Les restes d'une inscription sur un bloc d'architrave invitent à y voir une offrande de Marseille. Ses chapiteaux à palmes sont conservés au musée et présentés à côté du sphinx des Naxiens ▲ *276*.

La Tholos ♥

On arrive ensuite devant la Tholos ● *80*, terme générique pour désigner toute construction circulaire. Sa restauration partielle date de 1938. Le marbre est de provenance attique. À l'extérieur, cette rotonde comprenait vingt colonnes doriques, dont trois ont pu être relevées ; le nombre de colonnes corinthiennes de l'intérieur est resté inconnu. Ce monument, qui date de 370 av. J.-C. environ, est l'un des chefs-d'œuvre de l'architecture : tout y est mathématiquement concerté, articulé sur le nombre d'or, matérialisé par les dalles du stylobate, et sur des rapports arithmétiques précis. À ces fondements algébriques correspond un grand luxe dans la décoration : la finesse des moulures, la qualité du décor sculpté en relief et ronde bosse, sont remarquables. Il y avait deux frises, l'une à l'extérieur et l'autre en haut du mur de la cella, qui comportaient chacune quarante métopes, très mutilées, mais tout à fait remarquables. Le plus bel édifice de Delphes est aussi le plus mystérieux : aucune inscription, aucun témoignage littéraire antique ne nous renseigne sur son origine, ni sur sa destination.

Le temple en calcaire. Il est contemporain de la Tholos, à laquelle il s'oppose, par le matériau, la forme et le style : ici, pas de décor sculpté ni de moulures raffinées, même si le travail des blocs est d'excellente facture.

Frise extérieure de la Tholos
Elle représente le combat des amazones et des centaures. Ces guerrières portent une tunique courte, la chlamyde, et, nouée sur l'épaule, une peau de bête.

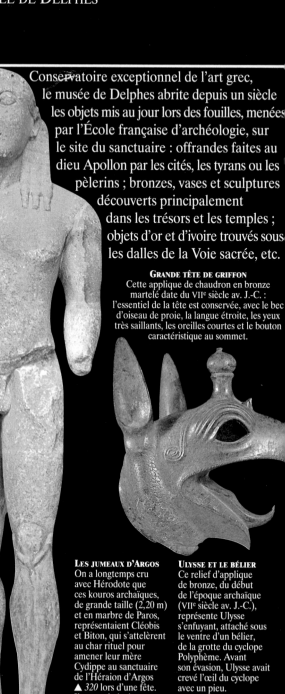

Conservatoire exceptionnel de l'art grec, le musée de Delphes abrite depuis un siècle les objets mis au jour lors des fouilles, menées par l'École française d'archéologie, sur le site du sanctuaire : offrandes faites au dieu Apollon par les cités, les tyrans ou les pèlerins ; bronzes, vases et sculptures découverts principalement dans les trésors et les temples ; objets d'or et d'ivoire trouvés sous les dalles de la Voie sacrée, etc.

GRANDE TÊTE DE GRIFFON
Cette applique de chaudron en bronze martelé date du VIIe siècle av. J.-C. : l'essentiel de la tête est conservée, avec le bec d'oiseau de proie, la langue étroite, les yeux très saillants, les oreilles courtes et le bouton caractéristique au sommet.

LES JUMEAUX D'ARGOS
On a longtemps cru avec Hérodote que ces kouros archaïques, de grande taille (2,20 m) et en marbre de Paros, représentaient Cléobis et Biton, qui s'attelèrent au char rituel pour amener leur mère Cydippe au sanctuaire de l'Héraion d'Argos ▲ *320* lors d'une fête. Il pourrait également s'agir des Dioscures ▲ *289*. La signature gravée sur les socles est celle de Polymédès d'Argos (610-580 av. J.-C.).

ULYSSE ET LE BÉLIER
Ce relief d'applique de bronze, du début de l'époque archaïque (VIIe siècle av. J.-C.), représente Ulysse s'enfuyant, attaché sous le ventre d'un bélier, de la grotte du cyclope Polyphème. Avant son évasion, Ulysse avait crevé l'œil du cyclope avec un pieu.

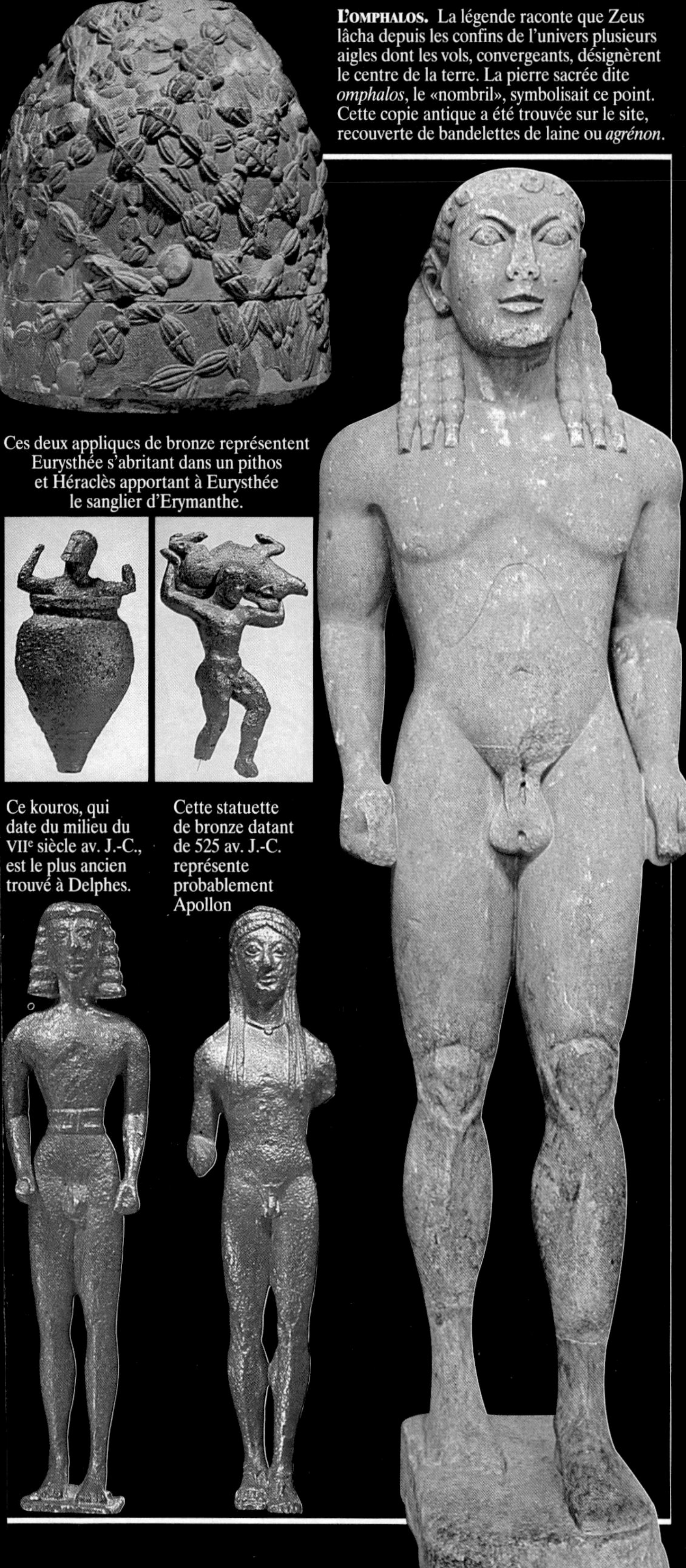

L'omphalos. La légende raconte que Zeus lâcha depuis les confins de l'univers plusieurs aigles dont les vols, convergeants, désignèrent le centre de la terre. La pierre sacrée dite *omphalos*, le «nombril», symbolisait ce point. Cette copie antique a été trouvée sur le site, recouverte de bandelettes de laine ou *agrénon*.

Ces deux appliques de bronze représentent Eurysthée s'abritant dans un pithos et Héraclès apportant à Eurysthée le sanglier d'Erymanthe.

Ce kouros, qui date du milieu du VIIe siècle av. J.-C., est le plus ancien trouvé à Delphes.

Cette statuette de bronze datant de 525 av. J.-C. représente probablement Apollon

Le musée de Delphes fut construit en 1903, à la fin de la grande campagne de fouilles de l'École française d'Athènes. Restauré et agrandi entre 1950 et 1960, il fut l'objet de réorganisations successives de la part de ses conservateurs, soucieux de proposer une présentation à la fois esthétique et cohérente. Bien qu'il soit consacré exclusivement aux objets découverts sur le site de Delphes, il est, par sa richesse, l'un des quatre plus grands musées de Grèce, avec ceux d'Athènes et d'Olympie.

TÊTE D'APOLLON
Cette tête en ivoire du VIe siècle av. J.-C. faisait partie d'une statue chryséléphantine. Sa chevelure est représentée par trois feuilles d'argent doré.

PLAQUE AU GRIFFON
Cette feuille d'or, décorée au repoussé, était peut-être portée en pendentif.

STATUE DE TAUREAU EN ARGENT, VIe SIÈCLE AV. J.-C.
Exposé au musée de Delphes depuis 1978, cet ex-voto a été trouvé enfoui dans l'une des fosses de la Favissa de l'Aire, en 1939. Le corps était en bois, recouvert de plaques d'argent avec des parties dorées. Il a été endommagé par le feu mis à la fosse.

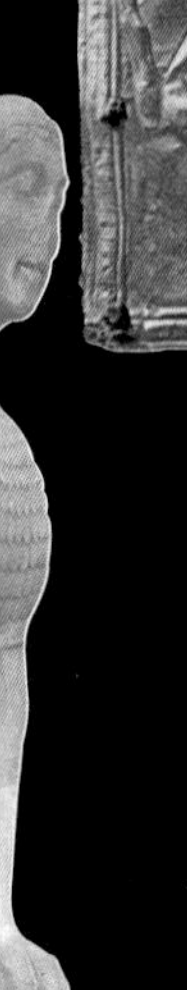

LE SPHINX DES NAXIENS
La colonne ionique de 10 m de haut, comporte une base cylindrique. Le sphinx, taillé dans un bloc de marbre, a un corps de lion, à ailes d'oiseau et tête de femme. Les pattes sont pourvues d'énormes griffes.

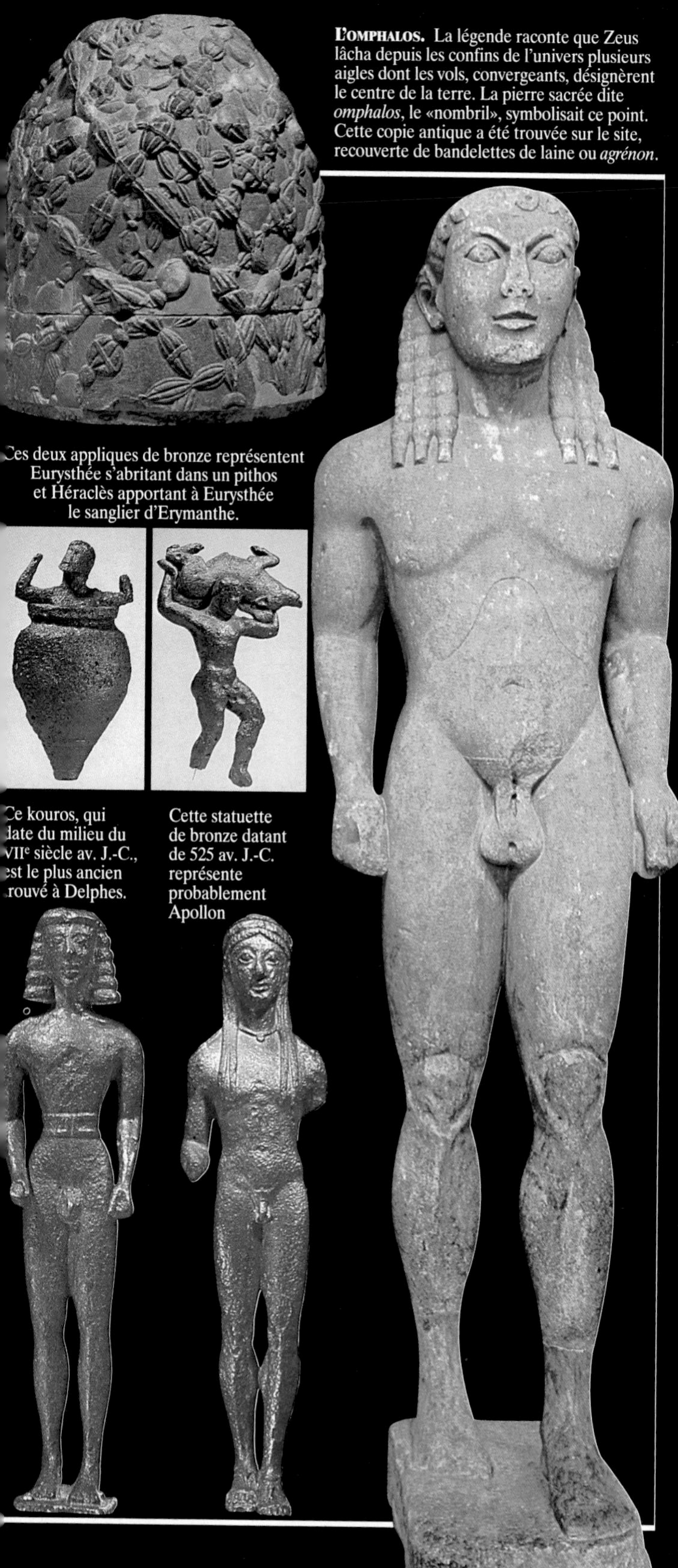

L'omphalos. La légende raconte que Zeus lâcha depuis les confins de l'univers plusieurs aigles dont les vols, convergeants, désignèrent le centre de la terre. La pierre sacrée dite *omphalos*, le «nombril», symbolisait ce point. Cette copie antique a été trouvée sur le site, recouverte de bandelettes de laine ou *agrénon*.

Ces deux appliques de bronze représentent Eurysthée s'abritant dans un pithos et Héraclès apportant à Eurysthée le sanglier d'Erymanthe.

Ce kouros, qui date du milieu du VIIe siècle av. J.-C., est le plus ancien trouvé à Delphes.

Cette statuette de bronze datant de 525 av. J.-C. représente probablement Apollon

12
5
6
4
3
2
VOIE SACRÉE

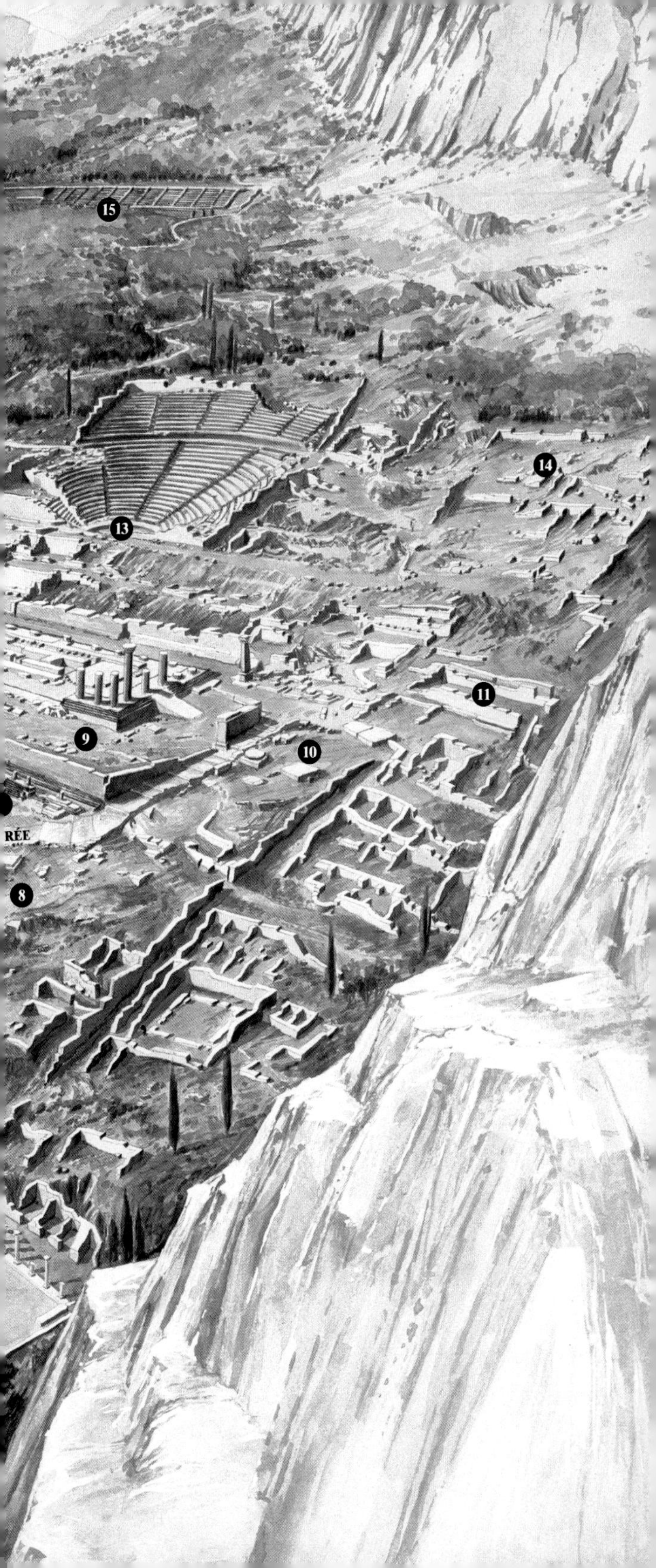
15
14
13
11
9
10
RÉE
8

Marmaria
Reconstitutions du sanctuaire d'Athéna Pronaïa et du Gymnase.

Le site de Delphes
1. Portique devant l'entrée principale
2. Hémicycle des rois d'Argos
3. Trésor de Sicyone
4. Trésor de Siphnos
5. Trésor des Athéniens
6. Bouleutérion
7. Portique des Athéniens
8. Trésor de Corinthe
9. Temple d'Apollon
10. Trépied de Platées
11. Portique d'Attale
12. Portique ouest
13. Théâtre
14. Lesché de Cnide
15. Stade
16. Sanctuaire d'Athéna Pronaïa
17. Temple archaïque d'Athéna Pronaïa
18. Tholos
19. Nouveau temple d'Athéna Pronaïa
20. Gymnase
16
17
18
19
20

Le musée de Delphes fut construit en 1903, à la fin de la grande campagne de fouilles de l'École française d'Athènes. Restauré et agrandi entre 1950 et 1960, il fut l'objet de réorganisations successives de la part de ses conservateurs, soucieux de proposer une présentation à la fois esthétique et cohérente. Bien qu'il soit consacré exclusivement aux objets découverts sur le site de Delphes, il est, par sa richesse, l'un des quatre plus grands musées de Grèce, avec ceux d'Athènes et d'Olympie.

TÊTE D'APOLLON
Cette tête en ivoire du VIe siècle av. J.-C. faisait partie d'une statue chryséléphantine. Sa chevelure est représentée par trois feuilles d'argent doré.

PLAQUE AU GRIFFON
Cette feuille d'or, décorée au repoussé, était peut-être portée en pendentif.

STATUE DE TAUREAU EN ARGENT, VIe SIÈCLE AV. J.-C.
Exposé au musée de Delphes depuis 1978, cet ex-voto a été trouvé enfoui dans l'une des fosses de la Favissa de l'Aire, en 1939. Le corps était en bois, recouvert de plaques d'argent avec des parties dorées. Il a été endommagé par le feu mis à la fosse.

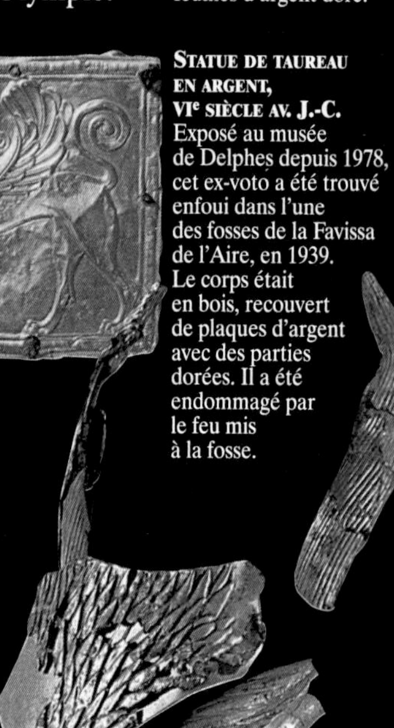

LE SPHINX DES NAXIENS
La colonne ionique de 10 m de haut, comporte une base cylindrique. Le sphinx, taillé dans un bloc de marbre, a un corps de lion, à ailes d'oiseau et tête de femme. Les pattes sont pourvues d'énormes griffes.

COUPE ATTIQUE À FOND BLANC (VERS 480 AV. J.-C.)
Apollon, couronné de myrte, est assis sur un tabouret aux pieds en pattes de lion. Il est vêtu d'un péplos blanc et d'un *himation* rouge, et chaussé de sandales. Il verse de la main droite une libation de vin et tient une lyre dans la main gauche. En face de lui se dresse un oiseau noir.

STATUE D'ANTINOÜS
Antinoüs, réputé pour sa beauté, était le favori d'Hadrien. Après sa mort, par noyade, l'empereur le déifia ; il prit dès lors place dans les sanctuaires du monde antique.

L'AURIGE VICTORIEUX
Le célèbre conducteur de char appartiendrait à un quadrige offert par le tyran de Géla pour célébrer sa victoire à la course, aux Jeux pythiques de 476. Cette œuvre originale est du bronzier Sotadès de Thespies.

BRÛLE-PARFUM EN BRONZE AVEC SON COUVERCLE

LES«DANSEUSES»
Le tambour de la colonne sculptée (335-325 av. J.-C.), en forme de tige d'acanthe, s'orne de trois figures féminines.

DIONYSOS
Cette statue en marbre représente le dieu Dionysos revêtu d'une tunique flottante. Elle constituait la figure centrale du fronton occidental du temple d'Apollon. Elle date de 340-330 av. J.-C.

Statue équestre de Paul-Émile

LE GYMNASE. La fouille de cet édifice est en voie d'achèvement. Tout en ne constituant pas à proprement parler un espace sacré, le gymnase est néanmoins lié au culte, puisque s'y préparaient les concurrents des Jeux pythiques, athlètes et artistes. Il servait également à la cité de Delphes, la jeunesse y pratiquait des activités physiques. L'Amphictyonie ▲ *268,* en assura la construction vers 330 av. J.-C., ce qui en fait l'un des plus anciens «complexes sportifs» connus de la Grèce antique. On y accède par l'extrémité nord-ouest du sanctuaire d'Athéna Pronaïa.

LA PALESTRE. La terrasse inférieure, d'une soixantaine de mètres de long, accueille, au sud, la palestre, initialement destinée à l'entraînement de la lutte ; elle fut très vite utilisée pour tout autre type d'exercice. Plus loin se trouve le *loutron*, ou bain. La terrasse supérieure, plus longue, reçoit le *xyste*, ou piste couverte. Cette piste servait à l'entraînement à la course par mauvais temps. Sur le mur du fond se trouvaient des inscriptions peintes, désignant les places réservées aux athlètes. Devant le *xyste*, et parallèle à lui, on repère la *paradromis*, destinée à l'exercice en plein air.

LA FONTAINE CASTALIE. La fontaine sacrée d'Apollon ne se visite plus aujourd'hui. Des travaux de consolidation des rochers menaçant de tomber des Phédriades en interdisent l'accès. Dans l'Antiquité, le pèlerin devait s'y purifier avant de consulter l'oracle. Le bassin inférieur date environ du VIe siècle av. J.-C. Il fut remplacé à l'époque hellénistique par une fontaine rupestre située en amont. Quelques niches, aménagées dans la paroi du rocher, recevaient des statues.

LE SANCTUAIRE D'APOLLON

L'entrée actuelle du site se fait par l'agora romaine : c'est une place d'époque impériale, bordée de portiques sur trois côtés, abritant des boutiques. Le sanctuaire proprement dit commence à l'extrémité ouest de cette place, délimité par un mur épais appelé péribole. Ce dernier forme un trapèze dont le plus long côté atteint plus de 190 m. Il était percé de plusieurs portes, à l'est et à l'ouest. L'appareil différent suivant les tronçons, polygonal ou isodome ● *87*, trahit des constructions ou des réfections d'époques différentes. Le parcours général fut fixé lors de la construction du temple alcméonide, dans la seconde moitié du VIe siècle av. J.-C.

LE TRÉSOR DE CNIDE RECONSTITUÉ
"Trésor de Cnide", précisaient hâtivement les dessins de Tournaire et les écrits d'Homolle, qui sont à l'origine de cette première reconstitution exposée au musée au début du siècle. Il s'agissait en fait du trésor de Siphnos. Cette façade en plâtre présente la véritable assise de base du trésor, une grosse moulure à oves.

LA VOIE SACRÉE. Elle serpente dans le sanctuaire. Son dallage, à partir du deuxième tronçon, est d'époque impériale. Le niveau antique du premier tronçon, plus élevé qu'aujourd'hui, est encore matérialisé par un rocher apparent laissé en témoin, situé légèrement avant le trésor de Sicyone. Son itinéraire antique était sensiblement identique, sauf au-dessus du trésor des Athéniens. Le premier tronçon est caractérisé par diverses structures destinées à abriter des statues : bases arcadiennes, à droite ; à gauche, monument spartiate des amiraux, ou navarques, vainqueurs des Athéniens à la fin de la guerre du Péloponnèse en 405 av. J.-C. ● *46*. Cette partie est très bouleversée et les identifications proposées sont dues autant à Pausanias qu'aux données objectives fournies par l'archéologie. Plus haut, on trouve deux hémicycles consacrés par la cité d'Argos : à gauche, étaient présentées des statues des héros de la guerre des Sept contre Thèbes, à droite, les rois mythiques de la cité.

LE TRÉSOR DE SICYONE. Ce monument, à gauche de la Voie sacrée, connut trois phases, après démontage et reconstruction (les blocs de l'édifice précédent furent conservés pour la fondation au nouveau monument). La première, vers 580 av. J.-C., était une tholos dorique ● *80*, avec frise décalée par rapport à l'axe des colonnes. Les éléments circulaires se distinguent parmi les vestiges. La deuxième, vers 560 av. J.-C., était un monoptère, sorte de baldaquin dorique dont les métopes, exposées au musée, racontent le cycle de Jason des Argonautes et l'enlèvement d'Europe par Zeus changé en taureau. La troisième, vers 525 av. J.-C., avait l'aspect d'un trésor ordinaire.

LA FRISE EST DU TRÉSOR DE SIPHNOS
Les dieux Arès, Aphrodite, Artémis, Apollon et Zeus sont assemblés pour assister à une bataille de la guerre de Troie. La frise date de 525 av. J.-C.

RECONSTITUTION DU GYMNASE
Il se présente sous la forme d'un vaste portique, de 172 m environ, avec un ordre dorique remplacé sous Hadrien par une colonnade ionique de qualité grossière.

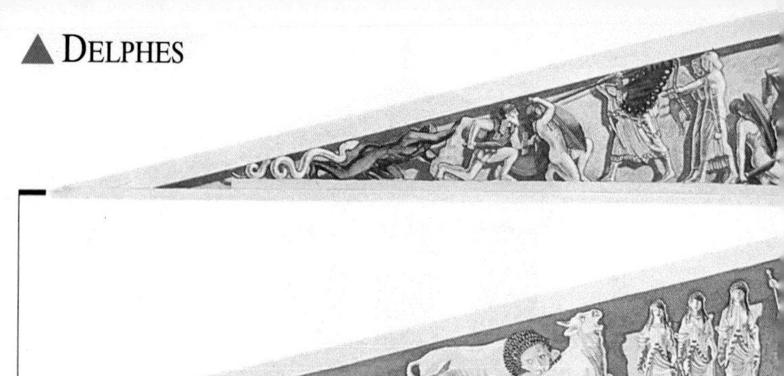

LE MUR POLYGONAL
C'est un gigantesque puzzle de calcaire, édifié pour doter d'une terrasse stable le temple reconstruit à la fin du VIe siècle av. J.-C. par les Alcméonides. 800 inscriptions y ont été gravées : décrets de la cité de Delphes, de l'Amphictyonie, et surtout actes d'affranchissement d'esclaves.

TEMPLE D'APOLLON
L'architecte Henri Ducoux pendant la remontée des colonnes de l'angle sud-est du temple.

LE TRÉSOR DE SIPHNOS. Ce trésor, construit vers 525 av. J.-C., était un des joyaux du sanctuaire. Orienté à l'ouest, il présentait une riche décoration de moulures et les colonnes

étaient remplacées par des caryatides. Un fronton sculpté représentait la dispute d'Héraclès et d'Apollon pour le trépied sacré, l'accessoire oraculaire de la Pythie, tandis que quatre frises continues couraient en haut des murs : procession de chars, jugement de Pâris, gigantomachie et scène homérique, conseil des dieux, duel de héros, en étaient les thèmes.

LE TRÉSOR DES ATHÉNIENS. Restauré en 1903-1906, le trésor des Athéniens fut édifié au début du Ve siècle av. J.-C., peut-être pour commémorer la victoire de Marathon ● *44*. Une frise dorique sculptée mettait en regard les exploits d'Héraclès et ceux de Thésée ▲ *192*. Des inscriptions forment sur le mur sud une «page» de marbre : on y distingue des couronnes, récompenses pour les citoyens. Le document le plus extraordinaire est constitué par les hymnes à Apollon conservés au musée : il s'agit là de notre principale source de connaissance de la musique antique. Sur l'ante sud, on remarque un petit Apollon citharède, au milieu d'une inscription.

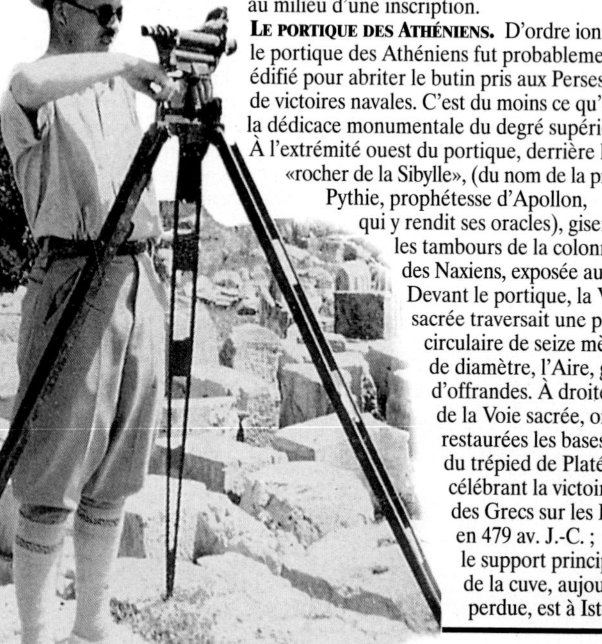

LE PORTIQUE DES ATHÉNIENS. D'ordre ionique, le portique des Athéniens fut probablement édifié pour abriter le butin pris aux Perses lors de victoires navales. C'est du moins ce qu'indique la dédicace monumentale du degré supérieur. À l'extrémité ouest du portique, derrière le «rocher de la Sibylle», (du nom de la première Pythie, prophétesse d'Apollon, qui y rendit ses oracles), gisent les tambours de la colonne des Naxiens, exposée au musée. Devant le portique, la Voie sacrée traversait une place circulaire de seize mètres de diamètre, l'Aire, garnie d'offrandes. À droite de la Voie sacrée, ont été restaurées les bases du trépied de Platées célébrant la victoire des Grecs sur les Perses en 479 av. J.-C. ; le support principal de la cuve, aujourd'hui perdue, est à Istanbul.

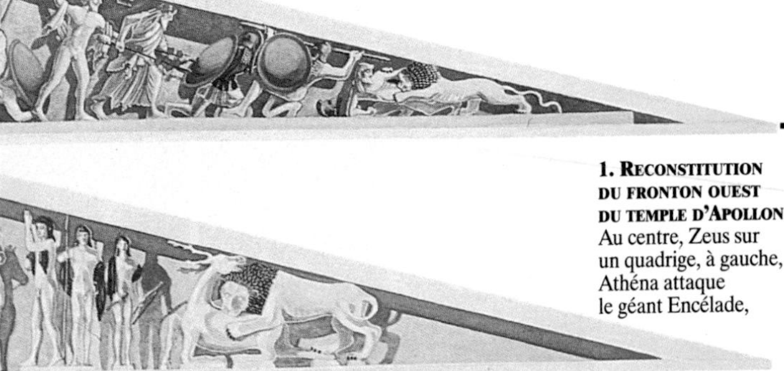

1. Reconstitution du fronton ouest du temple d'Apollon
Au centre, Zeus sur un quadrige, à gauche, Athéna attaque le géant Encélade, à droite, Poséidon (probablement) se bat contre deux géants.
2. Reconstitution du fronton est
Au centre, Apollon monté sur un char. De chaque côté, deux groupes symétriques : un lion dévorant un taureau et un lion dévorant un cerf.

Puis la Voie sacrée aboutit au carrefour des Trépieds. On remarque les bases circulaires de trépieds syracusains archaïques. Plus haut se dressaient la colonne aux acanthes des danseuses ▲ *281*, l'offrande du thessalien Daochos et de sa famille, et, plus à l'est le portique d'Attale.

Le grand temple d'Apollon

Le grand temple, dorique, d'Apollon connut divers états. Détruit par un incendie en 548 av. J.-C., il fut reconstruit par la famille athénienne des Alcméonides à la fin du VIe siècle av. J.-C. Des éléments du fronton en marbre et en tuf sont au musée. Cet édifice fut à nouveau anéanti par un éboulement en 373 av. J.-C. et reconstruit grâce à une souscription amphictyonique. Il fut achevé en 327 av. J.-C., après que les travaux furent interrompus par dix ans de guerre sacrée contre les Phocidiens. La comptabilité des travaux fut consignée sur la pierre, et constitue ainsi un témoignage unique sur ce que pouvait être un grand chantier de l'époque. Le plan du temple respecte celui du précédent dont il récupère divers éléments, notamment les colonnes retaillées dans les fondations de l'angle sud-ouest. Les matériaux sont très composites : calcaire, marbre, poros pour les colonnes partiellement relevées en 1941. L'intérieur de ces colonnes porte les traces d'un incendie survenu lors de l'époque

Offrande de Cratère
Au nord-ouest du temple, on remarque une grande niche rectangulaire à façade dorique, que Plutarque et une inscription de la fin du IVe siècle av. J.-C., décrivent comme l'offrande du fils de Cratère, général d'Alexandre le Grand. On y voyait un groupe sculpté par Léocharès et Lysippe, montrant l'instant où Cratère sauva la vie du roi lors d'une chasse au lion.

Coupe transversale restaurée du temple d'Apollon par Tournaire
Au centre de ce dessin de 1894, l'auteur place une grande statue imaginaire du dieu. En réalité la statue d'Apollon, en or, se dressait dans la salle abritant le trépied et l'*omphalos*.

LES FÊTES DE DELPHES
Le poète Anghelos Sikelianos et son épouse Eva Palmer organisèrent des Fêtes delphiques en mai 1927 et en mai 1930. Leur programme comprenait des représentations de tragédies antiques dont *Prométhée enchaîné* et les *Suppliantes*, des concours gymniques et un groupe chorégraphique dans la tradition d'Isodora Duncan. Ci-contre, danseuses et acteurs contemporains sont revêtus de costumes inspirés de l'Antiquité.

LES HYMNES À APOLLON (IIe SIÈCLE AV. J.-C.)
Sur les murs de la face sud du trésor des Athéniens, étaient gravés deux hymnes à Apollon : «Écoutez, vous à qui l'Hélicon aux bois profonds échut en partage, filles, aux beaux bras, de Zeus retentissant ! accourez pour charmer de vos accents votre frère Phébus à la chevelure d'or.»

impériale. Sur les métopes de la frise, étaient fixés des boucliers pris aux Perses et aux Galates, lors de leurs déroutes respectives après qu'ils voulurent s'emparer du sanctuaire : on voit encore les traces de l'un d'eux sur une métope, dressée au nord, le long du temple. Entre le *pronaos* et l'*opisthodome*, la cella, garnie d'une colonnade ionique, abritait le trépied sur lequel prenait place la Pythie vaticinatrice, penchée au-dessus de l'*omphalos*, pierre censée représenter le nombril du monde ▲ *275*.
On pensait, depuis la fin de l'Antiquité, que la Pythie se tenait dans une chambre souterraine, assise au-dessus d'un gouffre d'où émanaient des vapeurs de gaz nocives qui la mettaient en transes. Mais les fouilles archéologiques n'ont relevé aucune crevasse d'où seraient sorties ces vapeurs hallucinogènes. L'oracle d'Apollon resta célèbre et très important religieusement et politiquement dans tout le monde antique jusqu'à l'époque hellénistique.

LE THÉÂTRE ▲ *270*. Ce théâtre était destiné aux épreuves lyriques et dramatiques. Le bâtiment de scène est détruit. Il fut peut-être décoré à l'époque romaine d'une frise montrant les exploits d'Héraclès. Gradins et orchestra sont hellénistiques et romains.
LE STADE. Le stade, construit au IIIe siècle av. J.-C., connut deux états postérieurs avant de présenter l'aspect visible aujourd'hui. Les gradins pouvaient accueillir 6 500 personnes. Ils furent offerts par Hérode Atticus ▲ *210*, au IIe siècle de notre ère. La piste mesure 178 m (stade pythique de 6 plèthres). À l'est, figurait une porte monumentale avec trois arcs de plein cintre et, au-dessous, quelques gradins creusés dans le roc. Une inscription archaïque est intégrée dans le mur de soutènement sud : elle interdit de sortir du stade le vin servant aux libations à certaines divinités.

D'Athènes à Corinthe

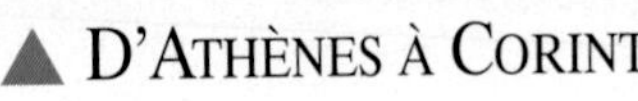

▲ D'Athènes à Corinthe

Acrocorinthe
Corinthe
Loutra

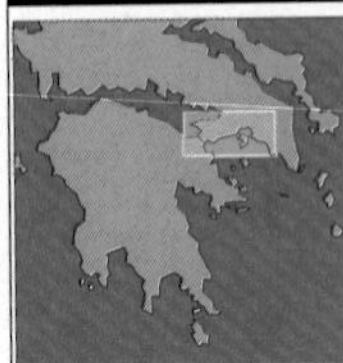

1/2 journée

Corinthe se trouve à moins de 100 km d'Athènes. En empruntant la route secondaire, on découvrira plusieurs sites qui ont joué un grand rôle dans l'histoire de la Grèce, de ses religions et de sa pensée.

L'Académie de Platon ▲ 290

Au sortir d'Athènes, la route d'Éleusis suit sur environ 1 km le chemin qu'empruntaient les disciples de Platon pour se rendre à l'Académie. En ce lieu, proche de Colone, village natal de Sophocle, s'élevait, à l'origine, un sanctuaire consacré à Académos. Ce héros local, qui donne son nom à l'école, est connu pour avoir été l'allié des Dioscures ▲ *274*, Castor et Pollux, dieux guerriers fils jumeaux de Zeus, souvent représentés à cheval. À l'époque classique, un gymnase y fut installé, entouré de jardins et de bosquets. Dans ces jardins, aux allées propices à la déambulation (activité favorable, selon Platon, à l'exercice de la pensée réflexive) auraient poussé des oliviers sacrés nés d'une bouture de celui planté par la déesse Athéna sur l'Acropole ▲ *146*. Platon considérait que le monde n'était pas régi par le hasard ; aussi ne choisit-il pas au hasard d'acheter, vers 388 av. J.-C., un terrain dans ce voisinage. Il y installa son école à l'image des sociétés pythagoriciennes, sorte de communauté où chaque disciple vivait conformément à la doctrine philosophique du maître. Elle sera davantage un lieu d'étude que de discussions (contrairement aux habitudes de Socrate, maître de Platon, qui causait en tout lieux et avec tout le monde), l'équivalent d'un centre de recherche aujourd'hui. Platon, fondateur de l'idéalisme, postulait un autre monde, le monde

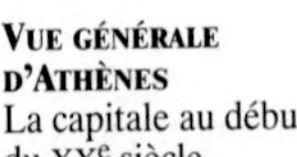

Vue générale d'Athènes
La capitale au début du XXe siècle.

L'Acropole et le temple de Zeus Olympien, au début du XXe siècle, par le peintre grec K. Maléas.

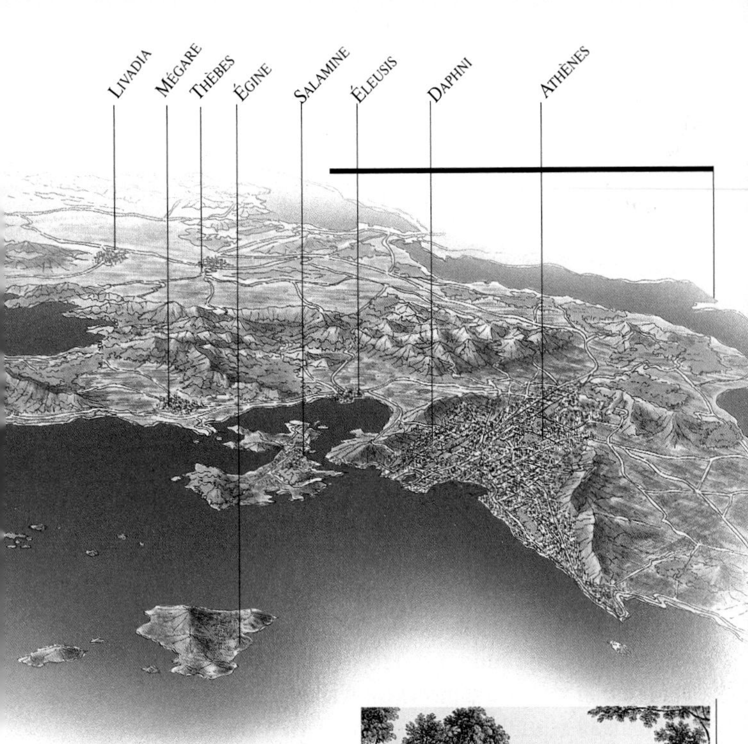

des Idées, auquel on accède par la pensée. Les Idées sont éternelles et invariantes alors que les objets sont dans le changement permanent. Aristote, un de ses élèves, le critiquera en disant que les idées n'ont de réalité que dans la mesure où elles sont matérialisées dans des objets particuliers. Pour Platon, dont le souci principal est l'éducation morale, la vertu est un objet de connaissance, d'un genre comparable à la connaissance d'un métier comme celui de cordonnier, et, si les gens apprenaient vraiment le bien, ils seraient conduits à le mettre en pratique. La dialectique, terme de philosophie qui désigne une méthode d'enquête par questions et réponses, mène au savoir véritable ; elle doit être précédée par l'étude des mathématiques, de la logique et par la science de la politique. Platon tenta de s'engager dans la politique mais il y renonca, dégoûté notamment par la condamnation à mort de Socrate ▲ *194.* Il préconisa alors que le seul espoir pour les cités était que les philosophes deviennent gouvernants ou vice versa. Platon enseigna jusqu'à la fin de sa vie à l'Académie, où il fut enterré en 347. L'Académie fonctionna sans interruption jusqu'en 529 ap. J.-C., date à laquelle l'empereur chrétien Justinien ferma les écoles philosophiques d'Athènes.

DAPHNI ▲ *250*. Protégé de la route par un grand mur crénelé, le monastère byzantin de Daphni est aujourd'hui un musée. Fondé au Ve siècle et voué à la Dormition de la Vierge, le couvent de Daphni est célèbre pour ses remarquables mosaïques byzantines. Il doit son nom à un sanctuaire d'Apollon qui l'avait précédé, près d'un défilé où passe la Voie sacrée reliant Éleusis à Athènes, distante de 10 km : le laurier, en grec *«daphni»*, était l'arbre consacré à ce dieu. Du 15 juillet au 30 septembre, une fête nocturne du vin, où se dégustent les principaux crus de la Grèce, a lieu dans la pinède du parc.

ACADÉMIE DE PLATON
Le «jardin des Philosophes» était un bois sacré, dédié à Athéna, et où les Athéniens aimaient se promener.

TÊTE DE PHILOSOPHE
Bronze de 240 av. J.-C. Dans la statuaire, les philosophes étaient représentés, le plus souvent, portant la barbe.

C'est en Grèce que s'élabora pour la première fois la définition d'un idéal esthétique. Mais la question du Beau, notamment dans la philosophie platonicienne, ne se réduit pas au seul domaine esthétique : elle engage les aspirations et les interrogations fondamentales de la vie humaine. Avant d'être caractéristique d'une œuvre ou d'une personne, la beauté est une manière d'être globale : elle est le reflet d'une excellence, d'une harmonie, d'une perfection ; fait révélateur, l'expression que l'on traduit du grec par «hommes de bien» signifie proprement «les beaux et les bons». Le Beau, chez Platon, n'a de sens que dans sa relation au Bien et au Vrai. Peut-être l'homme grec a-t-il vécu sur un mode conflictuel l'aspiration à la grandeur et le souci de la beauté : comment éviter que la volonté d'inscription d'une marque dans l'Histoire ne détruise l'équilibre et l'harmonie ?

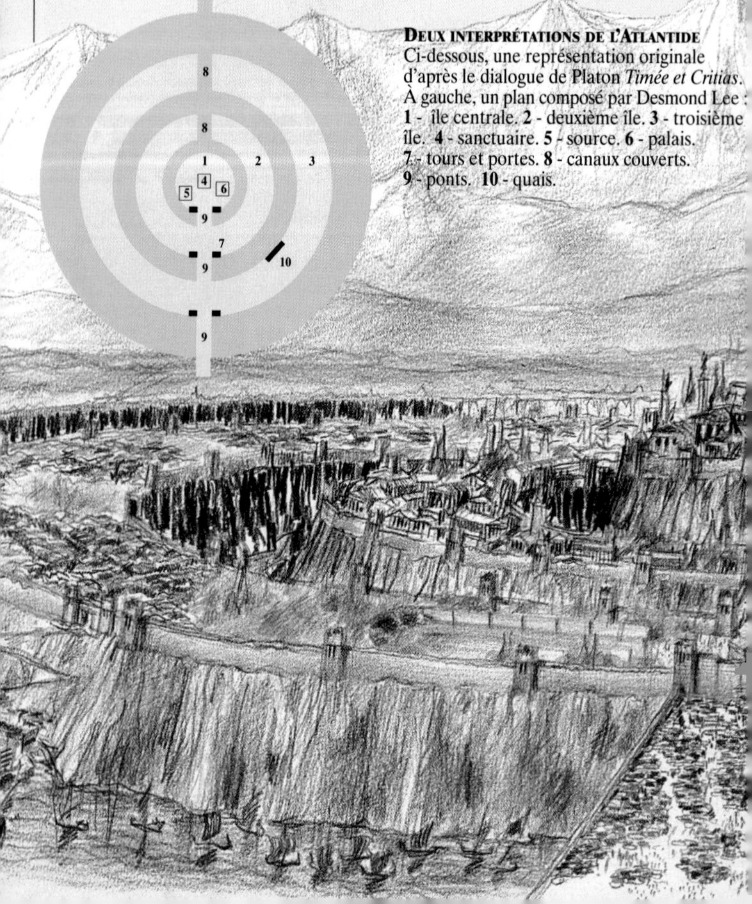

Deux interprétations de l'Atlantide
Ci-dessous, une représentation originale d'après le dialogue de Platon *Timée et Critias*. À gauche, un plan composé par Desmond Lee : **1** - île centrale. **2** - deuxième île. **3** - troisième île. **4** - sanctuaire. **5** - source. **6** - palais. **7** - tours et portes. **8** - canaux couverts. **9** - ponts. **10** - quais.

Platon au milieu d'auditeurs, sur le cap Sounion
Dans le *Critias*, Platon donne une description du temple de Poséidon de l'Atlantide qui pourrait évoquer celui du cap Sounion.

L'Atlantide, mythe ou histoire ?
Il n'est guère de thème qui enflamme plus les imaginations. Domaine de Poséidon, alors qu'Athènes était celui d'Athéna, cette grande île mythique, située près du détroit de Gibraltar, aurait été peuplée par les Atlantes qui, ayant tenté de subjuguer le monde, auraient été battus par les Athéniens. Son nom viendrait de celui du fils de Poséidon qui y régna : le géant Atlas. Platon, le premier, en fit un récit littéraire circonstancié dans lequel l'Atlantide est mentionnée comme un summum de civilisation, qui, à l'image du texte lui-même, s'interrompt brutalement, engloutie par des séismes et des innondations. Suggérons que, chez Platon, l'Atlantide serve à rappeler son insignifiance cosmique à l'être civilisé et sophistiqué que l'homme est devenu. Il est probable que cette légende, dans l'esprit du philosophe, fut destinée à prévenir les Athéniens eux-mêmes, qui cherchaient à s'immortaliser par l'histoire. L'Atlantide n'est ni tout à fait un mythe, ni vraiment de l'histoire – ambiguïté qui génère sa puissance de fascination et de mystification –, c'est plutôt le mythe de l'Histoire.

LA CITADELLE DE CORINTHE
Elle fut occupée successivement par les Byzantins, les Francs, les Vénitiens et les Turcs. Son contrôle assurait la domination du Péloponnèse et de la Morée.

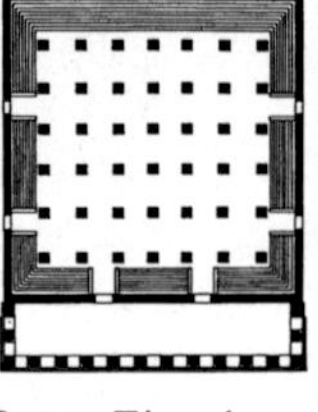

PLAN DU TÉLESTÉRION
Bâtiment hypostyle (avec plafond supporté par des colonnes) à 42 colonnes, le Télestérion de l'époque de Périclès, Ve siècle av. J.-C., est conçu comme une salle de spectacle. L'initiation comportait, en effet, la révélation visuelle d'objets sacrés abrités au centre de la salle. En façade, le portique fut construit par Philon au IVe siècle av. J.-C.

LA TRAVERSÉE DE L'ISTHME DE CORINTHE
Dans l'Antiquité, les navires étaient transportés d'une mer à l'autre, sur terre ferme, par une voie spéciale qui traversait l'isthme, le Diolkos. Le canal, construit à la fin du XIXe siècle, permet aux navires venant de Marseille, de Gênes et de Naples de rejoindre plus rapidement le Pirée.

ÉLEUSIS

Pour se rendre à Éleusis, située à 11 km de Daphni, il faut emprunter la route nationale, quitter la direction de Thèbes après Aspropyrgos, et s'engager sur l'ancienne route de Corinthe, en suivant l'antique Voie sacrée.

LE SANCTUAIRE CLASSIQUE ET ROMAIN. Dès l'accès au site, le visiteur se trouve sur une esplanade dallée, du IIe siècle av. J.-C. On trouve là les ruines de deux temples, dédiés à Artémis Propylaea et à Poséidon Pater et édifiés, à l'époque romaine, sur des fondations du VIIIe siècle av. J.-C. Près de l'enceinte, se dressait un arc de triomphe, auquel faisait pendant un second arc, près d'une fontaine où les pèlerins se purifiaient. Les Propylées en marbre blanc ont été bâtis sous le règne d'Antonin, fils adoptif de l'empereur Hadrien. En contrebas de l'esplanade se trouve le puits de Callichoros, auprès duquel Déméter aurait rencontré les filles du roi Célée, et où les femmes d'Éleusis dansaient et chantaient en son honneur.

LE PLOUTONEION. À droite de la Voie sacrée, deux grottes, entourées d'une enceinte sacrée, vouées à Plouton, étaient supposées donner accès aux Enfers car en ce lieu serait réapparue Perséphone, également appelée Coré, après son enlèvement par Hadès qui la voulait reine des Enfers.

LE TÉLESTÉRION. La Voie sacrée s'élève jusqu'au bâtiment principal du sanctuaire des Mystères, le Télestérion. De plan approximativement carré, il sert de cadre à l'initiation aux Mystères de Déméter et Coré. 3 000 personnes (Athéniens et étrangers) pouvaient prendre place sur les gradins. La partie la plus sainte de Télestérion est l'anaktoron, sorte de chapelle presque au centre de la salle.

Corinthe
Pour les voyageurs du XVIIIe siècle, l'acropole apparaissait comme une ville du Moyen Âge, à peu près intacte, mais où se distinguaient mal les constructions des différentes époques.

Philon construisit, sur la façade sud-est, un portique de douze colonnes de marbre pentélique, dont la blancheur devait trancher sur le revêtement en marbre gris-bleu d'Éleusis des murs de la salle.

Les fêtes. Les Éleusinies, fêtes religieuses, étaient distinctes des Mystères. Les concours organisés au mois d'août auraient précédé les jeux de l'Isthme. Les vainqueurs y recevaient de l'orge, récolté près de l'acropole d'Éleusis. C'est là qu'avait lieu la fête des Labours sacrés. Pausanias précise qu'au IIe siècle de notre ère, non loin du sanctuaire, mais en dehors des murs, une aire était réservée à Triptolème, où se dressait un autel voué à ce jeune dieu, et où étaient semés l'orge et le blé des pains destinés aux offrandes.

Les Mystères. L'étude des sculptures et des peintures permet de reconstituer en partie leur déroulement. Il se fondait à la fois sur la remontée de Perséphone à la lumière et sur le souvenir de la tentative de Déméter pour conférer l'immortalité à Démophon. Pour les initiés, il s'agissait d'acquérir l'espoir d'une vie heureuse dans un autre monde après la mort. Mais si on laissait échapper la chance d'être initié dans cette vie, on ne pouvait la rattraper dans l'au-delà. Hommes, femmes, enfants, adolescents, esclaves pouvaient être initiés sauf ceux qui ne parvenaient pas à prononcer les formules. «Il suffisait de verser une obole aux prêtres et, dit Aristophane, d'investir trois drachmes pour acheter le porcelet que l'on sacrifiait.»

Relief votif du musée d'Éleusis
À gauche, Déméter, le sceptre divin à la main, offre un épi de blé à Triptolème, jeune dieu qui recevait un culte à Éleusis. En face, Perséphone tient son emblème, la grande torche. Ce grand relief date de la seconde moitié du Ve siècle av. J.-C.

Mégare. Au sortir d'Éleusis, la route de Corinthe suit d'abord le versant nord de l'acropole, puis se dirige vers la mer. La plaine d'Éleusis et celle de Mégare sont séparées par des collines qui descendent de la chaîne du Cithéron vers la baie. La route passe entre vignobles et oliveraies, pins et myrtes, tout au long des 16 km qui séparent Éleusis de Mégare. Très étendue, Mégare, a été construite en amphithéâtre et possédait deux acropoles, dominant la baie d'Éleusis et celle de Salamine. Ayant été rejointe par l'extension de la banlieue d'Athènes, les vestiges antiques y sont rares. Il subsiste peu de choses de son passé glorieux : des ruines de l'aqueduc et de la fontaine dite Théagénès. La grand-place est sans doute construite à l'emplacement de l'ancienne agora. Elle garde sa vocation de lieu de réunion et de place du marché.

Sarcophage
Exposé dans le jardin du musée d'Éleusis, ce beau sarcophage d'époque romaine (milieu du IIe siècle), est décoré, sur ses longs côtés, de reliefs représentant la chasse légendaire de Calydon, ville d'Étolie qu'Artémis fit ravager par un sanglier géant.

ARGOS
NÉMÉE
MYCÈNES
NAUPLIE
TIRYNTHE
ACROCORINTHE
CORINTHE
CANAL DE CORINTHE
ÉPIDAURE

CORINTHE

La ville était située au croisement de la voie maritime et de la route terrestre qui faisait communiquer la Grèce continentale et le Péloponnèse. Corinthe disposait de deux ports sur les deux mers, Cenchréai et Léchaion ; les Corinthiens devaient leur richesse à cette situation commerciale exceptionnelle. Ses chantiers navals étaient réputés. Ses artisans excellaient dans la création de bronzes et de céramiques, de grands vases vendus dans toute la Méditerranée qui étaient échangés contre du blé que la cité entreposait et redistribuait dans toute la Grèce. La ville est restée célèbre pour son goût du luxe et les courtisanes de son temple d'Aphrodite. En 146 av. J.-C., Corinthe fut prise par le général romain

2 jours

LA CORINTHIE
Des sommets souvent dénudés par un déboisement excessif enserrent d'étroites plaines vouées, comme dans l'Antiquité à l'élevage, à la vigne, aux arbres fruitiers, et plus au sud, aux cultures maraîchères et à l'olivier ● *24.*

Ce chéneau à tête de lion polychrome, restauré est exposé au musée de Corinthe.

CORINTHE Pour les voyageurs du XVIIIe siècle, l'acropole apparaissait comme une ville du Moyen Âge, à peu près intacte, mais où se distinguaient mal les constructions des différentes époques.

Philon construisit, sur la façade sud-est, un portique de douze colonnes de marbre pentélique, dont la blancheur devait trancher sur le revêtement en marbre gris-bleu d'Éleusis des murs de la salle.

LES FÊTES. Les Éleusinies, fêtes religieuses, étaient distinctes des Mystères. Les concours organisés au mois d'août auraient précédé les jeux de l'Isthme. Les vainqueurs y recevaient de l'orge, récolté près de l'acropole d'Éleusis. C'est là qu'avait lieu la fête des Labours sacrés. Pausanias précise qu'au IIe siècle de notre ère, non loin du sanctuaire, mais en dehors des murs, une aire était réservée à Triptolème, où se dressait un autel voué à ce jeune dieu, et où étaient semés l'orge et le blé des pains destinés aux offrandes.

LES MYSTÈRES. L'étude des sculptures et des peintures permet de reconstituer en partie leur déroulement. Il se fondait à la fois sur la remontée de Perséphone à la lumière et sur le souvenir de la tentative de Déméter pour conférer l'immortalité à Démophon. Pour les initiés, il s'agissait d'acquérir l'espoir d'une vie heureuse dans un autre monde après la mort. Mais si on laissait échapper la chance d'être initié dans cette vie, on ne pouvait la rattraper dans l'au-delà. Hommes, femmes, enfants, adolescents, esclaves pouvaient être initiés sauf ceux qui ne parvenaient pas à prononcer les formules. «Il suffisait de verser une obole aux prêtres et, dit Aristophane, d'investir trois drachmes pour acheter le porcelet que l'on sacrifiait.»

RELIEF VOTIF DU MUSÉE D'ÉLEUSIS À gauche, Déméter, le sceptre divin à la main, offre un épi de blé à Triptolème, jeune dieu qui recevait un culte à Éleusis. En face, Perséphone tient son emblème, la grande torche. Ce grand relief date de la seconde moitié du Ve siècle av. J.-C.

MÉGARE. Au sortir d'Éleusis, la route de Corinthe suit d'abord le versant nord de l'acropole, puis se dirige vers la mer. La plaine d'Éleusis et celle de Mégare sont séparées par des collines qui descendent de la chaîne du Cithéron vers la baie. La route passe entre vignobles et oliveraies, pins et myrtes, tout au long des 16 km qui séparent Éleusis de Mégare. Très étendue, Mégare, a été construite en amphithéâtre et possédait deux acropoles, dominant la baie d'Éleusis et celle de Salamine. Ayant été rejointe par l'extension de la banlieue d'Athènes, les vestiges antiques y sont rares. Il subsiste peu de choses de son passé glorieux : des ruines de l'aqueduc et de la fontaine dite Théagénès. La grand-place est sans doute construite à l'emplacement de l'ancienne agora. Elle garde sa vocation de lieu de réunion et de place du marché.

SARCOPHAGE Exposé dans le jardin du musée d'Éleusis, ce beau sarcophage d'époque romaine (milieu du IIe siècle), est décoré, sur ses longs côtés, de reliefs représentant la chasse légendaire de Calydon, ville d'Étolie qu'Artémis fit ravager par un sanglier géant.

LA CORINTHIE ET L'ARGOLIDE

L'homme a sans doute emprunté dès l'âge de pierre ce couloir sud-nord, où ont été retrouvées des traces d'habitat qui remontent à 25 000 ans, près d'Épidaure, dans la grotte de Franchthi.

L'ISTHME DE CORINTHE. Après Mégare, on reprend la route du littoral, avant d'atteindre le canal et la ville de Corinthe ▲ *296*. Celle-ci rivalisa à plusieurs reprises avec Athènes pour le statut de capitale de la Grèce.

LA FORTERESSE DE L'ACROCORINTHE. Elle domine le golfe de Corinthe, l'étroit pont rocheux de l'isthme conduisant à la Grèce continentale et le golfe Saronique. Depuis cette forteresse, on aperçoit, vers l'intérieur, les montagnes qui s'élèvent parfois à plus de 2 000 m.

LE MUSÉE DE L'ISTHME. Il présente les objets trouvés lors des fouilles de l'isthme et du port antique de Kenchreai, en particulier des panneaux de céramique mis au jour par les archéologues américains en 1964. Parmi les fragments architecturaux, on remarquera une tête de lion entre des palmettes du temple de Poséidon ▲ *296*.

LE PÉLOPONNÈSE. Vaste péninsule formant l'extrémité sud de la Grèce, son littoral découpé donne au Péloponnèse une forme de feuille de mûrier et lui a valu le nom de Morée jusqu'au XIXe siècle. Depuis, la région a repris son nom antique qu'elle doit au héros mythique, Pélops. Il fonda la famille des Pélopides et fut roi d'Élide, une des divisions politiques du Péloponnèse avec Argos, la Laconie (Sparte), la Méssenie, l'Achaïe et l'Arcadie. Le Péloponnèse, terre où tant de mythes ont trouvé naissance, fut occupé par diverses populations dont les Cariens, les Achéens, les Éoliens, les Ioniens. L'Argolide a vu ainsi naître la civilisation mycénienne, au IIe millénaire av. J.-C. Les vestiges des temples et des théâtres de la Grèce classique, le souvenir de l'occupation romaine, les églises byzantines et les forteresses des Francs, ainsi que les bâtiments vénitiens, font de cette presqu'île une des plus grandes richesses de la Grèce. Le printemps et l'automne sont les meilleures saisons pour découvrir ces sites. En été, il est bon de prévoir leur visite le matin et de choisir l'après-midi pour profiter des plages peu fréquentées.

LE MUSÉE DE CORINTHE
Les collections romaines du musée comprennent des reliefs, des statues, des bustes et de belles mosaïques de couleurs vives, aux entrelacs savants qui pavaient les salles des villas et des édifices romains.

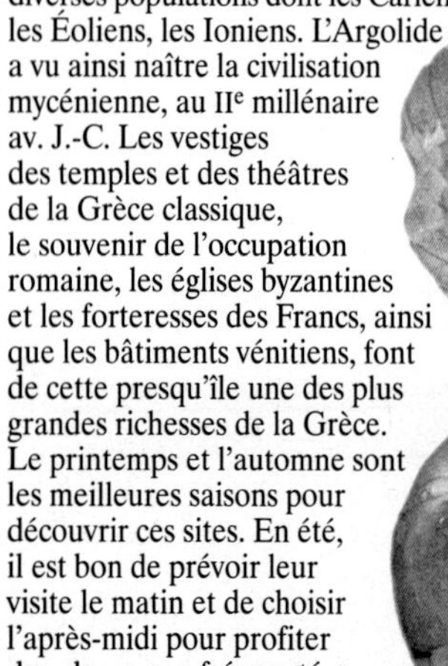
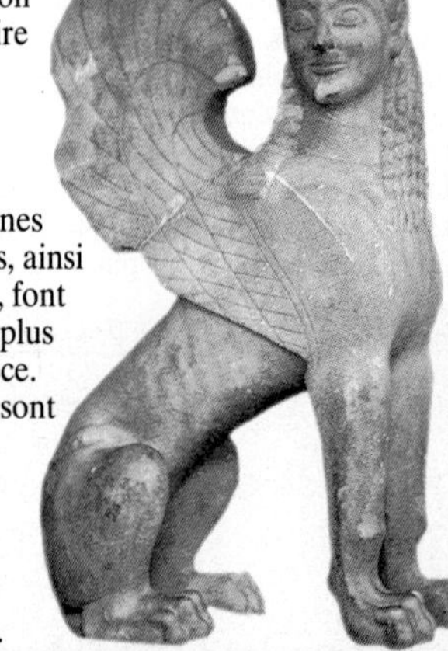

SPHINX CORINTHIEN
Ce Sphinx en terre cuite, du VIe siècle av. J.-C., au sourire énigmatique, porte encore des traces de polychromie sur les ailes.

De Corinthe à Argos

ARGOS NÉMÉE MYCÈNES NAUPLIE TIRYNTHE ACROCORINTHE CORINTHE CANAL DE CORINTHE ÉPIDAURE

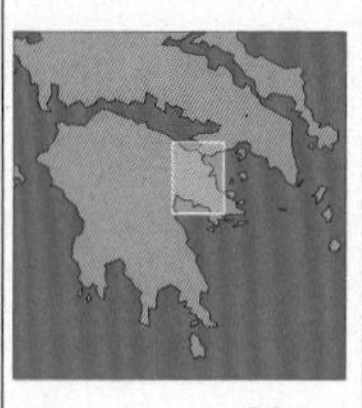

2 jours

LA CORINTHIE
Des sommets souvent dénudés par un déboisement excessif enserrent d'étroites plaines vouées, comme dans l'Antiquité à l'élevage, à la vigne, aux arbres fruitiers, et plus au sud, aux cultures maraîchères et à l'olivier ● *24*.

Ce chéneau à tête de lion polychrome, restauré est exposé au musée de Corinthe.

CORINTHE

La ville était située au croisement de la voie maritime et de la route terrestre qui faisait communiquer la Grèce continentale et le Péloponnèse. Corinthe disposait de deux ports sur les deux mers, Cenchréai et Léchaion ; les Corinthiens devaient leur richesse à cette situation commerciale exceptionnelle. Ses chantiers navals étaient réputés. Ses artisans excellaient dans la création de bronzes et de céramiques, de grands vases vendus dans toute la Méditerranée qui étaient échangés contre du blé que la cité entreposait et redistribuait dans toute la Grèce. La ville est restée célèbre pour son goût du luxe et les courtisanes de son temple d'Aphrodite. En 146 av. J.-C., Corinthe fut prise par le général romain

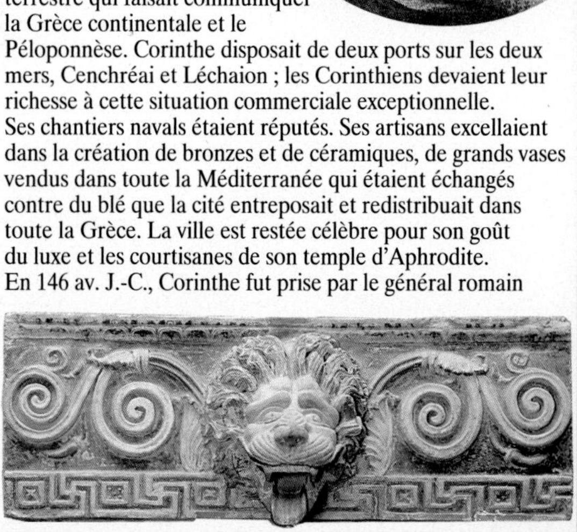

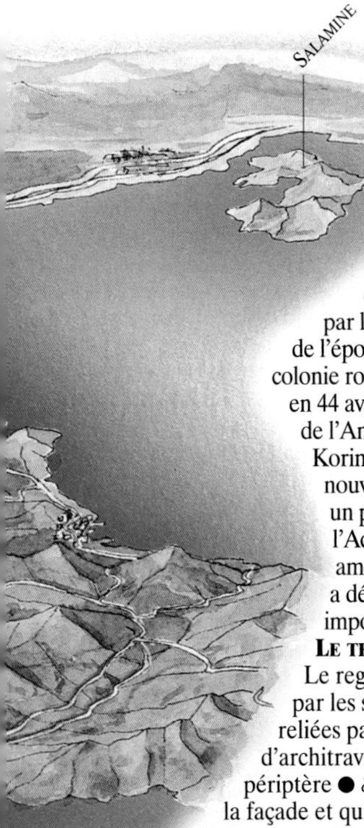

Mummius. Les vestiges antérieurs à la destruction de la ville par les Romains datent de l'époque de la fondation d'une colonie romaine par Jules César, en 44 av. J.-C. Les vestiges de l'Antiquité sont à Palaia Korinthos, à 6 km de la nouvelle Corinthe, établie sur un plateau qui la sépare de l'Acrocorinthe ▲ *294*. L'École américaine d'archéologie a dégagé les secteurs les plus importants du site.

Le temple d'Apollon. Le regard sera d'abord attiré par les sept colonnes doriques, reliées par des éléments d'architrave, du temple dorique périptère ● *85*, avec six colonnes sur la façade et quinze sur les côtés.

La fontaine Pirène. Les deux fontaines les plus célèbres de Corinthe sont en contrebas. La fontaine Pirène offrait depuis la plus haute antiquité l'eau de deux sources. Captée dans la montagne, l'eau était conduite par un tunnel qui aboutissait à six compartiments, où elle était puisée. La fontaine fut embellie par Hérode Atticus au IIe siècle par l'ajout d'un étage, d'une double colonnade et de trois absides comportant des niches pour abriter des statues. Presque tous les autres vestiges visibles aujourd'hui sont ceux de la Colonia Laus Julia Corinthus dont César avait voulu faire la capitale de la Grèce.

L'agora. Parmi les ruines les plus remarquables, on compte l'agora, l'une des plus vastes (160 m x 95 m) créées dans une cité romaine. Elle se subdivisait en deux terrasses, la plus haute longeant les immeubles administratifs, et la plus basse bordée par des boutiques. Le *bêma*, la tribune où le gouverneur s'adressait à la population, se situait entre ces deux terrasses, au milieu du côté sud. Le *bêma* précédait le portique sud, l'un des plus imposants de Grèce, qui

Corinthus
Bois gravé du XVe siècle.

Acrocorinthe, l'entrée du fort
Cette masse calcaire a une altitude de 575 m. Ses ruines sont couvertes de thym et de chardons. Elle offre une vue superbe sur le golfe Saronique, une partie de l'Attique, ainsi que sur le Péloponnèse et sur le golfe de Corinthe.

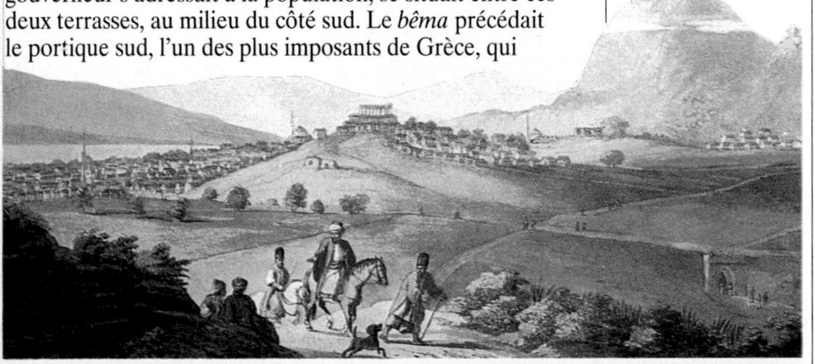

La ville de Corinthe, gravure du XVIIIe siècle.

LE SANCTUAIRE DE NÉMÉE
Dans l'Antiquité, un bois sacré d'oliviers et de platanes accueillait les pèlerins.

comprenait soixante chambres destinées à accueillir les délégués de la Ligue hellénique.

LA PLACE DU MARCHÉ. Elle comportait encore à l'ouest plusieurs temples romains. Au débouché de la voie de Léchaion sur l'agora, les Romains avaient élevé un arc de triomphe, coiffé d'un double quadrige qui remplaçait une ancienne porte d'entrée à propylée. Les boutiques donnant sur cette rue étaient ombragées par une colonnade et s'adossaient à un imposant édifice, peut-être une basilique, dont le fronton s'ornait de quatre sculptures : ces statues dites de «la façade des captifs» se trouvent maintenant au musée.

LE CANAL DE CORINTHE. Pour éviter les dangers de la navigation autour du cap Malée, Périandre, tyran de Corinthe, conçut le premier le projet de creuser un canal, en 602 av. J.-C. Néron en reprit les travaux mais fut forcé de les abandonner. Au XIXe siècle, il restait encore des vestiges de ce canal dont le tracé avait été si bien conçu qu'il fut repris par les ingénieurs français en 1882. La Compagnie française ayant fait faillite, ce sont les Grecs qui menèrent le projet à terme, en 1893. Le canal est une mince tranchée est-ouest, sans écluse, de 6 km de long et qui a la même largeur que le canal de Suez à la surface

LE TEMPLE DE ZEUS
Au milieu d'une petite vallée se dressent trois colonnes doriques, deux unies encore par leur architrave, la troisième isolée.

LE MUSÉE DE NÉMÉE
Une grande salle présente les objets trouvés sur le site de Némée, dont cet *Asclépios et sa fille Hygieia*. Le dieu médecin, comme sa fille, a pour principal attribut le serpent. Il est vêtu d'un simple himation (manteau, d'ordinaire en laine) qui laisse la poitrine à découvert ; il tient dans la main un court bâton.

LE VIN DE NÉMÉE
Les vignes du village de Phlionte produisent un vin réputé depuis l'Antiquité, le «sang d'Héraclès».

«À NÉMÉE, IL Y A UN TEMPLE REMARQUABLE DE ZEUS NÉMÉEN, MAIS QUAND JE L'AI VU, LE TOIT S'ÉTAIT EFFONDRÉ ET IL NE RESTAIT PLUS DE STATUES.»

PAUSANIAS

de l'eau : un peu moins de 25 m. Le tirant d'eau est de 8 m. Les berges, qui atteignent 79,50 m au point le plus haut, sont distantes de 50 à 70 m. Les paquebots de croisière, qui s'arrêtaient à Loutraki, passent par là, tirés par des remorqueurs, avant de gagner Le Pirée. L'on quitte Corinthe par l'autoroute d'Argos ; à 31 km, l'on prend la direction de la moderne Néméa ; 4 km plus loin sur cette route, se trouve le site de Némée.

NÉMÉE

Le site de Némée, célèbre dans les annales mythologiques par la victoire d'Héraclès sur le lion, est situé à l'entrée du défilé de Dervinaki où Colocotronis infligea, en 1822, une sanglante défaite aux troupes turques de Dramali Pacha ● *51*.

LE SANCTUAIRE DE ZEUS. Les vestiges de ce temple périptère dorique ● *85* se trouvent à quelques kilomètres du village de Némée. Les chapiteaux de ses longues colonnes, de forme étroite et bombée, donnent au temple un style particulier, caractéristique de l'art grec à son apogée. Les deux colonnes dressées qui demeurent jointes appartiennent à la première salle de la cella. La troisième est située à l'extrémité est du portique extérieur qui comportait 6 colonnes en largeur et 12 en longueur, plus 2 pour le *pronaos* et pas d'*opisthodome*. Le péristyle avait 42,55 m de long sur 22 m de large. Les colonnes internes appartenaient à l'ordre corinthien. Une fois dans le temple, on descendait par quelques marches dans la crypte. Ce temple fut construit au moment de la 110e olympiade, environ 344 av J.-C. Il semble que tous les murs aient été détruits par un tremblement de terre, les colonnes retrouvées étant toutes renversées parallèlement à leur base.

LE THÉÂTRE. On a dégagé récemment, non loin du temple, les gradins et la scène d'un théâtre. Au sud du théâtre, s'élevait un grand bâtiment rectangulaire, dont les quatre côtés s'entouraient de portiques aux colonnes doriques, et qui comportait une cour à ciel ouvert. L'édifice daterait du Ve siècle av. J.-C. Il aurait été détruit, puis reconstruit, et aurait servi d'agora, lieu de réunion de la population, mais aussi de place du marché. Il serait resté en usage jusqu'au IVe-Ve siècle ap. J.-C. L'ensemble du site ne manque pas de grandeur, dans son cadre de vignobles et de vergers.

FRAGMENT DE LA SIMA
Il appartient au temple du IVe siècle av. J.-C. et est présenté dans la cour du musée.

LE TEMPLE DE ZEUS
Au nord et à l'est du site, une éminence au sommet arasé en forme de table s'élève à 900 m : c'est le mont Apesas, dont parle Pausanias. Trembles et jeunes cyprès encadrent les trois minces colonnes encore debout et les tronçons de celles qui se sont effondrées parmi les avoines folles et les affleurements rocheux.

LE LAC STYMPHALE
Dans les marais de Stymphale, près de Némée, vivaient, d'après la mythologie, des oiseaux friands de chair humaine.

▲ Mycènes

Mycènes s'élevait sur une colline située entre deux hautes montagnes.

Le Cercle de tombes
Les fouilles ont eu lieu entre 1952 et 1955. À côté de bijoux et de masques en or, de nombreuses figurines ont été découvertes.

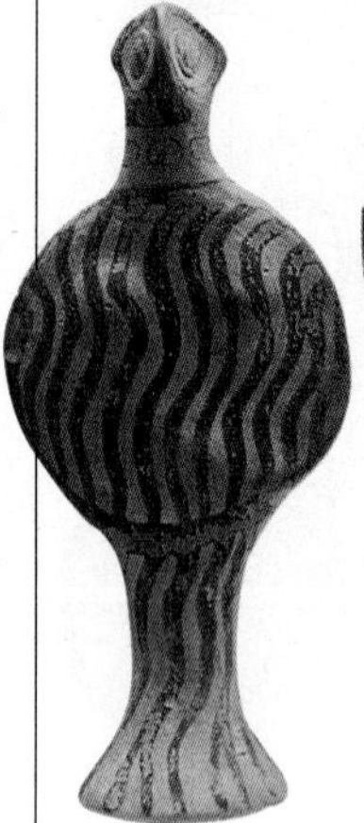

Origines

L'homme s'est fixé très tôt en ce lieu dominant la plaine d'Argos, un golfe comblé par les alluvions, qui offrait un accès facile à la mer, distante d'une quinzaine de kilomètres. Du néolithique, il ne subsiste qu'un cimetière, où l'on a mis au jour des poteries grossières. Le début de la civilisation mycénienne, celle des Achéens dont parle Homère, a été contemporain, semble-t-il, de la civilisation minoenne en Crète, qui s'est constituée à partir de 1600 av. J.-C.

Monuments hors de la citadelle. Mycènes s'étendait de part et d'autre de la citadelle, aussi a-t-on découvert de nombreuses maisons privées, entourées de tombes, sur toutes les collines situées à l'ouest et au nord-ouest de l'acropole.

Le cercle de tombes. Aux XVIIe et XVIe siècles av. J.-C., les tombes à fosse de la famille dominante étaient entourées d'un cercle de dalles ; les sépultures des gens du peuple se réduisaient, quant à elles, à des pierres dressées à la verticale, pour former des tombes à ciste, ou bien à des cavités creusées dans le roc. À cette époque apparurent des tombes à chambre ronde, ● *83*, ovale ou rectangulaire. Les tombes rondes de la famille régnante, dites à coupole ou en forme de ruche, étaient précédées par un couloir d'accès ou *dromos*, ouvert dans le rocher. L'entrée était fermée par une porte en bois, surmontée d'un linteau et d'un triangle de décharge. Les assises de pierre, disposées en

«IL RESTE ENCORE UNE PARTIE DE L'ENCEINTE
ET UNE PORTE SUR LAQUELLE SONT PLACÉS DES LIONS»

PAUSANIAS

LA PORTE NORD

L'ACROPOLE
C'est un long triangle irrégulier. Les murailles qui l'entourent présentent des appareils de construction cyclopéenne ● 87 : elles sont formées de polygones irréguliers et de blocs grossièrement équarris.

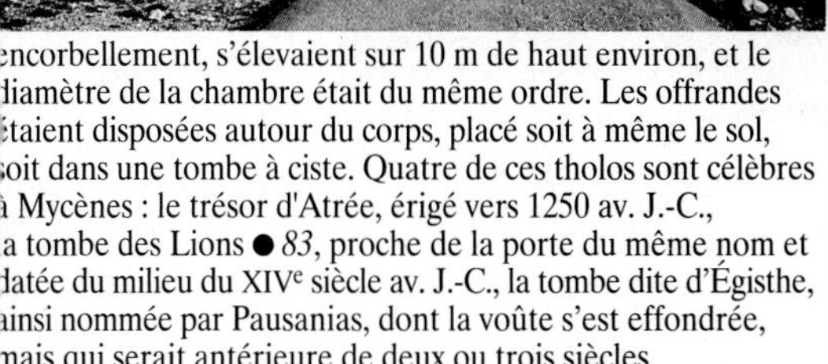

encorbellement, s'élevaient sur 10 m de haut environ, et le diamètre de la chambre était du même ordre. Les offrandes étaient disposées autour du corps, placé soit à même le sol, soit dans une tombe à ciste. Quatre de ces tholos sont célèbres à Mycènes : le trésor d'Atrée, érigé vers 1250 av. J.-C., la tombe des Lions ● *83*, proche de la porte du même nom et datée du milieu du XIVe siècle av. J.-C., la tombe dite d'Égisthe, ainsi nommée par Pausanias, dont la voûte s'est effondrée, mais qui serait antérieure de deux ou trois siècles à celle dite de Clytemnestre, bâtie vers 1220 av. J.-C. Chateaubriand ● *105*, dans *l'Itinéraire de Paris à Jérusalem*, prétend avoir été à l'origine de sa découverte, entre 1803 et 1810 : «En voulant regagner le chemin de Corinthe, j'entendis le sol retentir sous les pas de mon cheval. Je mis pied à terre et je découvris la voûte d'un tombeau. Pausanias compte à Mycènes cinq tombeaux : le tombeau d'Atrée, celui d'Agamemnon, celui d'Eurymédon, celui de Télédamus et de Pélops, et celui d'Électre. Il ajoute que Clytemnestre et Égisthe étaient enterrés hors des murs : ce serait donc le tombeau de Clytemnestre et d'Égisthe que j'aurais retrouvé ? Je l'ai indiqué à M. Fauvel, qui doit le chercher à son premier voyage à Argos : singulière destinée qui me fait sortir tout exprès de Paris pour découvrir les cendres de Clytemnestre !».

L'ACROPOLE. ● *82* Elle s'élève sur une colline située entre deux montagnes. Le terrain accidenté sur lequel la cité a été établie domine de près de 275 m le profond ravin du Chavos, qui la sépare du mont Zara où paissent des chèvres. Les ouvriers ont déplacé ces énormes pierres le long de plans inclinés. Les deux parements de blocs calcaires rectangulaires, équarris sans outils de fer, de diverses hauteurs mais d'assise presque horizontale enserrent un remplissage de moellons et d'argile, mesurent jusqu'à 8 m d'épaisseur et dessinent un triangle dont la base est orientée au nord. La superficie couvre près de 30 000 mètres carrés. À l'origine, l'enceinte

LA PORTE DES LIONS
Linteau surmonté d'un triangle de décharge, où l'on a inséré la dalle de tuf, sculptée de deux lions affrontés. Ces lions avaient des têtes en bronze ou en stéatite, pierre qui n'a pas résisté au temps.

PLAN DE L'ACROPOLE
1. Porte des Lions
2. Cercle des tombes
3. Édifice Wace
4. Maison Tsountas
5. Grande rampe
6. Propylon du palais
7. Grande cour du palais
8. Mégaron
9. Atelier des artistes
10. Citerne
11. Porte nord

LE PALAIS
«L'architecture remonte ici plus haut que la poésie ; et ces monuments représentent les temps dont l'histoire n'a gardé que quelques traits généraux : races encore intactes, tribus, castes, sacerdoces, symboles.» E.Quinet

protégeait le secteur du palais ; agrandie au moins à deux reprises, elle fut réparée plusieurs fois.

LA PORTE DES LIONS ♥ ● *83.* L'entrée s'effectue à l'ouest par la célèbre porte des Lions, défendue par un bastion construit quelques mètres en avant, à partir du rempart. Ce dispositif, qui date du XIIIe siècle av. J.-C., est dit des portes *skaaipulai* ou portes «gauches». Il crée un passage dont les murs sont composés de blocs de pierres posés par assises horizontales. Les défenseurs pouvaient lancer leurs flèches sur les ennemis qui s'y engouffraient, protégés du côté gauche par leurs boucliers. La porte, faite de quatre monolithes sciés, joints sur joints, sans mortier, a une ouverture de 3,10 m sur 3 m. Les montants reposent sur un large seuil strié pour empêcher les animaux de glisser, et creusé de rigoles pour faciliter l'écoulement des eaux et le passage des chars. Le linteau, fait d'une seule pierre d'une centaine de tonnes, sert de cadre aux vantaux, qui ne peuvent tourner vers l'extérieur. Les blocs du rempart, disposés en encorbellement, en soutiennent les extrémités. Au centre du bas-relief des lions, une colonne dominée par un chapiteau composé de trois petits anneaux, repose sur deux autels au centre évidé. On y voit aujourd'hui le symbole du palais, et dans le groupe, les armes de la dynastie de la ville ou des Atrides, car la porte daterait du règne mythique d'Atrée. Ce bas-relief est la plus ancienne sculpture monumentale connue en Europe. Les portes en bois, couvertes de bronze, étaient renforcées à l'arrière par une barre carrée, dont on voit encore le logement.

SALLE DU TRÉSOR D'ATRÉE
La salle circulaire est surmontée d'une voûte parabolique. Les voussoirs sont des assises horizontales, taillées circulairement à l'intérieur et posées en encorbellement.

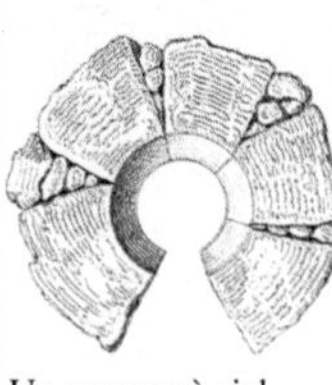

Un passage à ciel ouvert conduit à la porte et à la grande salle. La petite salle à droite est creusée dans le roc.

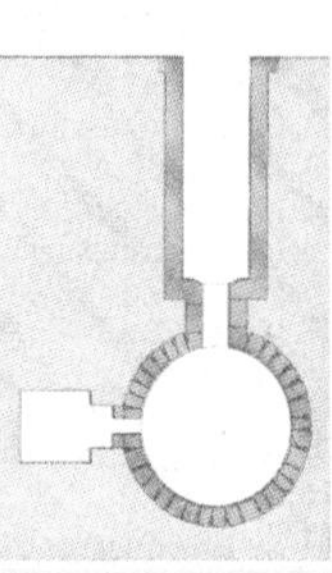

eux fentes verticales, ménagées dans les parois intérieures, ermettaient de les bloquer en position ouverte. La porte ranchie, on pénètre dans une petite cour carrée, qui donne ccès au chemin de ronde par un escalier. En face, une large ampe mène au palais. Dans un entrepôt proche, dit le grenier, n a dégagé des jarres de vesce, d'orge et de blé carbonisés. es stèles calcaires, qui ont été retrouvées, marquaient robablement l'emplacement des tombes. Celles qui étaient ravées de chars, d'hommes, de lions ou de chevaux sont onservées au Musée national d'Athènes, ▲ *234*, ainsi que es célèbres masques en or et le mobilier funéraire.

ES MAISONS MYCÉNIENNES ● *82.* Au sud et à l'ouest le l'enceinte, ont été trouvées les fondations de plusieurs naisons : «maison du vase des guerriers»,«édifice Wace», «maison Tsountas», «maison du prêtre» t une maison dite du «marchand d'huile», lans cette dernière furent découvertes les jarres à huile scellées, des tablettes nentionnant les titres des destinataires u des expéditeurs et des listes le plantes et d'aromates. Cette maison brûlé au XIIIe siècle av. J.-C. Il est possible u'elle ait abrité une fabrique de parfums lépendant des princes, plutôt que d'un marchand d'huile.

E PALAIS ● *82.* La civilisation mycénienne est complexe t son architecture novatrice la reflète. Le palais est à la fois e centre économique et religieux de la cité. L'administration et le sanctuaire y sont rassemblés.

LE TRÉSOR D'ATRÉE
Pausanias cite, parmi les édifices qu'il vit à Mycènes, «des chambres souterraines où l'on dit qu'Atrée et ses enfants cachaient leurs trésors». L'énorme linteau du trésor est surmonté d'un triangle de décharge, mais la décoration en a disparu. Le Musée national d'Athènes conserve des fragments de demi-colonnes en porphyre vert et d'une dalle de gypse, ornée de spirales, qui en faisaient partie.

BAGUE-SCEAU EN OR
Elle fut trouvée dans la tombe IV par Schliemann lors des premières fouilles de Mycènes.

LA CHAMBRE FUNÉRAIRE DU TRÉSOR D'ATRÉE
Les archéologues pensent qu'elle était décorée de dalles ou de plaques en bronze. Cette tholos mesure plus de 14 m de diamètre sur 13 m de haut ; elle restera la plus grande coupole circulaire jusqu'à la construction du Panthéon à Rome en 118 ap. J.-C. Au nord, une porte basse donne sur une petite pièce qui a valu à l'ensemble l'appellation de «trésor», oubliant qu'il s'agissait d'un tombeau. Il daterait, comme la porte des Lions de 1250 av. J.-C.

Frise d'albâtre décorant le palais.

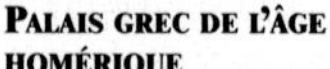

Palais grec de l'âge homérique
Ce plan de Perrot et Chipiez a été établi d'après *l'Odyssée*. Le type d'habitation princière décrit par Homère pourrait avoir été inspiré par les palais d'Argolide des princes achéens.

Les derniers remparts construits constituent l'extension nord-est, où sont les poternes. Des fouilles ont montré, en 1963, que ces dernières avaient été aménagées pour améliorer l'approvisionnement en eau : à cet endroit, une citerne souterraine recevait d'un aqueduc, souterrain lui aussi, l'eau de sources captées sur la montagne du Prophète Élie.

Trésor d'Atrée
Motifs géométriques sur le chapiteau et le fût d'une colonne en brèche verte.

L'entrée principale. L'entrée ou propylée se situait au nord-ouest, mais au sud-est, un escalier monumental permettai d'atteindre la cour qui desservait les appartements des invités Le palais était construit sur plusieurs terrasses, soutenues au sud par le rempart. Un amandier pousse aujourd'hui sur la plus haute d'entre elles. Les bâtiments ont été détruits par le feu, mais de la cour ouest, on a une vue superbe sur la plaine d'Argos. L'angle sud-est du palais donnait sur les montagnes au-delà du ravin. Les fouilles archéologiques y mirent en évidence l'influence du système palatial crétois.

Le mégaron ● *82*. Le centre social du palais est le mégaron, édifice rectangulai couvert qui est une innovation mycénienn Il se compose d'un porche à deux colonne donnant accès à un puits de lumière, l'*aïthoussa*, d'un vestibule, le *prodomos*, où certains archéologues pensent qu'était installé le trône, et d'une grande salle, le *domos*. Le centre du

[P]ALAIS DE L'ÂGE HOMÉRIQUE [D]'APRÈS L'«ODYSSÉE»
[R]econstitution
[1]. Porte d'entrée
[2]. Cour extérieure
[3]. Logements des serviteurs et des invités
4. Écuries et étables
5. Autel de Zeus Herkeios
6. Porche menant au mégaron, *Aithousa* ou *prothyron* (chauffoir)
7. Tholos
8. Mégaron
9. Foyer du mégaron
10. Mégaron des femmes
11. Vivres
12. Arsenal et trésor
13. Chambre nuptiale
14. Bains des hôtes

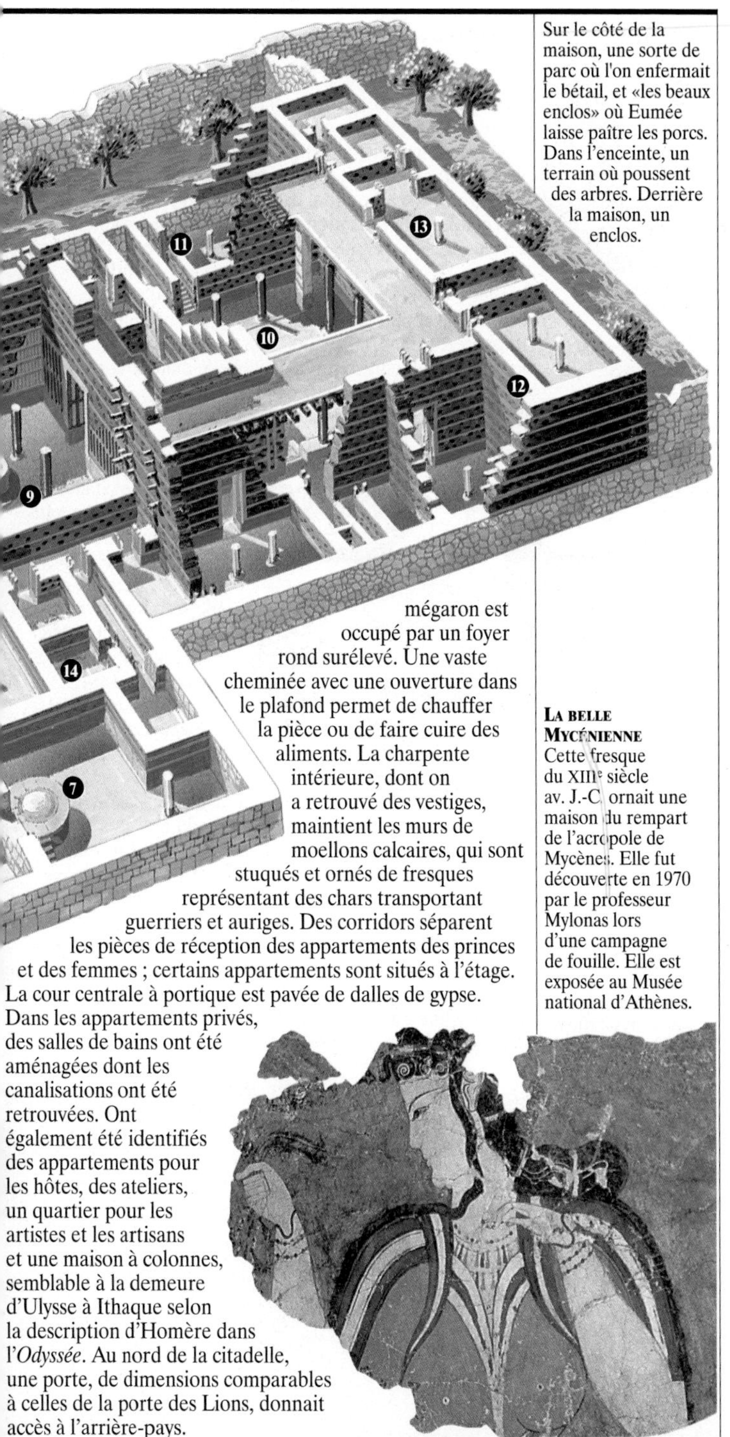

Sur le côté de la maison, une sorte de parc où l'on enfermait le bétail, et «les beaux enclos» où Eumée laisse paître les porcs. Dans l'enceinte, un terrain où poussent des arbres. Derrière la maison, un enclos.

mégaron est occupé par un foyer rond surélevé. Une vaste cheminée avec une ouverture dans le plafond permet de chauffer la pièce ou de faire cuire des aliments. La charpente intérieure, dont on a retrouvé des vestiges, maintient les murs de moellons calcaires, qui sont stuqués et ornés de fresques représentant des chars transportant guerriers et auriges. Des corridors séparent les pièces de réception des appartements des princes et des femmes ; certains appartements sont situés à l'étage. La cour centrale à portique est pavée de dalles de gypse. Dans les appartements privés, des salles de bains ont été aménagées dont les canalisations ont été retrouvées. Ont également été identifiés des appartements pour les hôtes, des ateliers, un quartier pour les artistes et les artisans et une maison à colonnes, semblable à la demeure d'Ulysse à Ithaque selon la description d'Homère dans l'*Odyssée*. Au nord de la citadelle, une porte, de dimensions comparables à celles de la porte des Lions, donnait accès à l'arrière-pays.

LA BELLE MYCÉNIENNE
Cette fresque du XIIIe siècle av. J.-C. ornait une maison du rempart de l'acropole de Mycènes. Elle fut découverte en 1970 par le professeur Mylonas lors d'une campagne de fouille. Elle est exposée au Musée national d'Athènes.

SCHLIEMANN
Dès 1876, il est à l'origine des fouilles à Tirynthe. En 1884, avec W. Dörpfeld, il reviendra à Tirynthe. L'École allemande d'archéologie y poursuit des recherches.

HISTOIRE

Visible depuis le golfe d'Argos, l'acropole de la citadelle de Tirynthe s'élève sur une colline rocheuse, haute de 20 m environ, et couronnée par une fortification qui abrita, à l'époque mycénienne, un palais fortifié comparable à celui de Mycènes. L'enceinte, allongée du sud au nord, est longue d'environ 300 m. Strabon, dans sa *Géographie*, évoque la légende de la fondation de Tirynthe, par le roi mythique Proitos, lorsqu'il écrit : «Tirynthe semble avoir servi de base militaire à Proitos, qui l'avait fait entourer de murailles par les Cyclopes». Le site de Tirynthe, voisin de Mycènes, est occupé depuis le néolithique ● *42* : le premier village remonte à 2500-2200 av. J.-C. On a retrouvé sur l'acropole les traces d'un édifice rond, de 28 m de diamètre, datant des débuts de l'âge du bronze. À l'époque mycénienne, vers 1400 av. J.-C., commence la construction sur ce site d'une enceinte en blocs irréguliers, puis celle d'un palais. Cette citadelle fut dévastée en partie, sans doute dans la seconde moitié du XIIIe siècle av. J.-C. ; détruite par une seconde et violente attaque, elle aurait été abandonnée vers 1200. Lorsque, en 1884, Schliemann entreprit le travail de déblaiement de l'enceinte et le dégagement des murs, aucune trace de vestiges n'était visible.

L'ACROPOLE. Le long du mur monte un chemin qui s'engage entre deux murailles et franchit une porte. Vers le sud, on accède à l'entrée principale par une rampe en pente douce, large de 4,70 m, qui atteint le haut de l'acropole et pénètre dans l'enceinte par de grands propylées. Les murs d'enceinte sont épais de 6 m, à l'exception de celui qui fait face au sud et qui atteint 16 à 17 m. Ils sont creusés de galeries, couvertes par une voûte en encorbellement. La surface de l'acropole est divisée naturellement en trois plateaux, le plus élevé étant celui du sud, où s'ouvre le propylée.

Toutes les défenses de Tirynthe, forteresse solide, impossible à escalader, se justifiaient par la crainte d'attaques venant de la mer. Ces murailles ont 1,5 km de longueur. Il est possible que le haut ait été couvert de créneaux de briques, comme le suggère cette restauration, adaptée d'une reconstitution du XIXe siècle.

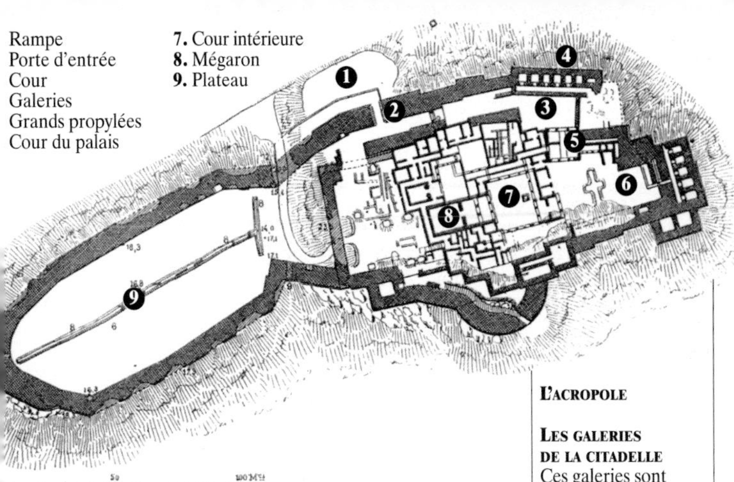
Rampe
Porte d'entrée
Cour
Galeries
Grands propylées
Cour du palais
7. Cour intérieure
8. Mégaron
9. Plateau

L'ACROPOLE

LE PALAIS MYCÉNIEN. La porte d'honneur est suivie d'une petite cour que fermaient les grands propylées du palais, deux portiques extérieurs et intérieurs, dont il subsiste le seuil. Ils préfigurent l'entrée monumentale des temples de l'époque classique, dont ceux de l'Acropole d'Athènes. Sur le côté nord de cette place est un second propylée, plus petit, qui ouvrait sur un couloir, par où l'on accédait aux appartements privés. Passé ce portique, on entre dans la grande cour du palais, entouré d'un portique sur trois côtés. Cinq casemates y servaient sans doute d'entrepôts. Une galerie, creusée au-dessous du niveau de la cour, donnait sur plusieurs pièces et sur une poterne. Au nord, deux vestibules annoncent le mégaron. Près de l'entrée, un autel bas et rond ainsi qu'une fosse pour les sacrifices rappellent que le palais avaient aussi une fonction religieuse. Le mégaron, la pièce principale du palais, est caractéristique de l'architecture mycénienne ● *82*, avec son foyer central inscrit entre 4 colonnes dont on distingue encore les bases.

LE DÉCOR. L'édifice était orné de peintures murales, exécutées sur un enduit de chaux pure. Le mur ouest s'ornait d'une frise d'albâtre et de lapis-lazuli, où alternaient des alignements de rosettes et des demi-cercles gaufrés. Les vestiges en sont conservés au Musée archéologique national d'Athènes.

LES GALERIES DE LA CITADELLE
Ces galeries sont pratiquées comme des casemates dans l'épaisseur de la muraille. De forme ogivale, elles sont composées de cinq à six assises qui s'avancent en encorbellement et se réunissent au sommet, en clé de voûte.

UNE FORTIFICATION CYCLOPÉENNE
Les gros blocs de pierre taillés que l'on rencontre dans les murailles de Tirynthe étonnèrent également les anciens et les voyageurs modernes.

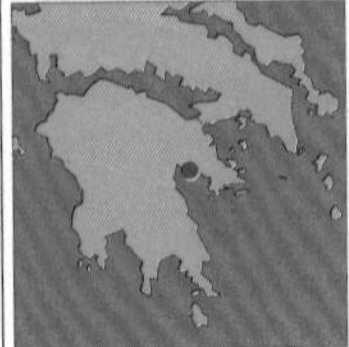

1 journée

NAUPLIE ET L'HISTOIRE

L'ÉPOQUE MYCÉNIENNE. Nauplie fut habitée dès la préhistoire mais le premier établissement, fondé sur un promontoire rocheux à 85 m au-dessus de la mer, a disparu sous d'autres constructions. De l'époque mycénienne ● *43*, on n'a retrouvé que des tombes, dans l'actuel faubourg de Pronia, au nord-est et à l'est de la plus haute des forteresses.

LA CONQUÊTE FRANQUE. Du Moyen Âge à l'époque moderne, Nauplie joue un très grand rôle dans l'histoire de la Grèce. Les Byzantins en restaurent les fortifications et l'administrent jusque vers l'an 1200, la ville étant parfois le siège de l'évêché. Mais après la prise de Constantinople par les croisés, en 1204, le roi de Salonique abandonne à Guillaume Champlitte et à Geoffroy de Villehardouin le droit de conquérir la Morée ● *56*, qui lui avait été accordée. Parti du golfe de Corinthe, le corps expéditionnaire franc suit la mer Ionienne et prend, une à une, les villes côtières, ayant soin de toujours demeurer en vue de ses vaisseaux. Une fois la péninsule soumise et divisée entre barons et chevaliers, des places-fortes sont édifiées un peu partout, entre autres à Nauplie. Il se crée alors une brillante société composée de chevaliers et de femmes venues de France, et on parle partout un aussi bon français qu'à Paris. Durant 70 ans, la Morée connaît la prospérité, et conquérants et conquis en profitent. Quand la suzeraineté passe aux rois de Naples, successeurs de Charles d'Anjou, les régents laissent entrer Vénitiens et Espagnols. La domination française prend fin. ● *49*

NAPOLI DI ROMANIA. Depuis toujours, la plaine côtière était marécageuse et les fièvres y règnaient. Il fallut attendre le XIe siècle pour que l'on commence à l'assainir. À partir de 1389, les Vénitiens entreprennent de grands travaux près de Nauplie, qu'ils appellent «Napoli di Romania», pour y implanter des réfugiés de l'île d'Eubée (Chalcis), chassés par les Turcs. Ils construisent les premières maisons

ÎLOT DE BOURTZI

NAUPLIE : LA VILLE ET LE PORT EN 1907
Petite ville élégante aux maisons claires et blanches, dont les rues étaient pavées dès la fin du XIXe siècle, Nauplie garde le souvenir de la période othonienne durant laquelle elle fut brièvement la capitale de la Grèce.

LE PORT EN 1864
Gravure de Sargent.

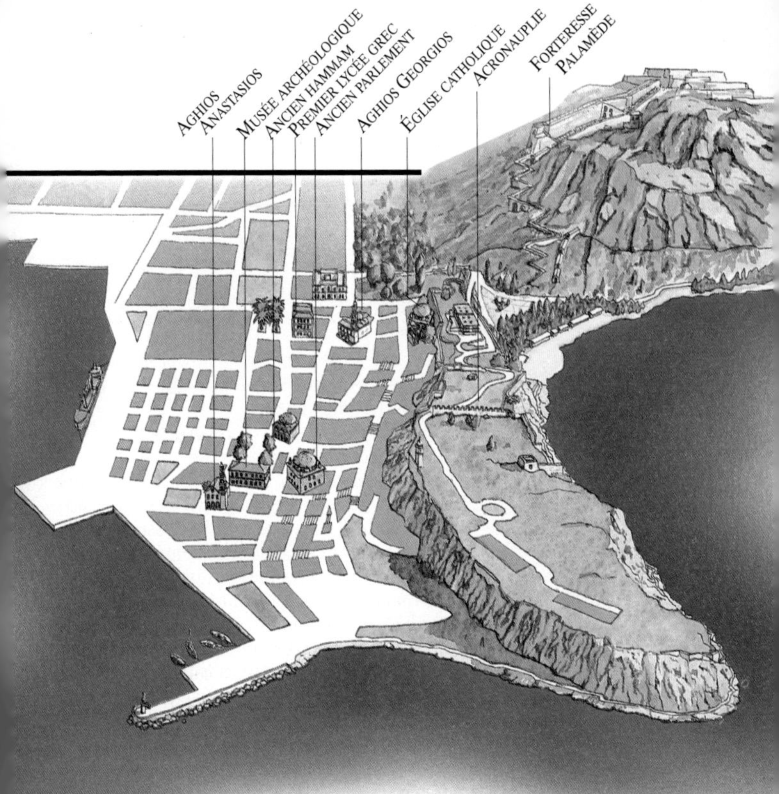

Aghios Anastasios
Musée archéologique
Ancien hammam
Premier lycée grec
Ancien parlement
Aghios Georgios
Église catholique
Acronauplie
Forteresse Palamède

de la ville basse sur pilotis et développent le port, si bien que Nauplie devient la première de leurs possessions d'Orient. À partir de 1460, les Turcs de Mehmed II font la conquête du Péloponnèse, mais les Vénitiens conservent Nauplie jusqu'en 1540 ; ils la reconquièrent entre 1684 et 1715, en partie grâce aux Grecs qui leur fournissent des soldats, les *stradioti*. La plaine environnante reste néanmoins aux mains des Turcs, et le pacha, tolérant envers les chrétiens, habite Nauplie. Un peu plus tôt, en 1656, des Capucins ont pu fonder église et école dans la ville.

Nauplie au XIXe et au XXe siècle. Nauplie, resserrée entre ses fortifications, n'a que 10 000 habitants, mais est bâtie de manière régulière et ressemble beaucoup à Patras ▲ *352*. Ses rues sont droites et ses maisons néoclassiques ont une certaine élégance. Les trois principaux centres d'intérêt de Nauplie sont le port, la vieille ville, chargée d'histoire, et les châteaux perchés sur leur promontoire, la citadelle d'Acronauplie et la forteresse Palamède.

Napoli di Romania
Souvenir de l'époque vénitienne, les bastions portent en bas-reliefs des lions de Saint-Marc et des inscriptions.

Située dans la partie orientale du golfe d'Argos, sur une langue de terre étroite, Nauplie s'avance dans la mer.

LA PLACE SYNTAGMA ET LE FORT PALAMÈDE
L'entrée du fort, dessin réalisé par Henri Avelot lors d'un voyage en Grèce en 1896-1897. Au premier plan, un *palikare* vêtu de la fustanelle, s'adresse aux soldats de la garnison.

IOANNIS KAPODISTRIAS
Premier gouverneur de la Grèce, il organise dès son arrivée à Nauplie le nouvel État grec : administration, économie, armée et instruction publique feront l'objet de ses soins pendant son gouvernement. Kapodistrias fut assassiné le 9 octobre 1831 à Nauplie par les frères Mavromichalis.

STAIKOS STAIKOPOULOS
Un héros de la guerre d'Indépendance, célébré à Nauplie.

Sur la place Syntagma - place de la Constitution -, un monument rappelle la participation de volontaires français, sous les ordres du général Maison, à la guerre d'Indépendance. L'ancienne mosquée Vouleftiko, premier siège du Parlement grec, est située à l'angle sud-ouest de la place. Celle-ci est animée de boutiques et de nombreux cafés, très fréquentés en soirée. Elle est bordée de maisons néoclassiques aux balcons de fer forgé.

LA GUERRE D'INDÉPENDANCE. Pendant la guerre d'Indépendance, les révolutionnaires grecs prennent Nauplie au cri fameux de «*Eleftheria i thanatos*», «la liberté ou la mort». Une femme hors du commun, la célèbre Bouboulina est chargée en 1821 d'assiéger Nauplie, qu'elle bloque par mer et par terre pendant 14 mois, repoussant les sorties, assiégeant le château et la citadelle et réduisant à merci la garnison turque. Au moment de la reddition, elle négocie les conditions avec l'ennemi et devient l'intermédiaire des chefs hellènes. La ville devint capitale de la Grèce. La première Assemblée nationale grecque s'y réunit en 1822 dans une mosquée grise et blanche du XVIe siècle, la mosquée Vouleftiko. Élu gouverneur de l'État grec, Ioannis Kapodistrias, ● *51* un descendant de Vénitiens venus avec les Francs, entre à Nauplie l'année suivante, en janvier 1823, où il est accueilli avec joie. Trois ans plus tard, il est assassiné dans la petite église blanche et basse de Haghia Spiridon, qui date du XVIIIe siècle et reste toujours visible dans la vieille ville. Après une période d'anarchie, Othon, le fils de Louis Ier de Bavière, est élu, en 1833, roi des Hellènes. Il fait de la forteresse

«Je me lève avec le soleil pour voir enfin de près le golfe d'Argos, Argos, Nauplie, la capitale actuelle de la Grèce.»

Alphonse de Lamartine

Palamède son palais. Dans une rue du centre de la vieille ville, on peut voir plusieurs maisons de style néohellénique dont la maison austère, à deux étages, qu'occupait son régent, Von Armansperg. La capitale sera transférée à Athènes l'année suivante, en 1834.

La forteresse Palamède

La forteresse a été construite par les Vénitiens au XVIIIe siècle, à 216 m au-dessus de la mer. Morosini fit élever les fortifications, toujours visibles, qui forment un pentagone enclavant sept forts détachés, portant des noms de guerriers antiques : Thémistocle, Achille, Phocion, etc. L'intervention des Vénitiens explique la présence d'un superbe lion de saint Marc sur la porte d'honneur surmontée d'une petite cloche. La forteresse fut bâtie en quatre ans, entre 1711 et 1714, sous les ordres d'un colonel français, La Salle, et d'après les plans d'un Dalmatien, Giaxich. Les cours sont désertes et les bâtiments les plus récents, des prisons d'origine turque, ont été démolis. On y accède par un escalier de près de 900 marches, qui part de la place Nikitara. On peut s'y rendre également en voiture en prenant un embranchement de la route qui conduit à Épidaure.

Le lion des Bavarois. En chemin, on rencontre le bas-relief du lion sculpté dans le rocher par Siegel, sur l'ordre du roi Louis Ier, symbolisant les armes de la maison de Bavière : il est dédié à la mémoire des soldats bavarois morts en Grèce pour défendre les droits d'Othon, en 1833 et 1834. Du haut de la forteresse Palamède, on pourra admirer la baie de Nauplie et, du côté de la terre, les chaînes montagneuses et la plaine d'Argolide, où coule l'Inachos.

La place Syntagma
La rue principale de Nauplie aboutit à la place de la Constitution ou platia Syntagma. A l'ouest, on remarque un grand édifice bâti à l'époque vénitienne. La ville s'est enrichie grâce à son port, et à l'exportation du tabac, des raisins et du coton. La place ombragée accueille les voyageurs dans ses nombreux cafés et restaurants.

Napoli di Romania Atlas Justus Dankerts.
Nauplie tomba aux mains des Vénitiens en 1686. La construction du petit fort de la baie remonte à l'époque vénitienne.

Voyageurs d'autrefois
Cette petite ville, riante avec son port animé, a toujours été l'une de celles dont les voyageurs gardaient le meilleur souvenir. Les maisons avaient une apparence élégante ; les magasins, construits par les Vénitiens au pied de la citadelle, et le palais du Gouvernement, élevé par Kapodistrias, donnèrent à la ville un air de capitale.

L'arsenal vénitien, sur la place Syntagma, a été converti en musée. Les collections de céramiques, vases et statuettes, de fresques et de bronzes proviennent des fouilles des grands palais du monde mycénien : Mycènes, Tirynthe, Midéa et Asiné. Ces palais étaient habités par des guerriers : la cotte de maille trouvée à Midéa et les armes nombreuses en témoignent. L'art de cette période est surtout connu à travers les vases où les personnages remplacent les motifs géométriques.

ARMURE MYCÉNIENNE
Elle a été découverte dans une tombe à coupole de Dhendra (Midéa). Elle est composée de lamelles de bronze jointes entre elles par des plaques métalliques. Le casque, du XVe siècle av. J.-C., est fait de dents de sanglier.

GORGONE
Ce masque a une puissante expression, obtenue par des moyens simples : bouche, yeux et arcade proéminents.

TIRYNTHE, TÊTE DE GORGONE
C'est une tête de facture massive, à la bouche entrouverte et aux yeux aveugles, sous une large arcade proéminente.

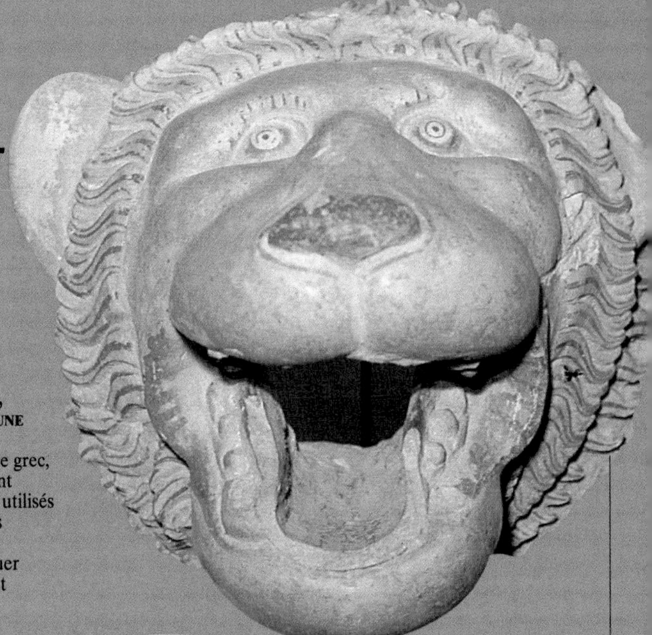

TÊTE DE LION, ORNEMENT D'UNE FONTAINE
Dans le monde grec, les lions étaient fréquemment utilisés comme motifs décoratifs, et pour marquer l'emplacement des tombes.

AMPHORE À DÉCOR DE MÉTOPE
Dès le VIIe siècle av. J.-C., les peintres adoptent la technique des figures noires. Sur cette amphore sont représentés des animaux.

CRATÈRE EN CLOCHE
Ce vase à figures rouges qui représente des héros et des dieux est remarquable pour son effet de perspective.

UNE PRINCESSE MYCÉNIENNE
Cette fresque, trouvée à Mycènes, date du XIIIe siècle av. J.-C. La femme représentée ici porte une coiffure royale, bleue bordée de rouge, et tient des épis de blé. Les couleurs, très vives, sont proches de celles de «la Mycénienne», fragment de fresque découvert en 1970 dans une maison du rempart ouest de l'acropole de Mycènes et exposée aujourd'hui au Musée archéologique national.

LES RUES DE NAUPLIE
Elles sont en général étroites, et celles qui se trouvent dans le voisinage de la mer sont escarpées et reliées entre elles par des escaliers. On y rencontre d'anciennes maisons dont les étages sont en encorbellement et des fontaines turques.

VOYAGE À NAUPLIE
«Il y a trois moyens de se rendre de Nauplie à Argos, dont on distingue les maisons vers le nord-ouest, du haut de la Palamède : en voiture par la route royale ; à cheval par le bord de mer, en contournant le golfe jusqu'à Myli et de là à cheval en une heure jusqu'à Argos, enfin par mer jusqu'à Myli, où l'on retrouve les chevaux. À cinq heures du matin nous quittions le port dans une barque non pontée dont la brise de terre enflait la grande voile quadrangulaire, maintenue par ce mât en diagonale qui est un signe distinctif de la marine grecque.»
H. Belle, *1874.*

HABITANTS DE NAUPLIE, SOYEZ COURAGEUX !

LE MUSÉE ARCHÉOLOGIQUE

Le Musée archéologique, qui borde la place Syntagma, complète avec bonheur la visite des sites mycéniens. Il est installé au premier et au second étage d'un bel arsenal vénitien, crépi de jaune, qui date du début du XVIIIe siècle. Les collections sont classées chronologiquement.

LA FONDATION DU FOLKLORE DU PÉLOPONNÈSE. L'autre petit musée, ouvert dans la rue Ypsilantou, entre le port et la place Syntagma, appartient à la fondation du Folklore. Y sont présentés des métiers, des tissus, des costumes et des bijoux traditionnels. Du temps des Mycéniens, le tissage du lin et de la laine a été l'un des grands apports des femmes à l'économie, comme le montrent des tablettes retrouvées à Pylos. Les historiens pensent que les tissus et les tapis devaient faire partie des exportations. Par la suite, le coton et la soie comptèrent parmi les grandes productions de la Morée. Tous les voyageurs du XIXe siècle ont loué la beauté et la richesse du costume de fête des Grecs, et aujourd'hui encore, les femmes conservent une remarquable technique de la broderie.

LA CITADELLE D'ACRONAUPLIE

La citadelle se trouve à la pointe du promontoire, au pied de la citadelle Palamède. On y accède à partir de la place Nikitara. Pour tout vestige antique, il ne reste que des ruines des remparts du IIIe siècle av. J.-C., en appareil polygonal. Les Byzantins les ont remaniés, puis les Francs ont développé le système défensif, un peu avant 1210. Au XVe siècle, les Vénitiens bâtissent un château à deux tours, et, au XVIIIe siècle, ils renforcent au nord l'ouvrage byzantin, auquel est ajoutée une porte monumentale. Ils achèvent

à cette époque les travaux de défense du château : un nouvel édifice, le bastion Grimani, assure la jonction avec le rempart de la ville, d'une part, et, d'autre part, avec l'escalier de 900 marches qui escalade le rocher jusqu'à la forteresse de Palamède. Une caserne, une prison et un hôpital sont installés à l'intérieur de la citadelle. Elle est complétée par le petit fort de l'îlot de Bourtzi, qui permettait de se prémunir d'une attaque par mer et de prendre, si besoin était, l'ennemi entre deux feux. Comme sa voisine, la citadelle d'Acronauplie offre un panorama de toute beauté.

Le port et l'îlot de Bourtzi

Nauplie, aujourd'hui station navale, est une ville animée. Sur le port, des cafés et des boutiques bordent le quai où circulent les marins. Le port a tous les charmes : des tavernes où l'on mange du poisson frais pêché, des cafés à l'ambiance chaleureuse, un site idéal d'où admirer les couchers de soleil, avec, à l'horizon, dans la baie calme, l'îlot de Bourtzi et l'ancien fort vénitien du XVe siècle, le Castel da Mar. C'est à l'époque vénitienne que remonte la construction du petit fort élevé dans la baie que l'on aperçoit à 300 m de la ville. De nos jours, c'est l'une des auberges les plus pittoresques de Grèce.

Le golfe d'Argolide et ses plages. Nauplie ne possède qu'une petite plage, celle d'Arvanitia, mais par la route de la forteresse Palamède, à 4 km de la ville, on parvient à la superbe plage de Karathona, bordée d'eucalyptus et récemment aménagée ; puis à 12 km, à celle de Tolon, au pied d'une petite presqu'île qui s'avance loin dans le golfe d'Argolide. Tous ces atouts et l'agréable brise de mer expliquent que l'on aime y séjourner. Lord Byron lui-même s'y est arrêté lors de son «Grand Giro» de la Morée. Aujourd'hui, les voyageurs aiment y passer quelques jours et choisissent la ville comme base, afin d'aller explorer les grands sites de Mycènes, Argos, Tirynthe et Épidaure.

Le Bourtzi
Cette forteresse, destinée à protéger Nauplie contre une attaque par mer, était rattachée par une jetée à la terre ferme. Sur les ruines des murailles vénitiennes, les Turcs élevèrent le fort de Bourtzi où les navires devaient s'arrêter pour acquitter le droit d'entrée dans le port. Au XIXe siècle, on y logeait, par superstition, le bourreau, à bonne distance de la ville. La plaine environnante, un peu marécageuse, est couverte de cultures maraîchères, de vignes et de champs de blé. Les rideaux de peupliers, les roseaux et les arbres fruitiers forment une ceinture verdoyante qui contraste avec la nudité sèche des montagnes proches.

Le port de Nauplie en 1928

LE SANCTUAIRE D'ÉPIDAURE ♥

L'un des plus beaux sites de la Grèce classique se trouve à 8 km de la mer et à 30 km de Nauplie, en suivant la route qui longe le mont Arachnéon.

LE TEMPLE D'ASCLÉPIOS. Un temple dédié à Apollon Maléatas, que l'on invoquait pour recouvrer la santé, avait été édifié au IVe siècle av. J.-C. sur un lieu de culte mycénien du mont Kynartion, non loin du futur théâtre. À l'exception de quelques degrés, il n'en reste presque plus rien, bien qu'il ait été encore utilisé du temps des Romains. Enfermé dans la même enceinte, le sanctuaire du Ve siècle av. J.-C., voué à Asclépios, ne comportait pas de temple. Ses édifices furent presque tous érigés entre les années 380-280 av. J.-C. Le temple d'Asclépios, construit vers 375, est un élégant temple périptère dorique (6 fois 11 colonnes). Le culte d'Asclépios est originaire de Thessalie : dans la mythologie, ce dieu parvint à ressusciter des morts mais pour l'en punir, Zeus le foudroya et Apollon le changea en une constellation, celle du serpentaire. Asclépios a pour emblèmes un serpent enroulé autour d'un bâton, du laurier, un chien et des pommes de pin. Les prêtres de son sanctuaire créèrent une école de médecine.

LA FONTAINE SACRÉE. Les pèlerins franchissaient les propylées, offraient au dieu des sacrifices en nature ou en argent, puis se purifiaient à la fontaine sacrée. Ils étaient soumis à des régimes et des pratiques magiques. Le matériel conservé au musée montre que des interventions médicales ont du y être pratiquées, en tout cas à l'époque romaine.

LA THOLOS. Une Tholos avait été édifiée derrière le temple, au IVe siècle av. J.-C. Plus importante que celle de Delphes ▲ *273*, elle comportait 26 colonnes doriques extérieures et 14 colonnes corinthiennes intérieures, ornées de feuilles d'acanthe.

SITE ARCHÉOLOGIQUE
On y distingue nettement le théâtre et les principaux édifices du sanctuaire. On pénètre dans le sanctuaire par le sud ; l'entrée, dans l'Antiquité, se faisait par le nord.

TEMPLE D'ASCLÉPIOS
Cette reconstitution d'Alphonse Defrasse, datant de 1891-1893, montre une vue générale du Hiéron d'Asclépios (V[e] et VIe siècles av. J.-C) avec des sculptures en marbre du Pentélique. La corniche en tuf et les ornements peints ont été restaurés à partir des traces de coloration.

Son plafond à caissons était décoré de fleurs stylisées et ses murs ornés de peintures qui seraient de Polyclète le Jeune. On ne sait si des sacrifices y étaient pratiqués ou s'il s'agissait d'un vivarium pour des serpents. Le pavement de la Tholos, en losanges de marbre noir et blanc, s'orne d'un motif concentrique, tel un serpent qui se love ; on y distingue, au centre, une ouverture communiquant avec le soubassement. Pausanias rapporte que le temple conservait des serpents jaunes apprivoisés et certains, de grande taille, provenant de Libye. Il était interdit d'accoucher ou de mourir dans le bois sacré d'Épidaure, dont l'enceinte était délimitée.

Le musée d'Épidaure. Il abrite des inscriptions, des instruments médicaux, des petites poteries et des éléments des propylées. Une reconstitution partielle

Le culte d'Asclépios
Principal dieu guérisseur de la Grèce à partir du IVe siècle, le culte d'Asclépios se répand à cette époque. Ses principaux sanctuaires sont ceux de Cos, avec la fameuse école hippocratique, et de Pergame.

CAISSON DE LA THOLOS
Les caissons du plafond étaient décorés de motifs végétaux peints. Les comptes du temple mentionnent également des travaux de dorure dans ces caissons.

de la Tholos et de l'un des chapiteaux corinthiens d'origine permettent de mieux comprendre le site. Les plus belles pièces recueillies lors des fouilles se trouvent au Musée archéologique national d'Athènes ▲ *236* : acrotères et sculptures à décor floral du fronton du temple, néréides à cheval, statues de la déesse de la santé, Hygieia, fille d'Asclépios, et de la reine des Amazones, Penthésilée, qui était venue en aide aux Troyens et qu'Achille, à son grand regret, tua.

LE GYMNASE ET LA PALESTRE. Dans l'Antiquité, neuf jours après les Jeux isthmiques, les athlètes se retrouvaient à Épidaure pour célébrer les *Asclépia* qui se tenaient tous les quatre ans. Ils disposaient d'un gymnase (transformé en odéon à l'époque romaine), d'une palestre ou portique de Kotys, et, à partir du Ve siècle ap. J.-C., d'un stade, où l'on voit encore les lignes de départ, les couloirs, de 180 m de long, et quelques rangées de gradins, taillées dans le roc. Les pèlerins, après avoir assisté à des manifestations sportives, à des courses de chevaux ou à des concours de poésie tragique, se rendaient au théâtre.

LE THÉÂTRE ● *81***.** Construit au IVe siècle av. J.-C., joyau du site, le théâtre d'Épidaure est l'un des plus remarquables du monde hellénique. Sa pureté, la qualité de son intégration dans le site constituent des réussites rares. Ses architectes, dont, selon Pausanias, Polyclète le Jeune, fondèrent leurs calculs sur la Section dorée, respectant un rapport de 0,619 entre les rangées du haut et celles du bas ; le rapport de la plus grande des deux parties à la plus petite étant égal à celui établi entre le tout et la plus grande. L'orchestra, c'est-à-dire la scène, forme un cercle complet et parfait de 9,77 m de diamètre, fait rare en Grèce. Les gradins, s'inscrivent dans une sphère. Les deux allées

LA THOLOS
L'ordre intérieur était corinthien, les colonnes, en marbre du Pentélique, le pavement, en marbre blanc et noir d'Éleusis, et les murs, en tuf. Les fondations en tuf reposent sur un sol rocheux.

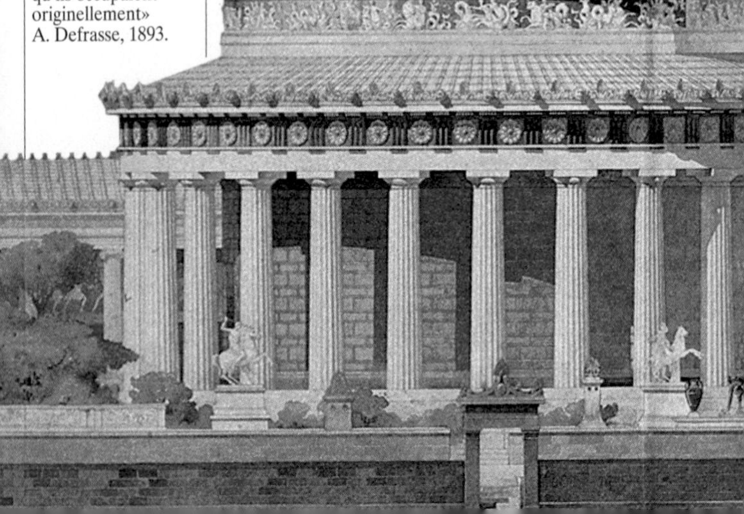

Reconstitution du monument «tel qu'il existerait si les éléments étaient remis à la place qu'ils occupaient originellement» A. Defrasse, 1893.

«Il a fallu que je vienne à Épidaure pour connaitre le sens véritable de la paix.»

Henry Miller

Le théâtre
«C'était l'œuvre de Polyclète», écrit Buchon, «vers la quatre-vingt dixième olympiade, et il surpassait tous les autres par ses proportions élégantes et vastes et par la beauté des matériaux. Les gradins existent encore en grande partie. Le beau marbre dont ils étaient composés garnit le flanc de la colline et se détache au milieu de la verdure des broussailles».

qui séparent les 55 rangées de la cavea, 21 en haut et 34 en bas, ont toutes deux une largeur de 4 aunes, la mesure de base, l'aune plidonienne étant de 49 cm. La qualité exceptionnelle de son acoustique permet au spectateur du haut des gradins d'entendre distinctement des personnes parlant à voix basse, ou froissant une feuille de papier, au centre de l'orchestra. Il devait accueillir plus de 13 000 spectateurs. La célébration des fêtes *Asclépia* donnait lieu à des représentations dramatiques dans le théâtre avec concours de rhapsodes («qui coud ensemble des chants»), spécialistes de la récitation des poèmes qui déclamaient essentiellement ceux d'Homère. Y furent certainement données des représentations de tragédies de Sophocle, qui écrivit un péan, hymne cultuel, en l'honneur d'Asclépios, et d'Euripide, très apprécié au IVe siècle av. J.-C. Le sanctuaire et le théâtre d'Épidaure furent fréquentés jusqu'au IVe siècle ap. J.-C. L'abolition des cultes païens, qui gênait l'expansion du christianisme, date du règne de Théodose le Grand (empereur romain de 378 à 395) et entraîna la fermeture du sanctuaire.

Le festival d'Épidaure. Depuis 1955, le festival d'Épidaure, qui a lieu chaque été de juin à septembre, connaît un succès qui ne se dément pas. La grande cantatrice Maria Callas y a contribué en venant y chanter *La Norma* de Bellini. C'est à la pinède, qui l'avait recouvert, que l'harmonieux théâtre doit de ne pas avoir été détruit. On regagnera Corinthe, distante de 70 km, par une route de corniche qui suit le golfe Saronique ou par la grande route de l'intérieur, qui passe par Argos.

La déesse Athéna
Cette statue est exposée au musée d'Épidaure.

LA PLAINE D'ARGOS
C'est un paysage majestueux, avec, au premier plan, la plaine couverte de vignes et d'oliviers, les collines grises, et dans le ciel, la lumière qui annonce la mer.

L'ACROPOLE
Argos a fait partie des citadelles perchées sur les hauteurs, qui sont apparues au début de l'âge du bronze et qui, vers le XIIIe siècle av. J.-C., ont été fortifiées.

LARISSA
Les thermes datent de l'époque romaine. Le théâtre comportait 89 rangées de gradins, dont certains ont été taillés dans le rocher même de l'acropole. Une inscription nous apprend que ce théâtre fut restauré sous le règne de l'empereur Hadrien au IIe siècle. Il est dominé par la citadelle du *Kastro* dont les remparts antiques ont été intégrés dans les fortifications entreprises par les Byzantins, restaurées par les Francs, puis complétées par les Turcs.

ARGOS

Argos, qui apparaît dans les mythes comme le plus ancien site de l'Argolide, fut occupé dès l'an 2000 av. J.-C. Vers le XIIe siècle av. J.-C., les Doriens en firent le centre le plus important de la région. La ville occupe l'emplacement de la cité antique. Elle est située aux pieds de deux collines, l'Aspis et Larissa. Détruite en 1828, à la suite d'un incendie pendant la guerre d'Indépendance ● *51*, Argos fut entièrement rebâtie au XIXe siècle. Le musée d'Argos rassemble chronologiquement (du IIe millénaire au VIe siècle av. J.-C.) les découvertes des fouilles effectuées sur le site par l'École française d'Athènes.

LE THÉÂTRE. C'est le monument le plus important d'Argos, situé à la sortie de la ville, sur la route de Tripolis. L'École française d'Athènes en assura les fouilles. On pense qu'il date de la fin du IVe siècle ou du début du IIIe siècle av. J.-C. Plus grand que ceux de Delphes et d'Épidaure, il pouvait accueillir environ 20 000 spectateurs.

L'HÉRAION D'ARGOS. Sur les flancs du mont Eubée, à 9 km de la grande place d'Argos, visiter le sanctuaire national des Argiens (VIIe siècle av. J.-C.) aménagé sur deux terrasses. Le temple d'Héra date de 420 av. J.-C.

D'Argolide en Arcadie

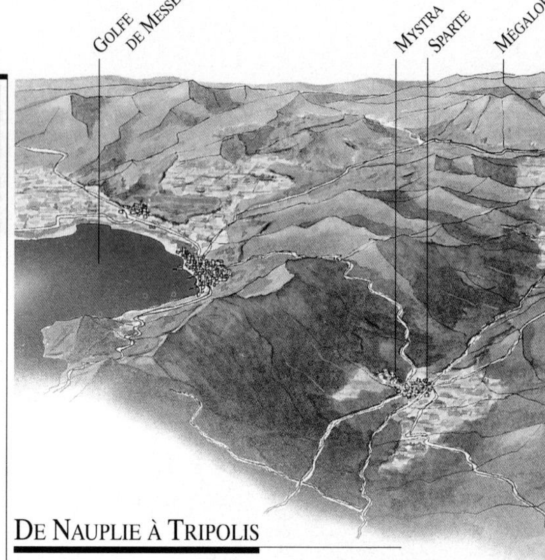

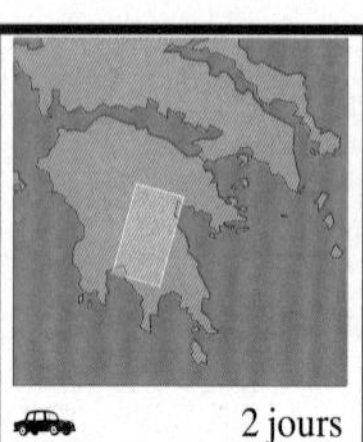

2 jours

DE NAUPLIE À TRIPOLIS

La route côtière au sortir de Nauplie longe la baie la plus septentrionale du golfe d'Argolide, via Nea Kios puis Myli, à proximité de l'antique site de Lerne.

LE SITE DE LERNE. Le site a été découvert sur une éminence, au sud du village, du côté de la mer. Occupé depuis le IVe millénaire av. J.-C. jusqu'à la fin de la civilisation mycénienne, sa construction la plus importante est antérieure à la venue des Grecs : il s'agit de la maison dite «des Tuiles», datée du Bronze ancien II (2600-2200 av. J.-C.), ainsi baptisée pour son toit à faible pente qui était couvert de plaques de terre cuite, posées dans du limon, et de feuilles d'ardoise. Cette demeure, peut-être princière par ses dimensions (25 m sur 12 m), comprend trois pièces principales en enfilade et possédait un étage. Bien qu'il ait été fortifié, l'édifice a été détruit par un incendie puis reconstruit au début du Bronze ancien III. Des poteries troyennes ont été découvertes au niveau correspondant à la période 2200-2000 av. J.-C. ; dans les strates correspondant au Bronze moyen (2200-1580 av. J.-C.), ont été mis au jour des tessons de poteries provenant des Balkans, de la Crète et des Cyclades. Vers 1650, le tout fut enseveli sous un tertre, où deux tombes royales à fosse furent aménagées par les Mycéniens. Des tombes de la période géométrique (1000-800 av. J.-C.) ont été également dégagées au sud-ouest.

TRIPOLIS. Un peu au sud de Myli, la route principale se dirige vers l'intérieur des terres et Tripolis, capitale de l'Arcadie. La ville de Tripolis, «trois villes», correspond aux territoires des cités antiques de Tégée, Mantinée et Pallantion, s'étendant sur toute la haute plaine environnante.

TRIPOLIS
Sous la domination vénitienne, elle devint la ville principale de la Morée, sous le nom de Tripolitsa, puis, en 1770, la capitale du pachalik turc du Péloponnèse. Tripolitsa conquise par l'armée grecque du klephte Colocotronis (23 septembre-3 octobre 1821), sera incendiée par Ibrahim en 1827. Elle sera reconstruite trois ans plus tard, après l'Indépendance et prendra alors son nom actuel.

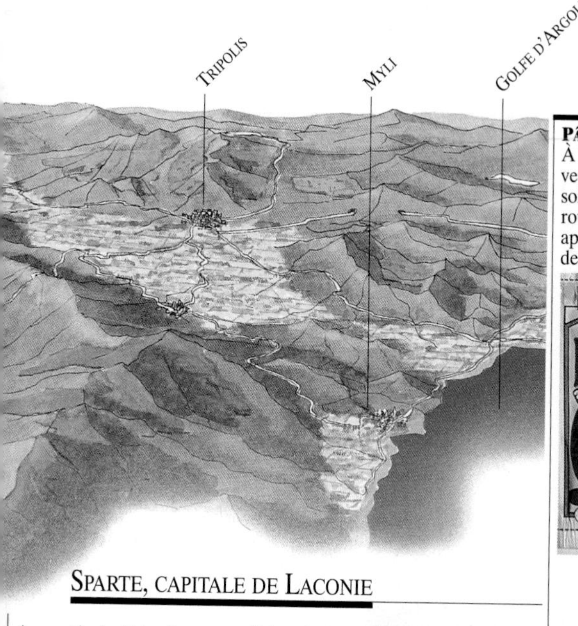

PÂQUES ORTHODOXE
À Pâques, la coutume veut que les œufs soient peints en rouge et mangés après la messe de la Résurrection.

SPARTE, CAPITALE DE LACONIE

Au sortir de Tripolis, on se dirige droit au sud vers Sparte, distante de 60 km. La pauvreté de ses monuments, qui frappait déjà le visiteur antique, reflète cet idéal d'austérité que la cité incarna dès ses origines, dominées par la figure du législateur Lycurge qui estimait que l'ornementation des édifices publics nuisait à l'attention des citoyens s'y réunissant pour délibérer.

LE MÉNÉLAION. La déception que l'on éprouve devant les maigres vestiges de la ville elle-même peut cependant être compensée par l'impression grandiose qu'offre une visite à la colline du Ménélaion, pour peu que l'on s'y rende à l'heure magique où le soleil décline. Du haut de cet éperon situé à l'extrémité d'une chaîne de collines qui surplombe la ville à l'est, on découvre, dans toute l'ampleur de son cadre naturel, la vallée de l'Eurotas ■ *28*, dont le lit serpente entre les collines couvertes d'oliviers, au pied de la haute barrière du Taygète qui, vue de là, paraît infranchissable.

SANCTUAIRE D'HÉLÈNE ET MÉNÉLAS
Aujourd'hui réduit à ses fondations, il faut l'imaginer dressant, à près de 10 m au-dessus du sommet de la colline, le large disque peint qui couronnait son faîte.

2 jours

LE MONT TAYGÈTE
Le plus haut mont du Péloponnèse culmine à 2 404 m d'altitude et domine toute la plaine de Sparte.

LE SANCTUAIRE D'HÉLÈNE ET MÉNÉLAS. La colline du Ménélaion doit son nom au sanctuaire d'Hélène et de Ménélas que les Spartiates élevèrent, à l'époque archaïque, en mémoire du légendaire couple royal, auquel ce lieu était consacré déjà depuis la fin de l'époque géométrique, comme l'attestent de nombreux ex-voto en bronze, en plomb et en terre cuite, retrouvés en 1975 par L'École britannique d'Athènes : un aryballe (petit vase) en bronze portait l'inscription «à Hélène et Ménélaos», et un outil : «à Hélène». Le sanctuaire, reconstruit au Ve siècle av. J.-C., fut fréquenté jusqu'à l'époque hellénistique. Ses ruines demeurèrent toujours visibles. Fouillé à plusieurs reprises entre 1839 et 1977, il se composait d'un petit temple en tuf blanc construit sur une plate-forme entourée d'un exèdre en calcaire bleuté qui reposait sur de hauts murs de soutènement en conglomérat. On y accédait, du côté ouest, par une rampe en forte déclivité. Ce n'est pas par hasard que les Spartiates choisirent cet endroit pour honorer la mémoire des héros dont ils se proclamaient les héritiers. De fait, le Ménélaion avait dû constituer, quelques siècles plus tôt, le noyau central de l'agglomération mycénienne. Or, on sait que les cultes héroïques, qui fleurissent un peu partout en Grèce à la fin de l'époque géométrique, s'établissent sur les lieux où les héros sont censés avoir vécu ou être enterrés.

LE PALAIS. C'est à moins de 100 m au nord-est du sanctuaire d'Hélène et de Ménélas que les fouilles, récemment achevées, ont mis au jour le principal ensemble architectural mycénien. Il s'agit d'un vaste bâtiment, construit vers le milieu du XVe siècle av. J.-C., mais qui, victime sans doute d'un tremblement de terre, dut être rebâti peu après. On modifia alors son orientation pour limiter les dégâts en cas de nouveau séisme, mais on conserva les grandes lignes du plan : une unité centrale constituée d'un porche, d'un vestibule et d'une grande pièce intérieure, encadrée par deux ailes subdivisées en plusieurs pièces. Ce plan en mégaron qui, un siècle avant leur construction, préfigure déjà les palais de Tirynthe ▲ *306*, de Mycènes ▲ *300* et de Pylos, invite à voir dans cet édifice le centre administratif de l'agglomération et peut-être la résidence du chef. Les Spartiates de l'époque historique y virent-ils le palais de Ménélas, ou son tombeau, quand ils vinrent fonder son sanctuaire ?

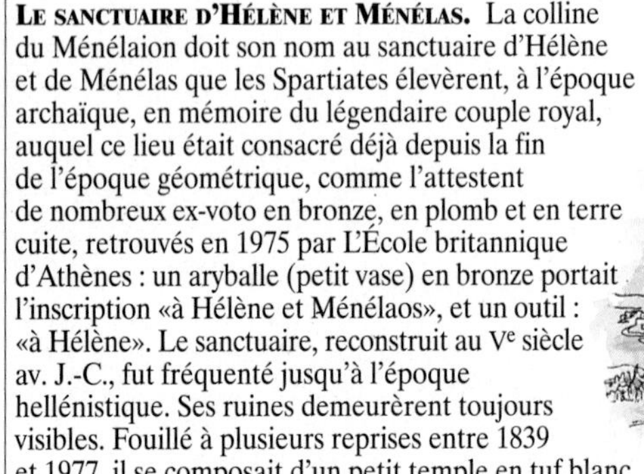

MUSÉE DE SPARTE
Situé au centre de la ville, il fut construit en 1875-1876 dans le style néoclassique et regroupe l'ensemble des objets découverts sur les sites archéologiques environnants.

AMPHORE ARCHAÏQUE FIN VIIe SIÈCLE
Cette grande amphore funéraire en terre cuite est exposée au musée de Sparte. Elle est décorée de scènes en relief représentant une partie de chasse et un défilé de chars.

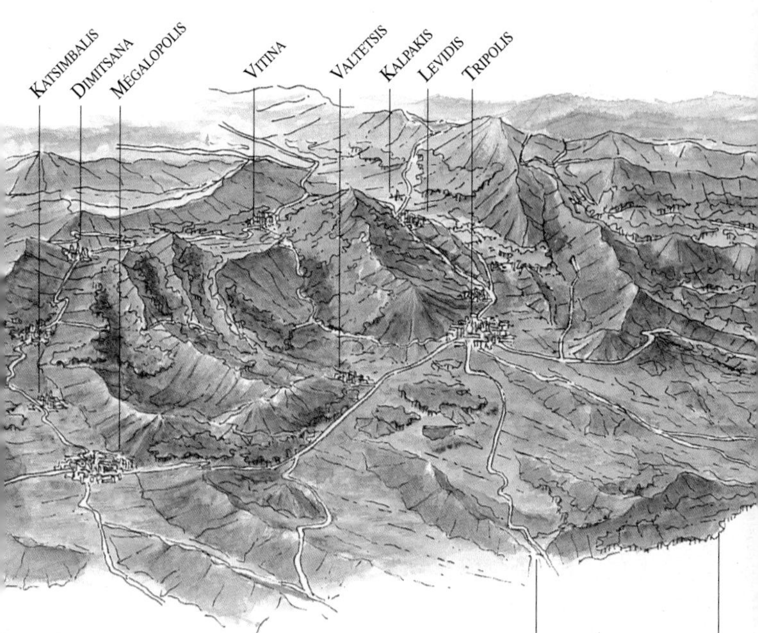

De Tripolis à Andritséna

De retour à Tripolis, on prend la direction de Mégalopolis, située 34 km au sud-ouest.

Mégalopolis. Avec ses 5 000 habitants, la «Grande Ville» ne mérite plus guère son nom. Les ruines de la cité antique couvrent une importante superficie au nord de l'agglomération moderne. Cette dernière avait été fondée par le Thébain Épaminondas, trois ans après sa victoire sur les Spartiates, à Leuctres en 371 av. J.-C. ● *46*, afin de donner une capitale à la Ligue arcadienne. Son théâtre était le plus vaste de Grèce. Les Romains y construisirent une scène en pierre, ainsi qu'un mur et une corniche en surplomb ou *proscenium.* Lors des fêtes du 15 août, on y représente des tragédies antiques. L'immense assemblée du Thersilion, contiguë à la scène du théâtre, date aussi de la fondation de Mégalopolis, et porte le nom de son fondateur. Les «Dix Mille» de la Ligue arcadienne s'y réunissaient pour élire le conseil. Demeuré en usage jusqu'au sac de la ville par les Spartiates, en 223, il n'a jamais été reconstruit. On n'en voit plus que les fondations et les bases des piliers. Autres monuments en ruine, le sanctuaire de Zeus Soter, le «Sauveur» et le portique de Philippe, donnant accès au marché à l'ouest, qui avait été appelé ainsi en l'honneur du roi de Macédoine. À l'est de l'agora, le portique Myropolis, construit pour Aristodème, donnait sur le célèbre marché aux parfums. Bien d'autres temples, dont plusieurs voués à Déméter, à sa fille Perséphone, à Dionysos et Asclépios n'ont laissé que des autels.

De Mégalopolis à Andritséna. À mi-chemin de Mégalopolis et d'Andritséna, on atteint le village de Karytena, perché à 583 m d'altitude au-dessus des gorges de l'Alphée, et que dominent les ruines d'un château franc d'où l'on a une vue panoramique superbe.

Andritséna
Le joli village de montagne d'Andritséna, établi à 765 m d'altitude, 18 km après Strongilio, étage ses maisons aux toits pentus couverts de tuiles rouges, et aux balcons de bois, au-dessus de la vallée de l'Alphée. Il s'enorgueillit de posséder une bibliothèque de plus de 25 000 ouvrages dont certains très rares ; elle fut fondée en 1840 par Agatrophos Nikolopoulos, ancien assistant à la bibliothèque de l'Institut de Paris. Andritséna possède également un musée qui conserve les objets recueillis sur les sites archéologiques des environs.

Le temple de Bassae

Andritséna constitue le meilleur point de départ pour visiter le temple d'Apollon Epikourios, le «Secourable», situé 14 km plus au sud, à Bassae. C'est l'un des sanctuaires les mieux conservés de Grèce. Sa construction remonte aux environs de 450 av. J.-C. Les plans seraient dûs à Ictinos, l'un des futurs architectes du Parthénon, qui en aurait surveillé les travaux jusqu'en 447 av. J.-C. La construction aurait été interrompue et le temple achevé vers 425 av. J.-C., voire au début du IVe siècle, par un autre architecte qui modifia le projet d'Ictinos.

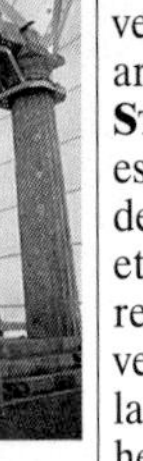

La cella s'orne à l'intérieur de deux rangées de cinq demi-colonnes, dont le fût mince, creusé de onze cannelures, prend appui sur une large base. Les colonnes s'adossent à des piliers quadrangulaires, qui les relient aux murs par des crampons de métal en double T. Les quatre premières, de chaque côté, sont couronnées de chapiteaux ioniques, mais la dernière paire portait des chapiteaux corinthiens, tout comme une colonne isolée servant de séparation entre la cella et l'adyton.

Structure du temple. Le plan est orienté nord-sud, et non est-ouest, comme de coutume ; la cella ne comporte pas de mur à l'arrière, mais donne sur une pièce rectangulaire et comporte une ouverture à l'est. On estime que cet adyton remplaçait une chapelle antérieure et que la porte, ouverte vers l'est, donnait accès à la lumière du matin, pour éclairer la statue d'Apollon. De l'extérieur, ce temple périptère ● *90* hexastyle (six colonnes de front) est d'ordre dorique. Il mesure 39,87 m sur 16,13 m et compte 6 fois 15 colonnes, ainsi que les habituelles colonnes *in antis* du *pronaos* et de *l'opisthodome.* Les tambours de l'une des colonnes tombées ont été remontés, et seule manque la colonne de l'angle sud-est, l'un des premiers exemples connu de colonne corinthienne ● *85*.

La décoration du temple. La frise, sans équivalent à l'époque, comportait une statue monumentale d'Apollon, en bronze. Elle fut remplacée par une statue en bois, avec une tête, des mains et des pieds en marbre dont des fragments sont conservés au British Museum. Six métopes, ornées de bas-reliefs, décoraient l'entablement du *pronaos* et de l'*opisthodome*, mais il n'en subsiste que des fragments en mauvais état. Il semble que les frontons aient été préparés pour recevoir des sculptures, mais aucune n'a été retrouvée sur place.

Théâtre mythique des «Idylles» de Théocrite et des «Bucoliques» de Virgile, l'Arcadie est aussi «ce pays clos tout en montagne qui a pour ciel jour et nuit le ciel bas»(Séféris). Si le printemps pare sa nature d'un riche manteau où le chêne et le lierre cohabitent avec l'olivier et les arbres fruitiers, si les douces prairies et les cultures en terrasses témoignent de la patiente conquête de son paysage par l'homme, l'Arcadie reste dure aux âmes sensibles. Rien d'étonnant à ce que ses fils, descendants des Achéens, aient nourris l'épopée de la guerre contre l'occupant turc.

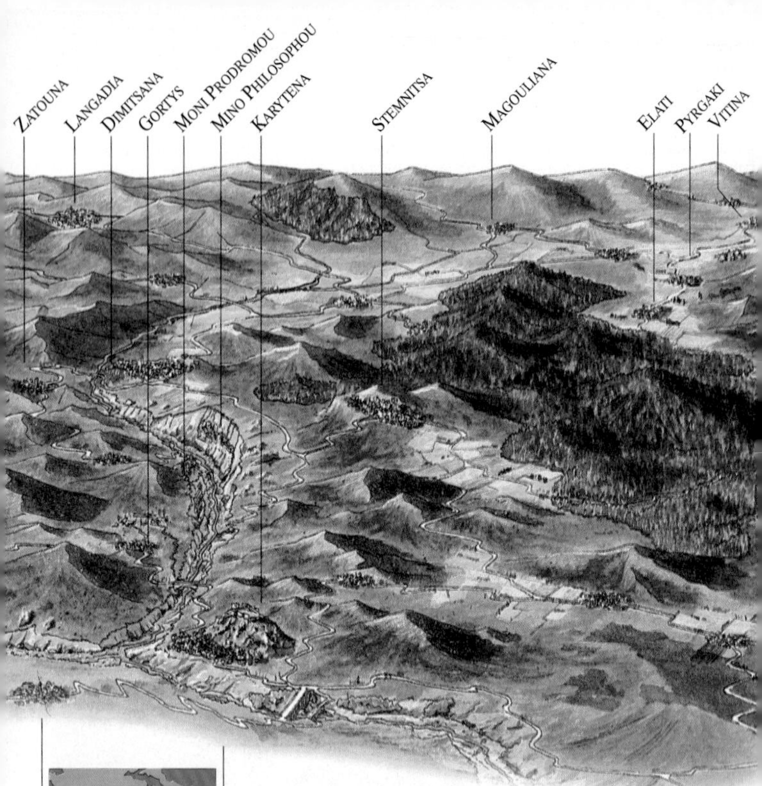

ZATOUNA
LANGADIA
DIMITSANA
GORTYS
MONI PRODROMOU
MINO PHILOSOPHOU
KARYTENA
STEMNITSA
MAGOULIANA
ELATI
PYRGAKI
VITINA

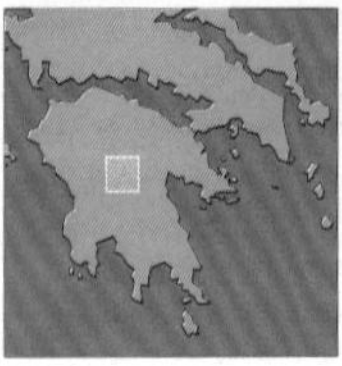

LES VILLAGES ARCADIENS

2 jours

L'Arcadie de l'ouest, la Cynourie, vivait jusqu'à ces dernières années d'une économie pastorale aujourd'hui en déclin. Elle est cependant demeurée sauvage et peu touristique. Montagnes peuplées de pins de Céphalonie, pâturages, gorges, plaines cultivées, vallons… les paysages varient au gré d'un relief accusé. L'habitat est à la mesure de ce pays au caractère bien trempé, qu'il s'agisse des petits villages aux massives maisons de pierre accrochées à la pente, ou des monastères suspendus aux falaises qui surplombent le Loussios.

Le cœur de l'Arcadie compte nombre de villages et bourgades, peu habités l'hiver, mais qui se repeuplent à la belle saison. Les fêtes religieuses, notamment celle de Pâques ● *66*, offrent aussi une bonne occasion de retrouvailles familiales sur le sol natal.

LANGADIA. Situé à 72 km de la ville de Tripolis sur la route qui mène à Pyrgos, le bourg montagnard de Langadia (prononcer Lagadia) s'aggripe aux pentes d'un val profond. Centre économique et touristique de la région, c'est un des nomes, ou circonscription administrative, d'Arcadie. Il ne compte pas moins de quatre églises, autour desquelles se regroupent quelques petites maisons aménagées avec amour et bariolées de couleurs chatoyantes. Leur modestie contraste avec les imposantes demeures arcadiennes, œuvres des tailleurs de pierre langadiens dont la renommée en Grèce était telle que l'on faisait appel à leurs services à travers tout

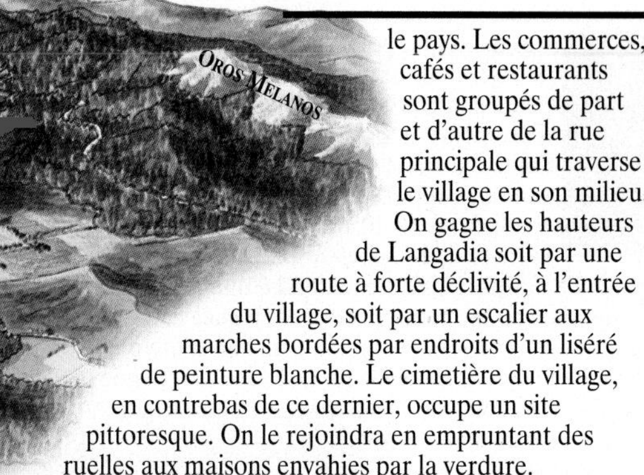

le pays. Les commerces, cafés et restaurants sont groupés de part et d'autre de la rue principale qui traverse le village en son milieu. On gagne les hauteurs de Langadia soit par une route à forte déclivité, à l'entrée du village, soit par un escalier aux marches bordées par endroits d'un liséré de peinture blanche. Le cimetière du village, en contrebas de ce dernier, occupe un site pittoresque. On le rejoindra en empruntant des ruelles aux maisons envahies par la verdure.

DIMITSANA ♥. En quittant Langadia par la route nationale, en direction de Tripolis, nous bifurquerons au lieu-dit Karkalou, en direction de Mégalopolis pour rejoindre Dimitsana, centre historique et religieux de l'Arcadie. Le nom de Dimitsana, d'origine slave, est cité dans les chroniques du Xe siècle. Dominant les gorges du Loussios, la citadelle médiévale, aujourd'hui classée, s'est implantée sur les ruines de l'antique cité de Theutis. Çà et là apparaissent des vestiges de l'ancien mur de fortification. On distingue trois époques de construction : la plus ancienne, sur l'acropole de la cité antique, dans le quartier dit de *Kastro* ; Platza, en contrebas de l'acropole, d'époque moyenâgeuse et vénitienne ; enfin les quartiers «modernes», des XVIIIe et XIXe siècles. Autour de la place centrale, où sont rassemblés magasins et cafés, un entrelacs de rues sillonne le quartier médiéval et vénitien. Un petit musée ecclésiastique est installé dans la maison natale du patriarche de Constantinople, Grégoire IV, qui participa activement à la révolution de 1821 : il réunit icônes et objets de culte provenant de toute la région. Deux grandes familles, les Colocotronis ▲ *299* et les Deligiannis, qui s'illustrèrent pendant la guerre d'Indépendance, sont originaires de Dimitsana. Il n'y a pas un seul village dans cette contrée qui ne conserve pieusement le souvenir d'un héros de la guerre d'Indépendance natif de l'endroit.

ZATOUNA. Situé en face de Dimitsana, le village de Zatouna a été quasiment déserté par ses habitants partis chercher fortune ailleurs, qui en Australie, qui en Amérique, comme l'attestent les restaurations de fontaines ou d'églises, réalisées aux frais de ces derniers.

UN MARCHAND DE SOUVENIRS À LANGADIA
Ici point de cartes postales du Parthénon «by night» ou de casque d'hoplite en fer blanc, mais un artisan un peu hâbleur qui propose, à l'entrée du village, ses cannes de berger ou ses cuillères en bois «faites main».

DIMITSANA
La place centrale de Dimitsana n'a guère changé depuis l'époque où a été pris ce cliché.

S'il était hasardeux de se promener sur les chemins d'Arcadie au siècle dernier, aujourd'hui l'infrastructure hôtelière, encore légère, et le réseau routier en pleine expansion rendent la chose plus facile.

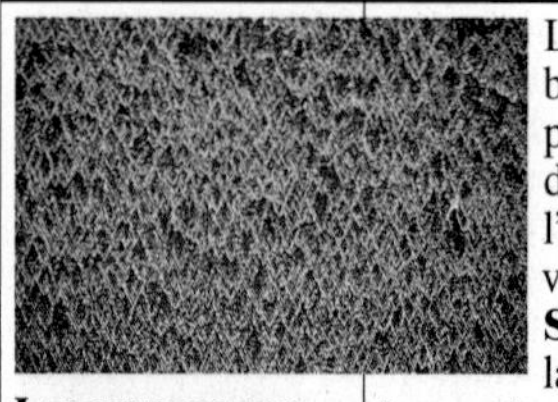

LA ROUTE DES PINS
À 12 km de Stemnitsa, lorsqu'on se dirige vers Tripolis, une route à gauche traverse une forêt de pins de Céphalonie, s'étageant entre 820 et 1620 m d'altitude. Elle est assez dense pour que les partisans de Colocotronis soient venus s'y réfugier pendant la guerre d'Indépendance. Héros célèbre entre tous, le général Colocotronis est un Arcadien de souche. Il est né à quelques kilomètres de là vers le nord, dans le village de Magouliana.

Le Loussios est un confluent de l'Alphée, le fleuve mythique détourné par Héraclès pour nettoyer les écuries d'Augias qui baigne la vallée où est bâti Olympie.

Les oies et les poules ont colonisé de magnifiques bâtisses dont beaucoup, à l'abandon, tombent peu à peu en ruine. Les ruelles sont parcourues d'un silence impressionnant. Aux yeux de l'autochtone, le touriste fait figure de voyageur venu de contrées lointaines.

STEMNITSA. À 10 km au sud de Dimitsana, sur la route de Mégalopolis, Stemnitsa, appelé encore Ipsounda ou Ipsous, s'étire au fond d'une gorge. Le village est dominé par un piton rocheux sur lequel se dresse un monument aux morts, au milieu d'un belvédère d'où l'on jouit d'une belle vue sur la vallée du Loussios et la plaine de Mégalopolis. On visitera en passant un intéressant musée ethnographique, installé dans une vaste maison traditionnelle.

LES GORGES DU LOUSSIOS

Dimitsana constitue le point de départ idéal pour une excursion dans les gorges du Loussios. À la sortie du village on prendra la direction de Stemnitsa (Ipsounda) puis celle de Paléochora à 3 km. À l'entrée de ce bourg, une route de terre, à gauche, conduit aux monastères d'Aimyalos, de Ioannis Prodromos et de Philosophos. À l'embranchement, la route de gauche mène au Moni Ioannis Prodomou et celle de droite au Moni Philosophou. Les deux monastères se font face, de part et d'autre des gorges du Loussios.

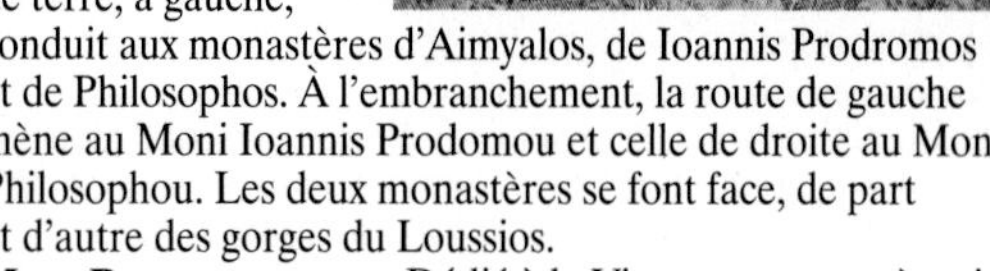

MONI PHILOSOPHOU ♥. Dédié à la Vierge, ce monastère tire son nom du fondateur, Ioannis Lambardopoulos, secrétaire à la cour de l'empereur byzantin Nicéphore Phocas, surnommé «le Philosophe». Le bâtiment est composé de deux ensembles monastiques : le plus

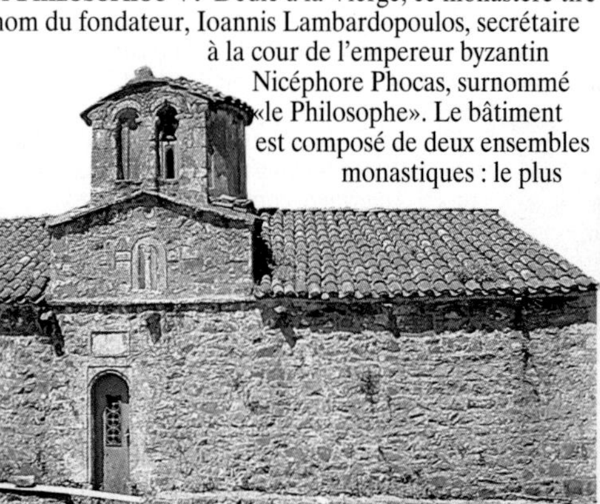

Ex-voto
Témoins de la ferveur religieuse grecque, ces petits édifices jalonnent le bord des routes. Pas un village dont l'entrée ne soit annoncée par une de ces églises miniatures aux formes et aux couleurs les plus extravagantes. À l'intérieur, une petite lampe à huile illumine l'icône d'un saint, autour de laquelle sont disposés des objets hétéroclites témoignages de reconnaissance des villageois.

récent, dont la photo ci-dessous à gauche nous montre l'aspect, est en cours de restauration. Il date de la fin du XVIIe siècle et possède de belles icônes dues à Victor le Crétois. Le plus ancien, aujourd'hui en ruine, a été fondé en 963. Sous la domination ottomane, on l'appelait «l'École cachée» : dissimulé au creux d'une veine rocheuse, il fut un des centres de la conservation de la tradition grecque et de la religion orthodoxe. On y parvient en vingt minutes de marche par un sentier en contrebas, vaguement indiqué par une pancarte. Le chemin débute par un ancien escalier de pierre, épousant la pente abrupte à flanc de rocher, et se prolonge dans les sous-bois, avant d'aboutir à un petit éboulis au-dessus duquel se dresse le monastère. Abandonné depuis des siècles, ce dernier a conservé une petite chapelle couronnée d'une coupole octogonale, ainsi que son accès fortifié, construit dans un renfoncement de la falaise dont il se distingue à peine. Il ne reste plus des bâtiments conventuels que des pans de mur. L'atmosphère de grandeur, d'austérité et de désolation qui se dégage du site produit une très vive impression. De là, on peut emprunter un sentier qui descend dans les gorges, franchit le Loussios par un petit pont, traverse des sous-bois et des prairies où paissent moutons et chèvres pour rejoindre le monastère de Ioannis Prodromos au terme d'une marche fort agréable d'environ 3/4 d'heure.

ΠΡΟΣ
ΚΡΥΦΟ
ΣΧΟΛΕΙΟ

Disposée à même le sol cette pancarte indiquait le chemin vers l'ancien monastère du Philosophe.

Moni Prodromou. Fondé en 1167 par Manuel Comnène ● *49*, le monastère de Ioannis Prodromos abrite encore aujourd'hui une importante communauté monastique. Il est composé de deux églises. La plus ancienne, exiguë, est accolée à la paroi rocheuse. Autour de cette église se sont progressivement édifiés les bâtiments conventuels, dont les balcons en encorbellement saillent de la falaise, suspendus au-dessus des vertigineuses gorges du Loussios. La deuxième église, plus récente, présente un intérêt architectural moindre. Elle se dresse hors de l'enceinte, sur une éminence d'où l'on domine toute la contrée. Moni Prodromou est avant tout un lieu de prières et de recueillement. Le visiteur, admis à le visiter, est tenu d'observer certaines règles de conduite notamment du point de vue vestimentaire.

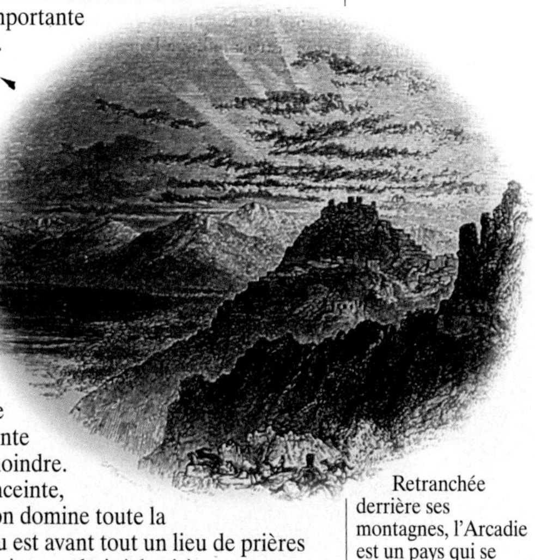

Retranchée derrière ses montagnes, l'Arcadie est un pays qui se mérite. Les sentiers y sont peu fréquentés et rarement goudronnés.

Le site archéologique de Gortys intéressera l'archéologue ou l'amateur avisé. Les autres voyageurs seront davantage impressionnés par l'atmosphère de ce lieu isolé, ainsi que par l'élégante église byzantine qui se dresse à proximité des ruines antiques.

La forteresse de Karytena
Elle se dresse à près de 600 m d'altitude et commande un impressionnant panorama sur les gorges de l'Alphée et la plaine de Mégalopolis.

Le pont de Karytena
En sortant de Karytena par la route qui mène à Bassae ▲ *326*, on pourra voir, en dessous du grand pont moderne qui franchit l'Alphée, un pont médiéval à trois arches, attenant à une chapelle.

Gortys. À partir de Dimitsana, on prendra la direction de Stemnitsa puis de Karytena. Dans le village d'Helleniko, un panneau indique la direction de Gortys, ancienne cité antique. On parvient à ce complexe par la route en terre qui se trouve en face du pont enjambant le Loussios. Le site antique, fouillé par l'École française d'Athènes, comprend, entre autres, une acropole fortifiée qui contrôlait l'entrée de la plaine de Mégalopolis et une terrasse le long du Loussios sur laquelle fut édifié un sanctuaire dédié à Asclépios ▲ *175*. Il comportait des maisons d'accueil pour les pèlerins ainsi que trois monuments : un portique d'incubation, un temple et un édifice thermal. Ce dernier, que l'on peut voir à gauche après le pont, fut élevé dans la seconde moitié du IVe siècle av. J.-C. Il se présentait sous la forme d'une grande maison avec cour centrale et piscine. À l'époque hellénistique, furent adjointes au bâtiment principal une étuve de forme circulaire près de l'entrée, dont on aperçoit encore la trace, une petite rotonde avec neuf baignoires-sièges et une grande salle rectangulaire à trois absides qui servait de bain par immersion. Les fondations du grand temple situé à côté de cet édifice sont encore visibles. Elles permettent d'affirmer qu'il s'agissait d'un temple périptère ● *90*, comportant une cella et un *pronaos in antis*. Ce bâtiment n'a probablement jamais été achevé. Certains blocs de fondation ont été réemployés dans l'édifice thermal voisin. De Hellénico, nous nous dirigerons vers Karytena.

Karytena. Ce village, nome d'Arcadie, est dominé par une butte qu'occupent les ruines d'une forteresse érigée au milieu du XIIIe siècle par les Francs. Au pied de la forteresse, se trouve une chapelle dédiée à la Vierge. Après la prise de Constantinople par les Croisés en 1204 ● *49*, l'Arcadie devient un des points stratégiques de l'occupation franque, comme en témoigne la toponymie actuelle de certains villages, et Karytena la capitale d'une importante baronnie de vingt-deux fiefs commandée par Hugo et Geoffroy Bruyère. On doit à ces barons francs le château fort.

MYSTRA

🚗 4 heures

La ville franque
La montagne escarpée sur laquelle est bâtie la ville au XIIIe siècle, est située au pied de la chaîne du Taygète, dont elle est séparée par des gorges profondes. Les maisons s'étagent, les unes au-dessus des autres, jusqu'au sommet, couronné par la citadelle. La ville, déserte et longtemps abandonnée, n'est plus qu'un musée.

Mystra, place forte franque

La ville n'était sans doute qu'un simple poste fortifié quand Guillaume de Villehardouin, prince d'Achaïe (1246-1278), en fait en 1259 l'une des trois places fortes de Laconie, avec Monemvasia ◆ *404* et le Grand Magne ▲ *342*, et s'assure ainsi le contrôle du sud-est de la Morée.

Un centre de culture. Sous les Paléologue (1348-1460), Mystra est un brillant centre de la renaissance culturelle

1. Entrée
2. Métropole
3. Église de l'Évanghélistria
4. Église Saints-Théodores
5. Église Afendiko
6. Porte de Monemvasia
7. Église Saint-Nicolas
8. Palais du Despote
9. Église Sainte-Sophie
10. Château franc de Villehardouin
11. Couvent de la Pantanassa
12. Maison de Frangopoulos
13. Monastère de la Péribleptos
14. Église Saint-Georges
15. Église Saint-Christophore
16. Maison de Laskaris

de l'empire byzantin. L'humaniste Pléthon Gémistos, originaire de Constantinople, arrive à Mystra en 1400. Il cherche à faire reconnaître des valeurs morales s'inspirant de la philosophie platonicienne et des mythes antiques. Il écrit à Manuel Paléologue : «Nous sommes des Hellènes par la race, notre langue et notre culture l'attestent.»

Le site. On entre par l'une des anciennes portes de la ville basse. À droite, un chemin conduit à la Métropole, située en contrebas, tout près du rempart. La ville de Mystra se divise en trois secteurs : le château franc, situé au sommet d'un éperon du mont Taygète ; la ville haute, où se dresse le palais du Despote, bâtie au nord, sur un plateau ; la ville basse, qui s'étend sur les flancs de la colline. Les membres de l'expédition de Morée ● *56*, en 1830, la décrivirent ainsi : «La ville basse, où l'on remarque plusieurs tours d'églises, quelques minarets et des cyprès qui forment des pyramides de verdure, est couronnée par un château bâti par les Français et situé au plus haut d'un rocher presque conique ; c'est le dernier échelon du mont Taygète.»

La Métropole. Deux inscriptions témoignent de la fondation de cette église-cathédrale, en 1291, par Nicéphore, l'évêque de Lacédémone. À l'origine, la Métropole avait la forme d'une basilique. Sa transformation date du début du XVe siècle où un métropolite fit enlever le toit charpenté de la nef, construire une galerie au niveau des voûtes en berceau des bas-côtés, et une coupole reposant sur quatre piliers, soutenus par les colonnes des nefs latérales. Les fresques datent de la fin du XIIIe et de la première moitié du XIVe siècle.

Le musée. Il occupe deux étages de l'aile ouest du Palais épiscopal, construit en 1754, au nord de l'église. On y voit des sculptures et des éléments architecturaux provenant des églises de Mystra, des icônes portatives en mosaïque

Une grande cité
Geoffroy de Villehardouin fonda à Mystra une fabrique de monnaie. Le petit État grec qui se développa autour du château franc prit de l'importance. Ses relations intellectuelles et politiques avec Constantinople étaient nombreuses.

La métropole
Après 1262, lorsque Mystra s'agrandit et devint une véritable ville, les habitants de Sparte s'y réfugièrent. Des monastères furent fondés, le château agrandi, la Métropole fut édifiée et dédiée à saint Démétrios. Le siège de l'évêché de Sparte fut transféré à Mystra.

Les icônes sont plus que l'expression d'un art religieux : théophanie, «apparence de Dieu», elles sont investies d'une dimension sacrée. Amorçant sa renaissance après la période iconoclaste, l'art des icônes s'épanouit sous les dynasties des Comnènes (1057-1185) puis des Paléologues (1261-1453). Après la chute de Constantinople, la tradition des arts byzantins survit dans les grands couvents grecs et dans la Crète occupée par les Vénitiens (1204-1669). L'école crétoise, à l'origine surtout composée d'artistes grecs ayant fuit Constantinople, Mystra ou Thessalonique, dominera du XVe au XVIIe siècle : elle perpétue la tradition stylistique byzantine et grecque tout en intégrant des influences italiennes. Le modèle crétois, devenant la référence, sera suivi en Grèce continentale, quoique avec plus de rudesse.

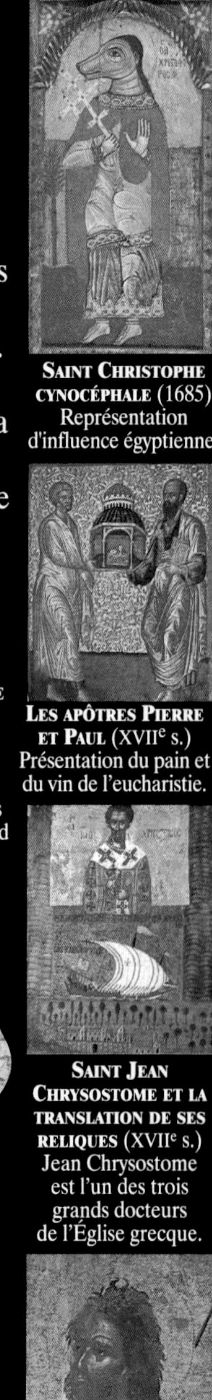

Saint Christophe cynocéphale (1685)
Représentation d'influence égyptienne.

Les apôtres Pierre et Paul (XVIIe s.)
Présentation du pain et du vin de l'eucharistie.

Saint Jean Chrysostome et la translation de ses reliques (XVIIe s.)
Jean Chrysostome est l'un des trois grands docteurs de l'Église grecque.

Saint Jean l'Évangéliste (XVIIe siècle)
La tradition veut qu'il soit représenté sous les traits d'un vieillard à longue barbe blanche.

Saint Jean Prodrome (XVIe s.)
Prodrome signifie «le précurseur» et s'applique à saint Jean Baptiste.

Le prophète Elie (XVIIe siècle)

Hiératisme ou sensibilité. Deux tendances stylistiques s'affrontèrent et s'alternèrent : d'une part la tendance "sensible" - visages plus expressifs et couleurs plus vives -, d'autre part la tendance "hiératique", - visages sévères et lignes plus géométriques.

Icônes sacrées, icônes miraculeuses De nombreuses icônes étaient réputées miraculeuses : cette croyance trouve son fondement dans la théologie chrétienne des images. Ainsi, saint Jean Damascène écrivait : «Les saints étaient pleins pendant leur vie d'Esprit saint. Après leur mort, cette grâce demeure attachée non seulement à leur âme, mais à leur corps enseveli dans le tombeau, à leur nom, à leurs saintes images.»

Le prophète David, (XVe siècle)

Saint Démétrios, (XVIIe siècle) Saint Démétrios, comme saint Georges, est traditionnellement représenté sous les traits d'un prince, jeune et beau, à cheval et en tenue de parade. Dans de nombreuses compositions les deux saints se font face : saint Georges terrassant le dragon personnifiant le combat du bien et du mal, et saint Démétrios l'Église militante. Ce type de représentation est l'une des plus populaires.

LE PALAIS DU DESPOTE
Il fut construit en 1249 par Guillaume de Villehardouin qui l'occupait avec quelque 80 chevaliers de Bourgogne et de Champagne. Le château fut modifié par les Byzantins puis par les Turcs. Le grand bâtiment de l'aile nord-ouest comprend un sous-sol au plafond voûté, un premier étage avec huit appartements et un second étage où se trouvait la salle du trône des Byzantins. Le côté est, est percé d'une rangée de fenêtres, de style gothique, et d'une seconde rangée de six fenêtres.

LA CITADELLE
On atteint le château après une rude montée ; les guerriers qui combattirent ici ont fait face successivement aux Francs, aux Albanais, aux Vénitiens et aux Turcs.

UNE VILLE MYTHIQUE
Mystra, ville fantôme, déploie les ruines de ses remparts, de ses églises, de ses monastères et de ses maisons dans un cadre de verdure.

et des fragments de fresques. Il a été créé par Gabriel Millet, qui fit connaître Mystra en Europe occidentale, grâce à ses ouvrages consacrés à l'art byzantin.

L'ÉVANGHÉLISTRIA. Reprenant le même chemin, on arrive à une église qui date de la fin du XIVe siècle. Son plan est en croix grecque, et sa coupole est soutenue par un tambour octogonal reposant sur deux colonnes et deux piliers. Une galerie destinée aux femmes est aménagée au-dessus du narthex. Les fresques datent de la dynastie des Paléologue.

L'ÉGLISE SAINTS-THÉODORES. Plus loin, on parvient aux églises les plus imposantes de Mystra, Saints-Théodores et l'Hodigitria, à l'abri du rempart nord. Toutes deux relèvent du monastère du Brontochion, construit entre 1290 et 1322 par les higoumènes Daniel et Pacôme. Les éléments extérieurs les plus frappants de Saints-Théodores sont sa coupole, soutenue par un tambour percé de seize fenêtres, et le décor de ses murs, encadrés par un chaînage de briques minces, alternant avec des tuiles en céramique et des pierres de taille rectangulaires, appareillées avec soin. À l'intérieur, le tambour à seize pans repose sur des trompes d'angle et des voûtes en berceau ● *94*. Les fresques dateraient du XIVe siècle.

«Cette montagne est construite comme une intelligence. Des débris de toutes les époques et des races les plus diverses y prennent une couleur d'ensemble.»

Maurice Barrès

L'église de l'Hodigitria. Du dehors, elle apparaît comme une église à croix grecque à deux étages, dont la coupole centrale est entourée de quatre petites coupoles d'angle. Mais à l'intérieur, on s'aperçoit que la base a été construite sur un plan basilical à trois nefs, séparées par deux rangées de trois colonnes, cependant que l'étage supérieur est conçu sur un plan grec à quatre colonnes. Les tribunes courent sur trois côtés de l'édifice et vont jusqu'aux angles du côté est. La tribune ouest se trouve au-dessus du narthex qui est coiffé en son centre d'une sixième coupole. Les nombreuses fresques, bien conservées dans l'ensemble, datent de la première moitié du XIVe siècle.

La porte de Monemvasia. Revenant sur ses pas aux Saints-Théodores, on prend un chemin qui s'élève vers la ville haute, puis on longe les ruines de nombreuses maisons avant d'atteindre l'impressionnante porte de Monemvasia, par laquelle se franchit l'enceinte de la citadelle. Sur la gauche, se trouvent l'église Saint-Nicolas et une maison du XVe siècle. La grand-place, dominant la vallé de l'Eurotas, est bordée, sur deux côtés, par l'immense ruine du palais du Despote.

Le palais du Despote. Il comporte deux ailes en retour d'équerre, rectangulaires, presque perpendiculaires, qui se rejoignent à l'angle nord de la place et ferment ainsi cette place. Sa construction a commencé par l'aile nord-est, à l'extrême droite quand on se trouve sur la place. Les arcs brisés des fenêtres rappellent ceux des châteaux des croisés de Morée ● *56*. Aussi pense-t-on que l'édifice a été élevé pour Guillaume de Villehardouin, entre 1249 et 1259. Les deux bâtiments qui suivent datent sans doute de la même époque : le premier abritait les cuisines et les citernes au sous-sol, et le second servait de résidence princière. Ce dernier comportait six vastes pièces à chaque étage, et un porche à l'extrémité, surmonté d'un balcon d'où l'on admirait toute la vallée jusqu'à Sparte. À l'étage supérieur, avait été aménagée, au centre, une chapelle ornée de fresques. L'aile nord-ouest du palais est un bâtiment rectangulaire à deux étages de près de 40 m de long sur environ 10 m de large. Elle aurait été construite après 1400 pour les Paléologue. Le second étage est réservé au *Chrysotriklinon*, une salle d'audience conçue sur le modèle de celle du palais de Constantinople.

Le Petit Palais. Au sud, le Petit Palais domine la place. C'est l'une des plus imposantes demeures seigneuriales byzantines, à trois étages.

Saint-Nicolas
L'église, toute proche de la porte de Monemvasia et du Petit Palais, est un monument datant de la période de l'occupation turque.

La Péribleptos
Ce petit monastère, situé près du rempart extérieur, est bâti sur la falaise. L'église doit son originalité à sa situation, à flanc de colline. À l'intérieur, les fresques sont remarquables : une *Procession des anges* dans une petite abside, et un *Christ Pantocrator entouré par les prophètes* dans la coupole.

Maison byzantine près de l'église Sainte-Sophie

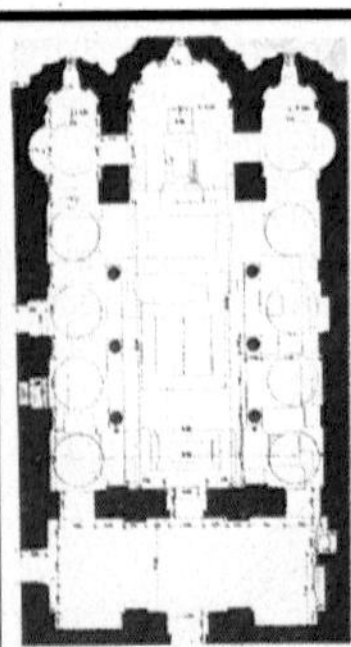

PLAN DE L'ÉGLISE DE LA PANTANASSA

L'ÉGLISE SAINTE-SOPHIE
Le beau clocher séparé, de style champenois (introduit par Villehardouin), s'est vu adjoindre un escalier hélicoïdal, disparu depuis, pour servir de minaret durant l'occupation turque.

CHAPITEAU BYZANTIN
Il est exposé au musée, installé dans la Métropole.

LA VILLE VUE DU PIED DU ROCHER
Villehardouin découvrit ce rocher escarpé où il fit construire un fort. Il édifia une belle ville presque imprenable qu'il appela Mistra. En vieux patois français ce mot veut dire «la maîtresse ville» ; les Grecs l'appellèrent *mizithra*, qui signifie «fromage caillé».

Elle se compose de deux bâtiments, le plus ancien étant le donjon. Le sentier de gauche mène à l'église Sainte-Sophie.

L'ÉGLISE SAINTE-SOPHIE ▲ *254*. Elle a été construite entre 1350 et 1365 pour Manuel Cantacuzène, le premier despote de Morée (1348-1380), qui l'a vouée au Christ. Chapelle du palais et catholikon d'un petit monastère, elle est bâtie sur un plan en croix grecque. Quelques fresques subsistent dans la conque de l'abside et les chapelles, dont un Christ en majesté, ainsi que des marbres polychromes du pavement.

LA PANTANASSA. On redescend jusqu'à la porte de Monemvasia et l'on prend à droite un sentier qui conduit au couvent de la Pantanassa. Une inscription attribue sa fondation à Jean Frangopoulos, premier ministre du despote Théodore II Paléologue. L'église est une basilique à trois nefs. Des fresques originales subsistent dans les bras de la croix, mais les peintures de la partie inférieure datent des XVIIe et XVIIIe siècles. L'entrée est précédée d'un portique à quatre arcades, du côté nord. Le clocher à porche, d'inspiration gothique occidentale, s'élève sur quatre étages. En descendant vers la ville basse, on aperçoit, à droite, une maison byzantine du XVe siècle.

LE MONASTÈRE DE PÉRIBLEPTOS. Le sentier conduit ensuite à l'angle sud-est de la ville basse, où s'élève un petit monastère qui daterait de la fin du XIVe siècle. L'église est construite sur un plan à croix grecque, avec une abside triconque (tréflée) ; sa coupole repose sur deux colonnes et deux piliers. Les fresques, exécutées par des peintres de la cour de Constantinople, constituent l'un des premiers exemples du programme iconographique défini au mont Athos. Elles évoquent quatre cycles : l'*Eucharistie*, les *Douze Fêtes*, la *Passion* et la *Vie de la Vierge*. La *Divine Liturgie*, dans l'abside, est l'un des chefs-d'œuvre de l'art byzantin. On revient alors à l'entrée principale de Mystra.

Le Magne

ARÉOPOLIS
SIPLIROKASTRO
VACHOS
TSEROVA
PANITSA
KARYOUPOLIS
PLATANOS
PASSAVA

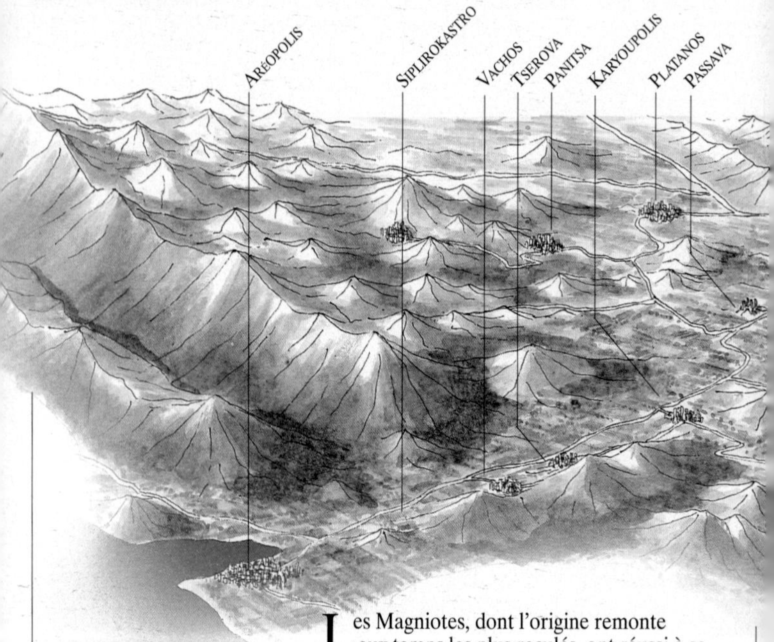

Les Magniotes, dont l'origine remonte aux temps les plus reculés, ont réussi à se maintenir dans le sud du Péloponnèse grâce à une situation géographique favorable. Cette population a gardé des us et coutumes très anciens, et un langage, le dialecte tsaconien, qui serait antérieur à la domination dorienne ● *43*. Vivant en société fermée, les Magniotes ont préservé leur originalité ethnique, en dépit des dominations successives des Romains, des Byzantins, des Francs, des Vénitiens, puis des Ottomans. À cause du sol aride, les Magniotes vivaient peu de l'agriculture et tiraient l'essentiel de leurs ressources de la mer. À l'époque des bateaux à voiles, la navigation et ses possibilités d'échanges et de commerce étaient facilitées par les nombreux petits ports et mouillages ; de plus, le Magne pouvait servir d'étape pour tout navire passant au sud du Péloponnèse. Après la conquête du Péloponnèse par les Ottomans, en 1461, le Magne connut un essor particulier. En échange du versement d'un tribut annuel, les Magniotes n'eurent pas à subir l'occupation turque et conservèrent leur indépendance. Isolés du reste de la péninsule, ils se tournèrent vers la mer, pour exercer, à une époque qui s'y prêtait bien, la piraterie et la course. Les côtes du Magne, avec l'île de Cythère à proximité, et plus au sud l'extrémité occidentale de la Crète, forment un passage obligé pour le trafic maritime entre la Méditerranée orientale et occidentale. Les navires croisant dans ces parages étaient la proie des Magniotes qui agissaient de conserve avec les pirates crétois, les Sphakiotes.

GYTHION
On aperçoit au-dessus du port de Gythion les vestiges de l'ancienne acropole et du théâtre d'époque romaine.

2 jours

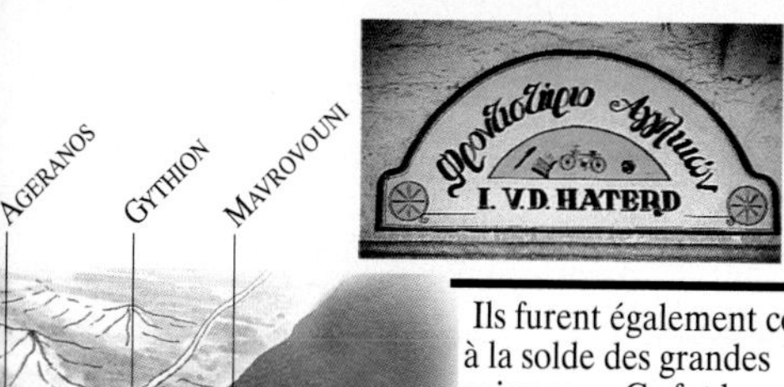

Enseignes de tavernes magniotes.

Ils furent également corsaires, à la solde des grandes puissances. Ce fut le cas au XVIIIe siècle pendant la guerre de Sept Ans, entre la France et l'Angleterre, et plus tard pendant la guerre russo-turque.

Le Magne intérieur

De l'époque médiévale jusqu'au début du XVIIIe siècle, cette région fut peu sûre. Les villages magniotes se situaient alors essentiellement sur les crêtes du mont Taygète et autour du golfe de Skoutari.
Les occupants francs, puis turcs, s'installèrent dans le fort de Passava, à l'entrée orientale du Magne. Après 1780, les Magniotes s'établirent dans les plaines et le long du littoral, jusqu'à la nouvelle frontière de Trinissa. Les ports de Gythion et Mavrovouni, proches, se développèrent à l'initiative de Tzanetbey Grigoraki (1742-1813).

Gythion. Un peu au nord du port, Gythion a conservé son élégante architecture néoclassique du XIXe et du début du XXe siècle. La place centrale et ses nombreux cafés et tavernes accueillent les estivants : on peut y déguster la sigglina, spécialité de saucisse de porc parfumée à l'orange. C'est en face du port de Gythion, dans l'îlot de Cranaé, que Tzanetaki, petit-fils de Tzanetbey, édifia un fort imposant avec une demeure contiguë. Cet édifice a été restauré afin d'abriter le nouveau musée d'Histoire et d'Ethnologie du Magne.

Passava. Le Passe-Avant des croisés ● *42* est construit sur un rocher qui contrôle le passage étroit conduisant au Magne. Il a été édifié par les Francs en 1250 et occupé par les Turcs de 1481 à 1780. De 1685 à 1715, durant la deuxième période de leur domination, les Vénitiens l'avaient rendu inutilisable. Dans sa partie centrale les ruines d'une mosquée sont encore visibles. De Passava, une route conduit sur les hauteurs du Taygète à travers des paysages de collines. Parmi les agglomérations de la région se distinguent Panitsa, Pilala que domine le fort de Khatzakos, et, en retrait dans la montagne, Sidérokastro et Polyaravos.

Karyoupolis. La ville conserve les fortifications construites par la famille de Phoca-Kavallieraki sur le sommet d'une colline. Elles contrôlaient le passage principal vers le Magne et surveillaient la petite vallée fertile de Dikhova qui aboutit au mouillage de Kato-Vathy. Ces deux ensembles fortifiés sont complétés par une tour, contiguë à un bastion, une chapelle dédiée à saint Pierre et la grande église de la Présentation de la Vierge.

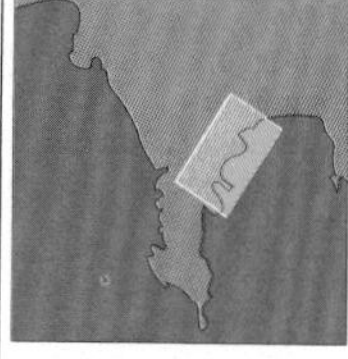

Petro Mavromichalis
Bey de 1815 à 1821, «Chef des Magniotes ou anciens Spartiates» précise la légende du portrait. Les fiers montagnards du Magne prétendaient descendre des guerriers de Léonidas.

Les clans magniotes
Les circonstances socio-économiques et politiques ont contribué à la formation de grandes familles riches, puissantes, véritables clans qui jouèrent un rôle important.

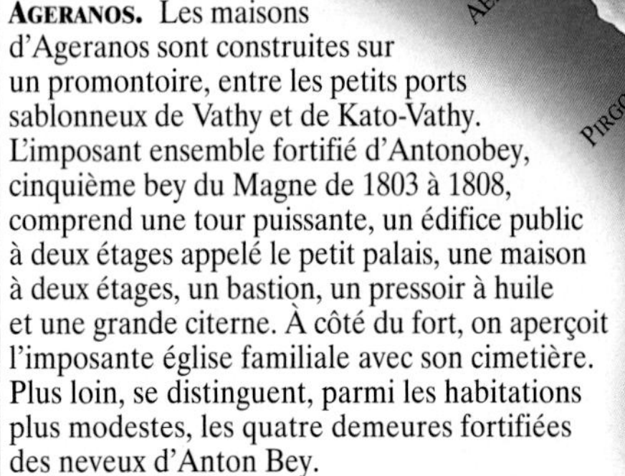

ARCHITECTURE
Dans la partie septentrionale du Magne, Aréopolis, Kotronas, Pyrgos Dirou, l'architecture des maisons et de certains bâtiments ont un aspect particulier, intermédiaire entre le style architectural du nord de cette région et celui du sud. Partout dans le Magne subsistent encore les ruines de tours, d'églises et d'habitats anciens.

AGERANOS. Les maisons d'Ageranos sont construites sur un promontoire, entre les petits ports sablonneux de Vathy et de Kato-Vathy. L'imposant ensemble fortifié d'Antonobey, cinquième bey du Magne de 1803 à 1808, comprend une tour puissante, un édifice public à deux étages appelé le petit palais, une maison à deux étages, un bastion, un pressoir à huile et une grande citerne. À côté du fort, on aperçoit l'imposante église familiale avec son cimetière. Plus loin, se distinguent, parmi les habitations plus modestes, les quatre demeures fortifiées des neveux d'Anton Bey.

SKOUTARI. Bâtie sur une colline proche du littoral, l'agglomération est dominée par un ensemble fortifié et une tour. Alentour subsistent les ruines de plusieurs tours, églises et anciennes maisons.

TSEROVA. De ce village montagneux, la vue s'étend sans obstacle vers la mer jusqu'à l'Eurotas ■ *28* et vers l'intérieur jusqu'au village pittoresque de Vakhos. À côté, sur une colline, on aperçoit l'ancien *Kastro* et le village de Paléa-Karyoupoli construit à l'époque byzantine avec sa tour, ses églises byzantines et paléochrétiennes, et ses maisons médiévales.

LIMÉNI DANS LES ANNÉES 1930
Le palais de Petro Mavromichalis, domine la baie. Il symbolise la puissance du clan.

ARÉOPOLIS ET LE MAGNE DU SUD

Quittant Gythion, la route longe le golfe de Laconie et le versant est de la péninsule, jusqu'à Kotronas. D'après les témoignages d'époque médiévale, la partie méridionale de la péninsule était plus isolée, plus sauvage mais aussi plus peuplée qu'aujourd'hui. À Flomochori, les tours fortifiées rivalisent de hauteur avec les cyprès du paysage.

VATHIA. 10 km plus au sud, Vathia domine le sommet d'une colline, tandis que tout autour s'étendent les ruines des maisons anciennes. Le village, autrefois très florissant, se divise en quatre quartiers correspondant chacun à un clan. Depuis 1975, l'office du tourisme hellénique a encouragé la création d'auberges, de restaurants, et de nouvelles installations touristiques ont été aménagées.

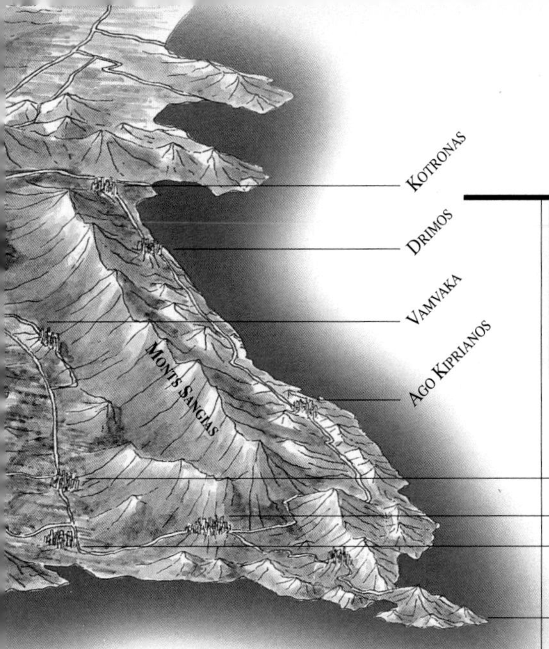

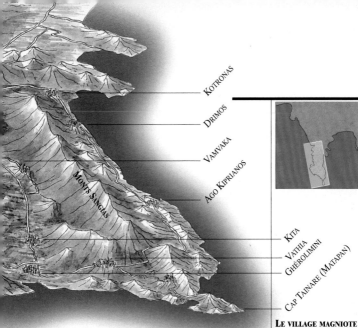

Le cap Tainare. Il a longtemps permis aux Magniotes de contrôler le mouvement des navires dans le passage entre le Péloponnèse et Cythère. Dans le golfe de Psamathos, on aperçoit les vestiges du temple de Poséidon, le Psychopompeion, l'enclos consacré et les édifices antiques autour du sanctuaire qui datent de la période préclassique jusqu'à l'époque romaine.

Porto Kagio. Les plages du village de Porto Kagio (le Port aux Cailles des Francs), dominé par le sombre cap Tainare, et de Marmari sont très agréables pour se baigner. Sur le versant nord de Porto Kagio se dresse une forteresse construite par les Turcs en 1670. De Vathia, on rejoint le petit port pittoresque de Ghérolimini, en passant par Alika, proche du site de l'ancienne ville de Kyparissos où l'on peut voir des basiliques paléochrétiennes.

Tigani. Perché sur un promontoire rocheux, Tigani est visible du port de Mézapos. À cet endroit existait déjà dans l'Antiquité un fortin qui fut aménagé et agrandi sous les Byzantins, afin d'abriter l'administration du Magne du sud. Sur le sommet de la petite presqu'île, une basilique paléochrétienne, des maisons et des citernes témoignent de l'habitat de cette époque.

Kita. C'est l'un des plus importants villages de la région. En dehors de maisons éparses faites de gros blocs de pierre, Kita se subdivise en six quartiers correspondant aux clans des six grandes familles ; chacun pourvu de quinze à cinquante maisons, de tours militaires et d'églises.

Diros. C'est là, durant l'été 1826, que les Magniotes repoussèrent les forces de l'armée égyptienne.

Le village magniote
Le paysage dépouillé du Magne se trouve en parfaite harmonie avec le style architectural de son habitat. Ici, le temps s'est arrêté, ce qui permet de reconnaître les constructions primitives et de suivre la lente évolution de l'histoire de l'architecture locale.

Le cap Tainare
De Vathia l'on découvre la mer et le cap Matapan ou cap Tainare qui s'enfonce comme un fer de lance dans la Méditerranée. C'est au cap Tainare que les Anciens situaient l'entrée des Enfers ou Hadès. Ce lieu a longtemps été un repaire de pirates.

Le clan des Liani à Kita, 1800 à 1850
Le noyau d'origine de l'ensemble fortifié des Liani comprend une maison fortifiée, une maison avec terrasse (*liakos*), une citerne et une tour de défense.

Le quartier au XIXe siècle
De 1850 à 1900, de nouvelles maisons sont bâties pour les enfants du clan. La maison à terrasse a été modifiée : la terrasse surélevée, *liakos*, communique avec l'extérieur par un escalier de pierre. Face à de nouveaux dangers, la tour est surélevée d'un étage.

Le Xemoni de Goulas
Cet ensemble fortifié a été fondé, face à la mer, par la famille Lagondiani.
Au XIXe siècle, ce quartier comprenait une tour de défense, étroite et haute de trois étages, qui montait la garde sur les huit maisons du clan, les protégeant contre les clans ennemis, les pirates, les corsaires et les envahisseurs.
À côté des maisons, derrière la tour, un petit pressoir à huile et plusieurs citernes.

Le quartier au XXe siècle
De 1900 à 1950, une économie fondée sur le commerce modifie la structure du quartier.
L'ancien *liakos* est fermé et transformé en boutique. La tour, devenue inutile, est démolie.

La puissance d'un clan se mesurait au nombre d'édifices, palais, tours et églises qu'il possédait. Le clan choisissait un site surélevé et y construisait une tour de défense, des maisons, des pressoirs à olives et des citernes. Puis de nouvelles constructions venaient s'ajouter pour former un quartier qui regroupait les foyers, membres du clan. L'église flanquée d'un cimetière et le *rouga*, place où l'on pouvait se rassembler, étaient les centres de la vie sociale. Une voie d'accès reliait le quartier à l'extérieur et un espace inoccupé l'isolait des autres clans. Les familles pauvres, les *phanegi*, vivaient dans d'humbles maisons souvent construites grâce à l'aide d'un chef de clan.

TOURS COLLECTIVES DU MAGNE
De l'Antiquité jusqu'à la fin du XIXe siècle, ces tours ont été l'emblème du Magne. Elles témoignent de l'évolution des techniques de construction dont quatre étapes sont ici observées. Entre le mégalithique et 1750, **1** et **2**, de gros blocs de pierre sont utilisés pour construire et renforcer le chaînage des murs d'angle. De 1750 à 1850, **3**, les tours ont deux, parfois trois étages. À partir de 1850 et jusqu'à la fin du XIXe siècle, **4**, l'évolution des tours est parallèle à celle des maisons d'habitation. Elles ont jusqu'à sept étages et mesurent 20 m de hauteur, l'espace intérieur restant très réduit.

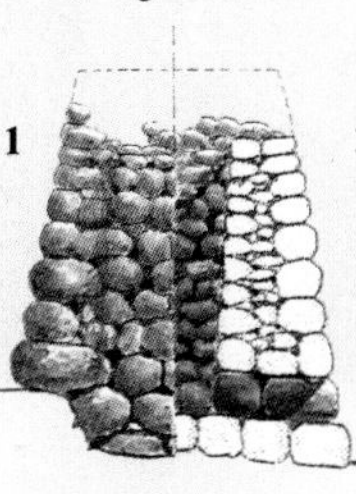

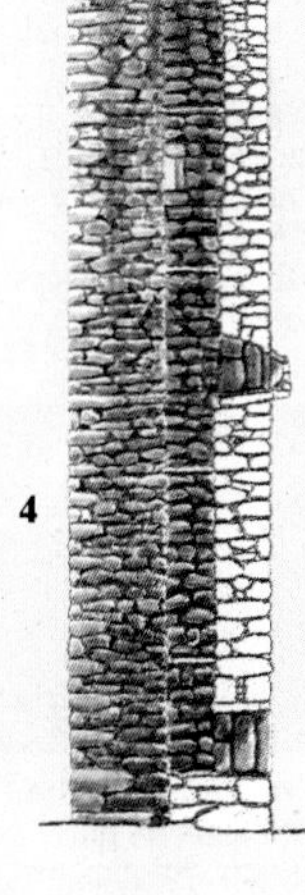

Ces vases, de facture artisanale, sont fabriqués avec des pommes de pin.

LES GROTTES DU GOLFE DE DIROU
Les grottes de Glyfada et d'Alépotrypa ont été aménagées pour la visite. À Glyfada, la promenade se fait en barque, sur deux kilomètres, sur une rivière souterraine. La grotte d'Alépotrypa fut habitée aux époques paléolithique et néolithique.

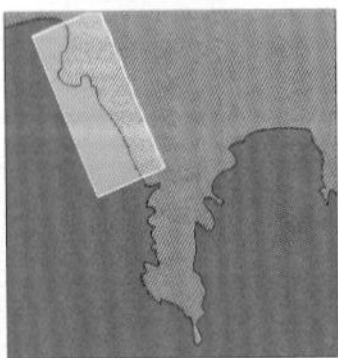

LES TOURS DE KITA
Les tours les plus caractéristiques sont celles de Voudikhari (1763) et celles de Lazaroggona (1850) qui se trouvent sur l'ancienne place de Foulia. Quelques maisons-tours, plus récentes, soulignent la verticalité de l'architecture.

LIMÉNI. Sur le port d'Aréopolis, à Liméni, se dresse le palais, du XIXe siècle, de Petrobey Mavromichalis, composé d'une grande bâtisse, longue et étroite, avec une tour carrée à quatre étages.

ARÉOPOLIS. La ville s'est considérablement developpée sous l'impulsion de la famille Mavromichalis qui y favorisa les activités commerciales. En 1836, Aréopolis fut désignée comme centre administratif de sa circonscription. La ville possède deux églises édifiées par les Mavromichalis au début du XVIIIe siècle, celle de Saint-Jean et celle des Taxiarques. Cette dernière fut restaurée en 1798 et offre de belles fresques des XIIIe et XIVe siècles. On pourra aussi admirer les imposantes habitations fortifiées et la maison de Stylianos et Kyriacouli Mavromichalis, ainsi que la tour de Kapétanakos.

KALAMATA

ALMYRO

LE MAGNE EXTÉRIEUR

À l'époque byzantine, les despotes et les princes de Mystra possédaient de vastes et riches terres dans cette région. Cependant, le Magne extérieur fut exposé aux incursions périodiques des Turcs. Plusieurs clans aristocratiques, ayant des chefs héréditaires, s'y étaient établis. L'organisation sociale, de type féodal, se traduisit dans l'architecture.

ITYLO. Ce lieu fut habité dès la plus haute Antiquité. Perchée à une altitude de 250 m, sur le versant nord et abrupt du Kako Langadi, la ville est bâtie à l'emplacement de l'acropole de l'ancienne Œtylos. Vers la fin du XVIIIe siècle, de très anciennes familles, comme les Medicis et les Stefanopoli, furent contraintes d'émigrer en Italie et en Corse. La place centrale, les maisons serrées les unes contre les autres, les fontaines, les églises, les monastères, dont celui de Dékoulos (XVIIIe siècle), témoignent de sa longue histoire.

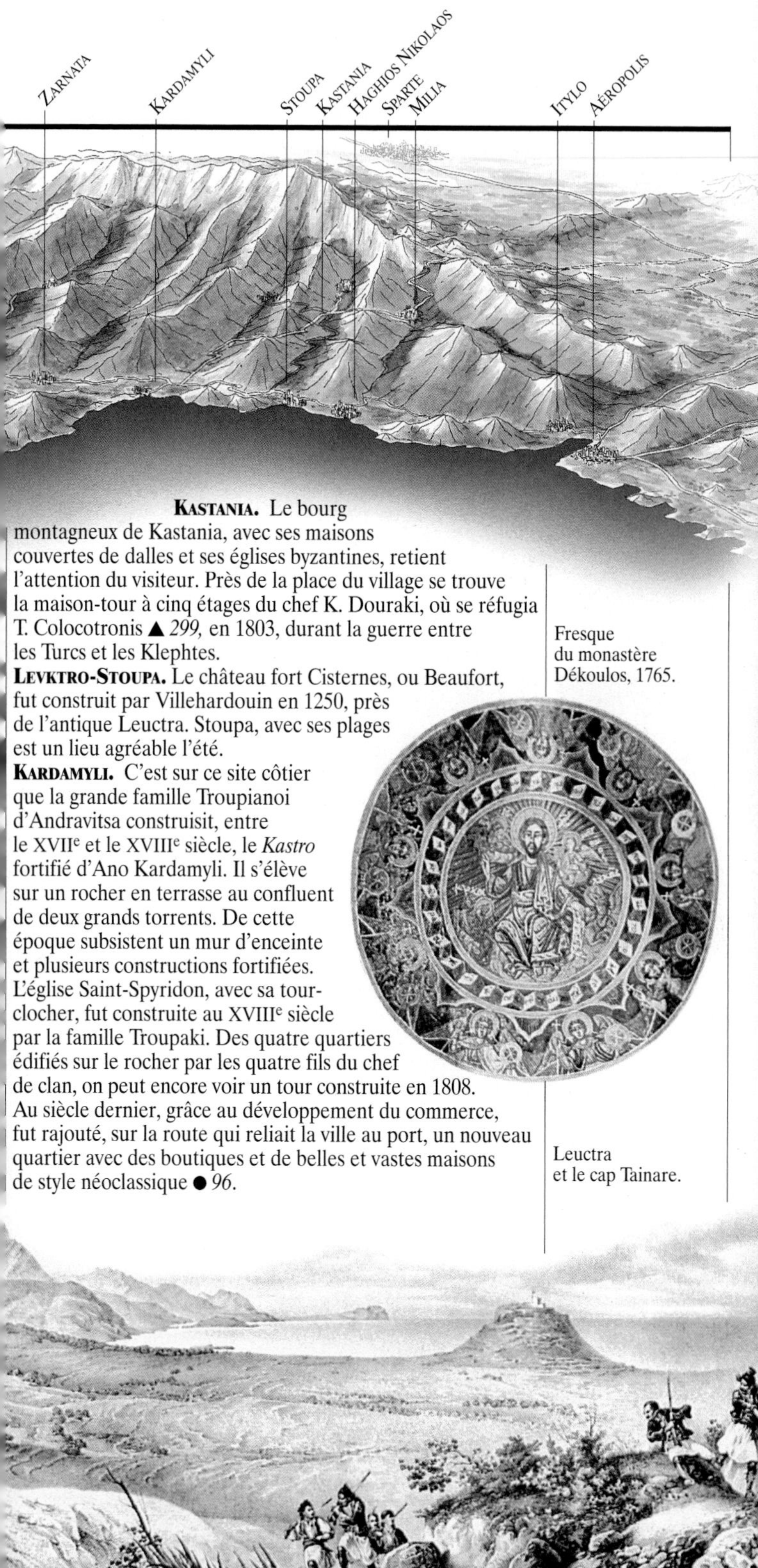

KASTANIA. Le bourg montagneux de Kastania, avec ses maisons couvertes de dalles et ses églises byzantines, retient l'attention du visiteur. Près de la place du village se trouve la maison-tour à cinq étages du chef K. Douraki, où se réfugia T. Colocotronis ▲ *299,* en 1803, durant la guerre entre les Turcs et les Klephtes.

LEVKTRO-STOUPA. Le château fort Cisternes, ou Beaufort, fut construit par Villehardouin en 1250, près de l'antique Leuctra. Stoupa, avec ses plages est un lieu agréable l'été.

KARDAMYLI. C'est sur ce site côtier que la grande famille Troupianoi d'Andravitsa construisit, entre le XVIIe et le XVIIIe siècle, le *Kastro* fortifié d'Ano Kardamyli. Il s'élève sur un rocher en terrasse au confluent de deux grands torrents. De cette époque subsistent un mur d'enceinte et plusieurs constructions fortifiées. L'église Saint-Spyridon, avec sa tour-clocher, fut construite au XVIIIe siècle par la famille Troupaki. Des quatre quartiers édifiés sur le rocher par les quatre fils du chef de clan, on peut encore voir un tour construite en 1808. Au siècle dernier, grâce au développement du commerce, fut rajouté, sur la route qui reliait la ville au port, un nouveau quartier avec des boutiques et de belles et vastes maisons de style néoclassique ● *96.*

Fresque du monastère Dékoulos, 1765.

Leuctra et le cap Tainare.

ZARNATA
La petite ville occupe une position dominante sur une colline, au centre d'une vallée fertile. On y a découvert des vestiges intéressants, remontant à la préhistoire (néolithique), à l'Antiquité et à l'époque byzantine.

MARCHÉ DE KALAMATA
Les olives, les figues séchées et les bananes sont des spécialités très réputées de Kalamata.

ZARNATA. À l'époque vénitienne, Zarnata devint la capitale de la région (Alta Maina). Autour de son fort existaient quatre faubourgs avec des églises, des monastères, des magasins, des puits, des jardins. Au sommet du château, se dresse encore la tour à trois étages et la maison à deux étages qui appartinrent aux chefs Koutiphari (1776-1779) et plus tard à Koumoundouros (1798-1803).

DOLI. Ce village, avec ses belles maisons, ses curieuses églises, son paysage verdoyant et ses cultures, a été rendu célèbre par une gravure publiée dans les travaux de l'Expédition française de Morée en 1829 ● *56*.

TRIKOTSOVA. Cette place forte, construite entre 1795 et 1821 par la famille Kapétanakis, s'élève au sommet d'une colline. Elle comprend, dans une cour carrée, deux bâtiments longs et étroits, une tour fortifiée, une chapelle, une porte principale, une entrée secondaire et plusieurs citernes.

MYLI. Sur le rivage de la baie de Myli-Almyros, la famille Kapétanakis disposait d'un ensemble de quatre moulins à eau et d'une tour fortifiée, contiguë à un local administratif qui a été conservé. La ligne fortifiée Verga-Almyrou défendait la frontière nord-ouest du Magne. Elle consistait en un mur avec meurtrières et deux tours, une carrée et une ronde. C'est là que les Magniotes repoussèrent, entre le 21 et le 24 juin 1826, les forces armées égyptiennes d'Ibrahim ● *42*. Avant la guerre d'Indépendance, la frontière du Magne était délimitée par le lit d'un torrent, la Sainte-Sion, à 4 km de Kalamata. Au-delà, l'on atteint la Messénie et Kalamata où l'on pourra découvrir le *Kastro* bâti en 1208 par Villehardouin ▲ *334*. La ville, édifiée au XIXe siècle, offre de nombreux hôtels aux voyageurs qui souhaitent séjourner dans le Magne.

Jetée près de Kalamata : à l'horizon, le mont Taygète.

Olympie et Patras

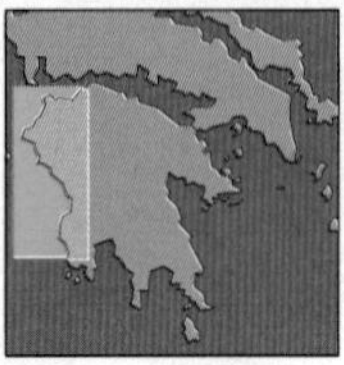

1 journée

ZEUS, UNE STATUE D'OR ET D'IVOIRE
D'après Pausanias : «Le dieu, tout en or et en ivoire, est assis sur un trône, sa tête est ornée d'une couronne de rameaux d'olivier. Il tient une Victoire faite d'ivoire et d'or.» Gravure du XVIIIe siècle.

LA VALLÉE D'OLYMPIE ET L'ALTIS
C'est l'un des sites les plus prestigieux de la Grèce. Les Jeux s'y déroulaient tous les quatre ans.

DE MESSÉNIE EN ÉLIDE ● *42*

KIPARISSIA. Quand on se rend de Messénie en Élide et que l'on suit la côte ouest, la plus importante station balnéaire que l'on rencontre est Kiparissia, environnée de vignobles et d'oliveraies. Les maisons de la ville haute se pressent autour du château franc de Guillaume de Villehardouin. La ville, détruite par Ibrahim Pacha en 1825 ● *42*, fut reconstruite et étendue jusqu'au bord de la mer sous le règne d'Othon, et prend le nom de Kiparissia, la ville des cyprès. Plusieurs centres mycéniens, dont l'Amphigénéia de Nestor et Péristéria se visitent dans les environs.

LA ROUTE D'OLYMPIE. La Nida franchie, 16 km plus au nord, on entre en Élide. Après la ville de Zacharo, la route littorale passe entre la mer et le lac de Kaiafa aux eaux sulfureuses ; une chaussée permet de gagner l'îlot d'Haghia Ékaterini et la station thermale de Loutro Kaiafa, fréquentée depuis l'Antiquité. La route se dirige ensuite vers l'intérieur et contourne l'éperon ouest du mont Kaiafa (744 m). On longe alors le lac Agoulinitsa, puis on tourne à droite en direction de Kristena, distante de 2 km. Là, commence, sur la gauche, la route d'Olympie qui franchit le fleuve Alphée et conduit au grand sanctuaire. Les ruines d'Olympie s'étendent dans une paisible vallée, à la confluence de l'Alphée et du Cladéos.

LE SITE D'OLYMPIE

L'expédition française de Morée ● *42* effectua les premières fouilles en 1829 et rapporta les trois métopes du temple de Zeus qui sont conservées au Louvre. Des recherches plus approfondies furent entreprises en 1874, grâce au financement offert par les Allemands au gouvernement grec. Les travaux se poursuivirent jusqu'en 1881, sous la direction d'Ernst Curtius et de Friedrich Adler. L'Institut allemand reprit le dégagement des monuments de 1936 à 1941, puis de 1952 à nos jours. L'accès au site se fait par l'angle nord-ouest, entre le Cladéos et le mont Cronion. Les premiers vestiges, sur la gauche, sont ceux de bains romains, puis, tout de suite au sud, ceux du prytanée où les conseillers d'Élis offraient aux vainqueurs le banquet de clôture des Jeux. Un peu plus loin, au pied du mont Cronion, on aperçoit l'angle nord-ouest du mur d'enceinte de l'Altis.

LE BOULEUTÉRION ● *81*. L'entrée du bouleutérion, le lieu de réunion du Conseil d'Élis, est hors de l'Altis, près de la maison que Néron se fit bâtir pour ses séjours à Olympie. Le bouleutérion se composait d'un portique ionique, sur la façade à l'est, et d'une aire carrée à ciel ouvert, flanquée au nord et au sud par deux ailes. Celles-ci communiquent avec un portique ionique de 27 colonnes et, en façade, par une colonnade de 3 colonnes doriques.

PLAN DE L'ALTIS
Elévation restaurée, par Victor Laloux. en 1883.

LE MUSÉE D'OLYMPIE
«Il y a dans l'Héraion, un Hermès de marbre portant le petit Dionysos : c'est l'œuvre de Praxitèle.»
Pausanias

Hermès de Praxitèle et statue du fronton du temple de Zeus.

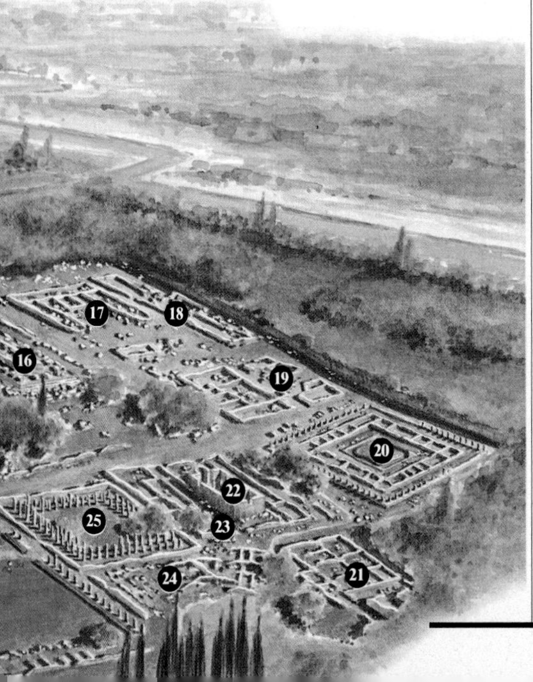

1. Mont Cronion
2. Portique
3. Gymnase
4. Bains romains
5. Hestiatorion
6. Philippéion
7. Héraion
8. Pélopion
9. Exèdre d'Hérode Atlians
10. Métrôon
11. Trésors
12. Entrée du stade
13. Stade
14. Portique d'Echo
15. Hellanodikéion
16. Temple de Zeus
17. Bouleutérion
18. Portique sud
19. Thermes du sud
20. Léonidaion
21. Chambres d'époque romaine
22. Basilique chrétienne (atelier de Phidias)
23. Hérôon
24. Bains romains
25. Palestre
26. Région de l'hippodrome

LE PHILIPPÉION ET LA PALESTRE
Cet édifice circulaire fut construit par Philippe après sa victoire sur les Grecs à Chéronée. Il abritait des statues de Philippe, de son père de sa mère, de son fils Alexandre et de son épouse Olympias, œuvres de Léocharès.

Course à pied, sur un vase à figures noires.

LA PALESTRE
C'était la partie du gymnase destinée aux exercices de la lutte.

LE TEMPLE DE ZEUS OLYMPIEN. Les immenses tambours des colonnes du temple de Zeus jonchent le sol. Les fûts sont souvent restés en place. Les archéologues n'ont pas souhaité restaurer le monument. Ce temple a été bâti pour les Jeux olympiques de 468 av. J.-C., mais sa consécration date de la fête de 460 ou de celle de 456. Selon Pausanias, il était l'œuvre de l'architecte éléen Libon. L'édifice reposait sur un stylobate de 27m sur 64 m, ce qui en faisait le second temple dorique de Grèce, après le Parthénon. Sur la façade est, comme pour le temple d'Aphaia à Égine, une rampe donnait accès à une terrasse. Il s'agit d'un temple périptère ● *90*, comportant 6 colonnes sur les façades et 13 sur les côtés, plus deux petites colonnes *in antis* dans le *pronaos* et l'*opisthodome*. L'intérieur comporte deux rangées de 7 colonnes sur deux niveaux. Les frontons s'ornaient de compositions en marbre de Paros, dont certains éléments ont survécu et sont conservés au musée. Les statues ont été retrouvées à la fin du siècle dernier par des chercheurs

«TRACES DE MURS ÉNORMES, GROSSES PIERRES, UNE BASE DE COLONNE CANNELÉE, VOILÀ TOUT CE QUI RESTE D'OLYMPIE»

FLAUBERT

de l'Institut archéologique allemand. Les statues qui ornaient le fronton est ont été décrites en détail par Pausanias : elles représentaient la première course de chars organisée à Olympie et qui vit la victoire de Pélops, venu d'Orient, sur l'Étolien Œnomaos. Une centauromachie décorait le fronton ouest. Des frises couraient au-dessus des colonnes des deux porches et les *Douze Travaux d'Hercule* figuraient en relief sur les métopes.

L'HÉRAION. Il est situé après la fontaine, près de l'angle nord-ouest de l'Altis. Il aurait été construit vers 600 av. J.-C., et dédié à Zeus et Héra. Mais après l'achèvement du temple de Zeus, il fut voué au seul culte d'Héra. L'Héraion repose sur un crépi de deux marches. C'est un temple périptère ● *90* hexastyle de style dorique ● *91*, avec 6 colonnes de front et 16 sur les côtés, ainsi que 2 colonnes *in antis* pour le *pronaos* et pour *l'opisthodome*. En bois à l'époque, elles furent peu à peu remplacées par des colonnes en pierre. 34 subsistent, en partie du moins, dont deux ont été relevées en 1905 et une troisième en 1970. Les murs de la cella sont en calcaire sur une hauteur de 1 m, puis achevés en briques séchées au soleil. Le reste de l'édifice devait être, à l'origine, en bois, à l'exception du toit de tuiles.

LE MÉTRÔON. Vers l'ouest, après les Zanès et au bas de la terrasse des trésors, s'élevait le Métrôon, un temple voué au IVe siècle av. J.-C. à Rhéa, la mère des dieux. Petit et périptère ● *90*, son plan présente un rapport de 6 à 11 colonnes doriques, plus 2 *in antis* pour le *pronaos* et l'*opisthodome*, ainsi que des colonnes corinthiennes ● *85* le long des deux murs de la cella. Après la proclamation de l'Empire romain, il fut voué au culte d'Auguste et de Rome, puis à celui d'autres empereurs déifiés.

L'HELLANODIKÉION. À l'angle sud-est de l'Altis, sont visibles les fondations de la «maison du sud-est» ou Hellanodikéion. Une hypothèse récente l'identifie comme le sanctuaire d'Hestia, déesse du foyer, mentionné par Xénophon, ce qui impliquerait qu'elle date, au plus, du IVe siècle av. J.-C. L'édifice comportait quatre pièces en enfilade, une colonnade dorique de 19 colonnes du côté ouest, et de 8 colonnes, au nord comme au sud. Il a été démoli en 67 av. J.-C., et remplacé par une villa à péristyle destinée à Néron, dont les vestiges subsistent. Un peu plus loin, à l'est, s'élevait la maison de l'octogone ou pièce centrale des thermes romains.

THÉSÉE ET LE MINOTAURE
Les athlètes nus ont été pour les sculpteurs l'occasion d'étudier le jeu des muscles. Ici les deux lutteurs sont étroitement enlacés, dans une composition pyramidale. Thésée domine le Minotaure.

LES ZANES
Des statues de bronze représentant Zeus, offrandes en l'honneur de ce dieu, bordaient le chemin de l'Altis au stade. On en aperçoit ici les bases de pierre.

L'ENTRÉE DU STADE
L'entrée officielle pour les athlètes et les Hellanodices se faisait par le krypté.

BASILIQUE PALÉOCHRÉTIENNE
Elle fut édifiée sur les fondations de l'atelier de Phidias.

OFFRANDES À OLYMPIE
Le musée possède une très riche collection de bronzes de la période géométrique, de la fin du VIIIe siècle av. J.-C. Cette feuille de bronze représente deux personnages tenant un trépied.

Buste d'un prêtre, dans le temple de Zeus.

LIONDE PIERRE
Exposé au musée d'Olympie, ce lion de tuf du VIIe siècle av. J.-C. servait de gargouille à une fontaine.

LA STOA POECILE. Toujours du côté est de l'Altis, mais au nord du sanctuaire d'Hestia, se trouvent les fondations de la stoa Poecile. Selon Pausanias, des fresques en couvraient les murs, aussi l'avait-on appelée portique des peintures. Devant la stoa ● *80*, on distingue de nombreuses bases de statues et un long socle qui supportait deux colonnes ioniques de 10 m de haut, surmontées des statues du roi d'Égypte Ptolémée II Philadelphe (285-246) et de la reine Arsinoé.

LE KRYPTÉ. À l'angle nord-est de l'Altis, s'ouvre l'entrée du stade ou krypté, un tunnel voûté en berceau qu'empruntaient athlètes et officiels. L'ouvrage date du Ier siècle ap. J.-C. et mesure 3,7 m de large sur 32 m de long. Son extrémité est a été restaurée en même temps que le stade, en 1958-1962. À l'extérieur, sur douze piédestaux disposés d'est en ouest reposaient les Zanès, des statues en bronze de Zeus (*Zan* en grec archaïque), financées par les amendes infligées à ceux qui avaient déshonoré les Jeux. La plus importante était celle de Zeus Orkios. C'est devant elle que les athlètes prêtaient serment le premier jour des Jeux olympiques.

LE STADE. Restauré, il a retrouvé son aspect du IVe siècle av. J.-C., lorsqu'il accueillait entre autres athlètes, lutteurs, pugilistes et sauteurs. Il pouvait contenir environ 20 000 spectateurs qui prenaient place sur les talus du pourtour. Au IIe siècle av. J.-C., des bancs en bois furent placés du côté nord, sans doute pour les membres du Conseil d'Élis et leurs hôtes de marque. Le stade rectangulaire mesure au total 332 m de long, et la piste de course 212 m, la distance séparant les lignes de départ et d'arrivée, toujours apparentes, étant de 192 m. La bordure de pierre et, au sud, le secteur pavé où se dressait la tribune de marbre du jury, sont également toujours en place.

LES TRÉSORS. Derrière les Zanès, un escalier conduit à une terrasse qui domine le mur d'enceinte nord de l'Altis. On y voit les fondations de douze trésors élevés par diverses cités, dont Géla et Mégare, pour y conserver les offrandes faites par ces cités au sanctuaire d'Olympie.

Les Jeux olympiques

La tradition antique veut que les Jeux aient été institués en 776 av. J.-C. et qu'ils se soient tenus à intervalles réguliers de quatre ans ou olympiades. Les épreuves de chaque olympiade commençaient à la pleine lune suivant le solstice d'été. Lorsque s'ouvrait ce mois sacré, les Éléens envoyaient proclamer l'Ekecheira à travers le monde grec : athlètes et spectateurs venant de toute la Grèce, d'Asie Mineure et de Sicile, affluaient vers Olympie. Les grands États envoyaient des délégations ou théories. La tradition des Jeux olympiques se maintint sans interruption durant plus de 1000 ans. À l'époque romaine, Néron fit retarder les Jeux de deux ans, afin de pouvoir y participer, en 67 av. J.-C., et se fit attribuer six prix. Les Jeux olympiques retrouvèrent un peu de rigueur sous Hadrien, au IIe siècle ap. J.-C., mais, en 267, le sanctuaire fut pillé par les Hérules. En 392, le décret de Théodose interdisant les pratiques païennes dans tout l'empire d'Orient entraîna la fermeture du sanctuaire de Zeus et mit fin aux rencontres. Au VIe siècle, deux tremblements de terre détruisirent les édifices ; l'un d'eux entraîna des éboulements du mont Cronion qui ensevelirent le temple de Zeus. L'Alphée sortit de son lit et recouvrit d'alluvions la partie ouest du sanctuaire.

La plaine d'Olympie avec l'Alphée
par Karl Rottmann. À l'époque, en 1835, l'Institut archéologique allemand n'avait pas encore commencé ses travaux sur le site et ses sanctuaires.

Le temple d'Héra
Fondé au VIe siècle av. J.-C., le temple d'Héra était, à l'origine, entouré d'une simple colonnade en bois. La maçonnerie était en briques crues, le soubassement, toujours visible, en pierre.

Le Métrôon
Seule une partie du stylobate et de l'entablement est encore visible. Les fûts et les colonnes sont restés en place sur le site.

Des fêtes en l'honneur de Zeus Olympien consacraient l'ouverture des olympiades. Le premier jour, les épreuves étaient réservées à l'athlétisme. Le deuxième jour, le héraut proclamait les noms des participants aux courses de char, de chevaux et au pentathlon. Ces compétitions avaient lieu le troisième jour. Le quatrième jour, les jeunes gens se mesuraient à la course à pied, à la course en armes, au saut en hauteur, à la boxe, à la lutte et au pancrace. Les Jeux s'achevaient le cinquième jour par des sacrifices et, le soir, un banquet réunissait les vainqueurs, le front ceint d'une couronne d'olivier.

Pugiliste
Dans l'épreuve du pugilat, les adversaires qui s'affrontaient se protégeaient les mains, et parfois les bras, de lanières de cuir. Les épreuves de combat comprenaient également la lutte à mains nues et le pancrace.

Discobole
Ce jeune athlète s'apprête à lancer le disque. La présence d'une pioche et de deux haltères indique que la scène se situe dans la palestre.

Scène de palestre
Les jeunes athlètes s'entraînaient sous les portiques de la palestre. Ici, divisés en deux groupes de trois, ils jouent à la balle.

Zeus, dieu guerrier
Il était vénéré au sanctuaire d'Olympie et assistait les Grecs dans les compétitions (statère d'Elis du IVe siècle av. J.-C.).

Épreuves de lancer
À l'origine, il s'agissait d'un lancer de pierre ; il fut bientôt remplacé par le lancer du javelot et le lancer du disque.

Affiche des premiers Jeux modernes
Le stade panathénaïque d'Athènes fut l'objet de fouilles archéologiques entre 1869 et 1879, puis fut restauré. Le 5 avril 1896, s'y ouvrit la première session des Jeux olympiques modernes.

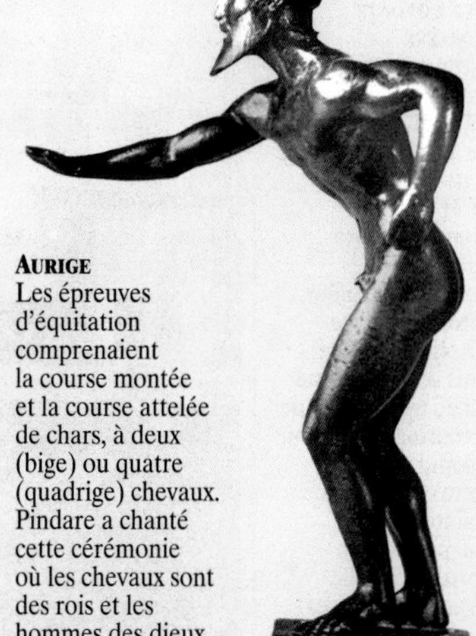

Aurige
Les épreuves d'équitation comprenaient la course montée et la course attelée de chars, à deux (bige) ou quatre (quadrige) chevaux. Pindare a chanté cette cérémonie où les chevaux sont des rois et les hommes des dieux.

LA VILLE ET LE PORT DE PATRAS
Patras, au début du siècle, était déjà le second port de Grèce après le Pirée, exportant le raisin de Corinthe et le vin du Péloponnèse. La ville moderne, aux places rectangulaires, a été construite en 1830, sous le premier gouvernement de Ioannis Kapodistrias.

PATRAS

La route qui mène de Patras à Corinthe permet d'achever l'exploration du sud de la Grèce. Patras est le port le plus important du Péloponnèse, et avec ses 140000 habitants, c'est aussi la capitale du nome d'Achaïe. Dans l'Antiquité, l'acropole de Patras était perchée à environ 800 m du port, dont l'accès était protégé par de longs murs. De la ville ancienne, il reste, encore visibles, quelques vestiges du Frourion, la citadelle de l'acropole. Les constructions byzantines comportent des ajouts francs et turcs. À 300 m, on découvre un odéon romain ▲ *174*, dont le mur de la scène a été restauré. La ville moderne a été bâtie au XIXe siècle sous Kapodistrias ● *51* ; ses rues droites, ses maisons de style néo-hellénique, ses grandes places conservent le souvenir de cette époque.

L'ÉGLISE HAGHIOS ANDREAS. Cette église néo-byzantine, située près de la mer, abrite un reliquaire de la croix de saint André, crucifié à Patras, et une châsse contenant son chef ; cette dernière, emportée à Rome par Thomas Paléologue il y a cinq siècles, a été rendue par le pape en 1964. L'église occupe le site d'une basilique byzantine antérieure, détruite en 1821. La célébration du carnaval, ou *apokreos*, le plus célèbre de Grèce, s'accompagne de bals masqués et de processions en costumes antiques ou médiévaux.

LE PORT. Ce n'est pas un port de plaisance. Conçu au XIXe siècle, il connaît un développement aussi important que le port du Pirée ; les compagnies assurent un important trafic de ferries entre les ports italiens et Patras.

La rue des Kalavryta à Patras.

UNE COLONIE ROMAINE
Patras revint au premier plan après qu'Octave eut vaincu les armées d'Antoine et de Cléopâtre, en 31 av. J.-C. Comme le note Strabon : «Les Romains viennent, après la victoire d'Actium, d'installer dans cette ville une partie importante de leur armée ; devenue colonie romaine, Patras se distingue maintenant par une population florissante ; elle dispose d'un assez bon mouillage.»

«Après une navigation de seize heures, nous nous réveillons ce matin en face de Patras. Voici la véritable Grèce.»

Comtesse de Gasparin

La place Centrale
Les villes grecques du XIXe siècle s'organisent autour d'une grande place où se regroupent les activités principales.

De Patras à Corinthe

À quelques kilomètres de Patras, à l'entrée du golfe de Corinthe, l'embarcadère de la petite ville de Rhion – près duquel se dresse une forteresse datant de 1499, restaurée en 1713 par les Vénitiens – offre le passage vers Andirrhion, en Étolie.

Aeghion. Un peu plus loin, on atteint Aeghion, l'une des plus vieilles cités du Péloponnèse. Les fouilles du site font remonter ses origines à l'époque préhistorique. Le légendaire Agamemnon y réunit les chefs Achéens avant la guerre de Troie. Aeghion fut l'une des premières villes libérées des Turcs en 1821.

Gorges du Vouraïkos. À Diakopton, un chemin de fer à crémaillère s'engage dans les gorges du Vouraïkos, révèlant un paysage grandiose, pour monter vers Mégaspilaion et Kalavryta.

Moni Mégaspilaion. À mi-chemin, à la station de Zakhlorou, visiter le célèbre monastère de Mégaspilaion, fondé à l'époque byzantine dans la Grande Grotte du mont Khelmos. Détruit par un incendie en 1934, il a été remplacé par un bâtiment de sept étages, bâti contre la paroi verticale du mont. Parmi les icônes anciennes conservées au *katholikon*, la plus vénérée est celle de la Vierge, que l'on attribue à saint Luc. Cette icône, qui aurait été trouvée en 342 par une bergère, Euphrosyne, serait à l'origine de la fondation de cette communauté religieuse par deux moines de Salonique, Théodore et Siméon.

Golfe de Patras

Château Tornese
Le plus important *kastro* de l'Achaïe, construit à Kyllini en 1220.

AEGHION
Grand port pour l'exportation des produits du Péloponnèse : raisin de Corinthe, huile et vin. Le port moderne a été construit sur les fondations du port antique. Dans la ville, subsistent quelques belles maisons de style néoclassique.

KALAVRYTA. Kalavryta est établie à 756 m d'altitude, sur le site de l'antique Kynaitha. Entre 1941 et 1945, l'activité partisane y fut vive : en représailles, le 13 décembre 1943, les Allemands fusillèrent 1 436 hommes âgés de plus de quinze ans, avant de réduire la ville en cendres. Une croix de 8 m de haut a été érigée à la mémoire des victimes, et l'horloge de l'église est arrêtée à l'heure de l'exécution, 2 h 34.

MONI HAGHIA LAVRA. Situé à 7 km de Kalavryta, ce monastère fut fondé en 961. C'est là que Germanos, l'archevêque de Patras, brandit l'étendard de la révolte, le 21 mars 1821 ● *51*. Le monastère actuel date de 1839, à l'exception du *katholikon*, plus ancien, voué à la Dormition. Un musée abrite des objets d'époque mycénienne et classique, des manuscrits des XIe et XIIe siècles. Sur la route longeant le golfe de Corinthe, visiter le site d'Aegira, l'antique Hyperesie, qui fait l'objet de fouilles par l'Institut archéologique autrichien. Un théâtre hellénistique et des bains romains ont été dégagés. Sur l'acropole, des vestiges de constructions et des poteries d'époque mycénienne, ainsi que des fondations du VIIe siècle av. J.-C. – peut-être le temple d'Artémis Iphigénia, signalé par Pausanias –, ont été mis au jour. À Mavra Litharia, «les roches noires», on entre en Corinthie. La voie express conduit à Sikia. La maison où vécut le poète Anghelos Sikelianos (1884-1951) ● *64* a été transformée en musée. De Xylokastron, une route conduit au site archéologique de Sicyone qui conserve des vestiges d'un théâtre du IIIe siècle av. J.-C., d'un temple dorique du IVe siècle av. J.-C , d'un gymnase hellénistique. Corinthe ▲ *295*, est distante de 21 km, et l'on termine ainsi l'exploration du Péloponnèse, avant de regagner Athènes.

Les îles du golfe Saronique

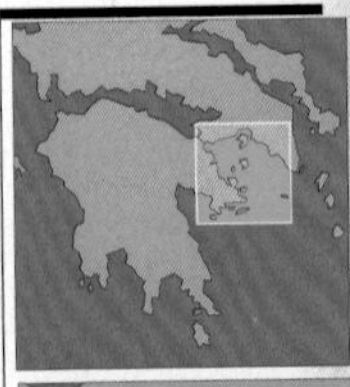

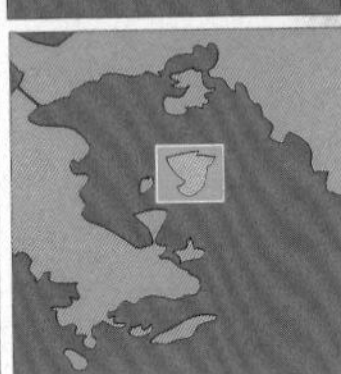

SOUVALA
ÉGINE
PALÉOCHORA
PORTES
PERDIKA

1 journée

Sur l'un des môles du port, fut construite au XIVe siècle une petite chapelle à deux coupoles vouée à saint Nicolas. Derrière les mâts des bateaux, de belles maisons du XIXe siècle entourent la cathédrale. Le musée d'Égine, installé dans l'Eynardion au XIXe siècle, réserve trois salles aux collections archéologiques : on y verra de beaux vases mycéniens, des sculptures, comme le célèbre sphinx d'Égine, des céramiques à décor géométrique, des terres cuites, et quelques sculptures byzantines.

ÉGINE

Les Éginètes se sont distingués très tôt par l'excellente qualité de leurs bateaux et leurs mérites de marins. Diodore, au Ier siècle av. J.-C., assure qu'ils comptaient parmi la vingtaine de peuples ayant acquis la maîtrise des mers et créé des thalassocraties. Ils possédaient des comptoirs à Milet, sur la mer Noire, à Chypre ou en Égypte, tandis que vers l'ouest, ils entretenaient des relations commerciales avec l'Ombrie italienne et avec l'Espagne.

ÉGINE ET ATHÈNES. Égine, du fait de sa position stratégique, était considérée par Athènes comme une menace et appelée par Périclès «la taie sur l'œil du Pirée». Au début du Ve siècle, sur le conseil de Thémistocle, Athènes arme deux cents bateaux destinés à une éventuelle guerre contre Égine ● *42*, alors alliée de la Perse avec laquelle elle faisait du commerce. Mais, en 480 av. J.-C., quand Xerxès envahit la Grèce, Égine se range aux côtés d'Athènes et trente de ses trières participent à la bataille de Salamine. En 431 av. J.-C., la guerre du Péloponnèse oppose Athènes et Sparte à laquelle les Éginètes se sont alliés. Après neuf mois de siège, la ville d'Égine rend les armes : ses fortifications sont rasées, sa flotte détruite et ses habitants chassés. La défaite des Athéniens, en 405 av. J.-C., permettra leur retour mais jamais l'île ne retrouvera sa grande prospérité passée.

Sites antiques d'Égine

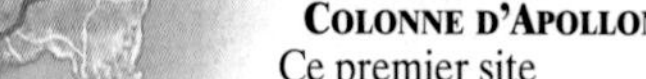

Au nord de Karantina, se trouve le «port caché», Kryptos Limen, aménagé dans l'Antiquité, dont on aperçoit, sous l'eau, les môles et l'emplacement de soixante trières.

Colonne d'Apollon. Ce premier site est situé sur la colline de Kolona, au-dessus du «port caché». Les Mycéniens qui s'y sont fixés entre le XVIe et le XIIe siècle av. J.-C. y construisirent d'importantes fortifications. La colonne encore debout et qui donne son nom au lieu appartenait à l'*opisthodome* d'un temple périptère dorique ● *88*, voué à Apollon vers l'an 500 av. J.-C., en remplacement d'un sanctuaire du VIIe siècle av. J.-C. On a retrouvé quelques sculptures de ces deux temples, ainsi que les bas-reliefs en marbre d'un monument dédié à Eaque, datant environ de 500 av. J.-C. et mentionné par Pausanias.

Temple d'Aphaia. Le second site se trouve 12 km au nord-est d'Égine. On s'y rend en autobus ou en bateau jusqu'à la belle plage d'Haghia Marina, à 30 mn de marche du site. Le temple, construit à flanc d'une colline plantée de pins, est, en raison de sa situation et de son état de conservation, le plus célèbre des îles grecques, après celui de Délos. Des idoles en terre cuite dégagées à proximité du site ont permis de situer la fondation du temple au IIIe millénaire. Dédié dès le XIIIe siècle à une très vieille divinité locale, la déesse Aphaia (l'«Invisible»), il fut reconstruit au VIe siècle, sur le type du mégaron mycénien ● *82* : il comportait une cella précédée d'un *pronaos*, limité par les antes des murs latéraux, et deux simples colonnes soutenant le fronton. Vers 490 av. J.-C., il fut rebâti en calcaire local et stuqué de marbre. Il ne mesure que 13,80 m sur 28,50 m. Lors de l'occupation athénienne, le temple fut reconsacré à Athéna. Vingt ans plus tard, la foudre serait tombée sur le fronton est, en marbre de Paros, et les sculptures qui l'ornaient, endommagées, furent enfouies dans l'enclos sacré. Les sculptures du fronton ouest datent de la fin de la période archaïque ; celles du fronton est remplacèrent un précédent ensemble, vers 480 av. J.-C., et annoncent le style classique par la plus grande souplesse des membres et la liberté des attitudes.

La monnaie d'Égine
Ce sont les riches armateurs d'Égine qui firent frapper la première monnaie de l'île, à l'emblème d'une tortue marine.

Le temple d'Aphaia
D'ordre dorique et de type périptère, il a six colonnes en largeur et douze en longueur. Une double colonnade intérieure de cinq colonnes, à ordres superposés, la seule de ce type visible en Grèce, divise en trois la cella, pièce principale qui abritait la statue de la déesse.

Les sculptures du fronton est, retrouvées en avril 1811 par quatre architectes et peintres allemands et anglais – Cockerell, Foster, Haller von Hallerstein et Linck –, furent vendues pour 130 000 francs-or au roi de Bavière. Les plus célèbres de ces statues, exposées à la Glyptothèque de Munich, sont la tête d'Athéna, l'Héraclès à genoux et un guerrier barbu mourant.

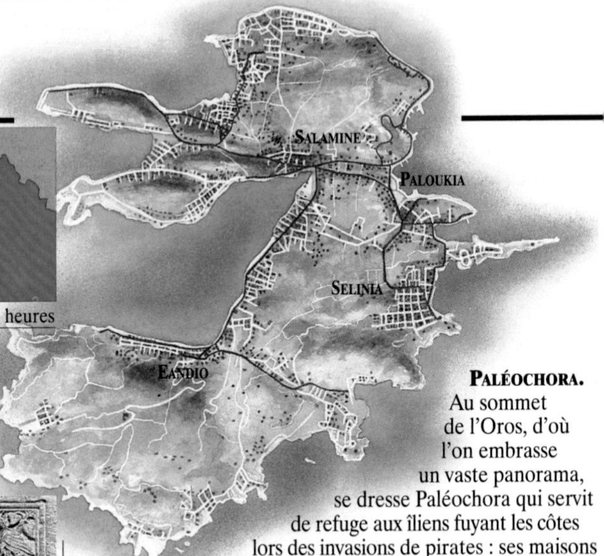

Salamine
Paloukia
Selinia
Eandio

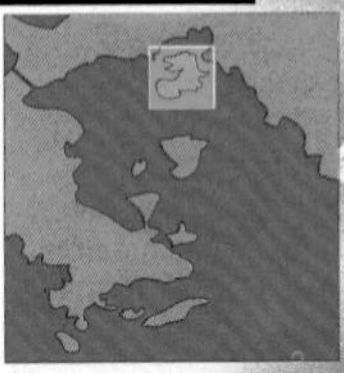

4 heures

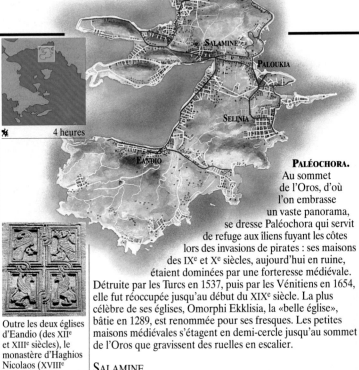

PALÉOCHORA. Au sommet de l'Oros, d'où l'on embrasse un vaste panorama, se dresse Paléochora qui servit de refuge aux îliens fuyant les côtes lors des invasions de pirates : ses maisons des IXe et Xe siècles, aujourd'hui en ruine, étaient dominées par une forteresse médiévale. Détruite par les Turcs en 1537, puis par les Vénitiens en 1654, elle fut réoccupée jusqu'au début du XIXe siècle. La plus célèbre de ses églises, Omorphi Ekklisia, la «belle église», bâtie en 1289, est renommée pour ses fresques. Les petites maisons médiévales s'étagent en demi-cercle jusqu'au sommet de l'Oros que gravissent des ruelles en escalier.

Outre les deux églises d'Eandio (des XIIe et XIIIe siècles), le monastère d'Haghios Nicolaos (XVIIIe siècle), et le couvent Phaneromini (XVIIe siècle), rares sont les monuments byzantins à Salamine. Ci-dessous, un hoplite sur une base de statue de kouros, vers 490 av. J.-C.

SALAMINE

La plus grande des îles saroniques est Salamine, l'île d'Ajax. Ses premiers habitants furent des colons phéniciens, originaires de Salamis. De l'époque mycénienne, les archéologues ont retrouvé quelques vestiges d'une acropole et d'un port. L'île fut conquise en 612 av. J.-C. par l'armée athénienne conduite par Solon. On a retrouvé, à l'ouest, des vestiges de la forteresse de Bondoron, construite par les Athéniens au VIe siècle, face à Mégare.

LA BATAILLE DE SALAMINE. La célèbre bataille eut lieu en septembre 480 av. J.-C. ● *42*. Menacée par Xerxès, Athènes rassembla sur le rivage de Salamine 380 trières, ainsi que quelques navires à cinquante rames. Xerxès ayant conquis Athènes, regroupa ses 400 bateaux à Phalère, derrière le Pirée. Il fit installer son trône sur les pentes du mont Aigaléon d'où il pouvait suivre le déroulement de la bataille. Les navires égyptiens, au centre de la ligne perse, firent mouvement vers l'ouest, les Ioniens et les Cariens sur leur gauche, les Phéniciens, sur leur droite. Le reste de l'escadre bloquait le détroit à l'est. Les Grecs attaquèrent les premiers et éperonnèrent les Phéniciens. Les navires perses engagés dans le détroit, faute d'espace, ne purent rester parallèles au rivage attique, tandis que les bateaux grecs demeuraient adossés à l'île. Certains auteurs pensent que Thémistocle fit tourner les trières de manière à barrer le détroit, et que l'axe de la bataille n'était plus

perpendiculaire à ce dernier. À l'issue de la première rencontre, les Grecs tirèrent le plus d'épaves possible sur les plages de l'île et s'apprêtèrent à se battre une seconde fois. Xerxès fit alors former un pont de bateaux entre le continent et l'île pour donner le change pendant que le reste de la flotte prenait le large. Des relais partaient avertir la Perse de sa défaite et demander que le pont de bateaux de l'Hellespont soit coupé, afin que les Grecs ne gênent pas sa retraite. Quelques mois plus tard, les Grecs remportaient la bataille de Platées. L'année suivante, la menace perse était écartée.

HYDRA

Hydreia, «la bien arrosée», ne s'est vraiment peuplée qu'après 1460, avec l'arrivée des habitants de Mystra fuyant

les Turcs. À partir de 1730, les Albanais viennent s'y fixer en plusieurs vagues. Les activités navales s'y développent et font la fortune des îliens qui, outre le commerce légal, pratiquent également la contrebande, voire la piraterie. Riches capitaines et armateurs font construire les hautes maisons de pierre grise, dans le style italien, qui font encore l'orgueil du port d'Hydra. Le 25 mars 1821, ● *42* quand la guerre d'Indépendance éclate, sur les 290 navires armés grecs, 190 sont hydriotes : des marins hydriotes comme Tombatsis, Miaoulis, Tsamados ou Boundouridis, jouèrent un rôle déterminant lors de ce conflit. Quand les Grecs l'emportent enfin, Hydra n'est plus qu'un cimetière de bateaux. Georges Countouriotis, l'un des leaders hydriotes devient par la suite chef du gouvernement.

VISITE DE L'ÎLE. Sur les quais, un monastère du XVIIe siècle s'enorgueillit d'une église au clocher de marbre et d'un beau cloître. Vers l'ouest, le port est dominé par les vestiges d'une citadelle médiévale, à laquelle ont été ajoutées des fortifications après 1821. Au nord de l'île, le monastère de Zourvas monte une garde solitaire. À Kalo Pigadi, on découvrira des demeures du XVIIe siècle, quelques minuscules chapelles et une vue admirable. Plus au sud, une ascension de trois heures à pied ou à dos de mulet permet d'atteindre le monastère du prophète Élie, où furent détenus, après 1825, Colocotronis et ses compagnons, avant d'être amnistiés ● *42*. Le couvent d'Haghia Efpraxia, tout proche, mérite le détour pour son église, ainsi que pour les broderies et tissages réalisées par les religieuses.

HYDRA MODERNE
La circulation automobile y est restreinte, et les yachts qui y font escale ont entraîné la création de boutiques de luxe, et une intense vie nocturne, l'été. Les ruelles qui serpentent jusqu'en haut de la colline entre les maisons, badigeonnées d'un blanc-bleu de chaux, les placettes et les jardins fleuris, y attirent les peintres. Des galeries d'art

les exposent. L'École des Beaux-Arts d'Athènes a pris possession de la belle villa qu'occupait l'amiral Iakovos Tombazis, en 1820.

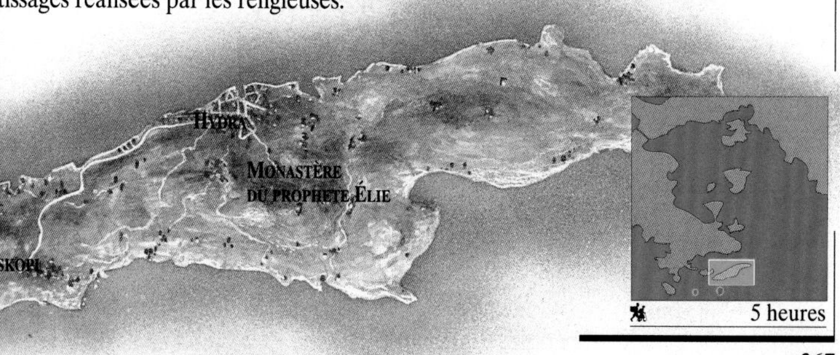

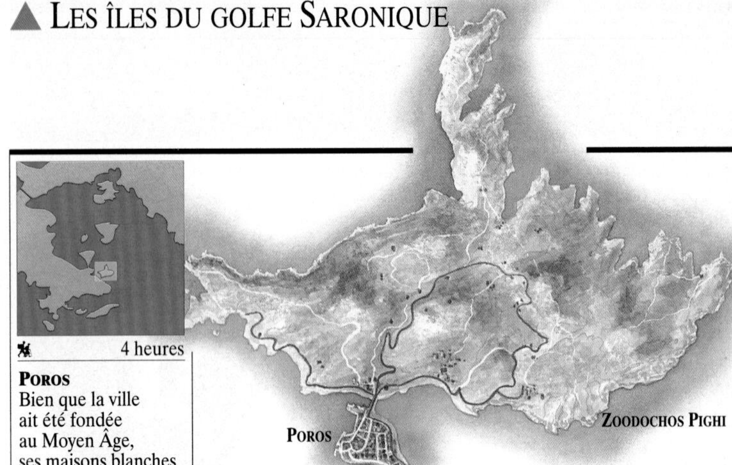

4 heures

POROS
Bien que la ville ait été fondée au Moyen Âge, ses maisons blanches à volets bleus et toits très évasés, recouverts de tuiles romaines, sont d'une modernité surprenante. Elles grimpent depuis le quai à l'assaut de la colline, dominée par le fin clocher d'une église.

POROS

Poros signifie «détroit», ses deux îles étant à peine distantes de 400 m de la côte du Péloponnèse. Poros fut la principale base navale de la région, à partir du XVIIIe siècle. Son sanctuaire de Poséidon, commun à plusieurs villes maritimes et îles, dont Égine, fut fondé au VIe siècle av. J.-C., près d'une ancienne cité mycénienne. On y parvient en taxi ou en 1 h de marche par un sentier qui suit la côte sud, puis monte à travers les pins vers le nord-ouest, jusqu'à un col situé à environ 200 m d'altitude. En chemin, on passe devant la Zoodochos Pighi, couvent du XVIIe siècle, qui mérite d'être visité pour son iconostase en bois doré.

SPETSES

L'île de Spetses, dont le nom antique Pityoussa signifie «plantée de pins», est très verdoyante et baignée de l'odeur résineuse des pins d'Alep. Sa côte est ourlée de plages et son port interdit, en principe, aux voitures. Elle fut la première île à s'engager dans la guerre d'Indépendance ● *42* : la place de la Dapia s'orne d'une batterie de canons avec lesquels les Spetsiotes s'armèrent alors. On pourra visiter la maison de Laskarina Bouboulina ▲ *310*, ou celle de Katzigiannis-Mexis, devenue musée. On verra aussi pour ses fresques l'église de la Dormition de la Vierge (XVIIe siècle), et celle d'Haghia Triada (XVIIIe siècle) pour son iconostase. Du sommet de l'île, le panorama s'étend sur la mer et le Péloponnèse.

L. BOUBOULINA, HÉROÏNE DE SPETSES
Un jour que les Turcs menaçaient le port, alors que les hommes étaient en mer, elle fit poser des fez sur toutes les plantes hautes du rivage pour faire croire à la présence de soldats : l'ennemi, berné, fit demi-tour.

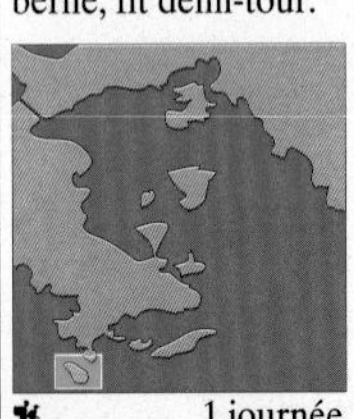

1 journée

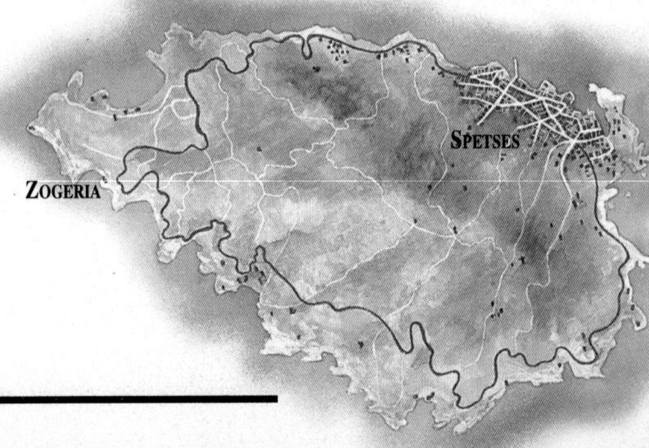

INFORMATIONS PRATIQUES

Membre de la Communauté européenne depuis 1981, la Grèce ne présente pas de contraintes particulières pour les ressortissants de très nombreux pays. Son grand succès touristique, lui vaut toute l'attention des voyagistes qui proposent, outre de nombreux vols charters, des formules de séjours aussi diversifiées que compétitives.

FORMALITÉS

Pour un séjour de courte durée, une carte d'identité ou un passeport périmé depuis moins de cinq ans sont suffisants. Au-delà de trois mois, un visa vous sera nécessaire.

DOUANES

Les règlements en vigueur sont ceux de la Communauté européenne. Vous pouvez rapporter des objets sans limitation de valeur.

RENSEIGNEMENTS

OFFICE NATIONAL HELLÉNIQUE DU TOURISME (ONHT)
3, avenue de l'Opéra
75001 Paris
Tél. 01 42 60 65 75
et 01 42 96 49 55
Fax 01 42 60 10 28

AMBASSADES ET CONSULATS GRECS

EN FRANCE :
AMBASSADE DE GRÈCE
17, rue A.-Vacquerie
75116 Paris
Tél. 01 47 23 72 28
CONSULAT DE GRÈCE
538, rue de Paradis
13008 Marseille
Tél. 04 91 77 54 01

EN BELGIQUE :
AMBASSADE DE GRÈCE
2, avenue Franklin-Roosevelt
1050 Bruxelles
Tél. (32) (2) 648 17 30
et 648 33 02
CONSULAT DE GRÈCE
230, avenue Louise
1050 Bruxelles
Tél. (2) 646 55 35

EN SUISSE :
AMBASSADE DE GRÈCE
Jungfraustrasse 3
3005 Bern
Tél. (41) (31)
352 16 37 et 352 86 07
CONSULAT DE GRÈCE
1, rue Pedro Meylan
1208 Genève
Tél. (22) 735 37 47
et 735 73 90

AU QUÉBEC :
CONSULAT DE GRÈCE
1170, place du Frère-André
Montréal-Québec
H3B 3C6
Tél. (1) (514)
875 87 81
et 875 21 19/22

DEVISES

L'importation, en Grèce, de devises est libre à concurrence de 10 000 écus par personne soit 62 500 F. Les ressortissants des pays hors de la communauté peuvent importer jusqu'à 53 000 Dr, soit 1 100 F, sans avoir à les déclarer à la douane. L'exportation de devises est limitée à 20 000 écus par personne soit environ 125 000 F.

ANIMAUX

Vous pouvez voyager avec vos animaux de compagnie à condition d'être pourvu d'un certificat de santé de moins de six mois et d'un certificat de vaccination antirabique. Sachez que les animaux ne sont pas fréquemment admis dans les hôtels.

SANTÉ

Emportez vos médicaments usuels en quantité suffisante. Munissez-vous de la notice de ceux qui pourraient vous manquer en Grèce et qui vous sont indispensables. Pour être remboursé des frais occasionnés sur place, demandez à votre caisse de Sécurité Sociale le formulaire E 111.

BUDGET GLOBAL POUR UN SÉJOUR TYPE DE HUIT JOURS ET SEPT NUITS

• Pour un couple seul, voyageant en charter et prenant un hébergement moyenne gamme :
– avion : 4 000 F
– hôtel : 3 500 F
– restauration : 4 500 F
= 12 000 F

• Pour un couple avec deux enfants, utilisant les services d'un voyagiste :
– forfait avion-hôtel-1/2 pension : 14 000 F
– restauration : 2 000 F
= 16 000 F

• Pour un couple seul, voyageant par vol régulier, et prenant un hébergement haut de gamme :
– avion : 6 000 F
– hôtel : 6 000 F
– restauration : 4 500 F
= 16 500 F

BUDGET AVION

– Aller-retour, vol régulier : 2 100 à 4 000 F
– Aller-retour, vol charter : 1 150 à 2 200 F

Vue générale de la ville d'Athènes dominée, au fond, par le mont Lycabette (Lycavittos).

OLYMPIC AIRWAYS

La compagnie hellénique nationale assure des liaisons dans le monde entier ainsi que tous les vols intérieurs, notamment pour Kalamata et Cythère. Olympic Airways dessert Athènes par vol direct depuis Paris, Bruxelles, Genève, Zurich et Montréal ainsi que Salonique depuis Paris, Bruxelles et Zurich. À Athènes, les vols internationaux et domestiques de la compagnie sont regroupés au terminal Ouest (Dhytiko) de l'aéroport Hellinikon.

OLYMPIC AIRWAYS
• Paris
3, rue Auber
75009 Paris
Renseignements
Tél. 01 47 42 87 99
Réservations
Tél. 01 42 65 92 42
• Marseille
Tél. 04 91 91 27 75
• Lyon
Tél. 04 78 37 44 97

AUTRES COMPAGNIES RÉGULIÈRES

AIR FRANCE
Paris
119, avenue des Champs-Élysées
75008 Paris
Tél. 01 42 99 21 01
• Lyon
Tél. 04 72 56 22 20
• Marseille
Tél. 04 91 39 39 39

KLM
36, avenue de l'Opéra
75002 Paris
Tél. 01 44 56 18 18

ALITALIA
69, bd Haussmann
75008 Paris
Tél. 01 44 94 44 00

VÉHICULES

Si vous voyagez avec votre propre véhicule, pensez à : votre carte grise, votre carte d'assurance et votre permis de conduire, nécessaires également pour louer un véhicule sur place.

QUELQUES VOYAGISTES SPÉCIALISTES DE LA GRÈCE

ROYAL OLYMPIC CRUISES (EPIROTIKI)
5, boulevard des Capucines
75002 Paris
Tél. 01 42 66 97 25

HÉLIADES
25-27, rue Basfroi
75011 Paris
Tél. 01 53 27 28 29

PASSIONS HELLÉNIQUES
4, rue de la Paix
75002 Paris
Tél. 01 42 61 05 25

Y TOUR
54, rue de Dunkerque
75009 Paris
Tél. 01 40 16 11 16

CLIO
34, rue du Hameau
75015 Paris
Tél. 01 53 68 82 82

CALENDRIER DES SAISONS

PRINTEMPS — Mars à mai

Le printemps est essentiellement marqué par les fêtes de Pâques qui, célébrées avec beaucoup de faste, constituent le moment le plus important du calendrier chrétien orthodoxe.

PREMIER LUNDI DE MARS	**CARÊME (*KATHARI DEFTERA*),** JOUR FÉRIÉ
25 MARS	**FÊTE NATIONALE** **FÊTE DE L'INDÉPENDANCE** JOUR FÉRIÉ
VENDREDI ET SAMEDI SAINTS	**PROCESSIONS AUX CHANDELLES DERRIÈRE L'ÉPITAPHE ; MESSE DE LA RÉSURRECTION LE SAMEDI À MINUIT**
DIMANCHE DE PÂQUES	**EXCURSIONS À LA CAMPAGNE** où l'on cuit l'agneau pascal à la broche (*arni sti souvla*)

Mois	Températures
MARS	8°-15° C
AVRIL	11°-20° C
MAI	16°-25° C

❤ Écouter les chants de Pâques dans la Petite Métropole.

ÉTÉ — juin à août

L'été, idéal pour les amateurs de loisirs balnéaires, est la saison des festivals, mais aussi des grandes affluences touristiques et des fortes chaleurs. La découverte des grands sites antiques sera plus agréable au printemps ou en automne.

MAI À SEPTEMBRE	**DANSES FOLKLORIQUES,** au théâtre de Philopappos, les mercredi et vendredi soir
JUIN, JUILLET, AOÛT, SEPTEMBRE	**FESTIVAL D'ATHÈNES** REPRÉSENTATIONS DE THÉÂTRE ANTIQUE, OPÉRAS, BALLETS ET CONCERTS, à l'odéon d'Hérode Atticus et au théâtre du Lycabette (*lycavittos*)
15 AOÛT	**FÊTE DE LA VIERGE,** JOUR FÉRIÉ
FIN JUIN À FIN AOÛT	**FESTIVAL D'ÉPIDAURE,** REPRÉSENTATIONS DE THÉÂTRE ANTIQUE
JUIN À SEPTEMBRE	**FESTIVAL DE PATRAS,** THÉÂTRE, MUSIQUE, DANSE ET ARTS PLASTIQUES

Mois	Températures
JUIN	20°-30° C
JUILLET	23°-33° C
AOÛT	23°-33° C

❤ Le théâtre en plein air à Épidaure.

AUTOMNE — Septembre à novembre

L'automne, epoque des vendanges, donne lieu à plusieurs fêtes dédiées au vin, traces des antiques hommages rendus à Bacchus.

SEPTEMBRE	**FÊTE DU VIN** à Daphni
FIN AOÛT-DÉBUT SEPTEMBRE	**FESTIVAL DU VIN** à Patras
8-9 SEPTEMBRE	**COURSE DE BATEAUX** à Spetses célébrant la victoire de 1822 sur la flotte ottomane
SEPTEMBRE-OCTOBRE	**FOIRE INTERNATIONALE DE THESSALONIQUE**
28 OCTOBRE	**FÊTE NATIONALE** célébrant le «Non» du général Metaxás, chef de l'État grec, à l'ultimatum des troupes italiennes massées à la frontière albanaise.

Mois	Températures
SEPTEMBRE	19°-29° C
OCTOBRE	15°-24° C
NOVEMBRE	12°-19° C

❤ Coucher du soleil au cap Sounion.

HIVER — Décembre à février

Les fêtes religieuses s'échelonnent surtout durant tout l'hiver.

25 DÉCEMBRE	**NOËL,** JOUR FÉRIÉ
JANVIER	**BÉNÉDICTION DES EAUX AU PIRÉE**
6 JANVIER	**FÊTE DE L'ÉPIPHANIE,** JOUR FÉRIÉ
FÉVRIER	TROIS SEMAINES AVANT LE CARÊME ORTHODOXE, **CARNAVAL DANS TOUTE LA GRÈCE.** LE PREMIER JOUR DE CARÊME EST LE JOUR DE LA PURIFICATION.

Mois	Températures
DÉCEMBRE	8°-15° C
JANVIER	6°-13° C
FÉVRIER	7°-14° C

❤ Carnaval à Plaka.

ensoleillé et chaud — variable à nuageux — pluvieux — froid, neige possible

Les températures minimales et maximales de chaque mois sont exprimées en degrés Celsius.

Coup de cœur
Le meilleur moment pour visiter Athènes et le Péloponnèse

Préferez le printemps (mai-juin) ou l'automne (septembre-octobre), époques où vous éviterez les grandes chaleurs et la foule estivale ; vous apprécierez davantage les chefs-d'œuvre antiques dans une ambiance plus sereine ; la nature est alors particulièrement belle et la mer à une température permettant la baignade.

Conseils vestimentaires

En été : des vêtements légers, un chapeau, des lunettes de soleil. En demi-saison : un coupe-vent et un pull pour le soir et les jours de meltem. Toute l'année : une tenue correcte, voire quelque peu recherchée pour aller au spectacle ou au restaurant. Pour la visite des sites archéologiques : des chaussures plates et confortables. Pour la visite des monastères : parfois, le pantalon n'est pas toléré pour les femmes, mais des jupes sont disponibles à l'entrée. Afin de ne pas être pris au dépourvu, il vaut mieux avoir avec soi un vêtement couvrant les épaules.

Plans d'Athènes

Excellente *Carte historique d'Athènes*, réalisée avec le concours du Ministère de la Culture et la Caisse des Fonds archéologiques d'Athènes (en français). Falk Plan d'Athènes, au 1/23 000, avec un index très complet des rues.

Cartes

En vente partout : *Carte de la Grèce*, Michelin n° 980, au 1/700 000. *Carte de la Grèce*, Kümerly-Frey, au 1/500 000, plus précise mais plus chère. *Carte du Péloponnèse et de l'Attique*, Hallwag, au 1/400 000.

Météo de mai à octobre

	Mai	Juin	Juil.	Août	Sep.	Oct.
Température diurne	25°	30°	33°	33°	29°	24°
Température nocturne	16°	20°	23°	23°	19°	15°
Nombre d'heures de soleil par jour	9 h	11 h	12 h	12 h	9 h	7 h
Nombre de jours de pluie	4 j	1 j	1 j	1 j	2 j	6 j
Température diurne de la mer	26°	31°	34°	34°	30°	24°
Température nocturne de la mer	17°	21°	23°	23°	20°	16°

Qu'emporter

En été, n'oubliez pas votre crème solaire et munissez-vous d'une crème antimoustiques. Les médicaments étant plus coûteux en Grèce, prévoyez les habituels produits de confort et, si vous êtes particulièrement sensible au soleil, des médicaments contre l'insolation. Faites provision de pellicules avant votre départ : elles sont plus chères en Grèce, et les films diapositives y sont pratiquement introuvables.

Conseils de lecture

La Grèce, antique foyer de la culture occidentale, a inspiré de nombreux écrivains et artistes. Leurs récits ou romans seront le préambule ou le compagnon idéal de votre voyage : *L'Odyssée* d'Homère, pour revivre les périples d'Ulysse ; *La Grèce moderne* (1829) d'Edgard Quinet, un témoignage à l'heure des philhellènes ; *Alexis Zorba* (1946) de Nikos Kazantzakis déjà un classique ; *L'Été grec* (1976) de Jacques Lacarrière, la découverte de la Grèce par un jeune étudiant de la Sorbonne ; *La Couronne et la lyre* (1979) de Marguerite Yourcenar, une traduction riche et libre des poèmes de Constantin Kavafis; *L'art grec* (1985) de John Boardman, pour comprendre l'art antique. Enfin, la lecture des poètes Odysseas Elytis et Yiorgos Seferis, tous deux prix Nobel, constituera une bonne invitation au voyage.

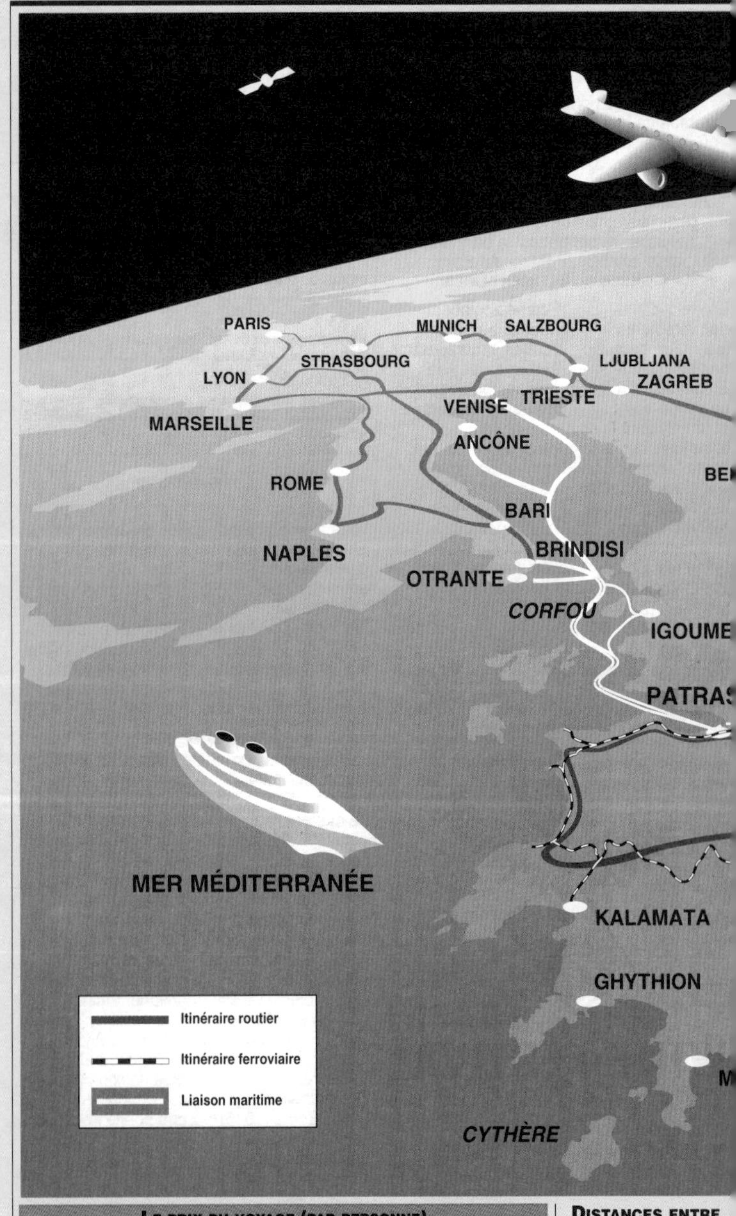

LE PRIX DU VOYAGE (PAR PERSONNE)		
Trajet depuis Paris	**Durée**	**Prix moyen**
Vol régulier	3 h	2 100 F A.R.
Vol charter	3 h	1 675 F A.R.
Voyage en train et ferry	50 h	3 000 F A.R.
Voyage en voiture (sur la base de deux personnes)	108 h	2 800 F A.R.
Voyage en voiture et ferry (sur la base de deux personnes)	60 h	4 600 F A.R.

DISTANCES ENTRE ATHÈNES ET LES GRANDES VILLES EUROPÉENNES	
Paris	2 930 km
Londres	3 067 km
Berlin	2 940 km
Rome	1 251 km
Madrid	3 802 km
Amsterdam	2 905 km

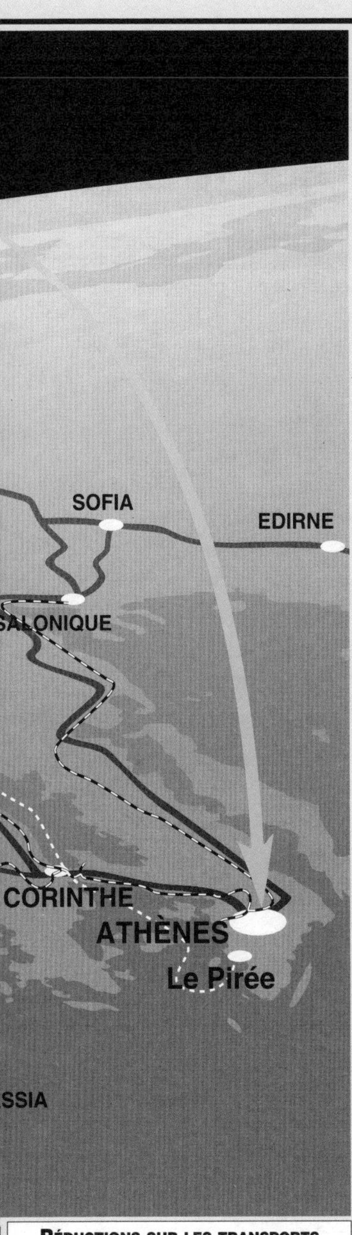

Réductions sur les transports

• Air France propose quatre tarifs en classe touriste : Kiosque, Kiosque spécial dernières, Kiosque Jeunes (- 25 ans) et Temps libre (+ 60 ans).
• La SNCF propose des réductions de 20 % à 50 % sur le trajet en France, avec la carte Carrissimo et de 30 % avec la carte Vermeil. Les moins de 26 ans bénéficient des billets BIGE (- 20 % à 30 %) sur certains trains.

En avion

Olympic Airways
À destination d'Athènes, un vol quotidien aller-retour est assuré au départ de Paris-Orly-Sud et trois vols hebdomadaires au départ de Marseille (lun., jeu. et sam.). Le tarif Kiosque pour l'été 1996 s'échelonne entre 1 950 F et 2 290 F.
Olympic Airways
3, rue Auber
75009 Paris
Renseignements,
Tél. 01 47 42 87 99
Réservations,
Tél. 01 42 65 92 42

Air France Europe
La compagnie propose deux vols quotidiens au départ de Paris-Charles-de-Gaulle, terminal 2A à destination d'Athènes.
Renseignements
Tél. 08 02 80 28 02
Minitel : 3615 AF

Vols charters
D'avril à octobre, de nombreux charters sont proposés, par les voyagistes.

Air Sud
18, rue du Pont-Neuf
75001 Paris
Tél. 01 40 41 66 70

Look Voyages
6, rue Marbeuf
75008 Paris
Tél. 01 44 31 84 12

Nouvelles Frontières
87, bd de Grenelle
75015 Paris
Tél. 01 36 33 33 33

Vacances Héliades
25-27, rue Basfroi
75011 Paris
Tél. 01 53 27 28 29

Y Tour
54, rue de Dunkerque
75009 Paris
Tél. 01 40 16 11 16

En voiture
Comptez 4 à 5 jours de route environ, *via* l'Allemagne, l'Autriche et la Hongrie.

En train
De la gare de Lyon, le *Rialto* relie Paris à Venise en 12 h 30 ; de fin juin à fin septembre, un autre train dessert Ancône en 14 h, d'où l'on prend le ferry pour Patras, puis le car pour Athènes (4 h).

En voiture et ferry
Comptez 2 à 3 jours *via* la Suisse et l'Italie ; ferries depuis Ancône, Bari, Brindisi et Venise, arrivée à Igoumenitsa et Patras (et parfois Corfou). Réservez deux mois à l'avance.

Navifrance
Tél. 01 42 66 65 40

SNCM
Tél. 01 49 24 24 24

Viamare
Tél. 01 42 80 94 87

En autocar
En été, la compagnie Eurolines assure une liaison Paris-Lyon-Athènes. Départ de Paris-Porte-de-Bagnolet le vendredi.
Tél. 01 49 72 51 51
ou Minitel 3615 Eurolines.

Pour se rendre au centre d'Athènes
L'aéroport Hellinikon possède deux terminaux : le terminal Ouest (tél. (0) (1) 93 69 111, pour les départs et les arrivées : 936 33 63) pour Olympic Airways, et le terminal Est (tél. 96 94 111) pour les autres compagnies. Un troisième terminal réservé aux charters fonctionne l'été (tél. 99 72 581 et 99 72 686).
La ligne de bus 091 et les cars d'Olympic Airways assure la navette entre les deux terminaux et le centre-ville : toutes les 30 min de 5 h 30 à 00 h 30, 200 Dr (et 400 Dr après 23 h 30) ; toutes les heures de 00 h 30 à 5 h 30, 200 Dr.

Le Céramique d'Athènes.

Le temple de Jupiter olympien à Athènes.

Les Propylées de l'Acropole d'Athènes.

Le Théseion de l'Agora d'Athènes.

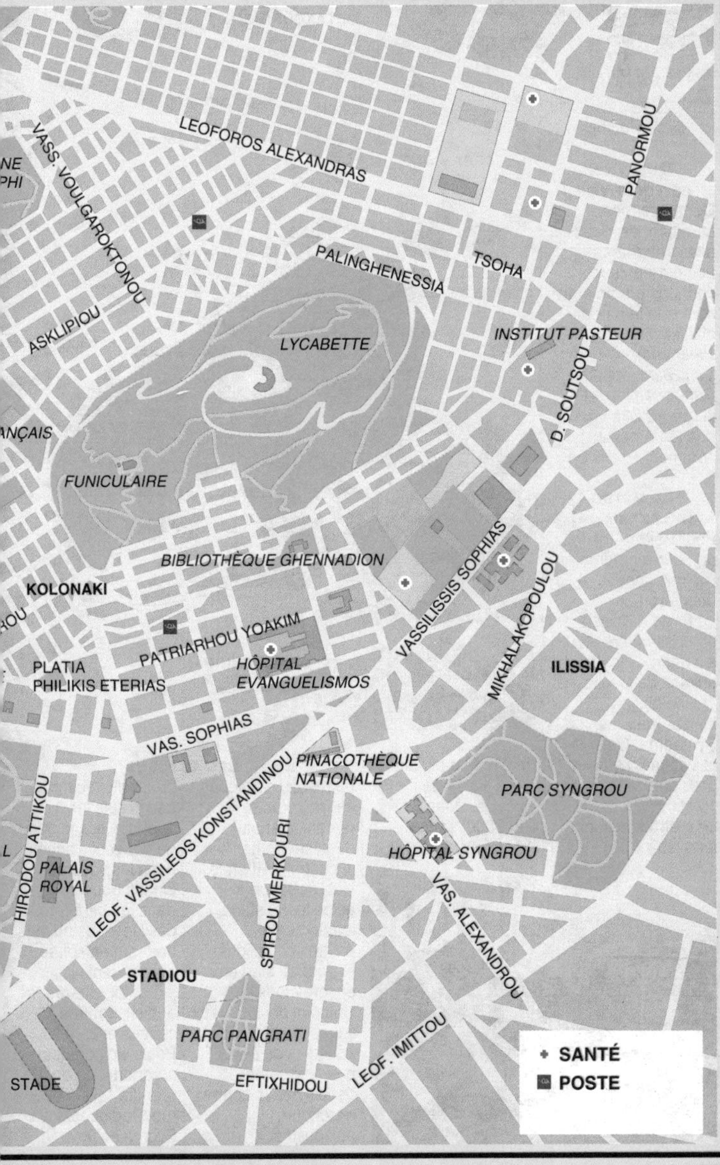

LEOFOROS ALEXANDRAS
VASS. VOULGAROKTONOU
NE
PHI
PANORMOU
PALINGHENESSIA
TSOHA
ASKLIPIOU
LYCABETTE
INSTITUT PASTEUR
D. SOUTSOU
NÇAIS
FUNICULAIRE
BIBLIOTHÈQUE GHENNADION
KOLONAKI
VASSILISSIS SOPHIAS
MIKHALAKOPOULOU
PATRIARHOU YOAKIM
HÔPITAL EVANGUELISMOS
PLATIA PHILIKIS ETERIAS
ILISSIA
VAS. SOPHIAS
PINACOTHÈQUE NATIONALE
PARC SYNGROU
HIRODOU ATTIKOU
LEOF. VASSILEOS KONSTANDINOU
SPIROU MERKOURI
HÔPITAL SYNGROU
PALAIS ROYAL
VAS. ALEXANDROU
STADIOU
PARC PANGRATI
LEOF. IMITTOU
STADE
EFTIXHIDOU

✚ SANTÉ
■ POSTE

Tickets de bus

Question de toponymie

Certaines rues athéniennes, deux axes importants notamment, sont connues par un autre nom que leur nom officiel : la rue *Eleftheriou Venizelou*, appelée *Panepistimiou*, et la rue *28 Oktovriou*, que les Athéniens nomment *Patission*.

Le métro («ilektriko»)

Pour visiter Athènes, on pourra emprunter l'unique ligne de métro qui joint Le Pirée à Kifissia, en passant par les endroits les plus animés de la ville : Thisseion, Monastiraki, Syntagma, Omonia et Victoria. Le ticket pour une zone coûte 100 Dr.
Le métro fonctionne tous les jours de 5 h 30 à minuit. Deux lignes de métro (prévues pour l'an 2000) sont en construction.

Les autobus

Le réseau d'autobus est en complet remaniement afin de désengorger le centre d'Athènes. L'organisation actuelle, au stade expérimental, est très compliquée et pourrait bien être encore modifiée. Un point positif : deux lignes (100 et 200) équipées de petits bus desservent depuis peu le centre historique et industrieux de la ville (voir plan). Les tickets (100 Dr quel que soit le trajet) ne peuvent s'acheter dans les voitures. On les trouvera dans les *periptero*, ces kiosques ouverts très tard en soirée, qui vendent journaux, cigarettes et bien d'autres choses encore. Pour rejoindre les aéroports, on pourra prendre le bus 091 rue Stadiou, places Sygma et Omonia.

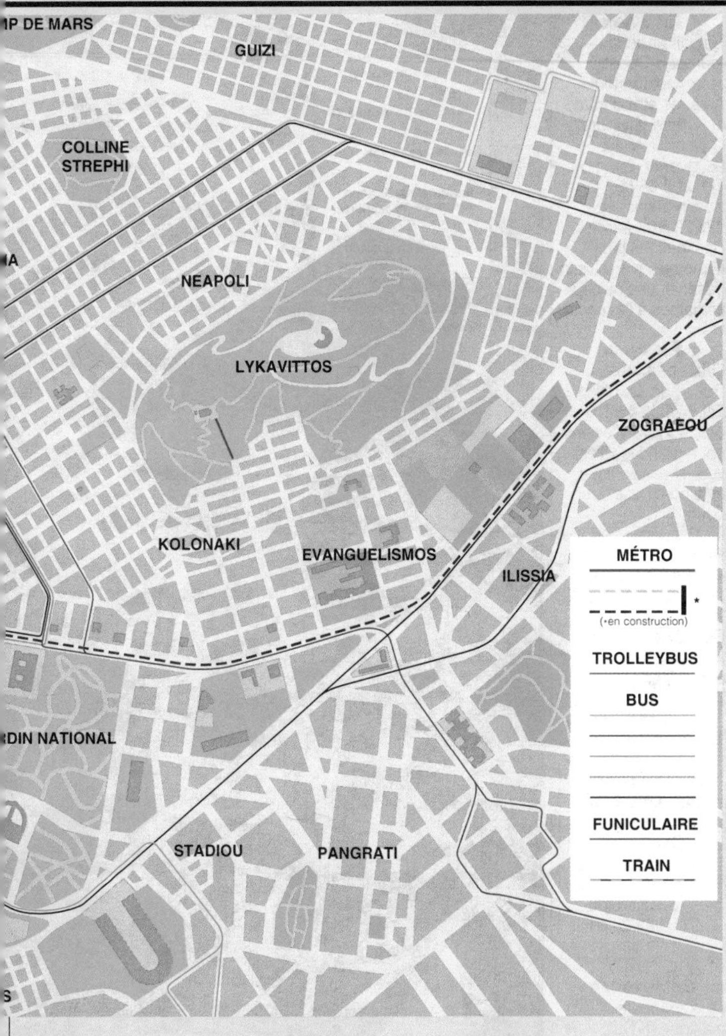

ΠΛΑΤΕΙΑ
ΑΓ. ΑΙΚΑΤΕΡΙΝΗΣ
ΙΣΤΟΡΙΚΗ ΜΟΝΗ ΤΟΥ ΣΙΝΑ

ΛΕΩΦΟΡΟΣ
ΝΙΚ. ΠΛΑΣΤΗΡΑ
ΗΡΩΪΚΟΣ ΣΤΡΑΤΗΓΟΣ κ. ΠΟΛΙΤΙΚΟΣ

MP DE MARS
GUIZI
COLLINE STREPHI
NEAPOLI
LYKAVITTOS
ZOGRAFOU
KOLONAKI
EVANGUELISMOS
ILISSIA
DIN NATIONAL
STADIOU
PANGRATI

MÉTRO
(*en construction)
TROLLEYBUS
BUS
FUNICULAIRE
TRAIN

La circulation automobile

En voiture

La célèbre pollution athénienne, *nefos*, a contraint les autorités à réglementer la circulation des véhicules, instaurant deux périmètres (*daktylios*), un grand et un petit. Dans le petit périmètre, les automobiles ne pénètrent qu'un jour sur deux, suivant le numéro, pair ou impair, de leur plaque minéralogique. Ces mesures s'appliquent les jours ouvrables, du lundi au jeudi de 7 h à 20 h et le vendredi de 7 h à 15 h. Les taxis circulent librement. Une partie du centre historique (Plaka, Monastiraki et, depuis peu, la grande place commerçante d'Ermon) est piétonne.

En taxi

Peu onéreux, ils constituent le moyen de transport le plus souple et le plus rapide. Le chauffeur a le droit de prendre en route d'autres personnes, chaque client paie le prix de sa course. Parvenu à votre destination, le chauffeur déduit du total marqué au compteur la valeur affichée lorsque vous êtes monté, déduction faite des 200 Dr de prise en charge. Vous devrez héler le taxi en criant, en grec, le lieu de votre destination. Les bagages font l'objet d'une surtaxe et les tarifs doublent entre minuit et 7 h du matin.

◆ Se déplacer en Grèce

En avion
Liaison aérienne (aéroport Ouest) entre, notamment, Athènes et Kalamata et Kythira (Cythère). Olympic Airways 96, avenue Syngrou Tél. 966 66 66 (réservations) et 926 72 51/4 (billets). Destinations plus nombreuses en saison (réserver une ou deux semaines à l'avance).

En train
Gare de Larissa
Rue Théo. Dilighiani Tél. 524 06 46/8 et 529 77 77 (liaisons entre grandes villes) : vers Thessalonique et le nord de la Grèce.
Gare du Péloponnèse
Rue Konstantinoupoleos Tél. 513 16 01 : vers Patras et Kalamata.
Renseignements à Athènes :
6, rue Sina Tél. 362 44 02/6
17, rue Philellinon Tél. 323 67 47

Informations pour le voyage en train :
Organisme des chemins de fer de Grèce (OSE)
1, rue Karolou
Tél. 522 24 91

En autocar
La compagnie publique (KTEL) dispose d'un réseau très dense d'autocars qui couvre l'ensemble de la Grèce. Les liaisons en car sont plutôt moins chères que les liaisons ferroviaires, mais les gares sont loin du centre d'Athènes. On peut compter sur une grande régularité. Horaires et réservations dans les gares et les agences KTEL. Attention, il existe deux gares routières à Athènes, selon la destination choisie. Il est conseillé de s'y rendre en taxi.
Gare routière terminal A
100, rue Kifissiou Tél. 51 24 910 Cars pour le Péloponnèse.
Gare routière terminal B
260, rue Liossion Tél. 83 17 163 et 83 17 179. Cars pour l'Attique et la Béotie.

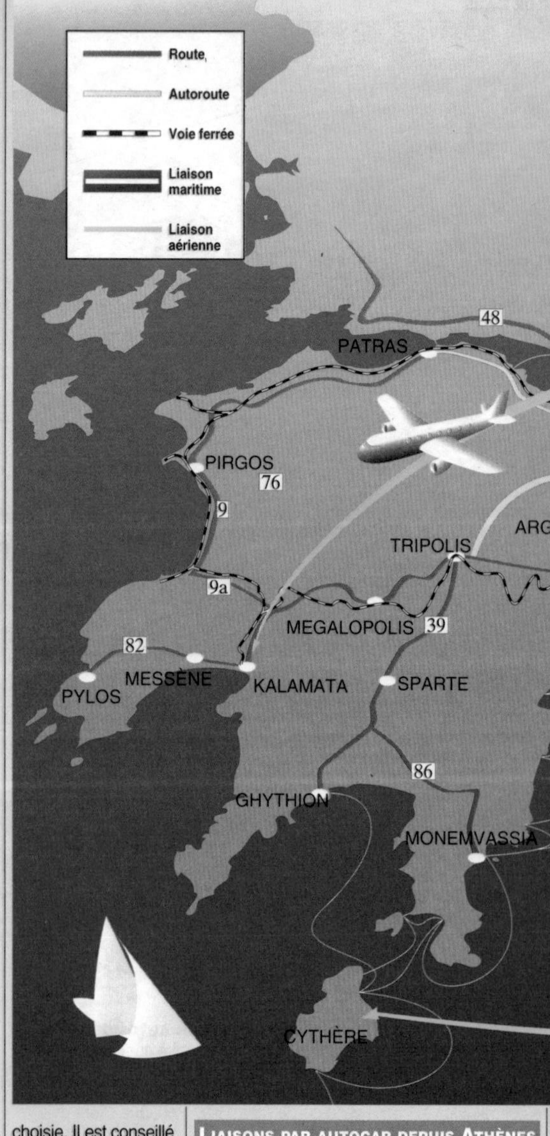

Liaisons par autocar depuis Athènes

Destinations	Durée du voyage	Destinations	Durée du voyage
Andritsena	4 h	Mycènes	2 h 30
Argos	2 h	Nauplie	2 h 30
Corinthe	1 h 30	Némée	3 h
Delphes	3 h	Olympie	5 h 30
Épidaure	2 h 30	Patras	3 h
Gythion	5 h 30	Pylos	5 h 30
Hoss. Loukas	3 h	Pyrgos	5 h
Kalamata	4 h 30	Sparte	4 h 30
Karytena	4 h	Marathon	0 h 40
Megalopolis	3 h 15	Sounion	2 h
Monemvassia	7 h	Thèbes	1 h 30

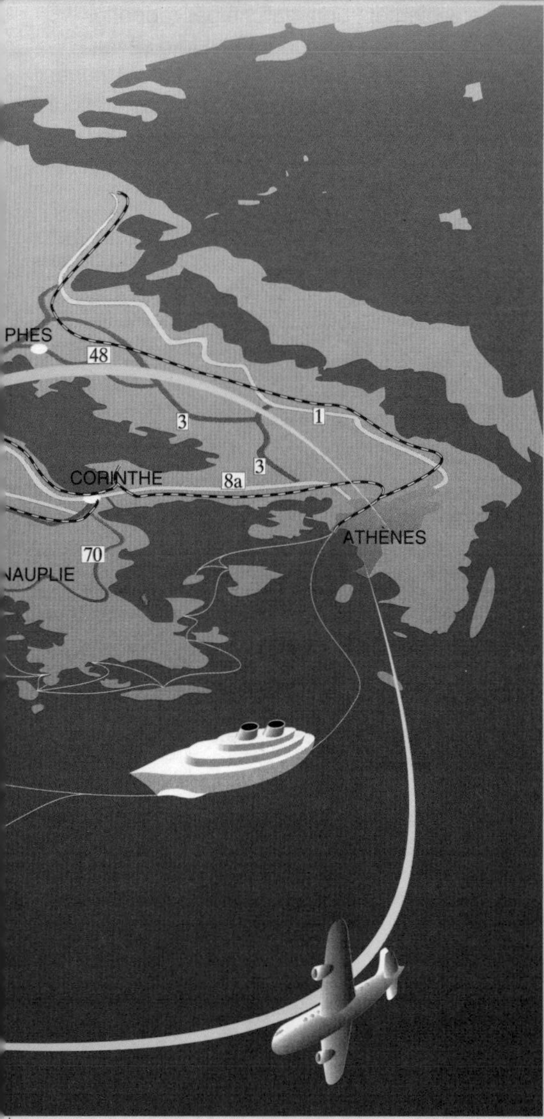

PHES
48
3
1
3
CORINTHE
8a
ATHÈNES
70
NAUPLIE

Bateaux, ferries et hydroglisseurs

Péloponnèse :

• Depuis Akti Kondili : bateaux et ferries pour Kyparissi, Neapoli, Elafonissi, Gythion, Monemvassia et Haghia Pélaghia à Cythère (Kythira).

• Depuis Zea : hydroglisseurs pour Gerakas, Kyparissi, Neapoli (très fréquents en été) et Monemvassia.

Renseignements :
Capitainerie du Pirée
Tél. 42 26 000/4
Marina du Pirée-Zea
Tél. 41 38 321
et 459 31 44

Golfe Saronique :

Pour Salamine, Égine, Poros, Hydra, Methana, Porto Heli et Spetses.

• Depuis Akti Tzelepi : bateaux et ferries.

• Depuis Zea : hydroglisseurs.

Renseignements :
Capitainerie du Pirée
Tél. 451 13 10/17
Marina du Pirée-Zea
Tél. 41 38 321 et
459 31 44
Agence hydroglisseurs (Compagnie CERES) :
• Athènes
Tél. 32 42 281
et 322 03 51
• Le Pirée
Tél. 42 80 001

Location de yachts

Affrètement
43, rue Freatidos, Zea
Tél. 98 27 107

Location de voitures

Hertz
12, avenue Syngrou
Tél. 92 20 102 /4

Avis
48, av. Amalias
Tél. 322 49 51/5

Eurodollar
29, av. Syngrou
Tél. 92 29 672
et 92 30 548

Budget Rent-a-car
8, av. Syngrou
Tél. 92 14 771/3

Kosmos Rent-a-car
9, av. Syngrou
Tél. 92 34 697/8

Distances entre Athènes et les principales villes d'Attique, de Béotie et du Péloponnèse

Andritsena	385 km	Mycènes	189 km
Argos	177 km	Nauplie	165 km
Corinthe	84 km	Némée	125 km
Delphes	203 km	Olympie	339 km
Épidaure	194 km	Patras	220 km
Gythion	299 km	Pylos	337 km
Hoss. Loukas	240 km	Pyrgos	320 km
Kalamata	284 km	Sparte	253 km
Karytena	247 km	Marathon	42 km
Megalopolis	228 km	Sounion	68 km
Monemvassia	350 km	Thèbes	179 km

Si la vie en Grèce est sensiblement bon marché par rapport à d'autres pays de la Communauté européenne, il faut savoir qu'un même service vous coûtera cependant plus cher à Athènes que dans le reste du pays. Sachez également que, s'il est toujours prudent de réserver votre hôtel avant de partir, c'est une obligation en période de grande affluence, en juillet et en août, principalement à Athènes.

BANQUES ET BILLETTERIES

Les banques grecques ne sont ouvertes que de 8 h à 14 h, du lundi au jeudi, et de 8 h à 13 h 30 le vendredi. Dans les grandes villes, il est très aisé de trouver une banque ou un distributeur automatique, mais attention à ceux qui, imprudents, sont partis dans les montagnes sans liquide. Dans ces contrées reculées, point de banque et encore moins de distributeur. Les traveller's cheques sont donc conseillés ainsi qu'une réserve d'argent liquide suffisante pour survivre jusqu'à la prochaine agglomération importante. Cependant, l'usage de la carte de crédit se répand partout. Dans les îles, il est possible de trouver, aux alentours immédiats du port, des bureaux de change et des banques ouverts le week-end.

EN CAS DE PERTE OU DE VOL

POLICE TOURISTIQUE
ATHÈNES :
171
(24 h/24 week-end compris)
anglais parlé
DELPHES : (0265)
82 220
ÉGINE : (0297)
233 33
HYDRA : (0298)
52 265

QUESTIONS D'ARGENT

L'unité monétaire grecque est la drachme (Dr). Il existe des pièces de 5 Dr, 10 Dr, 20 Dr et 50 Dr, mais pour une même valeur, elles peuvent être de tailles différentes, d'où le risque d'erreurs. Les billets sont de 100 Dr, 500 Dr, 1 000 Dr, 5 000 Dr et 10 000 Dr.

CHANGE

Depuis mars 1998, la drachme est dévaluée de 14 % : au moment de l'impression du guide 1FF = 54 Dr. Les chèques de voyage et les devises françaises sont acceptés dans toutes les banques, ainsi que dans de nombreux hôtels, agences de voyages et magasins. Les Eurochèques peuvent être changés dans les bureaux de poste, ou dans leurs guichets volants, reconnaissables à leur couleur jaune.

CARTES BANCAIRES

Les paiements par cartes bancaires internationales sont acceptés dans la plupart des hôtels et des restaurants de catégorie supérieure, ainsi que dans certains magasins. On peut également effectuer, grâce à elles, des retraits aux guichets de la Banque commerciale de Grèce et de la Banque ionienne. Les Eurochèques peuvent être changés dans les banques aussi bien que dans les bureaux de poste.

SE LOGER

Les prix moyens selon les catégories sont sujets à de nombreuses exceptions en fonction des équipements existants : il arrive qu'un hôtel de catégorie C soit plus cher qu'un hôtel de catégorie B !

HÔTELS DE LUXE

Chambres ou suites, spacieuses, climatisées, avec salles de bains. Offrent des prestations luxueuses, telles, piscine, plage privée, saunas, tennis, bar, restaurant, taverne et galerie marchande.

HÔTELS DE CATÉGORIE A

Chambres très confortables, climatisées avec salles de bains. Possèdent le plus souvent une piscine, un restaurant, un bar.

HÔTELS DE CATÉGORIE B

Chambres climatisées ou non, équipées de salles de bains ou de salles d'eau avec douche. Possèdent souvent une taverne ou un restaurant.

HÔTELS DE CATÉGORIE C

Chambres de confort moyen ou modeste. Équipées de salles d'eau et WC privatifs.

CAMPINGS

Une centaine dans le Péloponnèse et une cinquantaine entre le mont Parnasse et le cap Sounion. Si certains sont ouverts toute l'année, la majorité d'entre eux ne le sont que d'avril-mai à octobre. Ne sont pas classés.

LOGEMENT CHEZ L'HABITANT

Très répandu dans les petites localités et les villages, aussi bien dans les montagnes qu'en bord de mer. Se renseigner auprès des bureaux locaux de la Police touristique et les agences de voyages.

AUTRES

Il existe également des possibilités de locations meublées, appartements, bungalows et villages de vacances.

PRIX MOYEN DES HÔTELS EN HAUTE SAISON

	Athènes	Attique	Péloponnèse
DE LUXE Prix moyen 50 000-70 000 Dr	11	7	8
CAT. A Prix moyen 35 000 Dr	18	44	29
CAT. B Prix moyen 25 000 Dr	40	71	112
CAT. C Prix moyen 15 000 Dr	102	120	193

SE NOURRIR

HORS-D'ŒUVRE (PIKILIA)

Dholmádhes : feuilles de vigne au riz
Fassolákia : haricots
Khoriátiki : salade grecque (tomates, concombres, olives, oignons et feta)
Kreatópitta : feuilleté à la viande
Piperies ghemistes : poivrons farcis
Piperies saláta : salade de poivron
Melitzánes ghemistes : aubergines farcies

Melitzáno salata : caviar d'aubergines
Spanakópitta : feuilleté aux épinards
Taramás : tarama
Tirópitta : feuilleté au fromage
Dzadzíki : yaourt au concombre et à l'ail.

POISSONS (PSARIA)

Astakós : homard
Bakaliáros : morue
Gharídhes : crevettes
Ghlóssa : sole
Ghópes : friture
Kalamarákia : calamars
Ksifías : espadon
Khtapódhi : poulpe
Péstrofa : truite

VIANDES (KREATA)

Arnáki : agneau
Brizóla : côte (bœuf, porc ou veau)
Keftedhes : boulettes de viande
Xhirinó : porc
Kokoretsi : abats farcis et rôtis
Kotópoulo : poulet
Moskhári : veau
Moussakás : hachis de viande
Psitó : rôti
Souvlákia : brochettes de viande
Vrastó : ragoût

DESSERTS (GHLIKA)

Baklavás : feuilleté aux amandes et au miel
Bougátsa : feuilleté au fromage blanc ou à la crème
Froúta : fruit
Ghiaoúrti : yaourt
Kouloùri : biscuit aux graines de sésame
Loukoùmi : loukoum
Tirí : fromage

BOISSONS (POTA)

Bíra : bière
Kafés : café
Krassí : vin
Neró : eau

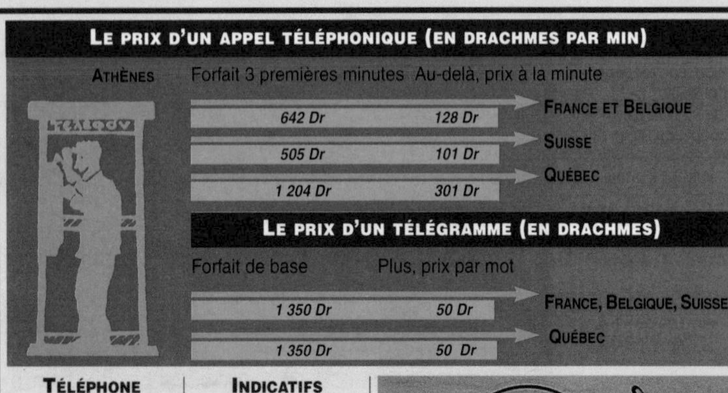

LE PRIX D'UN APPEL TÉLÉPHONIQUE (EN DRACHMES PAR MIN)

Athènes	Forfait 3 premières minutes	Au-delà, prix à la minute
France et Belgique	642 Dr	128 Dr
Suisse	505 Dr	101 Dr
Québec	1 204 Dr	301 Dr

LE PRIX D'UN TÉLÉGRAMME (EN DRACHMES)

	Forfait de base	Plus, prix par mot
France, Belgique, Suisse	1 350 Dr	50 Dr
Québec	1 350 Dr	50 Dr

TÉLÉPHONE ET TÉLÉGRAMME

La Grèce est équipée un peu partout de téléphones à carte.
On se procurera une carte de 1 000 unités (*monadhes*) (au prix de 1 500 Dr) dans les bureaux de poste ou dans certains kiosques, desquels on peut également téléphoner.
On peut aussi appeler des hôtels et des restaurants.

Pour téléphoner en France depuis la Grèce, composez le 00 33, suivi du numéro du correspondant sans le 0.
Pour appeler la Grèce depuis la France, composez le 00 30, l'indicatif de la ville (sans le 0) puis le numéro souhaité.
RENSEIGNEMENTS INTERNATIONAUX : 169 (informations en français notamment).

INDICATIFS TÉLÉPHONIQUES DES VILLES

Supprimer le 0 devant l'indicatif si vous ne téléphonez pas depuis la Grèce.
Aeghion : (0691)
Athènes : (01)
Corinthe : (0741)
Delphes : (0265)
Égine : (0297)
Épidaure : (0753)
Ermioni : (0754)
Ghythion : (0733)
Hydra : (0298)
Hossios Loukas : (0267)
Kalamata : (0721)
Kalavryta : (0692)
Kardamyli : (0721)
Karpenissi : (0237)
Kyparissia : (0761)

Loutraki : (0744)
Methoni : (0723)
Mycènes : (0751)
Mystras : (0731)
Monemvassia : (0732)
Nauplie (Tolo) : (0752)
Némée : (0746)
Olympie : (0624)
Patras : (061)
Poros : (0298)
Porto Heli : (0754)
Pylos : (0723)
Pyrgos : (0621)
Sounion : (0292)
Sparte : (0731)
Spetses : (0298)
Thèbes : (0262)
Tirynthe : (0752)
Tripolis : (071)
Xylokastro : (0743)

POSTES

Les bureaux de poste ne s'occupent que de l'acheminement du courrier (les télécommunications relèvent de l'OTE).
Ils sont ouverts du lundi au vendredi, de 7 h 30 à 15 h 30, et fermés le samedi.
Il est possible de recevoir son courrier en poste restante au bureau central de chaque ville. En été, des camions postaux proposant les mêmes services que les bureaux sont implantés dans les villes où l'affluence touristique est importante.
À ATHÈNES
Le bureau de poste central se trouve rue Mitropoleos, à l'angle de la place Syntagma. Ses guichets sont ouverts du lundi au vendredi de 7 h 30 à 20 h, le samedi de 7 h 30 à 14 h, et le dimanche de 9 h à 13 h.
Renseignements Tél. 323 75 73
Les autres bureaux sont ouverts du lundi au vendredi, de 7 h 30 à 14 h.

QUELQUES NUMÉROS UTILES

SECOURS ET ASSISTANCE

Ambulances :	166
Pharmacies :	107
Police secours :	100
Pompiers :	199
SOS Médecins :	33 10 310/11

INFORMATIONS PRATIQUES

Autobus :	185
Autocars :	142
Sécurité routière :	104
Tourisme :	174
Trains :	145
Taxis :	41 15 200 52 50 017, 49 33 811

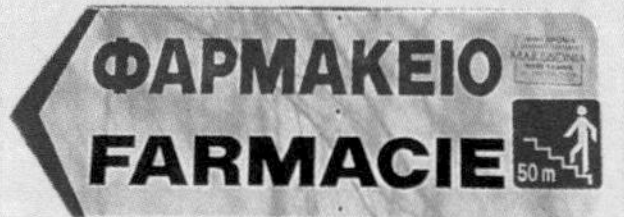

Renseignements touristiques

Offices nationaux du tourisme grec à Athènes (EOT)

◆ Office principal
2, rue Amerikis
Tél. 32 23 111/9 et 331 05 61 ou 331 04 37 pour contacter directement une hôtesse à l'accueil. Ouvert du lundi au vendredi de 9 h à 19 h, et le samedi de 9 h à 14 h
Fermé le dimanche.
Bureau d'information,
◆ Aéroport Est
Tél. 96 99 500 et 96 12 722
Bureau du Festival
4, rue Stadiou,
Tél. 32 21 459 et 32 23 111-9

Offices nationaux du tourisme hors Athènes (EOT)

◆ Marina
Le Pirée-Zea
Tél. 41 35 716 ou 41 35 730
◆ Patras,
26 rue Filopimenos
Tél. (061) 62 19 92, 62 03 53 et 62 22 49

Journaux

À Athènes et dans les grandes villes, on trouvera tous les grands quotidiens et magazines français. Il existe toutefois un journal grec édité en français : *La Tribune hellénique,* et deux édités en anglais : *The Athenian, Athenian News.*

Le prix des choses

Café ou thé : 500 à 800 Dr

1 petit déjeuner : 1500 à 2500 Dr

Un litre d'essence : 220 à 240 Dr

Un repas dans une taverne : 2 500 Dr à 5 000 Dr

1 verre de vin ou une bière : 800 Dr à 1 000 Dr

1 carte postale timbrée : 120 Dr

1 entrée dans un musée : 200 Dr à 2 000 Dr

1 chambre double : 10 000 à 15 000 Dr

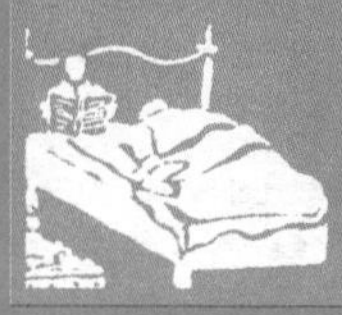

Vivre à l'heure grecque

Heure grecque

GMT + 2 h, soit 1 h de plus qu'en France.

Ouverture des magasins

◆ Les grands magasins et les supermarchés sont ouverts du lundi au samedi de 8 h 30 à 20 h.
◆ Les pharmacies et les petites boutiques sont ouvertes lundi et mercredi de 8 h 30 à 14 h 30 ; mardi, jeudi et vendredi de 8 h 30 à 14 h et de 17 h à 20 h (17 h 30 à 20 h 30 en été) ; samedi de 8 h 30 à 15 h.
◆ Partout à Athènes et en province, on trouvera des boutiques vendant journaux, cigarettes et un peu d'alimentation ouvertes très tard en soirée. Il faut savoir cependant que ces horaires sont, généralement, assez élastiques.

Heures de sieste

L'activité générale s'interrompt de 15 h à 17 h tout au long de l'année mais surtout en été, aux heures les plus chaudes.

Hôpitaux de garde

Chaque jour à Athènes, le service des urgences est assuré par un hôpital différent. En cas de besoin, composer le 106 pour connaître l'hôpital de garde du jour.

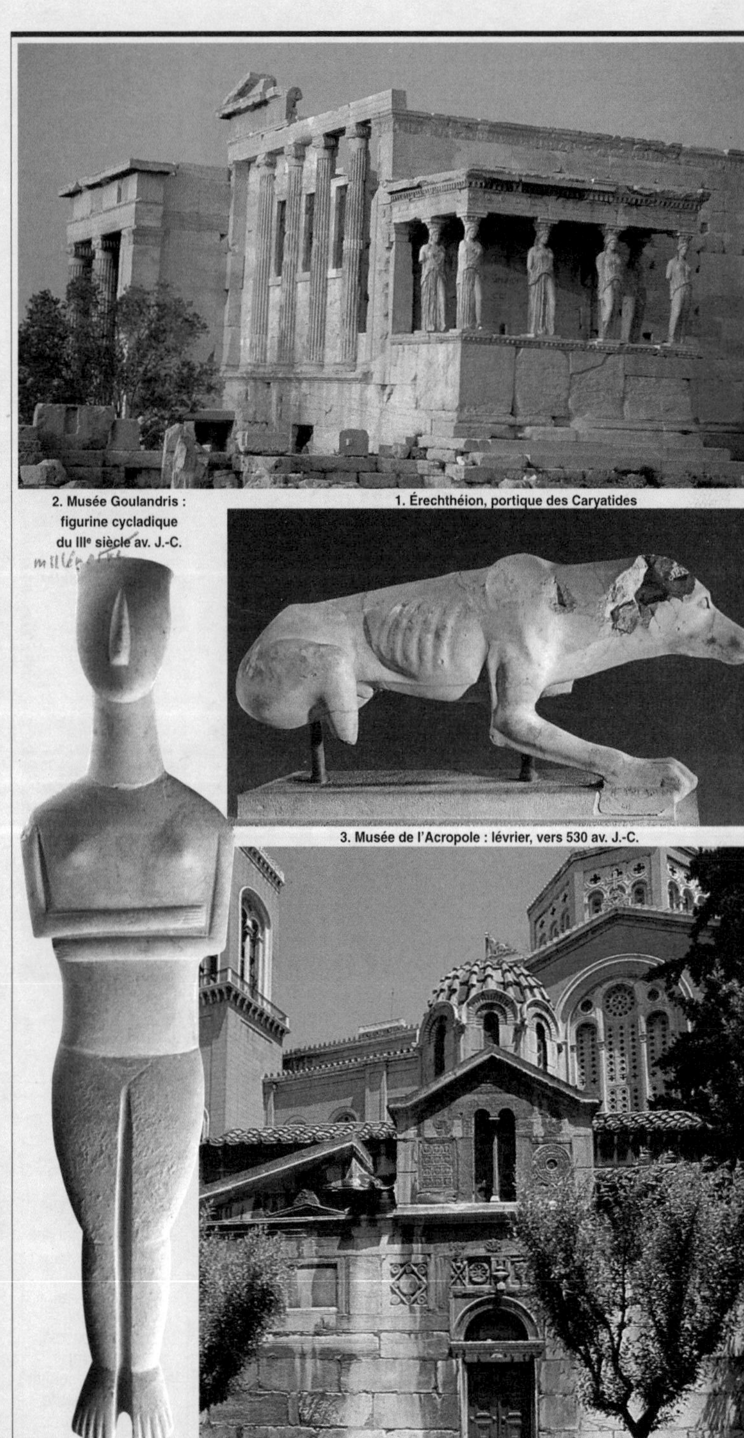

1. Érechthéion, portique des Caryatides

2. Musée Goulandris : figurine cycladique du IIIe siècle av. J.-C.

3. Musée de l'Acropole : lévrier, vers 530 av. J.-C.

4. La Petite Métropole à Plaka

Musée Bénaki : pectoral en forme de caravelle du XVIIIe siècle

Musée byzantin : iconostase

6. Musée national historique : Éphèbe, 340 av. J.-C.

8. Théseion (ou Héphaistéion) de l'Agora

◆ Musées et sites d'Athènes

1• Acropole, site archéologique	▲ 132, ◆ 413	Ouvert tlj. En été : 8 h-21 h En hiver : 8 h 30-14 h 30
2• Acropole, musée	▲ *150*, ◆ 413	Ouvert mar.-ven. 8 h-17 h 30 ; sam.-dim. et j. fér. 8 h 30-14 h 30 ; lun. 10 h 30-17 h 30
3• Agora romaine, site archéologique	Angle rues Pelopida et Eolou ▲ *190*, ◆ 413	Ouvert mar.-dim. 8 h 30-15 h
4• Ancienne Agora, temple d'Héphaïstos	▲ *196*, ◆ 413	Ouvert mar.-dim. 8 h 30-15 h
5• Musée de l'Agora	▲ *196*, ◆ 413	Ouvert mar.-dim. 8 h 30-15 h
6• Centre des arts et traditions populaires	6, rue Hatzimikhali ▲ *183*, ◆ 413	Ouvert mar.-ven. 9 h-13 h et 17 h-21h ; sam.-dim. 9 h-13 h Fermé lun.
7• et **8•** Musée et site du cimetière du Céramique	148, rue Ermou ▲ *200*, ◆ 413	Ouvert mar.-dim. et j. fér. 8 h 30-15 h Fermé lun.
9• Pinacothèque nationale	50, avenue Vassilis Konstantinou ▲ 227, ◆ 416	Ouvert tlj. 9 h-15 h ; dim. et j. fér. 10 h -14 h Fermé mar.
10• Musée archéologique national	44, rue Patission ▲ *232*, ◆ 416	Ouvert en été lun. 12 h 30-19 h ; mar.-dim. 8 h-19 h En hiver lun. 10 h 30-17 h ; mar.-dim. 8 h 30-15 h
11• Musée d'Art cycladique et d'Art grec antique fondation Nicolas P. Goulandris	4, rue Neofitou Douka ▲ *226*, ◆ 416	Ouvert lun.-ven. 10 h-16 h ; sam. 10 h-15 h Fermé mar. et dim.

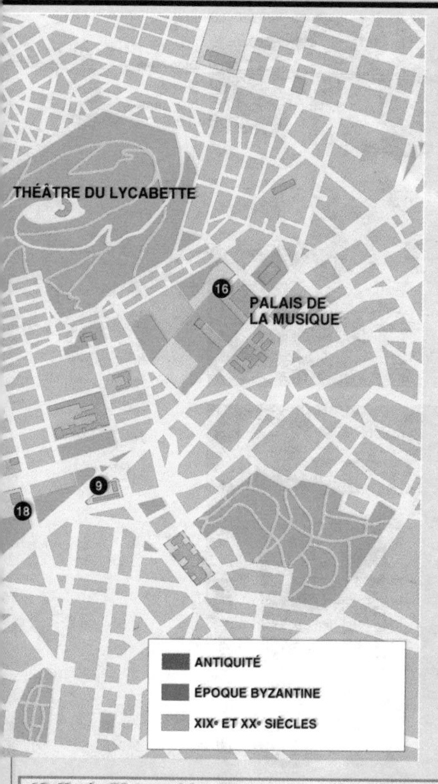

12• Musée d'Art populaire grec	17, rue Kidhathineon ▲ *182*, ◆ 413	Ouvert mar.-dim. 10 h-14 h Fermé lun.
13• Musée Bénaki	1, avenue Koumbari et Vassilissis Sophias ▲ *226*, ◆ 416	Fermé temporairement
14• Musée byzantin	22, av. Vassilissis Sophias ▲ *227*, ◆ 416	Ouvert mar.-dim. 8 h 30-15 h Fermé lun. sf j. fér.
15• Musée Kanellopoulos	Angle des rues Theorias et Panos ▲ *181*, ◆ 413	Ouvert mar.-dim. 8 h 30-15 h
16• Musée Eleftherios Venizelos	Parc Eleftherias ◆ 416	Ouvert mar.-sam. 10 h-13 h et 18 h-20 h ; dim. 10 h-13 h
17• Musée historique national	13, rue Stadiou (pl. Syntagma) ▲ *229*, ◆ 416	Ouvert mar.-dim. et fêtes 9 h-13 h 30. Fermé lun.
18• Musée militaire	Av. Vassilissis Sophias ▲ *227*, ◆ 416	Ouvert lun.-ven. 9 h-14h ; sam.-dim. 9h 30-14 h
19• Musée de la Numismatique	1 rue Tossitas ▲ *228*, ◆ 416	Fermé temporairement
20• Musée et centre du théâtre hellénique	50, rue Akadimias ◆ 416	Ouvert lun.-ven. 9 h-14 h 30 ; mer. 17 h-20 h. Fermé sam.-dim.
21• Musée de la ville d'Athènes	7, rue Paparigopoulou (place Klafthmonos) ▲ *229*, ◆ 416	Ouvert lun., mer., ven., sam. et fêtes, 9 h-13 h 30 Fermé mar., jeu. et dim.
22• Musée juif	36, av. Amalias	Fermé temporairement
23• Monastère de Daphni	Route de Corinthe ▲ *251*, ◆ 422	Ouvert tlj. 8 h 30-14 h 45
24• Monastère de Kaissariani	À 7 km d'Athènes ▲ *250*, ◆ 423	Ouvert mar.-dim. 8 h 30-15 h Fermé lun.

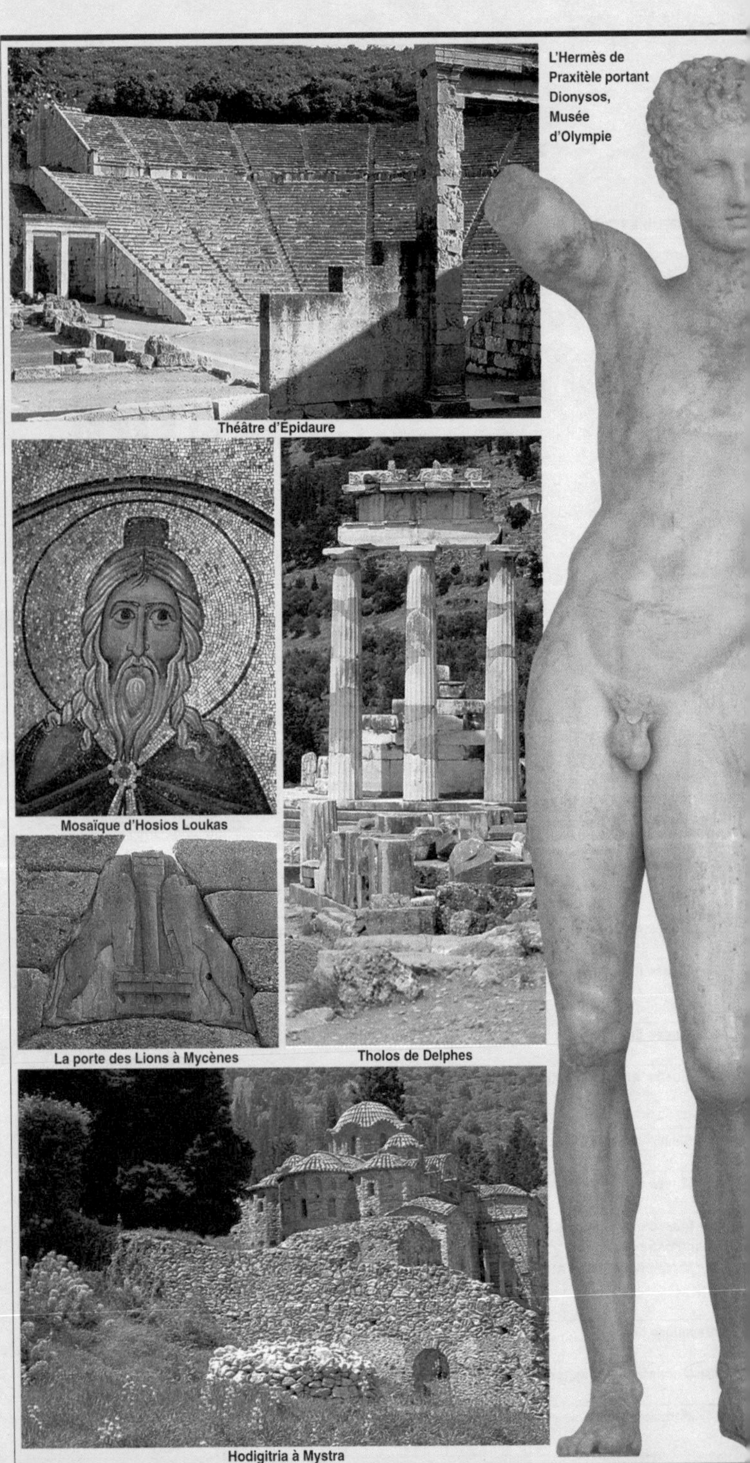

L'Hermès de Praxitèle portant Dionysos, Musée d'Olympie

Théâtre d'Épidaure

Mosaïque d'Hosios Loukas

La porte des Lions à Mycènes

Tholos de Delphes

Hodigitria à Mystra

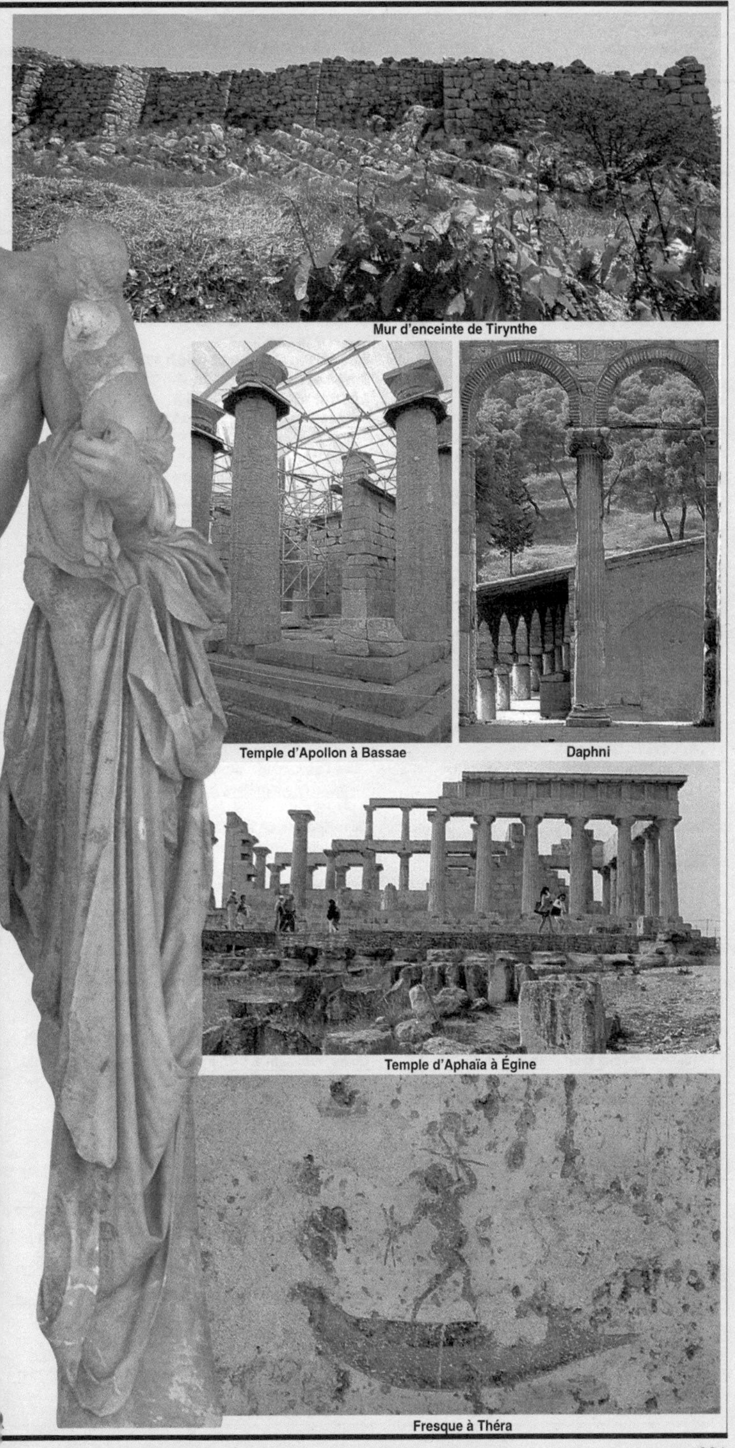

Mur d'enceinte de Tirynthe

Temple d'Apollon à Bassae

Daphni

Temple d'Aphaïa à Égine

Fresque à Théra

◆ Musées et sites en Attique, en Béotie et dans le Péloponnèse

ARGOS		
Musée d'Argos	▲ *320*, ◆ *425*	Ouvert 8 h 30-15 h
Héraion d'Argos	▲ *320*, ◆ *425*	Ouvert 8 h 30-15 h, fermé lun.
BASSAE		
Temple	▲ *326*	Accessible en permanence
BRAURON (Vravrona)		
Site et musée archéologique	▲ *260*, ◆ *424*	Ouvert 8 h 30-15 h. Site fermé lun. Musée fermé lun., jeu. et ven.
CORINTHE (Korinthos)		
Musée et site de l'Ancienne Corinthe (Archaia Korinthos)	▲ *294*, ◆ *424*	Ouvert en saison : tlj. 8 h-19 h ; hors saison : mar.-dim. 8 h-14 h, fermé lun.
Site archéologique de l'Acrocorinthe	▲ *294*, ◆ *424*	Ouvert en saison : tlj. 8 h-19 h ; hors saison : mar.-dim. 8 h-14 h, fermé lun.
Musée de l'Isthme (Isthmia)	▲ *294*, ◆ *424*	Visite avec permis du ministère de la Marine
DELPHES (Delphi)		
Site archéologique	▲ *275*, ◆ *425*	Ouvert en saison : lun.-ven. 7 h 30-18 h 30, w.-e. 8 h 30-15 h ; hors saison : lun.-ven. 8 h-16 h 30, w.-e. 8 h 30-14 h 30
Musée	▲ *274*, ◆ *425*	Ouvert en saison : lun. 11 h-17 h 30, mar.-ven. 7 h 30-18 h30, w.-e. 8 h 30-15 h hors saison : mar.-dim. 8 h-16 h 30, lun. 12 h-16 h 30
ÉGINE (Égina)		
Site et temple d'Aphaia	▲ *365*, ◆ *430*	Ouvert Pâques-oct. 8 h-19 h ; nov.-Pâques 8 h 30-15 h, fermé lun.
Musée d'Égine	▲ *364*, ◆ *430*	Ouvert toute l'année
ÉLEUSIS (Elefsina)		
Musée et site archéologique	▲ *292*, ◆ *422*	Ouvert 8 h 30-15 h, fermé lun.
ÉPIDAURE (Epidavros)		
Musée et site	▲ *312*, ◆ *425*	Ouvert avr.-oct. : lun. 12 h-19 h, mar.-dim. 8 h-19 h ; nov.-mars : lun. 12 h-16 h 30 , mar.-dim. 8 h-16 h 30
HOSIOS LOUKAS		
Monastère byzantin	▲ *254*, ◆ *426*	Ouvert tlj. 8 h-14 h et 16 h-19 h
LE PIRÉE (Piraias)		
Musée archéologique	▲ *247*, ◆ *423*	Ouvert 8 h 30-15 h, fermé lun.
Musée maritime	▲ *247*, ◆ *423*	Ouvert lun.-ven. 9 h-14 h, w.-e. 9 h-13 h
MARATHON (Marathonas)		
Musée et Tumulus	▲ *260*, ◆ *423*	Ouvert 8 h 30-15 h, fermé lun.
MYCÈNES (Mykinas)		
Site archéologique	▲ *300*, ◆ *427*	Ouvert en saison : lun.-ven. 8 h-17 h, w.-e. 8 h 30-15 h ; hors saison : mar.-dim. 8 h-14 h 30, fermé lun.
MYSTRA		
Musée et site	▲ *335*, ◆ *427*	Ouvert en saison : 8 h-19 h ; hors saison : mar.-dim. 8 h 30-14 h 30, fermé lun.
NAUPLIE (Nafplion)		
Musée	▲ *312*, ◆ *427*	Ouvert 8 h 30-15 h, fermé lun.
Forteresse Palamède	▲ *311*, ◆ *427*	Ouvert lun.-ven. 8 h 30-17 h, w.-e. 8 h 30-15 h
NÉMÉE (Nemea)		
Site archéologique et musée	▲ *299*, ◆ *428*	Ouvert 8 h 30-15 h, fermé lun.
OLYMPIE (Olympia)		
Site archéologique	▲ *353*, ◆ *428*	Ouvert lun.-ven. : 12-31 mars 7 h 30-18 h ; avr.-oct. 7 h 30-19 h ; nov.-11 mars 7 h 30-17 h Ouvert w.-e. et j. fér. : 8 h 30-15 h
Musée archéologique	▲ *353*, ◆ *428*	Mêmes horaires que le site sauf lun. 12 h-17 h
Musée des Jeux olympiques	▲ *357*, ◆ *428*	Ouvert lun.-sam. 8 h-15 h 30, dim. et j. fér. 9 h -16 h 30
OROPOS		
Site archéologique de l'Amphiareion	▲ *261*, ◆ *428*	Ouvert tlj. 8 h-20 h
PATRAS		
Musée archéologique	▲ *360*, ◆ *428*	Ouvert 8 h 30-15 h, fermé lun.
PYLOS		
Musée archéologique	◆ *429*	Ouvert 8 h 30-15 h, fermé lun.
RHAMNONTE (Ramnous)		
Site archéologique	▲ *261*, ◆ *424* ▲ *335*,	Ouvert en saison : lun.-sam. 7 h-18 h, dim. 8 h-18 h ; hors saison : lun.-sam. 7 h-15 h, dim. 8 h-15 h
SOUNION		
Temple de Poséidon	▲ *258*, ◆ *424*	Ouvert tlj. 10 h-crépuscule
THÈBES (Thiva)		
Musée archéologique	◆ *429*	Ouvert 8 h 30-15 h, fermé lun.
TIRYNTHE (Tirynthos)		
Site archéologique	▲ *306*, ◆ *429*	Ouvert lun.-ven. 8 h-17 h, sam.-dim. et j. fér. 8 h 30-15 h
TRIPOLIS		
Musée archéologique	▲ *322*, ◆ *430*	Ouvert 8 h 30-15 h, fermé lun.

Séjours à la carte

L'Acropole d'Athènes.

Gare de Kifissia à Athènes.

ATHÈNES EN UN JOUR

8 H. Consacrez la matinée à la visite de l'Acropole ▲ *130*, haut lieu culturel d'Athènes à l'époque classique.

11 H. Prenez la direction de Plaka en empruntant le Peripatos, chemin circulaire qui descend le long du versant nord de l'Acropole. Vous vous trouverez dans Anafiotika, un des plus vieux quartiers populaires de la capitale. Son nom indique le lieu d'origine de ses premiers habitants, Anafi, une île de la mer Égée. Visitez les églises Aghios Symeon (XVIIe siècle), et Aghii Anarghyri, un peu plus bas, dans la rue Pritaniou. Prenez ensuite la rue Mnissikleous, à droite, puis Lissiou, à gauche, pour arriver au quartier bourgeois du XIXe siècle, les Aérides. Visitez le musée des Instruments de musique populaire ▲ *181*, à l'extrémité de la rue Markou Avriliou, puis les ruines de la Medrese ottomane, juste à côté, ainsi que la mosquée Fetiye, rue Pelopidas.

13 H. Installez-vous pour déjeuner dans l'une des nombreuses tavernes que vous avez croisées en chemin, comme, par exemple, la *Palia Plakiotiki Taverna*, 26, rue Lissiou. Grillades, légumes cuits à la sauce tomate et viandes à l'étouffée, sont les plats préférés des connaisseurs.

14 H 30. Sur la place Monastiraki, toute proche, vous prendrez la ligne de métro qui traverse Athènes dans l'axe nord-sud, du faubourg de Kifissia au port du Pirée ▲ *243*. Attention, tous les trains ne vont pas directement à Kifissia ; certains s'arrêtent à Irini.

15 H 30. Arrivé à la gare de Kifissia, remontez vers la place Platanos et prenez la rue Kassaveti. Arrêtez-vous pour prendre un café accompagné d'un gâteau, chez Varsos, réputé également pour ses fruits confits dont vous pourrez faire l'emplette. La rue Levidou, bordée de nombreux magasins, vous mènera au musée d'Histoire Naturelle pour découvrir la faune et la flore grecque.

17 H. Prenez le temps de flâner dans les rues ombragées de Kifissia ▲ *262*, le lieu de villégiature préféré des Athéniens au XIXe siècle.

Les nombreuses villas que construisirent des familles aisées apparaissent çà et là, au milieu des constructions modernes. Sur la place Kefalari, l'hôtel *Cécile*, aujourd'hui occupé par de luxueux bureaux, vaut le détour.

18 H 30. Reprenez le train en sens inverse, pour Le Pirée.

19 H 30. Arrivé à destination, marchez jusqu'au port Mikrolimano en traversant la belle colline de Kastella.

20 H. Pour votre dîner, choisissez l'un des nombreux restaurants installés sur le quai du petit port. Goûtez aux spécialités, telles que poissons, grillés ou frits, accompagnés de courgettes et de salade cuite, *khorta*.

22 H. Avant de rejoindre Athènes, faites une promenade le long des quais, et prenez un dernier verre dans l'un des cafés du port.

Terrasse d'un restaurant à Plaka.

Marchand à Monastiraki.

Tissu byzantin.

Église Saint-Georges du Lycabette.

ATHÈNES EN DEUX JOURS

PREMIER JOUR

9 H. Consacrez votre première matinée à la visite de l'Acropole, le plus magnifique ensemble architectural de la Grèce antique.

12 H. Flânez dans le quartier de Plaka jusqu'à l'heure du déjeuner. Vous rencontrerez, au pied de l'Acropole, plusieurs églises byzantines, dont la Métamorphosis et Haghios Nicolaos. De nombreuses échoppes des rues piétonnes proposent des moulages, souvenirs et reproductions de bijoux anciens, dans le style antique ou byzantin. Déjeunez dans l'une des sympathiques tavernes de ce quartier.

14 H. Visite du Musée national archéologique qui expose de très nombreux chefs-d'œuvre : céramiques, sculptures, bronzes et orfèvrerie des époques mycénienne, archaïque, classique et hellénique, ainsi que des fresques minoennes.

17 H. De la place Victoria, prenez le métro pour Kifissia, très agréable faubourg d'Athènes (à 45 min). Vous pourrez vous y délasser à la terrasse de l'un des cafés de la place Kefalari. Avant de repartir, vous pourrez faire du lèche-vitine au centre commercial le plus chic d'Athènes, près de la gare de Kifissia.

20 H. De retour au centre-ville, vous pourrez dîner au bistrot *Kouti*, 23, rue Adrianou à Monastiraki, ou de l'autre côté de l'Acropole, au *Dyonissos*, rue Dyonissou Aeropaghitou, au pied de la colline des Muses. Terminez la soirée avec l'un des spectacles proposés dans le cadre du festival d'Athènes (de juin à septembre), à l'odéon d'Hérode Atticus.

DEUXIÈME JOUR

9 H. Commencez votre seconde journée par la visite du musée Goulandris et/ou du Musée byzantin, situés non loin l'un de l'autre, avenue Vassilissis Sophias. Traversez l'élégant quartier de Kolonaki, jusqu'à la place Dexameni d'où vous pourrez entreprendre

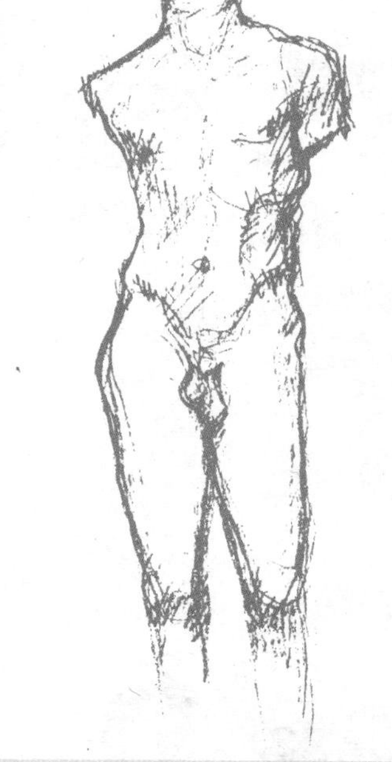

l'ascension du mont Lycabette, nom signifiant la voie du soleil, par les escaliers ou en funiculaire.

12 H. Au sommet, vous bénéficierez d'une vue superbe embrassant toute la ville couronnée par l'Acropole et baignée par la mer. Vous pourrez y déjeuner, ou plus bas, chez *Dimokritos*, 23, rue Dimokritou.

15 H. Gagnez, en taxi ou en bus depuis la rue Akadimias, l'une des plages de la côte d'Apollon, à Voula ou Vouliagmeni.

20 H. Rejoignez Glyfada où vous pourrez dîner dans l'un des restaurants du bord de mer ou de la place centrale.

24 H. Après une promenade sur la plage, rendez-vous dans un club de musique *rembetiko*. Le spectacle peut s'y prolonger jusqu'à 5 h du matin. Un taxi vous ramènera à Athènes.

Delphes.

Acronauplie.

ATHÈNES ET LE PÉLOPONNÈSE EN UNE SEMAINE

1er JOUR
Athènes

2e JOUR
Athènes

3e JOUR
L'Argolide (193 km)

4e JOUR
De Mycènes à Monemvassia (225 km)

5e JOUR
Mystra, la Laconie et le Magne (236 km)

6e JOUR
Olympie et l'Arcadie (350 km)

7e JOUR
Delphes, Hossios Loukas, Daphni (300 km)

PREMIER JOUR

MATIN. Commencez par la visite de l'ancienne Agora (ouverte dès 8 h 30) dominée par le bel édifice dorique qu'est le Théseion ▲ *191*. Poursuivez par le quartier de Plaka ▲ *178*, qui est ponctué d'églises byzantines et de monuments antiques : Agora romaine, tour des Vents, église de la Métamorphossis, église Aghios Nikolaos, monument de Lysicrate, église Aghia Ekaterini et, plus au nord, la Petite Métropole. Il est aisé de trouver dans ce quartier une taverne pour déjeuner.

APRÈS-MIDI. Réservez plutôt le début de votre après-midi à la visite de la Pinacothèque nationale (elle ferme à 15 h), suivie de celle de l'élégant quartier de Kolonaki qui la jouxte où vous pourrez prendre un verre et, plus tard, dîner dans l'un de ses nombreux restaurants.

SOIRÉE. En saison, vous aurez la possibilité d'assister à l'un des spectacles du Festival d'Athènes. Vous pouvez également préférer vous promener dans le quartier de Kolonaki et monter au sommet du mont Lycabette d'où vous contemplerez la ville illuminée, couronnée par l'Acropole.

SECOND JOUR

MATIN. Une matinée entière n'est pas de trop pour visiter l'Acropole ▲ *130* (ouvert dès 8 h 30) - vaste ensemble dont les monuments les plus prestigieux sont le temple d'Athéna Niké, l'Érechthéion, le Parthénon et les Propylées, - et son musée.

APRÈS-MIDI. Après déjeuner, s'il fait trop chaud, n'hésitez pas à rentrer à l'hôtel le temps d'une petite sieste, ou trouvez refuge dans un musée, Musée byzantin ▲ *227* (ouvert jusqu'à 15 h) ou musée Bénaki ▲ *226* (fermé temporairement). Vers 16 h rejoignez la côte d'Apollon où vous trouverez plusieurs plages agréables, à Voula ou Vouliagmeni. En fin d'après-midi vous poursuivez votre route jusqu'au cap Sounion ▲ *258*, dont le superbe site antique est ouvert en été jusqu'au coucher du soleil.

SOIRÉE. Au retour arrêtez-vous au Pirée ▲ *243* pour déguster des spécialités aux fruits de mer dans l'un des nombreux restaurants du port Micro Limano ou «petit port», face aux bateaux de plaisance multicolores.

TROISIÈME JOUR

MATIN. Après avoir loué une voiture, prenez l'autoroute E 92 qui rejoint le Péloponnèse *via* Élefsina et Mégara. Vous passerez ainsi au-dessus du vertigineux canal de Corinthe (à 81 km). Vous pourrez visiter, à 6 km le site de l'ancienne Corinthe ▲ *297*, les vestiges de son temple d'Apollon et son petit musée aux fameuses céramiques. Rejoignez ensuite Épidaure ▲ *316* (à 70 km) par la route littorale qui descend au sud. Au milieu de la campagne sylvestre, vous découvrirez l'un des théâtres antiques les mieux conservés. Faites une halte au port de Paléa Épidavros le temps du déjeuner.

APRÈS-MIDI. Tirynthe ▲ *306*, se trouve 30 km à l'ouest. Après avoir admiré ses fameux remparts, on pourra rejoindre Nauplie ▲ *308* (6 km) et se délasser à la terrasse de l'un des cafés du front de mer.

SOIRÉE. Terminez la journée par une promenade dans la vieille ville qui vous mènera au pied de la forteresse byzantine, dite de Palamède, avant d'aller dîner dans l'une des tavernes du port.

Patras.

Mystra.

QUATRIÈME JOUR

MATIN. Avant de quitter Nauplie, visitez son Musée archéologique, au second étage d'une maison vénitienne. Reprenez la route pour Mycènes ▲ *300* (22 km au nord), célèbre site où vous pourrez admirer la porte des Lions, et les tombeaux dits de Clytemnestre et d'Agamemnon. Revenez sur vos pas jusqu'à Argos ▲ *320* (à 10 km) où vous emprunterez la route littorale jusqu'à Leonidion (à 82 km), modeste cité qui se dresse au centre d'une petite plaine cultivée que dominent les premiers contreforts du mont Parnon.

APRÈS-MIDI. Gravissez la route jusqu'à Kosmas (à 30 km) dont les maisons semblent agglomérées à la montagne. Il est possible d'y déjeuner. Continuez jusqu'à Geraki (à 16 km), perché sur un promontoire d'où l'on domine la campagne parsemée de petites chapelles. Rejoignez la côte à Monemvassia (à 65 km). Profitez de la fin de l'après-midi pour aller à la plage, à Pori (3 km).

SOIRÉE. Après dîner, promenez-vous au hasard des ruelles de Monemvassia, le long des remparts, et, s'il fait encore suffisamment jour, gravissez les hauteurs jusqu'à l'église Sainte-Sophie.

CINQUIÈME JOUR

MATIN. Remontez jusqu'à Geraki d'où vous prendrez la direction de Mystra ▲ *334* (95 km au nord-ouest). Consacrez votre matinée à la visite de cette fascinante cité byzantine, étagée à flanc de colline : ses églises restaurées, possèdent de superbes fresques. Déjeunez à Sparte ▲ *323* (à 5 km).

APRÈS-MIDI. Partez à la découverte du Magne ▲ *342*, ses paysages lunaires et l'architecture si particulière de ses villages.

SOIRÉE. Faites étape le soir à Aéropolis ▲ *348* (136 km au total), petite bourgade en bord de mer, à proximité des grottes de Diros.

SIXIÈME JOUR

MATIN. Rejoignez l'Arcadie, ▲ *322* *via* Kalamata et Megalopolis (140 km). Depuis le charmant village de Karytena (à 16 km), suivez la route

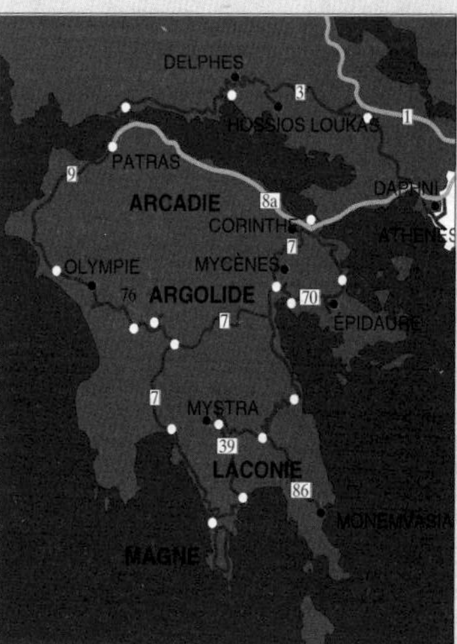

qui longe les gorges de l'Alphée et conduit à Andritsena (à 29 km), petite localité qui a gardé son cachet d'antan et où il sera agréable de déjeuner. Rendez-vous au temple de Bassae, qui peut se visiter, puis à Olympie ▲ *352* (à 54 km).

APRÈS-MIDI. La beauté et l'intérêt du site d'Olympie, et de son musée méritent que vous y consacriez toute l'après-midi. Rejoignez ensuite à Pyrgos (à 17 km) la route E 55 qui vous conduira rapidement à Patras ▲ *360* (à 96 km) où vous prendrez, de Rio, le ferry qui vous débarquera à Antirio, près de Nafpaktos.

SEPTIÈME JOUR

MATIN. La route E 65 vous conduira à Delphes ▲ *264* (à 112 km) où une matinée entière ne sera pas de trop pour visiter le site et son musée qui regroupe une collection exceptionnelle. Redescendez à Itéa (à 13 km), sur la côte, pour déjeuner.

APRÈS-MIDI. Rendez-vous ensuite à Hossios Loukas ▲ *254* (à 38 km), l'un des plus beaux monastères de Grèce, avec celui de Daphni que vous découvrirez dans la banlieue d'Athènes (à 135 km par l'E 962 a) : tous deux possèdent de remarquables mosaïques byzantines.

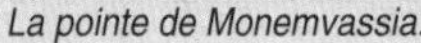

La pointe de Monemvassia.

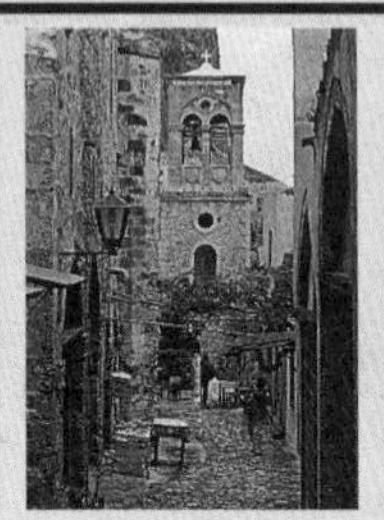

Ruelles de Monemvassia.

EXCURSION À MONEMVASSIA

On peut rejoindre directement Monemvassia en hydroglisseur depuis Le Pirée : le trajet dure trois heures et demie. Un bus quotidien, tôt le matin, relie Athènes à Monemvassia. L'excursion peut également se faire en car depuis Sparte ou Ghythion.

CITÉ BYZANTINE ET VÉNITIENNE

Monemvassia se dresse sur un îlot rocheux, inaccessible par la mer, et relié à la terre ferme par un pont à douze arcades, accès unique qui lui valut son nom : Monemvassia signifie «une seule entrée». Conquise par les Francs en 1249, la cité passe aux mains des Byzantins en 1262. Elle connaît alors une période de relative prospérité. À l'intérieur de la nouvelle enceinte, une quarantaine d'églises sont édifiées, ainsi que des maisons, des palais, dont la plupart sont aujourd'hui en ruines. Après la chute de l'Empire byzantin en 1453, la ville est occupée par les Vénitiens de 1464 à 1540, puis, de nouveau de 1690 à 1715. L'empreinte vénitienne est la plus visible : les constructions et les restaurations de cette époque ont mieux survécu que celles des Byzantins.

LA MAGIE DU LIEU

Monemvassia la sereine, l'isolée est unique. Depuis près d'un siècle, la vieille porte de la ville reste ouverte jour et nuit, et une fois franchie, le dépaysement est entier : pas de voiture, pas de magasin, à part quelques vendeurs de souvenirs. En revanche, quelques restaurants et cafés sont nichés aux coins de l'imposant rocher que couronne le vieux château.

RÊVE DE PIERRE

À Monemvassia, le temps semble être suspendu. Arcades, escaliers, murailles défensives contre la mer, églises décorées de peintures byzantines, petites ruelles pavées, nobles ou modestes demeures, créent un décor fascinant. La mer enserre le rocher, inaccessible de tous les côtés, et donne au visiteur la sensation que la vieille ville flotte, irréelle.

LA VILLE BASSE

Adossée au rocher, elle est entourée sur trois côtés de remparts construits par les Vénitiens au XVIe siècle, et marqués du lion de saint Marc. La ville basse ne compte pas moins de cinq églises ouvertes au culte. La cathédrale, ou *Helkoménos*, bâtie par Andronikos le Paléologue, est une basilique byzantine à coupole datant du XIIIe siècle, et restaurée par les Vénitiens. Elle possède deux trônes impériaux et un templum, tous trois en marbre. Les églises Haghios Nikolaos et Panaghia Kritikia datent du XVIIe siècle. La seconde comporte une célèbre icône. La quatrième église, du XIVe siècle, est dédiée à la Panaghia Myrtidiotissa. Sur la place centrale, platia Dzamiou, la mosquée, Paleo

Mylopotamos à Kythira

Bas-relief de l'église de Kythira.

Port de Kythira, Kapsali.

Djami, qui date de la courte période d'occupation turque (entre la fin du XVIe et le début du XVIIe siècle).

LA VILLE-HAUTE
On y accède par le passage voûté d'une porte monumentale. Là où s'étendait la ville-haute, gisent des ruines éparses. Seule s'y dresse encore fièrement l'église Haghia Sophia, du XIIe siècle, construite également par Andronikos le Paléologue. Sa coupole à seize fenêtres reposant sur des trompes fait de cette église une des plus belles de Grèce et n'est pas sans rappeler le katholikon d'Hossios Loukas ▲ *254*. La décoration intérieure porte encore des traces de fresques et de motifs en marbre du XIIIe siècle. Le portique s'ouvrant par trois larges arches est un ajout des Vénitiens.

SÉJOURNER À MONEMVASSIA.
Les habitants et les amoureux du vieux site, sont chaleureux et accueillants. La cuisine, simple et savoureuse, est composée surtout de poissons et de fruits de mer, fraîchement pêchés. Plusieurs vieilles bâtisses, dont un petit couvent, ont été convertis en pensions.

PENSIONS
ANO MALVASIA (CAT A)
Tél. (0) (732) 61 323
KELIA (CAT A)
Tél. (0) (732) 61 520
MALVASIA II (CAT A)
Tél. (0) (732) 61 323
VYZANTINO (CAT A)
Tél. (0) (732) 61 351
CASTRO (CAT C)
Tél. (0) (732) 61 413

LE VIN DE MALVOISIE
Appelée Malvoisia par les Francs, Monemvassia a donné son nom à l'un des plus fameux crus du Moyen Âge : le Malvoisie, vin blanc, doux et liquoreux. Il était exporté jusqu'en France et en Angleterre et servi aux tables royales. Les vignobles ont malheureusement disparu depuis.

EMBARQUEMENT POUR CYTHÈRE

Située au sud du Péloponnèse, Cythère fait rêver. Watteau, et son chef-d'œuvre «Pèlerinage à l'île de Cythère», peint en 1717, ont beaucoup contribué au mythe de cette île qui, en poésie, est la patrie allégorique des Amours. Kythira (en grec) s'appelait, dans l'Antiquité, Porphyris, «l'île pourpre» car on y trouvait en abondance les coquillages de type murex dont s'extrayait la matière colorante pourpre. Un temple dédié, selon Hérodote, à Aphrodite, faisait également sa célébrité durant toute l'Antiquité. Homère, quant à lui, appelle la déesse «la Cythérienne à la belle couronne». Il ne reste aujourd'hui aucun vestige de ce temple. Après le passage des Minoens, l'île fut occupée par les Achéens, les Doriens, les Argiens, puis les Spartiates. Les Athéniens s'en emparèrent lors de la guerre du Péloponnèse (424 av. J.-C.). Très longtemps fief des Vénitiens, l'île est aujourd'hui rattachée au nome d'Attique.

VISITE DE L'ÎLE
Prenant la route principale qui se dirige au sud vers le chef-lieu Khytira, on rencontre tout d'abord les ruines (murailles, chapelles, maisons) de Paléopolis, cité byzantine fondée au XIIe siècle, puis celles de la cité byzantine et vénitienne de Mylopotamos, non loin du charmant village du même nom. Un sentier pédestre conduit en 40 minutes à la grotte d'Haghios Sophias, où l'on pourra voir des fresques ainsi qu'un pavement en mosaïques. Au sud de l'île, le chef lieu, Khytira, ou Khora, conserve du Moyen Âge des ruelles étroites et pavées et un fort en ruine, perché sur l'une des deux collines enserrant le bourg. On y découvre également des églises byzantines remaniées par les Vénitiens ou les Francs. Plusieurs icônes byzantines et post-byzantines enrichissent les collections du Musée archéologique, exposant également des céramiques minoennes et mycéniennes. À deux pas, sur la côte, s'étend un merveilleux petit port, Kapsali, avec une pension et deux tavernes.

ALLER À KYTHIRA

◆ En ferry : depuis Néapolis, 60 km au sud de Monemvassia, débarquement à Haghia Pelaghia, reliée à Kythira par la route ; depuis et pour Le Pirée (en 12 h) et Gythion, bateau trois fois par semaine. À l'arrivée des bacs, prendre les bus qui les relient à Kythira ou Kapsali.
◆ En hydroglisseur : depuis la marina Le Pirée-Zea. ; les départs sont très fréquents en été.
◆ En avion : l'été, vol quotidien depuis et pour Athènes (1 h de vol). L'aéroport se trouve au nord-est de l'île.

Le petit port de Poros.

Marché flottant à Égine.

Comment louer un voilier

On peut louer un bateau sur place, mais il est préférable de faire l'opération à partir de la France. La plupart des loueurs ont des correspondants à Paris et sur la Côte d'Azur ; ainsi *Alcyon*, *Europ'Yachting*, *Moorings / Kavos*, et *Voile et Vent*, pour ne citer que ceux-là, peuvent vous renseigner de manière efficace et, surtout, se charger des démarches administratives nécessaires. Le prix de la location à partir de la France n'est pas plus élevé.

Embarquer

La plupart des charters se trouvent dans les marinas de Kalamaki et de Glyfada, situées à proximité de l'aéroport d'Athènes. On peut donc sauter de l'avion sur son bateau, à condition de bien calculer les horaires. Il faut compter une demi-journée pour les formalités de départ auprès des autorités portuaires ainsi que pour les courses d'alimentation. Il est indispensable de s'approvisionner abondamment en eau potable, les points d'eau sur les îles et la côte du Péloponnèse n'étant ni très nombreux, ni toujours ouverts. Pour le reste de la nourriture, il est bon de savoir qu'il est tout à fait possible de naviguer sans avoir à faire la cuisine, les tavernes, dans ce secteur, étant presque aussi nombreuses que les criques.

Que faire le soir ?

En règle générale, les habitués des eaux grecques préfèrent mouiller dans un port durant la journée, pour profiter des marchés et des tavernes. Ils savent que pendant les mois d'été, les ports et les stations balnéaires restent animés à toute heure : le soir, le programme des boîtes de nuit commence peu avant minuit et se termine juste avant les premières lueurs du matin, au moment du passage du premier ferry ou hydroglisseur. Si, en revanche, on souhaite passer une nuit calme, il est préférable de s'éloigner des grands ports très fréquentés pour regagner une baie plus déserte et abritée des vents.

Quel itinéraire choisir?

Pour une location d'une semaine, mieux vaut choisir un périple pas trop long, pour pouvoir profiter du voyage sans être trop gêné au retour par le meltem, ce vent du nord qui souffle entre 4 et 5 sur l'échelle de Beaufort, en juillet-août, et qui peut parfois atteindre des coups de vent de force 7 ou 8.

Dans le golfe Saronique

Le golfe Saronique, outre sa proximité avec la capitale, offre de nombreux atouts pour les amateurs de voile. Les possibilités de mouillage dans ses îles sont nombreuses et une embarcation de petite taille vous permettra d'approcher des criques et des plages aussi discrètes que paisibles. De plus, la navigation y est à la fois sûre et aisée car on ne rencontre dans ces parages ni bancs de sable, ni courants ou récifs dangereux. La seule difficulté est le vent qui souffle en été, le fameux meltem, qui peut rendre le trajet de retour deux fois plus long que celui de l'aller. Au départ d'Athènes, on peut envisager un périple à la fois agréable et raisonnable : aller jusqu'à Spetses ou Porto-Heli, au sud, en prévoyant deux bonnes journées pour le retour.

L'île d'Égine

ÉGINE ▲ *364*
Au départ de Kalamaki, cap sur l'île d'Égine. On peut faire une halte à Aghia Marina, à proximité de la colline où se dresse le temple d'Aphaia Athina. On peut passer la nuit dans le port principal, Égine, à l'ouest de l'île, et en profiter pour visiter la ville, très animée les soirs d'été par une foule de vacanciers, en majorité athéniens. Les hydroglisseurs qui la relient toute l'année à la Marina Zea du Pirée, la rendent très accessible pour les habitants de la capitale, nombreux à y posséder leur résidence secondaire. L'île reste néanmoins un havre de tranquillité, et son caractère est plus provincial que touristique. Si on apprécie par dessus tout le calme, on se dirigera vers Perdhika, petit port de pêche, au sud de l'île. Plus au sud, toute la baie de Marathon, permet de bons mouillages. Attention aux abords dangereux d'Akra Perdhika dans la passe Moni, entre Perdhika et l'îlot en face. Tant en ville qu'à Perdhika, les restaurants sont nombreux et offrent un grand choix de poissons de première qualité. Par beau temps on peut mouiller dans l'anse d'Aghia Marina au nord-est de l'île qui s'ouvre au sud du cap du même nom. À l'extrémité ouest de la baie on peut ancrer devant une plage de sable. Un débarcadère permet de se ravitailler dans le petit village. Sur la côte ouest, le port d'Égine, protégé des vents au sud et à l'ouest, est facile d'accès et propre au mouillage. Il est possible d'accoster le long du môle dans le bassin est du vieux port, où l'on trouvera eau et fuel.

ANGUISTRI
Beaucoup moins connue que ses grandes sœurs, la minuscule île d'Anguistri, au large d'Égine, est également moins fréquentée. C'est le lieu idéal pour se reposer. L'île possède un petit port, Milo, protégé au nord, qui offre un très agréable mouillage. Les yachts s'amarrent au quai entre le brise-lames et le môle.

METHANA
Le prochain arrêt, au sud, sera cette petite station balnéaire du Péloponnèse. C'est également une station thermale aux eaux sulfureuses. Une étape sympathique, le temps d'un déjeuner. L'entrée de l'anse est barrée par un îlot et un banc de sable indiqué par une balise. On accoste dans le port avec un tirant d'eau de 2 m de profondeur le long du quai ouest. On peut s'y ravitailler en fuel et en eau.

POROS ▲ *368*
Poros, situé en face de Galatas, est une petite ville côtière du Péloponnèse, pleine de charme. Ici, l'approvisionnement en eau et en fuel est facile. On peut aussi y faire ses courses aux supermarchés qui peuvent, si vous le désirez, vous livrer sur le quai de votre bateau ; on peut même trouver des glaçons en sacs, indispensables en été. Le port est très fréquenté par les bâteaux de ligne, les hydroglisseurs et les embarcations de pêche, aussi est-il souvent difficile de trouver une place. Enfin, il y a un grand nombre de tavernes et de restaurants le long du quai principal, réputés pour leur bonne cuisine, et notamment leurs spécialités de poissons. Là, se concentre, en soirée, toute l'animation du village. Les principaux centres d'intérêt touristique de l'île sont le monastère de la Zoodokhos Pighi qui possède une belle iconostase en bois doré (pour la visite, attention à votre tenue vestimentaire), et, plus haut, les ruines d'un sanctuaire dédié à Poséidon. La rade de Poros est abritée des vents et offre plusieurs mouillages. L'approche nord-ouest est facile d'accès, même de nuit ; la passe est plus difficile, il faut longer la côte. On peut aussi accoster au môle situé au nord de la tour-horloge ou le long du quai vers l'entrée sud du port. Le trafic est très dense ; nombreux sont les bateaux qui, toute la journée, circulent dans les eaux de Poros. Au sud-est, la baie de Poros offre de bons mouillages, plus calmes mais moins abrités.

L'île de Poros

L'île d'Hydra

HYDRA ▲ *367*
De Poros, on se dirigera vers le sud-ouest, en passant par l'anse de Rigani, entre la côte et l'île d'Hydra. Pour passer la nuit, il y a le choix entre le calme de l'île de Dhokos, le charme provincial de la petite ville d'Hermioni et, enfin, la vie nocturne très animée du superbe port d'Hydra, le plus beau de toutes les îles grecques. On peut en profiter pour visiter les beaux quartiers de la ville, étagés sur les hauteurs de la colline.
Déjà au XVIIIe siècle, de riches armateurs y faisaient construire leur maison : celles de Boudouris avec sa chapelle privée, de Boulgaris, de Koundouriotis et de Tombazis sont à voir, mais malheureusement pas à visiter. Prenez le temps de flâner le long des quais, et, comme les vacanciers locaux, de vous installer à la terrasse des cafés pour voir et être vu. N'oubliez pas de visiter les belles boutiques alentour, les galeries d'art et les bijouteries.
Le soir, offrez-vous une des tavernes à la mode, rendez-vous des artistes, peintres ou écrivains.
Le port est facile d'accès et fréquenté par les yachts, souvent amarrés sur plusieurs rangs pendant la saison touristique. On trouve de l'eau et du fuel sur le quai et des boutiques d'alimentation en ville, mais aussi, tous les matins, le marché aux fruits (dans une ruelle proche du port). Pour passer la nuit dans le port, il faut arriver de bonne heure, bien avant le début de la soirée. À défaut, on pourra se diriger vers l'est, au petit port de Madraki, à 25 min de marche de la ville : bien protégé sauf par vent de nord-ouest et ayant un bon fond de sable et d'algues, il offre un mouillage sûr et beaucoup plus calme que celui du port d'Hydra, très bruyant la nuit.

HERMIONI
Face à l'île d'Hydra, Hermioni peut constituer une étape agréable. Ce port de pêche a pris des allures de petite station balnéaire, mais reste charmant. L'accès, facile de jour comme de nuit, se fait en contournant le cap Kastri et en continuant vers l'ouest jusqu'au fond de la baie. S'amarrer à l'intérieur du grand môle côté est ou au petit môle. Le point d'eau est sur le quai, et le fuel, en ville.

DHOKOS
La grande baie de cette petite île déserte en face d'Hydra propose plusieurs possibilités de mouillage. Le fond est de très bonne tenue pour l'ancrage. En approchant, attention aux nombreux rochers à l'est de l'entrée de la baie, en contrebas de l'unique maison de l'île.

SPETSES ▲ *368*
Spetses est l'île la plus verte du golfe Saronique. Depuis le port de Balitza, où l'on peut faire le plein d'eau et de fuel, la ville n'est qu'à 10 min à pied. On s'y rend pour profiter des bonnes tavernes en plein air et des commerces. C'est un endroit agréable pour faire son marché : les rues, sans voiture, sont ombragées et les boutiques bien approvisionnées. En flanant dans le quartier résidentiel, on pourra découvrir de belles villas du XIXe siècle entourées de jardins fleuris en toute saison. À voir également, l'église Aghia Triada bâtie en 1793, et son iconostase en bois sculpté.
Pour se baigner, il est préférable de quitter le port et de se diriger vers les plages du sud de l'île, jalonnées de merveilleuses petites criques sauvages. Sur la côte en face, les baies de Porto-Heli et de Tolo offrent de bons mouillages.
À l'extrémité est de la ville de Spetses, le port de Balitza est l'un des plus sûrs de la région, fréquenté en été par de nombreux yachts. L'approche par l'ouest est un peu délicate à cause des abondants bancs rocheux. Pour se ravitailler en eau et en fuel, se diriger vers le quai ouest au fond du port. On peut y passer la nuit amarré généralement par l'arrière, ou bien se mettre en rade au sud du feu de l'entrée est de la baie.

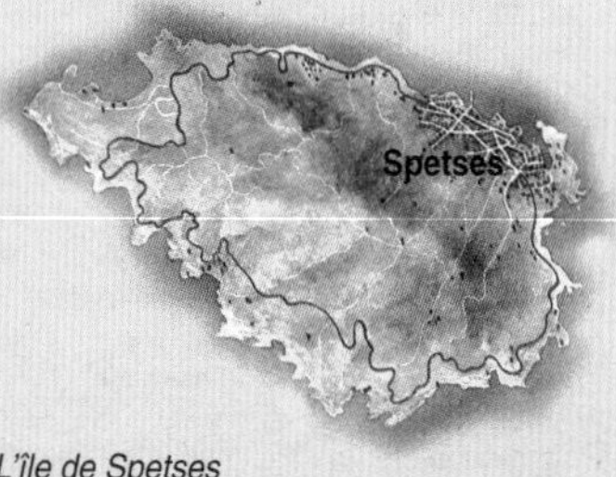

L'île de Spetses

Prononcer le grec

- Les ***e*** sont ouverts comme dans **mère**.
- Le ***xh*** de o***xh***i est mouillé et se dit comme ni**ch**t en allemand.
- Le ***kh*** de ***kh***oris se dit comme Na**ch**t en allemand ou **J**aen en espagnol.
- Le ***gh*** **:** devant les voyelles se prononce comme **y**eux ; devant les consonnes donne un son entre ***r*** et ***g***.
- Le ***dh*** de ***dh***eka se dit comme **th**is ou **th**at en anglais.
- Le ***th*** de ***th***alassa se dit comme **th**ing en anglais.
- Le ***r*** est roulé comme en italien.

L'accent tonique est essentiel pour se faire comprendre.

Le B.A. BA

Oui : *nè*
Non : *òxhi*
Avec : *mè*
Sans : *khorìs*
Quoi : *tì*
Pourquoi ? : *ghiatì ?*
Où ? : *poù ?*
Quand ? : *pòte ?*
Comment ? : *pòs ?*
Et : *kè*

Politesse

S'il vous plaît : *parakalò*
Merci : *efkharistò*
Excusez-moi : *signòmi, me sikhorìte*
Je vous en prie: *parakalò*
Au revoir : *xhèrete, adìo*
Bonjour : *kalimèra*
Comment allez-vous ? : *ti kànete ?*
Très bien : *polì kalà*
OK : *endàxi*
Bonsoir : *kalispèra*
Bonne nuit : *kalinìkhta*
Salut : *ghiàssou*

Temps dates

Maintenant : *tòra*
Plus tard : *metà*
Quelle heure est-il ? : *ti òra ìne ?*
Matin : *proï*
Midi : *messimèri*
Après-midi : *apòghevma*
Soir : *vràdhi*
Nuit : *nìkhta*
Aujourd'hui : *sìmera*
Demain : *àvrio*
Hier : *khtès*
Jour : *imèra*
Semaine : *evdhomàdha*
Lundi : *dheftèra*
Mardi : *trìti*
Mercredi : *tetàrti*
Jeudi : *pèmpti*
Vendredi : *paraskevì*
Samedi : *sàvato*
Dimanche : *kiriakì*
Mois : *mìnas*
Janvier : *ianouàrios*
Février : *fevrouàrios*
Mars : *màrtios*
Avril : *aprìlios*
Mai : *màïos*
Juin : *ioùnios*
Juillet : *ioùlios*
Août : *àvghoustos*
Septembre : *septèmvrios*
Octobre : *oktòvrios*
Novembre : *noèmvrios*
Décembre : *dhekèmvrios*
Année : *khrònos*

Compter

Un : *èna*
Deux : *dhìo*
Trois : *trìa*
Quatre : *tèssera*
Cinq : *pènde*
Six : *èksi*
Sept : *eftà*
Huit : *oktò*
Neuf : *enià*
Dix : *dhèka*
Vingt : *ìkossi*
Trente : *trìanda*
Quarante : *sarànda*
Cinquante : *penìnda*
Soixante : *exìnda*
Soixante-dix : *evdhomìnda*
Quatre-vingt : *oghdhònda*
Quatre-vingt-dix : *enenìnda*
Cent : *ekatò*
Mille : *xhìlies (-ia)*

Voyager

Aéroport : *aerodhromìo*
Avion : *aeroplàno*
Bateau : *karàvi*
Port : *limàni*
Gare : *stathmòs*
Train : *trèno*
Bagages : *aposkevès*
Voiture : *aftokìnito*
Permis de conduire : *àdhia odhighìsseos*
Taxi : *taxì*

Sur la route

Route : *dhròmos*
Garage : *garàz*
La voiture est en panne : *to aftokìnito èxhi vlàvi*
Le plein s'il vous plaît : *to ghemìzete me venzìni, parakalò*
Essence : *venzìni*
Normal, super, sans plomb : *aplì, soùper, amòlivdhi*
Pouvez vous vérifier... : *parakalò elènxete...*
L'huile : *to làdhi*
Les pneus : *ta làstikha*

Se diriger

Mer : *thàlassa*
Montagne : *vounò*
Village : *khoriò*
Plage : *paralìa*
Nord : *vorià*
Sud : *notià*
Est : *anatolikà*
Ouest : *dhitikà*

En ville

Autobus : *leoforìo*
Où est le bus pour...? : *poù ìne to leoforìo ghià?*
Arrêt : *stàssi*
Où se trouve ? *poù ìne ?*
À quelle distance ? *pòsso makrià ìne ?*
Près : *kondà*
Loin : *makrià*
Droite : *dheksià*
Gauche : *aristerà*
Centre : *kèndro*
Rue : *dhròmos, òdhos*
Avenue : *leofòros*
Place : *platìa*

L'argent

Banque : *tràpeza*
Argent : *khrìmata*
Je voudrais changer quelques francs : *thèlo na alàxo merikà frànga*
Acceptez-vous les cartes de crédit : *pèrnete pistolikès kàrtes ?*
Chèques de voyage : *traveller's cheques*

Visiter

Ouvert : *aniktò*
Fermé : *klistò*
Billet : *issitìrio*
Église : *eklissìa*
Château : *kàstro*
Ruines : *arxhèa*
Musée : *moussìo*
Temple : *nàos*
Théâtre : *thèatro*
Puis-je prendre une photo ? : *borò na pàro mìa fotografìa ?*
Entrée : *ìssodhos*
Sortie : *èxodhos*

Se restaurer

Restaurant : *estiatòrio*
Taverne : *tavèrna*
Déjeûner : *messimerianò*
Dîner : *vradhinò*
Menu : *katàloghos*
L'addition, s'il vous plaît : *to loghariazmò, parakalò*
Une table : *èna trapèzi*
Un café : *ènan kafè*
Un café au lait : *ènan kafè me ghàla*
Un thé : *èna tsàï*
Un dessert : *èna ghlikò* :
Chaud : *zestò*
Froid : *krìo*
Un verre : *èna potìri*
L'assiette, le plat : *piàto*
Eau : *nerò*
Eau minérale : *metalikò nerò*
Vin : *krassì*
Bouteille : *boukàli*
Bière : *bìra*
Viande : *krèas*
Poisson : *psàri*
Légumes : *lakhanikà*
Pommes de terre : *patàtes*
Pain : *psomì*
Sucre : *zàkhari*
Riz : *rìzi*
Salade : *salàta*
Fromage : *tirì*
Fruits : *froùta*

Se loger

Je voudrais une chambre : *tha ìthela èna dhomàtio*
Une chambre simple, double : *èna monòklino, èna dhìklino*
Avec deux lits : *mè dhìo krevàtia*
Avec bain : *mè bànio*
Avec douche : *mè doùs*
Quel est le prix par nuit : *pià ìne i timì ghià mià nìkhta ?*
Petit déjeûner : *proïnò*

À la poste

Où est la poste ? : *poù ìne to taxhidhromìo ?*
La poste : *taxhidhromìo*
Timbre-poste : *ghramatòssimo*
Lettre : *ghràmma*
Carte postale : *kàrta*
Télégramme : *tileghràfima*
Pouvez-vous me passer le numéro suivant... ? : *borìte na mou pàrete aftòn ton arithmò... ?*

Urgences

Pharmacie : *farmakìo*
J'ai besoin d'un médecin, d'un dentiste : *khriàzome ghiatrò, odhondòghiatro*
Ambulance : *asthenòforo*
Hôpital : *nossokomìo*
Bureau de police : *astinomìa*

Courses

Kiosque : *perìptero*
Magasin : *maghazì, katàstima*
Bon marché : *ftinò*
Cher : *akrivò*
Marché : *agorà*
Boulangerie : *foùrnos*
Un paquet de cigarettes s'il vous plaît : *èna pakèto tsigàra parakalò*

Phrases utiles

Je ne comprends pas : *dhèn katalavèno*
Je voudrais... : *thèlo...*
Où puis-je téléphoner ? : *pou ipàrxhi tilèfono ?*
Combien cela coûte-t-il ? : *pòsso kostìzi... ?, pòsso kànei ?*
C'est trop cher : *ìne polì akrivò*
À quelle heure ouvre..., ferme... ? : *ti òra anìghi, klìni ?*
Pouvez-vous m'aider ? : *borìte na mè voïthìssete ?*

La Grèce, berceau des Jeux olympiques, permet de s'adonner à de très nombreuses pratiques sportives : voile, ski nautique, golf, tennis, équitation, alpinisme et ski alpin.

LOISIRS ET SPORTS NAUTIQUES

Ce sont les sports qui offrent le plus de diversité : voile, scooter des mers, surf, ski nautique, etc. Sans oublier les simples plaisirs de la baignade.
On peut se renseigner auprès des centres nautiques des plages, ou auprès des bureaux locaux de la Police touristique : où que vous soyez, on pourra vous indiquer les plages les plus proches ainsi que celles disposant d'équipements sportifs. Entre autres possibilités, vous pourrez prendre des cours de planche à voile ou encore louer un voilier pour la journée ou le temps d'une mini-croisière.
Les prix sont fixés par la Police touristique et sont comparables à ceux pratiqués en France.

PLAGES

L'Attique, la Béotie et le Péloponnèse comptent une multitude de plages dont une cinquantaine sont aménagées.
La plupart n'offrent pas d'abris au soleil, aussi, en plein cœur de l'été, pas d'imprudence : évitez les heures les plus chaudes de la journée (le moment idéal pour faire la sieste !).
Les meilleures heures pour se rendre à la plage : entre 16 h et le coucher du soleil.

À PROXIMITÉ D'ATHÈNES

Les plages et villes balnéaires de la côte d'Apollon sont accessibles par bus : GLYFADA (bus 205), VOULA (bus 122), KAVOURI, VOULIAGMENI (bus 118 et 153), VARKISA (bus 115 et 116), LOUTSA (bus 304, 305, 306 et 316), près de Rafina, LAGONISSI (bus pour Sounion : 14, rue Mavromateon)

PÊCHE SOUS-MARINE

Les fonds marins grecs sont strictement protégés et la pêche sous-marine est formellement interdite sauf dans les zones limitées dont l'O.N.H.T vous fournira la liste. Les antiquités et les amphores font parties d'un domaine réservé et ne peuvent donc être emportées.

RANDONNÉES PÉDESTRES

Le sentier européen de grande randonnée, E4 GR, traverse tout le Péloponnèse depuis Aeghion, au nord, à Gythion, au sud, via Kalavrita, l'Arcadie, Tripolis et Sparte.
La douceur du climat permet d'effectuer cette randonnée tout au long de l'année, mais les meilleures périodes restent celles de mai-juin et septembre-octobre. Pull-overs pour la nuit et imperméables sont indispensables même en été.
La totalité du parcours (250 km) peut être effectué en 2 semaines à raison de 5 à 7 h de marche par jour.
Mais il est toujours possible de ne suivre le GR que le temps d'une promenade ou d'une courte excursion.

COMMENT SE RENSEIGNER ?

Auprès de la Fédération des clubs d'excursion de Grèce (4, rue Dragatsaniou, Athènes, tél. 323 41 07) ou auprès de la Fédération hellénique des clubs de ski (qui a la responsabilité de cette section du GR.)

GOLF

Le seul club de golf important est celui de Glyfada, à 16 km d'Athènes, sur la côte d'Apollon. Il est équipé d'un parcour de 18 trous et de deux longueurs : 6 160 m et 5 118 m ; vestiaires, restaurants, bar. Tél. 894 68 20

TENNIS

On trouvera des courts de tennis à proximité de la plupart des plages aménagées par l'Office national hellénique de tourisme (O.N.H.T.), ainsi que dans les centres et clubs d'athlétisme. Rappelons que tous les grands hôtels, résidences et clubs de vacances possèdent leurs propres terrains et équipements.

Mont Taygète enneigé.

Grotte de Diros.

SKI

Le relief montagneux de la Grèce offre la possibilité de pratiquer le ski de décembre à avril.

BÉOTIE
MONT PARNASSE
SITE DE KELLARIA - FTEROLAKA
Tél. (0) (234) 22 689, 22 694 et 22 695
SITE DE GERONTOVRAHOS
Tél. (0) (267) 313 91

PÉLOPONNÈSE
MONT AROANIA (HELMOS)
SITE DE VATHIA LAKKA (14 KM DE KALAVRYTA)
Tél. (0) (692) 22 661 et 221 74
MONT MÉNALO
SITE D'OROPÉDIO OSTRAKINAS
1 600 m d'altitude
Tél. (0) (71) 232 243

REFUGES

BÉOTIE
MONT GIONA
REFUGE DE LAKA KARVOUNI
1 850 m d'altitude
Tél. (0) (1) 38 34 549
MONT PARNASSE
Au départ d'Arachova, découvrez son sommet principal qui culmine à 2 457 m.
REFUGE DE SARANTARI
1 900 m d'altitude.
Tél. (0) (234) 61 216
ATTIQUE
MONT PARNÉS
La forteresse de Phylé est à 600 m d'altitude.
REFUGE DE BAFI
1 160 m d'altitude
Tél. (0) (1) 321 24 29, 321 23 55 et 246 90 50
REFUGE DE FLABOURI
1 158 m d'altitude
Tél. (0) (1) 24 61 528, 24 64 666

PÉLOPONNÈSE
MONT TAYGÈTE
REFUGE DE VARVARA-DEREKI
1 600 m d'altitude
Tél. (0) (731) 22 574 et 241 35
MONT KILINI (ZIRIA)
REFUGE D'OROPÉDIO
1 520 m d'altitude
Tél. (0) (691) 25 285
REFUGE DES PORTES
1 680 m d'altitude
Tél. (0) (741) 24 335 et 29 970
MONT AROANIA (HELMOS)
REFUGE DE DIASSELO AVGOU
2 100 m d'altitude
Tél. (0) (692) 22 611
MONT PARNONAS
REFUGE DE ARNOMOUSSA
1 400 m d'altitude
Tél. (0) (731) 22 574 et 24 135
MONT PANAHAIKO
REFUGE DE PSARTHI
1 420 m d'altitude
Tél. (0) (61) 273 912

RENSEIGNEMENTS

FÉDÉRATION HELLÉNIQUE DES CLUBS DE MONTAGNE
7, rue Karageorgis Servias, Athènes
Tél. (0) (1) 323 45 55
FÉDÉRATION HELLÉNIQUE DES CLUBS DE SKI
5, rue Milioni, Athènes
Tél. (0) (1) 36 45 904

GROTTES

La Société hellénique de spéléologie a mis au jour et exploré quelque 7 500 grottes et gouffres (*karstiks*). Certaines de ces curiosités naturelles ont été aménagées pour en permettre la visite.

ATTIQUE
GROTTE DE KOUTOUKI
VILLAGE DE PEANIA
Tél. 66 42 910
Découverte par hasard, en 1926, cette grotte se trouve à environ 510 m en-dessous du niveau de la mer. Elle se situe sur le versant est du mont Imitos, à 4 km du village de Peania (Liopessi) dans le district de Messoghia. Sa superficie est de 3 800 m² et consiste en une caverne principale à plusieurs compartiments cloisonnés par des groupes de stalactites, stalagmites et colonnes de couleurs variées. L'éclairage artificiel est artistiquement dissimulé.
ENTRÉE 600 Dr
Visite t.l.j. 9 h 30-16 h.

PÉLOPONNÈSE
GROTTE DE DIROS
BAIE DE DIROS
Tél. (0) (733) 522 223
Cette grotte fut découverte à la fin du XIXe siècle. Elle est située sur la côte ouest de la péninsule de Laconie, dans un renfoncement de la baie de Diros, à environ 40 km de Gythion et 5 km de Pyrgos Diros. La grotte est, en fait, une rivière souterraine qui suit deux corridors parallèles ainsi que des couloirs secondaires. La longueur des canaux explorés atteint 4 500 m auxquels s'ajoutent 800 m de section sèche. Dans l'une des sections, un squelette fossilisé de panthère a été découvert, unique dans le Péloponnèse. La visite comprend un parcours de 600 m sur terre et 1 200 m en bateau à travers lacs et galeries. On peut y admirer des stalactites de calcaires de couleurs différentes ainsi que de grandes stalagmites et des colonnes blanches surgissant de l'eau. Attention aux files d'attente qui peuvent être importantes.
EXCURSION GROTTE ET LAC : 2 300 Dr
VISITE tlj. 8 h-14 h 30.

Acteurs du Théâtre national.

Palais de la musique d'Athènes (Megaron).

Les Athéniens sortent beaucoup. Le soir venu, Athènes offre de nombreuses distractions, avec notamment des clubs de musique de genres très variés : *rembetiko, bouzouki*, musique folklorique traditionnelle ou jazz... L'été est par excellence la saison des festivals, dont les plus connus sont ceux d'Athènes, d'Épidaure et de Patras. La belle saison est également propice pour apprécier un film dans un cinéma en plein air.

SPECTACLES DE L'ÉTÉ

SPECTACLES À ATHÈNES

SON ET LUMIÈRE SUR L'ACROPOLE
D'avril à octobre a lieu, sur la colline de la Pnyx, un spectacle en français tous les soirs de 22 h 10 à 22 h 55, (sauf les mardis et vendredis). Prix 1 200 Dr, étudiants 600 Dr. La vente des billets se fait à l'entrée du spectacle. Tél. 92 26 210, ou au bureau du festival d'Athènes.

DANSES FOLKLORIQUES
De mai à septembre, le Théâtre Dora Stratou, sur la colline de Philopappos, organise, tous les soirs à 22 h 15, des spectacles de danse ; représentations supplémentaires les mercredis et dimanches à 20 h 15. Billets de 2 500 Dr à 3 000 Dr. Renseignements et réservation Tél. 32 44 395, de 9 h à 14 h, et 92 14 650 de 19 h à 23 h.

FESTIVAL D'ATHÈNES

De juin à septembre : spectacle, concerts et ballets au théâtre du Lycabette ; musique classique et moderne, danses folkloriques, etc. à l'odéon d'Hérode Atticus. Renseignements et vente des billets bureau du festival 4, rue Stadiou Tél. 32 21 459 et 32 23 111-9, lun.-sam. 9 h-14 h et 17 h-19 h, dim. 10 h-13 h.

ODÉON D'HÉRODE ATTICUS
De mi-juin à fin septembre. Début des représentations : juin-août 21 h, sept. 20 h 30. Renseignements et vente des billets (surtout au bureau du festival) Odéon d'Hérode Atticus Tél. 32 32 771 17 h-21 h, les jours de spectacle. Prévente 15 jours avant la représentation.

ÉPIDAURE

FESTIVAL DE THÉÂTRE ANTIQUE
De fin juin à fin août. Début des représentations : 21 h. Renseignements et vente des billets : Théâtre antique d'Épidaure. Tél. (0) (753) 22 066 jeu.-ven. et sam. 9 h-13 h et 18 h-21 h Prévente 10 jours avant, ou auprès du bureau du festival d'Athènes.

PATRAS

FESTIVAL DE THÉÂTRE, MUSIQUE, DANSE ET ARTS PLASTIQUES
De juin à septembre. Renseignements Tél. (0) (61) 275 272 et 279 866

FESTIVAL DU VIN
Du 8 juin au 13 septembre Renseignements Tél. (0) (61) 279 008

FOIRES DU LIVRE

Organisées à Athènes par les associations des éditeurs grecs. L'une se déroule au mois de mai, et se tient au Zappeion. Renseignements Tél. 36 30 029 ; l'autre, au mois de septembre, à Pedion Areos. Renseignements Tél. 36 21 961

THÉÂTRE DU LYCABETTE (LYCAVITTOS)
Théâtre de 4 000 places à ciel ouvert. Renseignements (surtout au bureau du festival) et vente des billets Théâtre du Lycabette Tél. 72 27209 De 19 h à 21 h les jours de spectacle. Prévente 10 jours avant.

Affiche de carnaval.

Chevaux et clown du carnaval de Patras.

Atelier de carnaval.

CINÉMA

La plupart des cinémas fonctionnant l'été sont à ciel ouvert, parfois même, comme à Égine, en pleine nature. Les films sont toujours projetés en version originale et les productions françaises et américaines, bien distribuées.

QUELQUES ADRESSES À ATHÈNES

ATHINÉA
50, rue Haritos
Tél. 72 15 717

VOX
82, rue Themistokleous
Tél. 33 01 020

RIVIERA
46, rue Valtetsiou
Tél. 38 37 716

CINÉ PARIS
22, rue Kidhathineon
Tél. 32 22 071

DEXAMENI REFRESH
Place Dhexameni
Tél. 36 23 942

COMMENT SE RENSEIGNER ?

Le journal *Athenscope*, écrit en anglais, est l'équivalent de notre *Officiel des spectacles* ou de notre *Pariscope*.

LE *REMBETIKO* ET SES CLUBS DE MUSIQUE

Les premières chansons de *rembetiko* datent de la fin du XIXe siècle. «Les *rembetika* sont écrites par des *rembetes* pour des *rembetes*. Un *rembetis* est un homme qui ressent un immense chagrin et qui l'exprime», a écrit le *rembetis* Yorgos Rovertakis. Cette musique populaire, interdite en 1936, connaît un nouveau regain. Souvent comparé au *blues*, le *rembetiko* se joue dans des clubs. Si certains ouvrent dès 22 h, c'est à partir de minuit que la soirée commence vraiment pour se terminer au petit matin. La plupart de ces établissements ferment l'été.

QUELQUES ADRESSES À ATHÈNES ET AU PIRÉE

EXARHIA

FRANGOSYRIANI
57, rue Arahovis
Tél. 38 00 693
Fermé mar.-mer.

TAKSIMI
29, rue Issavron
Tél. 36 39 919
Fermé dim.

PAGRATI

MOUSIKES SKIES
4, rue Athanasias
Tél. 726 14 65
Ouvert tous les jours

MAYOPOULA
9, rue Odhemissiou
Tél. 721 49 34
Fermé mar.

DANS LE MARCHÉ CENTRAL

STOA TON ATHANATON
Tél. 32 14 362
Ouvert le soir et 15 h 30-19 h
Fermé dim.

AU PIRÉE

ONDAS TIS CONSTANTNAS
109, rue Kaivtouriotou
Tél. 42 20 459
Fermé lun.
Excellente adresse.

LE PALAIS DE LA MUSIQUE

La cantatrice Alexandra Triandi eut l'idée de créer un centre culturel. En 1956, l'État céda le terrain nécessaire à sa construction. En 1981, l'Organisation du palais de la Musique voyait le jour et, dix ans plus tard, le Megaron était inauguré, comblant le manque de la capitale en matière d'équipements culturels. Le Palais de la Musique comprend une grande salle de 2 000 places et une, plus petite, de 500 places. Elles accueillent différentes manifestations : concerts de musique symphonique ou de musique de chambre, opéras, pièces de théâtre et ballets. Les manifestations les plus importantes font l'objet de publications originales. Le cycle des activités du podium de la Musique est, quant à, lui plus spécialement destiné à un public jeune. Les mélomanes y disposent également d'un Club du disque. Renseignements et vente de billets Megaron, rue Vassilisis Sophias et Kokali
Tél. 72 82 000

ROCK, JAZZ, MUSIQUE TRADITIONNELLE

Dans la capitale et au Pirée, de nombreux clubs proposent du jazz, du rock ou du «bouzouki». Le nouveau «must» en matière de divertissement est d'aller, l'après-midi, écouter des groupes de «rembetiko», notamment à la stoa Ton Athanaton.

THISSEION

STAVLOS
10, rue Heraklidon
Tél. 34 67 206
Les anciennes écuries du roi Othon, superbement restaurées, accueillent un club de jazz et de rock ainsi qu'un restaurant, un café et une galerie d'art. Belle cour intérieure.

CLUB BERLIN
8, rue Heraklidon
Tél. 34 20 488
Club de jazz et de rock climatisé. Ouvert l'été.

KOLONAKI

JAZZ-BAR TSAKALOF
10, rue Tsakalof
Tél. 36 05 889
Musique jazz et ethnique, tous les soirs ; «Rembetiko» le sam. à 13 h 30.

METS

HALF NOTE
17, rue Trivorianou
Tél. 92 32 460
Le meilleur club de jazz de la capitale.

STADIO
1, rue Marko-Moussourou
Tél. 92 47 448
Musique rock.

AMBELOKIPI

MEMPHIS-BOOZE
5, rue Ventiri
Tél. 72 24 104
Le club de rock de l'hôtel Hilton. *Belle cour.*

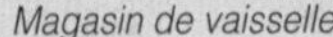

Magasin de vaisselle.

Vinerie typique grecque.

Athènes possède une grande diversité de boutiques, auxquelles s'ajoutent les marchés. Les tentations ne manquent pas : artisanat, vêtements, cuirs, livres rares, antiquités ; mais aussi fleurs, épices, vins... Déambuler dans Athènes peut réserver bien des surprises.

LUXE

Le centre commercial le plus élégant d'Athènes se trouve dans le quartier de Kolonaki ▲ *228* . Vous y rencontrerez les grands noms de la couture italienne : Versace, Montana, Valentino, Gianfranco Ferré aux *Galeries Jade*, 3 rue Anagnostopoulou ; parmi les couturiers grecs, les grands classiques sont Philimon, Aslanis et Parthenis, et l'avant-gardiste, Daphni Valente. Le magasin *Sotris,* 30, Anagnostopoulou, propose haute couture internationale et prêt-à-porter grec. La boutique *Artisti Italiani*, 5, rue Kanari, est vouée, malgré son nom, aux stylistes grecs. Le couturier français Chanel est distribué uniquement chez *Morel* et les collections de Christian Dior sont à découvrir au Ier étage du 10 rue Likavitou.

ARTISANAT

Laisser vous séduire par l'artisanat grec, composé, entre autre, de tapis en laine multicolore (fabriqués près de Delphes), d'objets en bois et en cuir, de broderies, et, bien sûr, les sandales en cuir et sacs tissés, gloires des années 70, qui reviennent aujourd'hui à la mode. Quelques adresses :
Organisation nationale de l'Artisanat grec
9, rue Mitropoléos. Grand choix de tapis et couvre-lits en laine, de sculptures sur bois.
Tanagrea
15, rue Mitropoléos, pour la céramique.
Diplous Pelekis
23, rue Voulis, artisanat traditionnel en bois, broderies.

LES PUCES

Sur la place Avissinias et autour de l'église Haghios Philippos, le marché aux puces s'étale tous les dimanches matins. Dans une atmosphère proche de celle des bazars orientaux, revendeurs d'occasion et brocanteurs, venus des quatre coins de la Grèce, déballent leurs articles dépareillés : meubles, tapis, icônes, coffres sculptés, mais aussi bidons d'huile, barattes, sceaux en bois, etc., parmi lesquels vous trouverez peut-être une bonne affaire. Il faut marchander, mais mieux vaut pouvoir le faire en grec…

BIJOUX

Les magasins des deux grands bijoutiers athéniens, Lalaounis et Kessaris, se font face dans la rue Panepistimiou. Ils sont renomés dans la création de pièces inspirées de motifs antiques ou byzantins. Dans la rue Leventi, la petite boutique excentrique du créateur Armandos Moustakis est spécialisée dans le renouveau des bijoux-fantaisie.

HORAIRES D'OUVERTURE

Les magasins les plus «touristiques» sont ouverts de 8 h à 20 h en semaine et parfois le dimanche matin de 8 h 30 à 15 h. Les autres sont généralement ouverts de 8 h 30 à 15 h les lun., mer. et sam., de 8 h 30 à 13 h 30 et de 17 h à 20 h les mar., jeu. et ven., et fermés les dim.

BON MARCHÉ

Pour dénicher de bonnes occasions, il faut se rendre rue Athinas où sont installés les marchands de fripes.

MONASTIRAKI ▲ *186*

Les grandes artères commerçantes de Monastiraki sont les rues Pandrossou et Ifestou. Vous trouverez des articles en cuir à des prix exceptionnels ainsi que divers marchandises bon marché : sacs à dos, tapisseries, épices, bijoux, etc.

MEUBLES ET DÉCORATION

Quelques adresses d'objets décoratifs, de mobilier de style grec traditionnel et de créations originales :
Deloudis
3-5, rue Spefsipou
Un des créateurs de meubles les plus modernes.
Varaghis
38, av. Kifissias
Neo Katikin
48, rue Voukourestiou
I gata pou tin lene Ucello
19, rue Al. Soutsou
Le style traditionnel redesigné
John Stefanidis
6, rue Patriarhou Ioakim
Le plus classique.

Marché athénien.

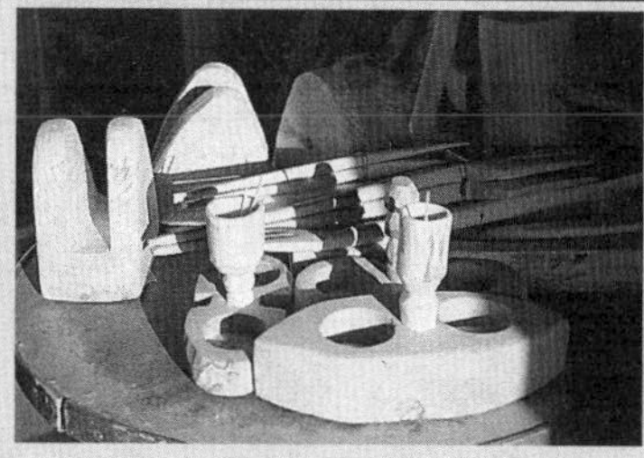
Artisanat grec.

Marchand de rue.

La capitale de la Grèce permet un certain nombre d'activités gratuites comme la visite des églises et, le dimanche, celle des musées. Les parcs vous invitent à la promenade...

Cadeaux

Vous trouverez dans le quartier de Monastiraki et à Plaka, des livres anciens et rares, beaucoup d'objets d'art et même des antiquités.

Quelques adresses

The Art Group
13, avenue Thisseos
Objets d'art.

O Perris
104, avenue Kifissias
Objets d'art.

Kourdisti Maimou
17, rue Iperidou, Plaka
Objets bizarres ou rares, jouets mécaniques anciens.

Koukos
Angle rues Voulis et Ermou, Plaka
Tissage, bijoux

Diplous Pelekis
23, rue Voulis, Plaka
Meubles et objets de style traditionnel grec.

Niki Eleftheriadis
18, rue Philikis Eterias
Objets rares et bijoux.

Ta panda ri
35, rue Haritos, Kolonaki
Parfums et pots-pourris.

Onirokosmos
6, rue Proklou, Pagrati
Jouets traditionnels, parfums, et un petit salon où déguster un bon café.

Zografies
44, rue Amfitritis, Paleo Faliro
Peintures sur verre.

Outopia, antiques
26, rue Skoufa, Kolonaki
Meubles et objets restaurés du XIXe siècle.

Les Halles

Ici, rue Athinas, couleur et animation font bon ménage : haute teneur en décibels, étalages impressionnants de poissons et de viandes, va-et-vient joyeux dans les restaurants ouverts jusqu'au matin. Le marché aux fruits, à côté des Halles, est le moins cher en ville.

Musées

Athènes possède plus d'une douzaine de musées, gratuits le dimanche. La municipalité organise, en outre, chaque week-end des visites guidées gratuites. Pour se renseigner sur le programme qui varié chaque semaine, téléphonez au 32 31 841

Parcs et promenades

Le Jardin national ▲ *223*, ouvert de 7 h du matin jusqu'à la tombée de la nuit, constitue un havre de paix et de fraîcheur. Il est dominé par le Zappeion ou palais des Expositions, de style néo-classique, et englobe un Musée botanique (1, rue Amalias) fondé en 1980. Au détour des allées sinueuses, on y rencontre quelques vestiges antiques : fragments de mosaïques, vestiges de thermes romains, ainsi que les remparts d'Hadrien ou l'aqueduc de Pisistrate. À côté du Zappeion, un édifice en forme de pagode fait office de cafétéria. Juste derrière se trouve un cinéma en plein air, proposant une séance quotidienne à 20 h30. Parmi les promenades les plus agréables, les sites élevés, comme le Lycabette (277 m) dominé par la chapelle blanche de Aghios Yiorgos, ou la colline de Philopappos, offrent une superbe vue sur la ville et l'Acropole.

Églises

Athènes possède de superbes églises. *L'église des Saints-Apôtres*, au sud de la Stoa d'Attale, construite au XIe siècle, présente de magnifiques peintures byzantines. *Panaghia Grigoroussa,* rue Taxiarhon est une église récente, célèbre pour ses ex-voto en or. *Saint-Eleftherios,* place Mitropoléos, construite au XIIe siècle, possède de très belles frises. *La cathédrale Mitropolis*, rue Mitropoleos, a été construite au XIXe siècle avec des pierres provenant de 72 églises détruites. *La Kapnikarea*, ▲ *186* rue Ermou, minuscule église datant du XIe siècle. *La Petite Métropole*, ▲ *183* du XIIe siècle, incrustée de fragments antiques. Vous pourrez assister à la célébration du rite orthodoxe que rythment les chants. Les grandes fêtes religieuses, Pâques en particulier, sont célébrées avec beaucoup de ferveur.

Sites

L'accès des grands site est gratuit pour les étudiants de la C.E.E.

Les zakharoplasteion servent des pâtisseries et des boissons non-alcoolisées.

Un café en plein air dans l'une des ruelles du quartier de Plaka.

Scène traditionnelle dans les rues d'Athènes : les marchands déambulent en proposant différentes sortes de pâtisseries ou d'encas.

L'hospitalité des Grecs contribue à la saveur de leur cuisine. Le moindre repas se prend dans une ambiance chaleureuse et conviviale, perpétuant ainsi la cérémonie des banquets antiques.

PETIT DÉJEUNER
Le petit déjeuner proprement dit ne fait pas partie de la tradition grecque. Le matin, on se contente de café noir ou au lait, et on achète sur le chemin du bureau des *kouloùria*, couronnes de pain parsemées de graines de sésame.

LE DÉJEUNER
Il est rare que les Athéniens prennent une pause déjeuner : la plupart arrivent à leur travail à 8 h et rentrent chez eux vers 15 h. Les repas importants se prennent à la maison, en famille. Il est néanmoins coutumier de prendre le café au bureau et d'y offrir à boire aux visiteurs : pas un immeuble de bureau ou un ministère qui ne possède son *kafetzis*, qui, sur un simple coup de téléphone, apporte café, eau minérale, jus de fruits et même de quoi se restaurer.

DANS LA RUE
Pour une petite faim ou un déjeuner sur le pouce, on rencontrera partout des vendeurs de feuilletés : *tiròpittes*, au fromage, *spanakòpittes*, aux épinards, *kreatòpittes*, à la viande, ainsi que *bougàtses*, feuilletés sucrés à la crème. À l'heure du déjeuner, les jeunes Athéniens se rendent dans des «fast-food» qui poussent comme des champignons dans les rues du centre ; les plus âgés, voire les plus aisés, s'installent dans les bistrots où l'on sert du café italien accompagné de pâtisseries.

LES KAFENION
Longtemps les *cafés* ont été le fief des hommes : lieu de réunion de la «parea», groupe d'amis, lieu de détente où l'on joue aux cartes ou au *tavli* (sorte de jaquet) tout en laissant filer le temps en sirotant son café, en lisant le journal ou en égrenant son *komboloï* (chapelet). Ces bastions de la population masculine disparaissent depuis les années 70 au profit de cafés occidentalisés où les femmes côtoient les hommes.

LES OUZERI
En fin de matinée, ce sont les *ouzeri* qui prennent le relais : on y déguste *ouzo*, bière, vin - blanc de préférence - accompagnés d'une multitude de petits amuse-gueule nommés *mezze*. Si le monde des arts, de la culture, et de la politique y est très représenté, ce sont tous les amoureux d'un certain art de vivre grec qui s'y retrouvent entre 13 h et 16 h. Les *ouzeri* les plus courues, situées entre Syntagma et Kolonaki, sont Apotsos, rue Stadiou, Steki et Yali Kafene, près de la place Kolonaki.

LES TAVERNES ET RESTAURANTS
Les célibataires sont des clients fidèles des restaurants ouverts le midi. Les meilleurs se trouvent dans le quartier de Plaka : place Philomoussou Eterias, autour des Aérides ou rue Adrianou. Il faut arriver vers 14 h pour bénéficier d'un large choix. À noter que les restaurants, *estiatoria*, constituent une catégorie supérieure aux tavernes, ce qui se reflète dans les prix. Après le repas, vers 15 h 30, les Athéniens rentrent faire la sieste jusque vers 17 h 30.

Carnet d'adresses

PRÉPARATIFS

EN FRANCE

AMBASSADE DE GRÈCE
17, rue Auguste-Vacquerie
75116 Paris
Tél. 01 47 23 72 28

CONSULAT DE GRÈCE
23, rue Galilée
75008 Paris
Tél. 01 47 23 72 23

CONSULAT DE GRÈCE
538, rue de Paradis
13008 Marseille
Tél. 01 91 77 54 01
Fax 72 25 245

EN BELGIQUE

AMBASSADE DE GRÈCE
2, av. Franklin-Roosevelt
1050 Bruxelles
Tél. (32) (2) 648 17 30
et 648 33 02

CONSULAT DE GRÈCE
230, av. Louise
1050 Bruxelles
Tél. (32) (2) 646 55 35

EN SUISSE

AMBASSADE DE GRÈCE
Jungfraustrasse 3
3005 Bern
Tél. (41) (31) 352 16 37
et 352 86 07

CONSULAT DE GRÈCE
1, rue Pedro-Meylan
1208 Genève
Tél. (41) (22) 735 37 47
et 735 73 90

AU CANADA

CONSULAT DE GRÈCE
1170, place du Frère-André
Montréal-Québec
HB3 3C6
Tél. (1) (514) 875 87 81
et 875 21 19-22

OFFICE NATIONAL HELLÉNIQUE DU TOURISME (ONHT)
3, avenue de l'Opéra
75001 Paris
Tél. 01 42 60 65 75
et 01 42 96 49 55
Fax 01 42 60 10 28

COMPAGNIES AÉRIENNES

AIR FRANCE
119, avenue des Champs-Élysées
75008 Paris
Tél. 01 44 08 24 24
À Lyon
Tél. 04 72 56 22 20
À Marseille
Tél. 04 91 39 39 39

ALITALIA
69, boulevard Haussmann
75008 Paris
Tél. 01 44 94 44 00

KLM
36, avenue de l'Opéra
75002 Paris
Tél. 01 44 56 18 18

OLYMPIC AIRWAYS
3, rue Auber
75009 Paris
Tél. 01 47 42 87 99 (rens.)
et 01 42 65 92 42 (réserv.)
À Lyon
57, rue du Pdt-É.-Herriot
69002 Lyon
Tél. 04 78 37 44 97
À Marseille
41, la Canebière
13001 Marseille
Tél. 04 91 91 27 75

VOYAGISTES SPÉCIALISÉS

CLIO
34, rue du Hameau
75015 Paris
Tél. 01 53 68 82 82

HÉLIADES
25-27, rue Basfroi
75011 Paris
Tél. 01 53 27 28 29

PASSIONS HELLÉNIQUES
4, rue de la Paix
75002 Paris
Tél. 01 42 61 05 25

ROYAL OLYMPIC CRUISES (EPIROTIKI)
5, bd des Capucines
75002 Paris
Tél. 01 42 66 97 25

THALASSA
1, rue Thérèse
75002 Paris
Tél. 01 40 15 01 79

Y TOUR
54, rue de Dunkerque
75009 Paris
Tél. 01 40 16 11 16

AUTRES VOYAGISTES

AIR SUD
18, rue du Pont-Neuf
75001 Paris
Tél. 01 40 41 66 70

LOOK VOYAGES
6, rue Marbeuf
75008 Paris
Tél. 01 44 31 84 12

NOUVELLES FRONTIÈRES
87, bd de Grenelle
75015 Paris
Tél. 08 36 33 33 33

COMPAGNIES MARITIMES

NAVIFRANCE
20, rue de la Michodière
75002 Paris
Tél. 01 42 66 65 40

SNCM
12, rue Godot-de-Mauroy
75009 Paris
Tél. 01 49 24 24 24

VIAMARES
41, rue d'Amsterdam
75008 Paris
Tél. 01 42 80 94 87

COMPAGNIE D'AUTOCARS

EUROLINES
28, av. du Gal-de-Gaulle
93541 Bagnolet cedex
Tél. 01 49 72 51 51

EN GRÈCE

D'une manière générale, rien n'est réellement fixe en Grèce : la période d'ouverture des établissements ainsi que les horaires, notamment ceux relatifs au gîte et au couvert, varient selon que la belle saison est précoce ou non. C'est ce qui fait aussi le charme de ce pays, à condition, bien sûr, d'y être préparé.

Pour téléphoner depuis la Grèce dans une autre région du pays, composer le (0) avant l'indicatif téléphonique de la ville ou de la région souhaitée.

ATHÈNES

GÉNÉRALITÉS

INDICATIF TÉL. (1)

CODES POSTAUX
plusieurs codes

VIE PRATIQUE

AÉROPORT EST (ANATOLIKO)
Tél. 96 94 111

AÉROPORT OUEST (DHYTIKO) OLYMPIC AIRWAYS
Tél. 93 69 111
et 93 63 363

POSTE PRINCIPALE
Angle pl. Syntagma
et rue Mitropoleos
Tél. 323 75 73

GARE DE LARISSA
Rue Theo. Dilighiani
Tél. 52 40 646

GARE DU PÉLOPONNÈSE
Rue Konstantinoupoleos
Tél. 51 31 601

GARE ROUTIÈRE TERMINAL A
100, rue Kifissiou
Tél. 51 24 910

GARE ROUTIÈRE TERMINAL B
260, rue Liossion
Tél. 83 17 163

OFFICE DE TOURISME (EOT)
2, rue Amerikis
Tél. 33 10 561
Ouvert lun.-ven.
9 h-18 h 30, sam. 9 h-13 h

OSE (ORGANISME DES CHEMINS DE FER HELLÉNIQUES)
1, rue Karolou
Tél. 52 22 491

AMBASSADES ET CONSULATS

AMBASSADE DU CANADA
4, rue Ghenadiou
Tél. 72 54 011
Fax 72 53 994

AMBASSADE DE FRANCE
7, av. Vassilissis Sophias
Tél. 33 91 000
Fax 33 91 009

Consulat de Belgique
3, rue Sekeri
Tél. 36 17 886-7
Fax 36 04 289

Consulat de France
5-7, av. Vas. Konstantinou
Tél. 72 90 151-6
Fax 72 25 245

Consulat de Suisse
2, rue Iassiou
Tél. 72 30 364-6
Fax 72 49 209

Compagnies aériennes

Alitalia
577, av. Vouliagmenis, Arghyroupolis
Tél. 99 59 200
Fax 99 59 214

Air France
18, av. Vouliagmenis, Glyfada
Tél. 96 01 100
Fax 96 01 457

British Airways
10, rue Othonos
Tél. 32 50 601
Fax 32 55 171

KLM
41, av. Vouliagmenis, Glyfada
Tél. 98 80 177
Fax 96 48 866

Olympic Airways
96, av. Syngrou
Tél. 96 66 666
Fax 96 16 828

Location de voitures

Avis
48, av. Amalias
Tél. 32 24 951-5

Budget Rent-a-car
8, av. Syngrou
Tél. 92 14 771-3

Hertz
12, av. Syngrou
Tél. 92 20 102-4

Kosmos Rent-a-car
9, av. Syngrou
Tél. 92 34 697-8

Location de yachts

Association des agents d'affrètement de yachts
Tél. 92 27 107

Sports

Fédération hellénique des clubs d'excursion
4, rue Dragatsaniou
Tél. 32 34 107

Fédération hellénique des clubs de montagne
7, rue Kar. Servias
Tél. 32 34 555

Fédération hellénique des clubs de ski
5, rue Milioni
Tél. 36 45 904

Vie culturelle

Festival d'Athènes
Bureau du festival
4, rue Stadiou
Tél. 32 21 459 et 32 30 049
Théâtre, musique et danse à l'Odéon Hérode Atticus de la mi-juin à la mi-septembre environ. Prévente au bureau du festival ou le soir même au théâtre à partir de 17 h.

Festival au théâtre du Lycabette (Lycavittos)
Théâtre du Lycabette
Tél. 72 27 209,
Théâtre de 4 000 places à ciel ouvert. Participe au festival d'Athènes. Prévente 10 jours avant au bureau du festival et au théâtre le soir même entre 19 h et 21 h.

Son et lumière de l'Acropole
Bureau du Festival d'Athènes ou entrée du spectacle, sur la Pnyx
Tél. 92 26 210
D'avril à octobre, tous les jours, dans toutes les langues (selon horaires). Durée du spectacle : 40 min. Réservation au bureau du festival ou achat à l'entrée du spectacle.

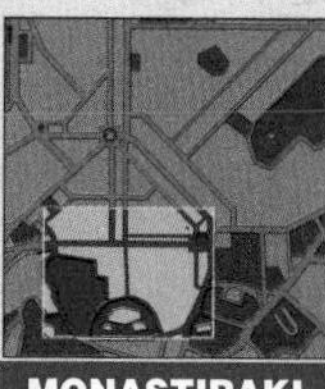

Monastiraki
Plaka
Thisseion

Vie culturelle

Musée de l'Acropole
Tél. 32 36 665
◆ 388

Site de l'Acropole
Tél. 32 10 219
◆ 388

Ancienne Agora, temple d'Héphaïstos et musée de l'Agora
Tél. 32 10 185
◆ 388

Agora romaine
Angle rues Pelopida et Eolou
Tél. 32 45 220
◆ 388

Centre des arts et traditions populaires
6, rue Hatzimikhali
Tél. 32 43 987
◆ 388

Musée d'Art populaire grec
17, rue Kidhathineon
Tél. 32 29 031
◆ 389

Musée et site du cimetière du Céramique
148, rue Ermou
Tél. 34 63 552
◆ 388

Musée Kanellopoulos
Angle rues Theorias et Panos
Tél. 32 12 313

Restaurants

Bacchus
12, rue Thrassilou, Plaka
Tél. 32 20 835
Ouvert 17 h 30-01 h, sam. et dim. 11 h-01 h
Fermé lun.
Installée à deux pas de l'Odéon d'Hérode Atticus, cette ancienne demeure de Plaka avec sa grande cour et sa salle décorée de vieux objets et de gravures évoque Athènes au début du siècle. On y sert une cuisine mitonnée par la mère du patron. Vin au tonneau. 2 800 Dr-5 400 Dr Boissons en sus.

Daphne's
4, rue Lyssikratous, Plaka
Tél. 32 27 971
Ouvert 19 h 30-24 h
Fermé 4 à 5 jours autour du 15 août
Cette élégante maison néoclassique possède une cour fleurie de jasmin et de bougainvillées couverte et chauffée en hiver. On peut aussi choisir de dîner dans la belle salle peinte de fresques aux thèmes mythologiques. Spécialités de fricassée d'agneau et de porc au céleri. Vin en sus. 6 800 Dr-11 700 Dr

Eden
12, rue Lissiou et Mnissikleous, Plaka
Tél. 32 48 858
Ouvert 12 h-24 h
Restaurant végétarien au décor chaleureux. Spécialités : moussaka de légumes, tourte aux champignons. 2 000 Dr-3 250 Dr

Kouti
23, rue Adrianou, Thisseion
Tél. 32 12 836
Ouvert 12 h-19 h et 20 h 30-03 h
Fermé lun. et août
La forme de cette maison située face à la stoa d'Attale a inspiré son nom : «kouti», en grec, signifie «boîte». Mais cette boîte à merveilles regorge de tableaux et d'objets d'art et on y déguste une cuisine très inventive : poulet aigre-doux accompagné de riz au jasmin, veau au miel, «yoghourtlou»... les yeux, bien sûr, rivés sur l'Acropole. 5 200 Dr-10 300 Dr Vin en sus.

◆ De Syntagma à Plaka, Monastiraki et Thisseion

Nefeli
24, rue Panos, Plaka
Tél. 32 12 475
Ouvert 11 h-03 h
Fermé dim.
Restaurant de très bonne qualité avec vue imprenable sur toute la ville. Idéal pour la pause-déjeuner. Ambiance musicale en soirée au son de la guitare et du «bouzouki».
3 000 Dr-4 000 Dr

Vitrina
7, rue Navarhou Apostoli, Psiri (près de Monastiraki)
Tél. 32 11 200
Ouvert 21 h-01 h
et dim. 13 h 30-17 h 30
Fermé dim. soir et lun. et fin avr.-début nov.
Tables en bois et chaises paillées confèrent aux deux étages de cette demeure la simplicité et le charme des tavernes athéniennes d'antan. Mais les couleurs, le jaune et le gris, ainsi que les matières en font un lieu contemporain et chaleureux. Le chef, Xhrissanthos, est réputé pour ses créations : boulettes d'écrevisses, filet d'agneau aux champignons nappé de sauce au porto. Très bon rapport qualité-prix.
4 100 Dr-7 100 Dr
Vin en sus.

Tavernes

Palia Plakiotiki Taverna
26, rue Lissiou, Plaka
Tél. 32 28 722
Ouverte 20 h-03 h
Une des bonnes adresses de Plaka, dans un bâtiment de 1882, où l'on peut dîner sous la tonnelle au son d'un quatuor. Spécialité de veau cuit à l'étouffée.
2 500 Dr-5 000 Dr

O Platanos
4, rue Diogenous, Plaka
Tél. 32 20 666
Ouverte 12 h-16 h 30
et 20 h-24 h
Fermé dim.
Calme, dans un immeuble néoclassique, en bordure d'une charmante place. Cuisine traditionnelle de bonne qualité.
3 000 Dr-4 000 Dr

Xinos
4, rue Anguelou Gheronta
Tél. 32 21 065
Ouverte 20 h-24 h
Fermée hors saison et sam.-dim.
Un des endroits les plus secrets et peut-être la plus agréable taverne de Plaka. Superbe jardin de gardénias. Œuvres de peintres naïfs décorant l'intérieur. Musique et cuisine de qualité.
3 000 Dr-4 000 Dr

Hébergement

Adonis (pension)
3, rue Voulis et Kodrou, Plaka
Tél. 32 49 737
Fax 32 31 602
Bien situé, bon accueil. Prix dégressifs, jardin en terrasse.
9 500 Dr-13 000 Dr

Achilleas
21, rue Lekka
Tél. 32 33 197
Fax 32 22 412
Très bonne situation, entre la place Syntagma et Monastiraki, dans une petite rue centrale et très calme.
8 700 Dr-13 900 Dr

Adrian
74, rue Adrianou
Tél. 32 21 553
Fax 32 50 454
Fermé de nov. à fév.
Au cœur de Plaka, petit hôtel moderne avec vue imprenable depuis la terrasse ombragée. Bon accueil, bar.
15 000 Dr-20 750 Dr

Arethoussa
6, rue Mitropoleos
Tél. 32 29 431-9
Fax 32 29 439
On ne peut pas trouver plus central que cet hôtel moderne et sans charme particulier. Convient pour un très bref séjour dans la capitale. Agréable jardin sur le toit.
16 000 Dr-20 500 Dr

Attalos
29, rue Athinas
Tél. 32 12 801
Fax 32 43 124
Un hôtel, très bien situé, tout près de Monastiraki et du marché central où couleurs et animation ne manquent pas. Toutes les chambres sont dotées de balcons avec vue sur l'Acropole. Belle terrasse sur le toit.
10 000 Dr-11 700 Dr

Ava (studios meublés)
9, Lyssikratous, Plaka
Tél. 32 36 618
Fax 32 37 478
Hôtel familial, très bien situé entre l'Acropole et le Jardin national. Bon accueil.
9 000 Dr-14 500 Dr

Electra
5, rue Ermou, Syntagma
Tél. 32 23 222
Fax 32 20 310
Central et très confortable. Bon accueil. Restaurant et bar
25 750 Dr-37 500 Dr

Electra Palace
18, rue Nikodimou
Tél. 32 41 401-7
Fax 32 41 875
De prime abord, la décoration de cet établissement de première catégorie a de quoi surprendre par son côté kitsch. Mais les chambres sont très confortables et le quelque chose en plus réside dans la piscine construite sur le toit-terrasse, face à l'Acropole.
24 700 Dr-35 800 Dr

Omiros
15, rue Apollonos, Plaka
Tél. 32 35 486
Près du centre touristique de Plaka mais un peu à l'écart. Sans charme

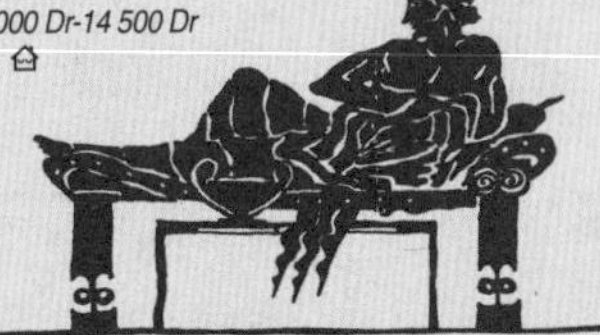

mais très bien situé. Vue sur l'Acropole depuis la terrasse. Bar et restaurant.
12 250 Dr-17 000 Dr

PLAKA
7, rue Kapnikareas et Mitropoleos
Tél. 32 22 096-98
Fax 32 22 412
Établi non loin de la vieille église de Kapnikarea, cet hôtel moderne possède un restaurant, un bar et un jardin sur le toit face à l'Acropole.
13 900 Dr-21 000 Dr

BARS, CINÉMAS ET VIE NOCTURNE

NET CLUB-ASSOMATI
43, rue Ag. Assomaton, Thisseion
Tél. 32 36 670
Fermé lun.
Pour les amateurs de musique électronique.

ATHINEA
50, rue Haritos, Kolonaki
Tél. 72 15 717
Cinéma d'été.

CAFÉ DU CENTRE DE TRADITION HELLÉNIQUE
36, rue Pandrossou
59, rue Mitropoleos
Tél. 32 13 023
Ouvert 9 h 30-18 h, ven.-dim. 9 h-18 h
Clientèle de professeurs et d'étudiants, musique «rembetiko», accueil charmant, mezze traditionnels. Calme et fraîcheur, vente d'artisanat.

CAFÉ-PÂTISSERIE TRISTRATO
Rue Geronta et Daidalou
Tél. 32 44 472
Ouvert 14 h-24 h, sam.-dim. 10 h-24 h
Très joli café, au calme, dans une ambiance cosy pour déguster des pâtisseries à base de laitage. Idéal pour les rendez-vous amoureux.

CINÉ PARIS
22, rue Kidhathineon
Tél. 32 22 071
Un cinéma d'été très agréable.

CLUB BERLIN
8, rue Heraklidon
Tél. 34 20 488
Club «techno» et «house». Reste ouvert en été.

DE SYNTAGMA À PLAKA, MONASTIRAKI ET THISSEION

RESTAURANTS
1. BACCHUS
2. DAPHNE'S
3. EDEN
4. NEFELI
5. VITRINA

TAVERNES
6. PALIA PLAKIOTIKI TAVERNA
7. O PLATANOS
8. XINOS

HÔTELS
9. ADONIS
10. ADRIAN
11. ACHILLEAS
12. ARETHOUSSA
13. ATTALOS
14. AVA
15. ELECTRA
16. ELECTRA PALACE
17. OMIROS
18. PLAKA

VIE NOCTURNE
19. ASSOMATI
20. CAFÉ DU CENTRE DE TRADITION HELLÉNIQUE
21. CAFÉ-PÂTISSERIE TRISTRATO
22. CLUB BERLIN
23. METROPOL
24. STAVLOS
25. STROPHILIA

Dexameni Refresh
Place Dexameni
Tél. 36 23 942
Cinéma d'été.

Metropol
Place Mitropoleos
et 1, rue Pandrossou
Tél. 32 20 197
Ouvert 07 h-02 h
Fermé dim.
Très bon accueil, pâtisserie délicieuse et cadre très agréable. Bon petit déjeuner et repas rapides.

Stavlos
10, rue Heraklidon
Tél. 34 67 206
Ouvert 13 h 30-02 h
Club de jazz et de rock, restaurant, café et galerie d'art dans les anciennes écuries du roi Othon : un lieu magique très couru à Athènes.

Stoa Ton Athanaton
Rue Athinas
Tél. 32 14 362
Ouvert le soir et 15 h 30-19 h, fermé dim.
Club de rembetiko situé dans la halle centrale «kendriki agora». Ambiance assurée.

Strophilia
7, rue Karytsi
Tél. 32 34 803
Ouvert 20 h-02 h
Fermé en août.
Bar à vin fréquenté par les artistes et les étudiants. Ambiance sympathique et chaleureuse. Propose plus de 60 vins grecs et un grand choix de plats du jour.

Vox
82, rue Themistokleous
Tél. 33 01 020
Cinéma d'été.

Emplettes

Diplous Pelekis
23, rue Voulis
Tél. 32 23 783
Objets de style traditionnel grec, broderies et céramiques.

Koukos
11, rue Ermou
Tél. 32 21 330
Tissages, bijoux.

Kourdisti Maïmou
17, rue Iperidou
Objets rares, jouets mécaniques anciens.

Organisation nationale de l'artisanat grec
9, rue Mitropoleos
Tél. 32 21 017
Tissages de Macédoine, broderies de Mykonos, sculptures sur bois, orfèvrerie.

Tanagrea
15, rue Mitropoleos
Tél. 32 23 366
Céramiques.

◆

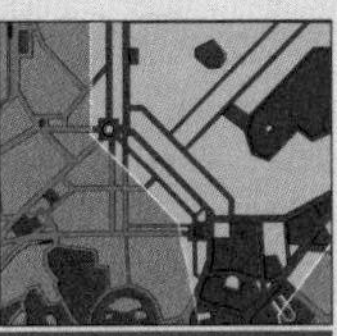

SYNTAGMA
KOLONAKI
EXARHIA
OMONIA

Vie culturelle

Institut français d'Athènes
31, rue Sina
Tél. 36 24 301
Fax 36 46 873

Musée archéologique national
44, rue Patission
Tél. 82 17 717
◆ 388

Musée Bénaki
1, rue Koumbari
Tél. 36 11 617
Fermé temporairement.
◆ 389

Musée byzantin
22, av. Vassilissis Sophias
Tél. 72 31 570
◆ 389

Musée Goulandris d'Art cycladique et d'Art grec antique
4, rue Neofitou Douka
Tél. 72 28 321-3
◆ 388

Musée historique national
13, rue Stadiou
Tél. 32 37 617
◆ 389

Musée de la ville d'Athènes
7, rue Paparigopoulou, place Klafthmonos
Tél. 32 46 164
◆ 389

Musée Eleftherios Venizelos
Parc Eleftherias
Tél. 72 24 238
◆ 389

Musée militaire
Av. Vassilissis Sophias
Tél. 72 90 543
◆ 389

Musée de la Numismatique
1, rue Tossitas
Tél. 82 17 769
Fermé temporairement.
◆ 389

Musée et Centre du théâtre hellénique
50, rue Akadimias
Tél. 36 29 430
◆ 389

Palais de la Musique (Megaron)
Angle av. Vass. Sophias et Kokali
Tél. 72 82 333
Deux salles polyvalentes pouvant accueillir concerts, opéras, pièces de théâtre et ballets.

Pinacothèque nationale et musée A. Soutsos
50, avenue Vassileos Konstantinou
Tél. 72 11 010
◆ 388

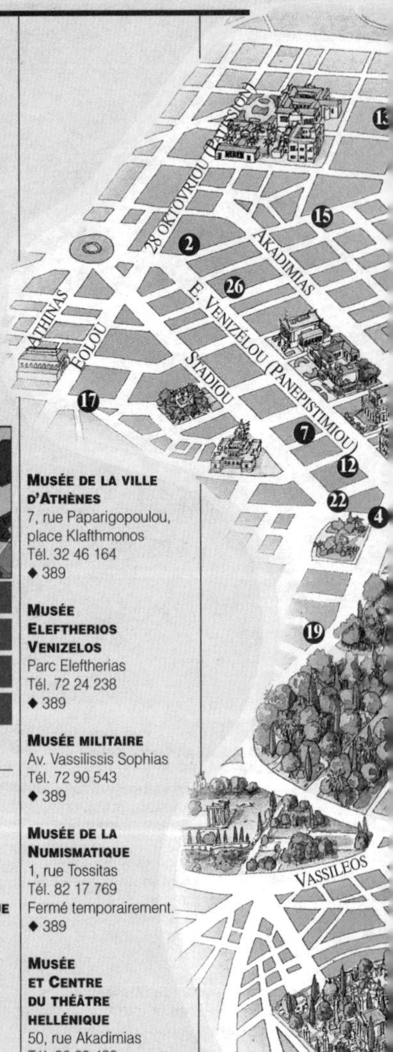

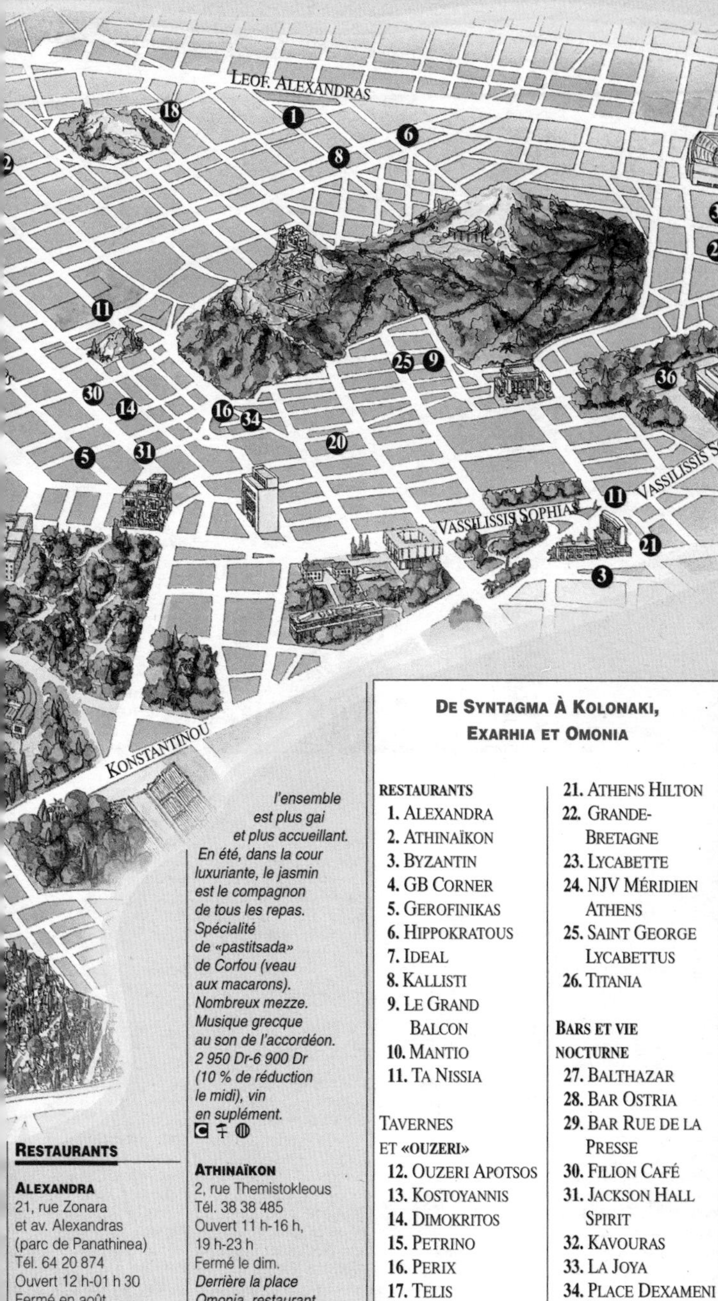

De Syntagma à Kolonaki, Exarhia et Omonia

Restaurants
1. Alexandra
2. Athinaïkon
3. Byzantin
4. GB Corner
5. Gerofinikas
6. Hippokratous
7. Ideal
8. Kallisti
9. Le Grand Balcon
10. Mantio
11. Ta Nissia

Tavernes et «ouzeri»
12. Ouzeri Apotsos
13. Kostoyannis
14. Dimokritos
15. Petrino
16. Perix
17. Telis
18. Xanthi

Hôtels
19. Amalia
20. Athenian Inn
21. Athens Hilton
22. Grande-Bretagne
23. Lycabette
24. NJV Méridien Athens
25. Saint George Lycabettus
26. Titania

Bars et vie nocturne
27. Balthazar
28. Bar Ostria
29. Bar Rue de la Presse
30. Filion Café
31. Jackson Hall Spirit
32. Kavouras
33. La Joya
34. Place Dexameni
35. Place Exarhia
36. To Parko

Restaurants

Alexandra
21, rue Zonara
et av. Alexandras
(parc de Panathinea)
Tél. 64 20 874
Ouvert 12 h-01 h 30
Fermé en août
Le bâtiment abritait une taverne datant des années 20. Aujourd'hui, si l'esprit tables en bois et chaises paillées a été conservé, l'ensemble est plus gai et plus accueillant. En été, dans la cour luxuriante, le jasmin est le compagnon de tous les repas. Spécialité de «pastitsada» de Corfou (veau aux macarons). Nombreux mezze. Musique grecque au son de l'accordéon. 2 950 Dr-6 900 Dr (10 % de réduction le midi), vin en suplément.
C ☦ ◍

Athinaïkon
2, rue Themistokleous
Tél. 38 38 485
Ouvert 11 h-16 h, 19 h-23 h
Fermé le dim.
Derrière la place Omonia, restaurant et «ouzeri» calme et climatisé. Le décor rappelle les bistrots parisiens. Une excellente adresse. 2 000 Dr-3 000 Dr

◆ De Syntagma à Kolonaki, Exarhia et Omonia

Byzantin
Hôtel Hilton
46, Vassilissis Sophias
Tél. 72 50 201
Ouvert 8 h 30-02 h
Service soigné et air conditionné. Restaurant agréable avec chaque semaine une nuit italienne. Spécialités : buffet, saumon.
9 000 Dr-10 000 Dr

GB Corner
Hôtel Grande-Bretagne
Place Syntagma
Tél. 33 14 444
Ouvert 7 h-01 h
Ce restaurant feutré (piano-bar) ne déçoit pas. Cuisine grecque traditionnelle et cuisine française. Service de qualité.
10 000 Dr-13 000 Dr

Gerofinikas
10, rue Pindarou, Kolonaki
Tél. 36 22 719
Ouvert 12 h-23 h 30
Fermé j. fériés
Ambiance intimiste pour ce restaurant, un des meilleurs rendez-vous d'Athènes. L'endroit est très calme, en retrait de la rue dont le sépare un long couloir. Cuisine excellente, avec une mention spéciale pour les produits de la mer. Spécialités : fricassée d'agneau, veau sauce citron, homard thermidor.
7 500 Dr-10 000 Dr

Hippokratous
166, rue Hippokratous
Tél. 64 26 305
Ouvert 20 h 30-0 h 30
Fermé dim. et juin-mi sep.
Les patrons, qui ont vécu à Paris, sont donc toujours très heureux de pouvoir parler français. Ils vous accueilleront dans une salle raffinée dont le décor emprunte à l'art traditionnel grec. Les plats représentent différentes régions du pays : agneau Kastellorizo cuit dans un jus de fruits et servi avec des pâtes «xhilopittès» maison, calamars farcis au raisin et au riz. Vin de petits producteurs grecs.
4 300 Dr-7 600 Dr
Vin en sus.

Ideal
46, rue Elef. Venizelou (Panepistimiou)
Tél. 33 03 000
Ouvert 11 h-16 h 30 et 20 h-02 h
Fermé dim.
Un restaurant calme dans cette grande artère où il fait frais. Service soigné dans un décor 1900 rose saumon. Spécialités de crêpes grillées, crevettes à la feta, feuilles de vigne.
4 000 Dr-5 000 Dr

Kallisti
137, rue Asklipiou
Tél. 64 53 179
Ouvert 20 h 30-01 h 15
Fermé dim. et 20 mai-15 oct.

Un brin de romantisme se dégage de cette maison néoclassique aux nuances pastel. Cuisine très inventive proposant agneau aux feuilles de vigne à la sauce yaourt, filet de porc sauce aux prunes et aux amandes, poissons grillés. Accueil chaleureux.
5 600 Dr-8 000 Dr
Vin en sus.

Le Grand Balcon
Hôtel Saint George Lycabettus
2, rue Kleomenous
Tél. 72 90 712
Ouvert 10 h-23 h
Fermé lun. et mar.
La vue depuis ce restaurant qui surplombe la ville est magnifique. Ambiance musicale avec piano et chanson. Cuisine grecque et européenne élaborée. Une des tables les plus prestigieuses d'Athènes.
13 000 Dr-16 000 Dr

Mantio
4, rue Delphon, Kolonaki
Tél. 36 19 682
Ouvert 12 h-16 h et 21 h-24 h
Cette rue minuscule, bordée uniquement de maisons néoclassiques, en dit long sur le charme de cette ville au début du siècle. Après avoir goûté à la joie d'un cadre élégant, on dégustera les recettes internationales que revisite le Mantio : truite pochée à la sauce champignons, brochette de dinde au yaourt et aux épices d'Orient, filet de saumon aux framboises.
8 000 Dr-9 000 Dr
Entre 16 h et 21 h, le Mantio est un café.

Ta Nissia
Hôtel Hilton
46, av. Vassilissis Sophias
Tél. 72 50 201
Ouvert 10 h-24 h
Un des restaurants les plus chics d'Athènes, embrassant toute la ville. Cuisine authentique. Spécialités : fruits de mer.
9 000 Dr-10 000 Dr

Tavernes et «ouzeri»

Ouzeri Apotsos
10, rue Elef. Venizelou (Panepistimiou)
Tél. 36 37 046
Ouverte 11 h-17 h
Fermée dim. et août
Proche de la place Syntagma, cette «ouzeri» au décor agréable est une des plus anciennes d'Athènes. Fréquentée par tous ceux qui savent ce que l'art de vivre grec veut dire, elle est logée au fond d'une galerie commerciale et donc très calme. Grand choix d'ouzo et de mezze.
3 000 Dr-5 000 Dr

Kostoyannis
37, rue Zaïmi
Tél. 82 12 496
Ouverte 19 h-24 h
Fermée dim. et août
Près du Musée national, avec un patio ombragé et une carte très variée. Spécialités : brochettes de poisson, crevettes, tarte au fromage.
3 000 Dr-4 000 Dr

Dimokritos
23, rue Dimokritou, Kolonaki
Tél. 36 19 293
Ouverte 11 h 30-16 h et 20 h-01 h
Fermée dim. et août
Cadre sobre mais non dépourvu de charme. Bonne cuisine. Service stylé pour une clientèle distinguée du monde des arts et de la politique. Spécialités : poulet «souvlaki», calamars sauce au vin.
3 000 Dr-4 000 Dr

Petrino
32, rue Themistokleous
Tél. 38 04 100
Ouverte 12 h-16 h et 20 h-24 h
Une taverne calme dans le quartier animé d'Omonia. Décor agréable. Spécialité : aubergines au fromage.
3 000 Dr-4 000 Dr

Perix
14, rue Glikonos (et Xanthipou), place Dhexaneni
Tél. 72 36 917
Un lieu accueillant au cœur de Kolonaki, où l'on déguste des mezze. Une carte riche et variée de spécialités traditionnelles.
3 000 Dr-4 000 Dr

Telis
86, rue Evripidou
Tél. 32 42 775
Ouverte 10 h-23 h
Dans un quartier populaire, à proximité de la place Omonia. Très typique. Portions gigantesques. Spécialité : grillades.
2 000 Dr-3 000 Dr

Xanthi
5, rue Irinis Athineas, colline de Strephi
Tél. 88 20 780
Ouverte 20 h 30-01 h 30
Fermée dim.
La toute première taverne à avoir planté son décor, très coquet, dans une maison de style néoclassique sur la charmante colline de Strephi. Très grande terrasse fleurie de géraniums, toujours fraîche en été. Cuisine de saison. Grand choix de mezze, tels que salade d'aubergines «melitzanosalàta» et tourte aux herbes «khortòpitta». Vin à la tire. Piano l'hiver. En été, les bandes d'amis y viennent spontanément chanter en chœur : une tradition grecque qui est encore loin de disparaître.
3 000-4 000 Dr

Hébergement

Amalia
10, avenue Amalias
Tél. 32 37 301-7
Fax 32 38 792
Proche du Parlement et du Jardin national. Hôtel moderne, restaurant, bar.
20 000 Dr-26 500 Dr

Athenian Inn
22, Haritos, Kolonaki
Tél. 72 38 097
Fax 72 39 552
Au cœur de Kolonaki, près des cafés chics du quartier. Hôtel familial, cosy et bien tenu. Décoré d'œuvres de peintres locaux. Accueil chaleureux. Bar.
20 000 Dr-24 500 Dr

Athens Hilton
46, av. Vassilissis Sophias
Tél. 72 20 201
Fax 72 53 110
Très luxueux, le Hilton ne ménage pas le marbre et met à votre disposition de nombreux services. Trois restaurants, bars, piscine. Toutes les chambres possèdent un balcon.
70 000 Dr, petit déj. 3 300 Dr-4 500 Dr

Grande-Bretagne
Place Syntagma
Tél. 32 30 251
Fax 32 38 361
Le plus séduisant des palaces d'Athènes établi dans un élégant édifice de la fin du XIXe siècle au décor recherché. Très bon accueil. Bar, restaurant.
60 000 Dr-81 600 Dr, petit déj. 3 800 Dr-5 300 Dr

Lycabette
6, rue Valaoritou, Kolonaki
Tél. 36 35 514-7
Fax 36 33 518
Hôtel correct. Bar, restaurant. Bien placé.
17 500 Dr-26 500 Dr

NJV Méridien Athens
1, Voukourestiou-Stadiou, Vassileos Georgiou
Tél. 32 55 301
Fax 32 35 856
Un établissement sans surprise qui a le mérite d'être central. Deux restaurants, une galerie commerciale, bar. Prestations de luxe et service stylé.
66 000 Dr, petit déj. 3 850 Dr

Saint George Lycabettus
2, rue Kleomenous
Tél. 72 90 711-9
Fax 72 90 439
Accroché sur le flanc de la colline du Lycabette qui domine la ville à 277 m d'altitude, cet hôtel de luxe offre un calme olympien et une vue superbe jusqu'à la mer. Restaurant, bar, piscine en terrasse et prestations haut de gamme. Service à l'avenant.
45 500 Dr-52 800 Dr

Titania
52, rue Elef. Venizelou (Panepistimiou)
Tél. 33 00 111
Fax 33 00 700
Pour ceux qui aiment les grands bâtiments modernes et fonctionnels. Situé près de la place Omonia. Terrasse avec piano-bar.
21 500 Dr-27 500 Dr

Bars, cinémas et vie nocturne

Balthazar
27, rue Tsoha
Tél. 64 41 215
Musique jazz et rock dans une maison néoclassique superbe dotée d'un immense jardin luxuriant aux parfums garantis. Consommations à partir de 1 500 Dr

Bar Ostria
6, rue Oikononou, Exarhia
Tél. 33 00 907
Ouvert 15 h-2 h
Ambiance musicale, rock et jazz. Consommations à partir de 1 500 Dr

Bar Rue de la Presse
44, rue Valtetsiou, Exarhia
Tél. 33 01 369
Ouvert 17 h-2 h
Dans un quartier branché, jardin très agréable. Ambiance musicale, rock.

Booze
7, rue Kolokotronis
Tél. 32 40 944
Temple du rock d'avant-garde. Pour les amateurs de labels indépendants.

Filion Café
34, rue Skoufa
Tél. 36 12 850
Les intellectuels qui fréquentaient ce café, du temps où il s'appelait le Dolce, ne l'ont pas boudé quand il a changé d'enseigne. Petite restauration et pâtisseries.

Frangosyriani
57, rue Arahovis, Exarhia
Tél. 38 00 693
Fermé mar. et mer.
Club de «rembetiko».

Jackson Hall Spirit
4, rue Milioni, Kolonaki
Tél. 36 16 098
La nouvelle coqueluche des jeunes fréquentant Kolonaki. Café et restaurant sur trois étages.

Kavouras
64, rue Themistokleous
Tél. 38 10 202
Ouvert 19 h-02 h
Fermé dim.
Excellente musique traditionnelle, décor sympathique, atmosphère chaleureuse.

Jazz-bar Tsakalof
10, rue Tsakalof
Tél. 36 05 889
Ouvert tous les soirs
Musique jazz ; ambiance «rembetiko» tous les samedis à 13 h 30.

La Joya
43, rue Tsoha
Tél. 64 40 030
Ouvert 20 h-01 h 30
Fermé dim.
Un bar où l'on peut écouter de l'excellente musique rock le nez dans les bougainvillées. Quelques plats dont un poulet farci à la feta et au thym. Consommations à partir de 1 750 Dr, plats de 6 000 Dr-7 000 Dr.

Memphis
5, rue Ventiri, Ambelokipi
Tél. 72 24 104
Musique rock variée de qualité.

Place Dexameni
Au bout de la rue Xanthippou, Kolonaki
Ouvert 10 h-24 h
Divers cafés traditionnels sur cette large place en dénivelé, ambiance familiale et fraîcheur.

◆ De Syntagma à Kolonaki, Exarhia et Omonia

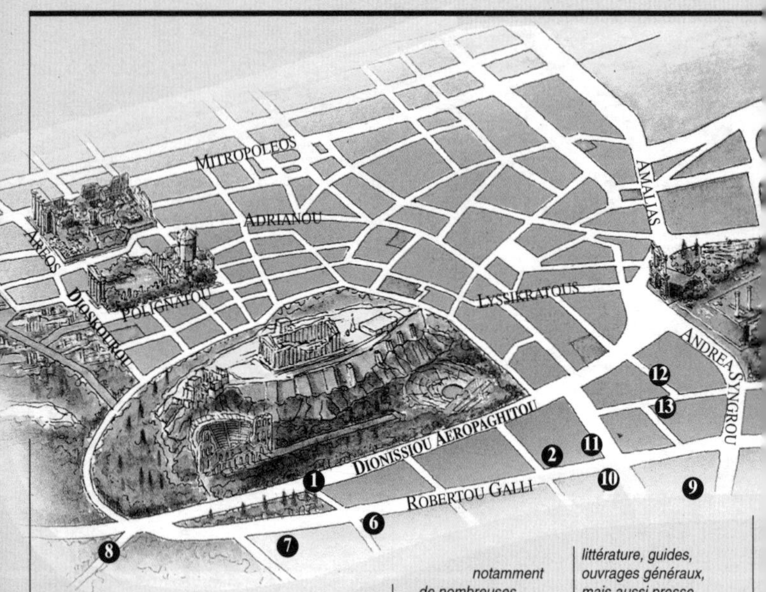

Place Exarhia
Nombre de cafés, de bars notamment le Milo, restaurants et tavernes se succèdent le long de la rue Kallidromiou. Ils sont égayés par toutes sortes de musiques (rock principalement). Clientèle éclectique, surtout estudiantine.

Rembetiki Istoria
181, rue Hippokratous
Tél. 64 24 937
Fermé mer., ouvert en été
Club de «rembetiko».

Riviera
46, rue Valtetsiou, Exarhia
Tél. 38 37 716
Cinéma d'été.

Taksimi
29, rue Issavron, Exarhia
Tél. 36 39 919
Fermé dim.
Ce club de «rembetiko» est un des plus réputés d'Athènes. Établi dans une élégante maison néoclassique, il accueille les meilleurs «rembetes» du pays.

To Parko
Parc Eleftherias
Tél. 72 23 784
Ouvert 12 h-02 h
Café et restaurant au sein du parc dont on appréciera la fraîcheur et la verdure aux heures chaudes.
5 000 Dr-7 000 Dr

Pâtisseries

Karavan
11, rue Voukourestiou, près de Syntagma
Tél. 36 41 540
Grand choix de gâteaux orientaux délicieux. Il existe d'autres succursales un peu partout dans Athènes.

Lalaguis
29, rue Spefsipou, Kolonaki
Tél. 72 33 885
Des pâtisseries orientales variées et succulentes, notamment de nombreuses variations autour du «baklavas» dont celui au chocolat.

Emplettes

Anna Anguelou Sikélianou
1, rue Panou Aravantinou (derrière l'hôtel Hilton)
Broderies et tissages.

Panighiri
23, rue Kleomenous
Tél. 34 51 378
Artisanat original, bateaux miniatures sculptés dans les bois vieillis d'anciens navires.

Librairies

Eleftheroudakis
17, rue Elef. Venizelou (Panepistimiou)
Tél. 33 14 180
En déménageant de la rue Nikis, l'établissement s'est considérablement agrandi. Il propose, notamment, des ouvrages en français et en anglais, ainsi qu'un grand choix de disques.

Librairie Kauffman
28, rue Stadiou
Tél. 32 22 160
Une des meilleures librairies de la capitale, très bien fournie, littérature, guides, ouvrages généraux, mais aussi presse internationale. La librairie possède une annexe face à l'Institut français, 54, rue Sina.

Librairie française
60, rue Sina
Tél. 36 33 626
Face à l'Institut français, livres et journaux en français.

Bijouteries

Chryssothèque Zolotas
10, rue Elef. Venizelou (Panepistimiou)
Tél. 36 13 782
Bijoux inspirés des styles antique ou byzantin.

Mati
20, rue Voukourestiou
Tél. 36 26 238
Bijoux grecs traditionnels, surtout en argent.

Lalaounis
4, rue Elef. Venizelou (Panepistimiou)
Tél. 36 11 371
Un des plus prestigieux bijoutiers d'Athènes de renommée mondiale.

Mikhalis
4, rue Voukourestiou
Tél. 32 22 360
Créations de bijoux modernes.

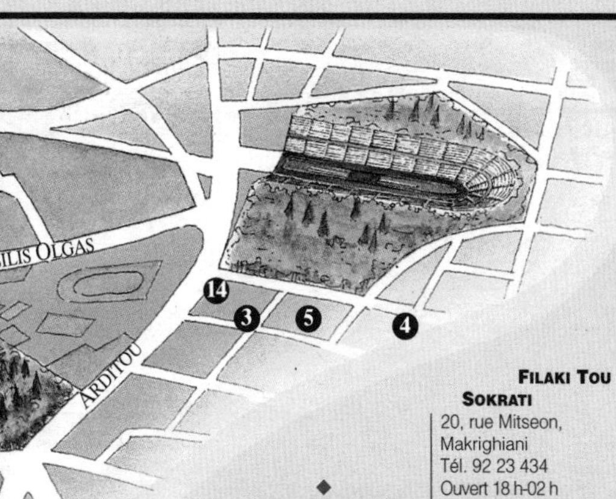

ANTIQUAIRES

LES BEAUX-ARTS
18, rue Voukourestiou
Tél. 36 19 888
Statuettes et bronzes, pièces des XVIIe, XVIIIe et XIXe siècles.

MINTZAS
22, rue Pindarou
Icônes et ex-voto.

GALERIES D'ART

ATHÈNES
4, rue Glykonos, Dexameni
Tél 72 13 938
Alexiou, Baskalakis, Makroulakis, Nanolidès, Prekas, Tsarouchis et Zamboura.

KREONIDIS
24, rue Kanari, Kolonaki
Tél. 36 06 552
Anrithakis, Droungas, Karas, Mytaras, Philolaos et Xenakis.

NEÈS MORPHÈS
9, rue Valaoritou
Tél. 36 16 165
Adamakos, Houliaras, Moraïti, Tetsis...

ZOUMBOULAKIS
7, rue Kriezotou
Tél. 36 31 951
2, place Kolonaki
Tél. 36 08 272
Fassianos, Ghika, Karella, Moralis, Samios, Tsarouchis...

◆

MAKRIGHIANI METS

VIE CULTURELLE

ODÉON D'HÉRODE ATTICUS
Dionyssiou Aeropaghitou
Tél. 32 32 771

TEMPLE DE ZEUS OLYMPIEN
Angle av. Vass.Olgas et Amalias
Tél. 92 26 330
Ouvert 8 h 30-15 h
Fermé lun.

THÉÂTRE DE DIONYSOS
Dionyssiou Aeropaghitou
Tél. 32 24 625
Ouvert 8 h 30-14 h 30

THÉÂTRE DORA STRATOU
Colline de Philopappos
Tél. 32 44 395

RESTAURANTS

DIONYSSOS
Dionyssiou Aeropaghitou
Tél. 92 33 182
Ouvert 12 h-01 h
Au pied de la colline des Muses, avec vue sur l'Acropole. Le service est très soigné, l'ambiance feutrée et la cuisine de qualité. Spécialités : feuilleté Dionyssos, poissons.
6 000 Dr-7 000 Dr

FILAKI TOU SOKRATI
20, rue Mitseon, Makrighiani
Tél. 92 23 434
Ouvert 18 h-02 h
Fermé dim. et 15 jours en août (non fixes)
Nombreux sont les habitués de l'Odéon d'Hérode Atticus qui viennent se restaurer ici après le spectacle. En été, les tables sont sur le trottoir, face au prestigieux amphithéâtre. En hiver, l'ambiance est plus rustique : cheminée, meubles en bois et tonneaux. Spécialités d'agneau au four et aux champignons, «tapsaki» (courgettes au gratin).
2 100 Dr-5 100 Dr
Vin en sus.

PALIA TAVERNA
35, rue Markou Moussourou, Mets
Tél. 90 29 493
Ouvert 19 h-02 h
Fermé 20 juil.-mi-août
Cette taverne, située derrière le stade en marbre, date de 1896 et est une des plus anciennes d'Athènes. Il est très plaisant de manger dans le jardin sous la tonnelle ou, en hiver, dans la grande salle aménagée dans ce qui fut autrefois une grange. Quelques photos et meubles d'époque, guitare et chansons, très bon accueil. Spécialités grecques de qualité, cuisine du Péloponnèse, grand choix de vins.
5 000 Dr-6 000 Dr

MAKRIGHIANI METS

RESTAURANTS
1. DIONYSSOS
2. FILAKI TOU SOKRATI
3. MANESSIS
4. MYRTIA
5. PALIA TAVERNA
6. STROPHI

HÔTELS
7. ACROPOLIS VIEW
8. AUSTRIA
9. DIVANI-PALACE
10. HERA
11. HERODION
12. PARTHENON
13. ROYAL OLYMPIC

VIE NOCTURNE
14. STADIO

MANESSIS
3, rue Markou Moussourou, Mets
Tél. 92 27 684
Ouvert 20 h 30-02 h
Fermé 10-17 août
Dans ce quartier très agréable qui s'étend au-delà du stade en marbre, voilà une ancienne demeure toute blanche et abondamment fleurie. On y goûtera, dehors bien sûr en été, des spécialités grecques et égyptiennes : falafel, hoummous et «zakynthino» (originaire de Zakynthos), une recette mariant veau, pommes de terre et poivrons, le tout cuit dans un plat en terre.
2 200 Dr-3 300 Dr
Vin en sus.

MYRTIA
32-34, rue Trivonianou, Mets
Tél. 92 47 175
Ouvert 20 h-02 h
Fermé dim. et 15 juil.-31 août
Cette maison à la décoration rustique recelant une foule d'objets d'art populaire grec est le rendez-vous des hommes d'affaires et des politiciens. Excellentes grillades et spécialité d'agneau

à l'ail «arnàki skordhàto». Chanson «a capella» et guitare. Service impeccable.
2 680 Dr-4 400 Dr
Vin en sus.

STROPHI
25, rue Rovertou Galli, Makrighiani
Tél. 92 14 130
Ouvert 19 h-01 h
Fermé dim.
On choisira un de ces soirs de pleine lune pour admirer, depuis la grande terrasse de cette belle maison néoclassique, l'inoubliable Acropole nimbée d'un halo d'or. De leur passage, nombre d'artistes et de politiciens y ont laissé leur photo. Spécialité de «katsikàki ladhorìgani», chevreau à l'huile d'olive et à l'origan.
4 000 Dr-5 600 Dr
Vin en sus.

HÉBERGEMENT

ACROPOLIS VIEW
10, rue Rovertou Galli et Webster
Tél. 92 17 303-5
Fax 92 30 705
Un hôtel très bien situé et au calme dont les chambres, avec balcon, ouvrent sur l'Acropole ou sur la colline de Philopappos. Petite terrasse et bar. Bon rapport qualité-prix.
12 500 Dr-21 000 Dr

AUSTRIA
7, rue Mousson, Makrighiani
Tél. 92 35 151
Fax 92 47 350
Établissement calme et bien situé à la décoration plutôt kitsch avec vue sur l'Acropole et la colline de Philopappos. Terrasse.
17 500 Dr-19 000 Dr

DIVANI-PALACE ACROPOLIS
19, Parthenonas, Makrighiani
Tél. 92 29 151
Fax 92 29 650-9
Hôtel moderne, proche de l'Acropole. Confort luxueux.
53 500 Dr-66 700 Dr

HERA
9, rue Phalirou, Makrighiani
Tél. 92 36 682
Fax 92 35 618
Hôtel de construction récente au décor, hélas, sans intérêt. Accueil sympathique. Terrasse avec vue sur l'Acropole.
12 200 Dr-19 000 Dr

HERODION
4, Rovertou Galli, Makrighiani
Tél. 92 36 832-6
Fax 92 35 851
Hôtel moderne et fonctionnel établi près des remparts de l'Acropole. Grand confort, jardin et boutiques.
26 500 Dr-36 000 Dr

PARTHENON
6, rue Makri
Tél. 92 34 594
Fax 92 15 569
Hôtel bien tenu, prestations de bonne qualité, accueil sympathique. Installé à l'écart du centre touristique, près de l'arc d'Hadrien.
29 500 Dr

ROYAL OLYMPIC
28-32, rue Diakou
Tél. 92 26 411-3
Un établissement calme au luxe désuet dans le style des années 70. Depuis sa terrasse, la vue sur Athènes est superbe : temple de Jupiter, Acropole, Jardin national. Deux restaurants.
36 000 Dr

BARS, CINÉMAS ET VIE NOCTURNE

HALF NOTE
17, rue Trivorianou, Mets
Tél. 92 32 460
Le meilleur club de jazz.

STADIO
1, rue Markou Moussourou, Mets
Tél. 92 35 818
Fermé dim.
Bar et restaurant près du stade. Ambiance jazz et rock.

◆

AUX ENVIRONS D'ATHÈNES

DAPHNI

MANIFESTATION

FÊTE DU VIN
Parc de Daphni, à l'entrée du monastère
Fête du Vin la plus célèbre de Grèce qui fait accourir des amateurs de toutes régions. Se tient de début août à début septembre. Nombreux spectacles de danse folklorique et dégustation de vins régionaux.

VIE CULTURELLE

MONASTÈRE DE DAPHNI
Route de Corinthe (près du camping)
Tél. 58 11 558
◆ 389

ELEFSINA

VIE CULTURELLE

MUSÉE ET SITE ARCHÉOLOGIQUES D'ÉLEUSIS
Angle rues Iera et Gloka
Tél. (1) 55 46 019
◆ 392

GLYFADA

RESTAURANT

HYDRAGOGHIO
12, rue Ag. Konstantinou
Tél. 89 47 139
Ouvert 20 h 30-0 h 45
Fermé dim. soir
Une majestueuse demeure à la décoration de style byzantin avec fresques, arcades et céramiques anciennes. Beau mobilier en fer forgé et en cuir fait main. Cuisine régionale très soignée : boulettes à l'ouzo «ouzokeftèdhes», poissons et fruits de mer. Vins de petits producteurs.
5 100 Dr-11 300 Dr pour deux personnes.
Vin en sus.

BARS ET VIE NOCTURNE

De nombreux bars, clubs et discothèques se déplacent, en été, du centre d'Athènes jusque sur la plage de Glyfada. Il y est très agréable d'y terminer sa soirée.

HÉBERGEMENT

FENIX HOTEL
1, rue Artemissiou, place Flemming
Tél. 89 81 255
Fax 89 49 122
Grand hôtel moderne en bord de mer avec piscine, restaurant et bar. Grandes chambres dont les balcons donnent sur le large.
22 500 Dr-24 500 Dr

OASIS
27, av. Vass. Georgiou
Tél. 89 41 662
Fax 89 41 724

Des appartements très bien équipés avec balcons donnant sur le golfe Saronique, à 150 m de la plage de Glyfada. Deux piscines, dont une réservée aux enfants. Restaurant et bar.
23 000 Dr-36 000 Dr

KAISSARIANI

VIE CULTURELLE

MONASTÈRE DE KAISSARIANI
À 7 km d'Athènes
Tél. 72 36 619
◆ 389

KIFISSIA

VIE CULTURELLE

MUSÉE D'HISTOIRE NATURELLE
13, rue Levidou
Tél. 80 86 4 05
Ouvert 9 h-14 h
Fermé lun. et ven.

RESTAURANT

VARDIS
66, rue Dilighiani, Kefalari
Dans l'hôtel Pentelikon
Tél. 80 80 311
Ouvert 20 h-01 h
Fermé dim. et août
Le meilleur restaurant français d'Athènes est installé dans un quartier excentré, mais très résidentiel. En été, on dînera dehors, au bord de la piscine, dans un environnement prestigieux et toujours de bon goût. Spécialités de fruits de mer et poissons tels que loup en croûte de sel. Grand choix de vins, français (grands crus) et grecs. Service impeccable. Ambiance plutôt familiale.
8 700 Dr-11 700 Dr, vin 6 000 Dr-140 000 Dr

TAVERNE

BOKARIS
Rue Sokratous
Tél. 80 12 589
Ouverte 19 h 30-03 h
Fermée dim. soir
Dans un superbe jardin, taverne très agréable et cuisine de qualité.
4 500 Dr-11 250 Dr

HÉBERGEMENT

LE PENTELIKON
66, rue Dilighiani, Kefalari
Tél. 80 80 311-7
Fax 80 106 52
Palace de style néoclassique datant de 1929. Parc arboré, terrasses, tennis, proche du centre ville, des restaurants et des cafés de Kifissia.
73 000 Dr, petit déj. 3 500 Dr-5 000 Dr

MARATHON

INDICATIF TÉL. (294)

CODE POSTAL 19007

MAIRIE tél. 66 282

VIE CULTURELLE

MUSÉE DE MARATHON ET TUMULUS
Tél. 55 155
◆ 392

RESTAURANT

TO LIMANAKI
Plage de Timvos
Tél. 55 306
Ouvert 10 h-24 h
Sur cette plage populaire située à quelques minutes du Tumulus, «timvos», de Marathon, se succèdent de nombreuses tavernes et «ouzeri». Celle-ci est très typique. Spécialités : poissons et fruits de mer.
2 500 Dr-4 000 Dr

HÉBERGEMENT

MARATHON
Plage deTimvos
Tél. 55 122
Fax 55 222
Les coureurs à pied le savent bien : il faut 42 km et quelques pour se rendre d'Athènes à Marathon où cet hôtel années 50 possède le charme un tantinet suranné des édifices de cette époque. Accueil attentionné.
7 700 Dr-8 600 Dr

LE PIRÉE

VIE PRATIQUE

CODES POSTAUX
18531 à 18539

CAPITAINERIE DU PIRÉE
Tél. 45 11 310-17
et 42 26 000-4

CAPITAINERIE DU PIRÉE-ZEA
Tél. 41 38 321-4

OFFICE DE TOURISME
Marina Zeas
Tél. 41 35 716
Fax 45 13 623

VIE CULTURELLE

MUSÉE ARCHÉOLOGIQUE DU PIRÉE
31, rue Harilaou Trikoupi
Tél. 45 21 598
◆ 392

MUSÉE MARITIME
Akti Themistokleous, Phreatida
Tél. 45 16 264
◆ 392

RESTAURANTS

ACHINOS
51, Akti Themistokleous, Phreatida
Tél. 45 26 944
Ouvert 12 h-02 h, ven. et sam. 12 h-03 h
Planté sur la plage de Phreatida à 500 m de la marina de Zea, ce vieux bâtiment en pierre a ses fenêtres peintes en bleu Cyclade et son intérieur décoré comme ces maisons simples des îles. Tout y est frais, lumineux et très animé : musique grecque et «rembetiko» le vendredi et le samedi. Nombreuses petites assiettes de type mezze : coquillages et fruits de mer, spécialité de «bourloto» (pastourma accompagné de feta).
4 000 Dr-6 000 Dr
Boissons en sus.

VAROULKO
14, rue Delighiorgi
Tél. 41 12 043
Ouvert 20 h 30-01 h
Fermé dim. et 15 août-15 sep.
Ce restaurant spécialisé dans les produits de la mer s'est amarré dans une maison néoclassique du centre du Pirée pour ne plus en bouger. Il est devenu une véritable institution, aussi immuable, dans la qualité et l'originalité de ses préparations, que dans l'immense variété de sa carte (120 plats) : homard, langouste, crevettes, spécialités de lotte. Les conseils du patron sont donc indispensables.
4 500 Dr-7 300 Dr
Vin en sus.

HÉBERGEMENT

PARK
103, rue Kolokotroni et Glatstonos
Tél. 45 24 611-4
Fax 45 24 615
Sur une place du centre ville, proche du port, cet hôtel moderne est cependant calme. Bon accueil. Bar, restaurant, terrasse agréable.
20 800 Dr- 22 500 Dr

SAVOY
93, av. Iroon Polytechniou, Vrioni
Tél. 42 84 580
Fax 42 84 588
Établissement moderne bien situé entre les deux ports d'Akti Miaouli et de Zea. Chambres confortables avec balcon. Bar et restaurant.
23 000 Dr-24 000 Dr

RHAMNONTE (RAMNOUS)

INDICATIF TÉL. (294)

VIE CULTURELLE

SITE ARCHÉOLOGIQUE DE RHAMNONTE
Kato Souli
Tél. 69 477
◆ 392

SOUNION (CAP)

INDICATIF TÉL. (292)

VIE CULTURELLE

TEMPLE DE POSÉIDON
Tél. 39363
◆ 392

HÉBERGEMENT

BELVÉDÈRE PARK
Cap Sounion
Tél. 39 102
Hôtel et bungalows, situés sur les hauteurs dans un jardin. Tennis, golf, restaurant, discothèque, bar. À 10 min à pied de la plage. Bon accueil dans un cadre superbe.
15 000 Dr-25 000 Dr

VOULIAGMENI

INDICATIF TÉL. (1)

HÉBERGEMENT

ARMONIA PARADISE
1, rue Armonias
Tél. 89 60 105
Fax 89 63 698
Dans une pinède bordant la fameuse plage de Vouliagmeni, deux bâtiments de construction récente offrent des chambres spacieuses avec vue sur mer. Piscine, jardin d'enfants, restaurant et bars.
28 800 Dr-38 500 Dr

ASTIR PALACE
Péninsule de Vouliagmeni
Tél. 89 60 211
Fax 89 62 582
Un des ensembles hôteliers d'Attique les plus célèbres et les plus appréciés des chefs d'État invités sur le territoire hellène. Trois bâtiments luxueux et modernes érigés sur un terrain immense et luxuriant, deux plages privées, piscine, restaurants et bar.
52 000 Dr-69 000 Dr

MARGI HOUSE
11, rue Letous
Tél. 89 62 061-6
Fax 89 60 229
Hôtel de luxe moderne doté d'un grand jardin exubérant creusé d'une piscine, à 100 m de la plage. Bar et restaurant.
26 500 Dr-31 500 Dr

VRAVRONA (BRAURON)

INDICATIF TÉL. (294)

CODE POSTAL 19003

VIE CULTURELLE

SITE ET MUSÉE ARCHÉOLOGIQUE DE VRAVRONA
Tél. 27 020
◆ 392

HÉBERGEMENT

MARE NOSTRUM
Près du site archéologique
Tél. 48 412
Fax 47 790
Un hôtel et un village de bungalows en bordure de la plage de sable. Restaurant, taverne, piscines enfants et adultes, tennis.
14 000 Dr-21 000 Dr

TAVERNE

HYPPOLITOS
Paralia Loutsas
Tél. 28 342
Une taverne les pieds dans l'eau proposant, évidemment, poisson et fruits de mer.
4 000 Dr-5 000 Dr

ANCIENNE CORINTHE

INDICATIF TÉL. (741)

CODE POSTAL 20007

VIE CULTURELLE

MUSÉE DE L'ANCIENNE CORINTHE
À 6 km de Corinthe, près du site
Tél. 31 207
◆ 392

SITE ARCHÉOLOGIQUE D'ACROCORINTHE (AKROKORINTHOS)
Tél. 31 443
◆ 392

MUSÉE DE L'ISTHME
Tél. 37 244
◆ 392

TAVERNE

DIONYSSOS
Sur la place
Tél. 31 015
Ouvert 10 h-01 h
Terrasse très agréable et charmant accueil. Le soir, ambiance chaleureuse. Spécialités : fromage frit, «saganàki», viande à la broche.
2 000 Dr-3 250 Dr

HÉBERGEMENT

PENSION TASSOS
À l'entrée du village
Tél. 31 225
Pension traditionnelle, à 500 m du site archéologique. Bon accueil, terrasse avec vue sur la place du village ou la Nouvelle Corinthe. Possède une taverne.
6 000 Dr

ANDRITSENA

INDICATIF TÉL. (626)

CODE POSTAL 27061

MAIRIE tél. 22 236

VIE CULTURELLE

TEMPLE DE BASSAE
À 14 km d'Andritsena
◆ 392

HÉBERGEMENT

LE PAN
À l'entrée de la ville
Tél. 22 213
Ouvert toute l'année
Meilleur rapport qualité-prix de la ville, ce petit hôtel familial se trouve à 300 m du centre et des cafés. Très bon accueil.
5 250 Dr
C

ARACHOVA

INDICATIF TÉL. (267)

CODE POSTAL 32004

MAIRIE tél. 31 250

POLICE TOURISTIQUE
Tél. 31 333

HÉBERGEMENT

XENIA
Tél. 31 230-4
Fax 32 175
Au centre ville, une vieille maison traditionnelle en pierre aux chambres spacieuses et bien équipées. Belle vue sur le mont Parnasse. Grande salle de restaurant avec cheminée.
10 000 Dr-22 000 Dr

TAVERNE

LAKA
Sur la place principale
Tél. 31 628
Ouverte 11 h 30-01 h

Taverne-café-épicerie traditionnelle, bon accueil, cuisine régionale. Spécialités : «formaella» (fromage grillé), soupe de viande, agneau et brebis grillés. 2 000 Dr-3 000 Dr

HÉBERGEMENT

PARNASSOS
À l'entrée du village en venant de Delphes
Tél. 31 307
Fax 31 189
Ouvert toute l'année
Pension de famille traditionnelle à quelques pas du centre, des cafés et des restaurants. Vue sur Itea et le golfe de Corinthe. Salle de bains à l'étage seulement. 10 000 Dr

AREOPOLIS

INDICATIF TÉL. (733)

CODE POSTAL 23062

MAIRIE tél. 51 239

HÉBERGEMENT

♥ **LIMENI VILLAGE**
Tél. 51 111-2
Fax 51 182
Greffées sur un piton rocheux plongeant dans la mer à 2 km d'Areopolis, un ensemble de seize tours en pierre typiques de l'architecture magniote, avec petits jardins et balcons, ont été magnifiquement restaurées par le ministère du Tourisme. Le village possède également une piscine, un restaurant et un café en terrasse. Un escalier en pierre conduit à la plage en contrebas. 12 000 Dr-15 000 Dr

PYRGOS KAPETANAKOU
Tél. 51 233
Situé dans la vieille ville, cet hôtel familial a été aménagé dans une très belle tour magniote. 11 000 Dr-14 600 Dr

ARGOS

INDICATIF TÉL. (751)

CODE POSTAL 21200

MAIRIE tél. 66 231

VIE CULTURELLE

MUSÉE D'ARGOS
À 9 km d'Argos
Tél. 28 819
◆ 392

SITE ARCHÉOLOGIQUE DE LARISSA
Tél. 47 597
Ouvert 8 h-15 h
Fermé lun.
◆ 392

CORINTHE

INDICATIF TÉL. (741)

CODE POSTAL 20100

VIE PRATIQUE

OFFICE DE TOURISME
33, rue Kolliatsou
Tél. 23 283

HÉBERGEMENT

BELLE VUE
40, rue Damaskinou
Tél. 22 088
À 5 min de la gare, face à la mer et sur la place la plus animée. Chambres sans charme particulier mais pratiques. 4 500 Dr-7 000 Dr

DELPHES

INDICATIF TÉL. (265)

CODE POSTAL 33054

VIE PRATIQUE

OFFICE DE TOURISME
45, rue Apollonos
Tél. 82 220

VIE CULTURELLE

MUSÉE ARCHÉOLOGIQUE DE DELPHES
À l'entrée du site
Tél. 82 312
◆ 392

SITE ARCHÉOLOGIQUE DE DELPHES
Tél. 82 312
◆ 392

RESTAURANT

TOPIKI GHEVSI
19, rue B. Pavlou
Tél. 83 186
Ouvert 7 h 30-24 h
Vue superbe, carte variée et grand choix de vins grecs. Piano-bar le soir. Bonnes spécialités grecques. 3 000 Dr-4 000 Dr

TAVERNE

O BACCHOS
32, rue Apollonos
Tél. 82 448
Ouvert 8 h-01 h
Voilà une taverne très animée où le patron, des plus accueillants, sait créer une chaude ambiance. Service très correct. Huit menus différents. Vue magnifique sur le golfe de Corinthe depuis la terrasse. 2 500 Dr-5 000 Dr

HÉBERGEMENT

AMALIA
Rue Apollonos
Tél. 82 101-5
Fax 82 290
Grand hôtel des années 70, désuet mais charmant, spacieux, confortable et calme. Bars et restaurant. Vue sur le golfe. 25 000 Dr-30 700 Dr

PENSION KOUROS
23, Vassileos Pavlou (face à Zorba's Tavern)
Tél. 82 473
Fax 82 629
Ouvert toute l'année
Hôtel familial très bien tenu. Excellent accueil. Beaucoup de charme et de confort. Prestations rares pour une zone aussi fréquentée. 14 000 Dr

ÉPIDAURE

INDICATIF TÉL. (753)

CODE POSTAL 21054

VIE CULTURELLE

SITE ARCHÉOLOGIQUE D'ÉPIDAURE
À 15 km d'Archaia Epidavros et 4 km de Ligourio
Tél. 22 009
◆ 392

MANIFESTATION

FESTIVAL D'ÉPIDAURE
Théâtre antique d'Épidaure
Tél. 22 066
Représentations fin juin à fin août.

GHYTHION

INDICATIF TÉL. (733)

CODE POSTAL 23200

MAIRIE tél. 22 210

TAVERNE

APHI LAMBROU
Sur le port, face à l'embarcadère
Tél. 22 122
Ouverte 11 h-23 h 30
Terrasse sur la jetée, spécialités de poissons : espadon, «xifias», crustacés. 2 000 Dr-3 000 Dr

HÉBERGEMENT

AKTAEON
Sur la jetée
Tél. 22 294
Ouvert toute l'année
Dans une vieille maison traditionnelle, peu de confort, mais un charme certain. Vue sur le port et chambres ensoleillées. 10 000 Dr-14 000 Dr, petit déj. 1 500 Dr

Hossios Loukas

Indicatif tél. (267)

Vie culturelle

Monastère de Hossios Loukas
Entre Delphes et Thèbes
Tél. 22 797
◆ 392

Hébergement

Koutriaris
6, place Ethnikis Antistassis, Dhistomo
Tél. 22 268
Fax 22 511
Situé à 10 km du monastère de Hossios Loukas et à 8 km de la plage, cet hôtel est bâti sur l'agréable place ombragée du village. Bon accueil. 6 500 Dr, petit déj. 850 Dr

Kalamata

Indicatif tél. (721)

Code postal 24100

Vie pratique

Capitainerie
Tél. 22 218

Office de tourisme
46, rue Aristomenous
Tél. 86 868

Hébergement

Élite Village
2, avenue Navarinou (sur la plage de Kalamata)
Tél. 25 015 et 85 303
Fax 84 369
Ouvert toute l'année
Hôtel moderne de 50 chambres, situé au cœur touristique de la ville. Plage privée, piscine et tennis. 14 000 Dr-27 600 Dr

Kalavryta

Indicatif tél. (692)

Code postal 25001

Mairie tél. 22 223

Police touristique
Tél. 23 333

Vie culturelle

Moni Aghia Lavra
À 7 km de Kalavryta
Tél. 22 363
Ouvert lun.-sam. 10 h-13 h et 14 h-15 h, dim. 10 h-18 h
Très beau monastère et petit musée.

Restaurant

Stani
Tél. 23 000
Ouvert 12 h- 17 h et 19 h-24 h
Près de la place de Kalavryta, restaurant à l'atmosphère montagnarde proposant de la cuisine grecque traditionnelle. 2 000 Dr-5 000 Dr

Hébergement

Fanaras
Tél. 23 665
Ouvert toute l'année
À la sortie de la ville, un bâtiment en pierre rénové dégageant une douceur toute romantique. Belles chambres très calmes avec vue sur la montagne. Animaux acceptés. 18 000 Dr-22 000 Dr

Kyparissia

Indicatif tél. (761)

Code postal 24500

Restaurant

Saint Nektanos
Kyparissia Beach
Tél. 24 881
Ouvert 12 h-23 h
L'un des rares de la ville. Tout près de l'hôtel Kyparissia Beach. Terrasse ombragée près de la mer. Très bon accueil.

Hébergement

Kyparissia Beach
Bord de plage
Tél. 24 492-4
Fax 24 495
Ouvert toute l'année
Donnant sur la plage, confort moderne pour cet hôtel récent. Bar, taverne à proximité, bon accueil. 9 000 Dr-14 000 Dr

Kythira

Indicatif tél. (735)

Code postal 80100

Vie pratique

Capitainerie
Tél. 33 280

Police touristique
Tél. 31 206

Hébergement

Porto Delfino
Kapsali
Tél. 31 940-1
Fax 31 939
Fermé 1er oct.-15 avr.
À l'entrée de Kapsali et à 200 m de la plage, quatre bâtiments de deux étages avec jardins surplombant la mer. Chambres avec balcon. Restaurant. 14 000 Dr-20 000 Dr

Loutraki

Indicatif tél. (744)

Code postal 20300

Vie pratique

Office de tourisme
7, rue Elef. Venizelou
Tél. 42 258

Taverne

Remezo
8, rue Korinthou
Tél. 21 500
Ouverte 11 h-15 h et 19 h-24 h
Au centre ville, mais néanmoins proche de la mer, taverne familiale sous la tonnelle. Spécialités grecques variées : crêpes aux fruits de mer, coquillages, poissons. 2 500 Dr-5 000 Dr

Hébergement

Aguelidis Palace
19, rue G. Lekka
Tél. 28 231
Fax 66 164
Ouvert toute l'année
Petit palace au bord de l'eau de style balnéaire 1900, architecture et décoration néoclassiques. Bar et restaurant. 15 000 Dr-24 000 Dr

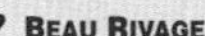

♥ **BEAU RIVAGE**
1, rue Possidonos
Tél. 22 323
Fax 21 128
Fermé de nov. à mars
Charmant hôtel début de siècle sur le front de mer. Confortable et accueillant. Très bon rapport qualité-prix.
15 000 Dr-20 000 Dr, petit déj. 750 Dr

METHONI

INDICATIF TÉL. (723)

CODE POSTAL 24006

MAIRIE tél. 31 255

TAVERNE

KLIMATARIA
Plage de Methoni
Tél. 31 544
Ouverte 9 h 30-24 h
Fermée le soir en hiver

Taverne agréable et fraîche établie au bord de la plage et à proximité du site archéologique. Spécialités : poissons, vin rosé de Methoni, tarte à l'oignon.
2 000 Dr-5 000 Dr

HÉBERGEMENT

CASTELLO
Au centre du village
Tél. 31 300
Fermé nov.-avr.
Un hôtel familial très bien tenu, éloigné de 300 m seulement de la plage et du site archéologique. Rénovation récente, bon accueil et confort.
Beau jardin planté et fleuri. Quelques chambres offrent une vue directe sur le site.
7 500 Dr-9 500 Dr, petit déj. 700 Dr

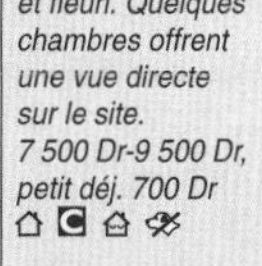

MONEMVASSIA

INDICATIF TÉL. (732)

CODE POSTAL 23070

VIE PRATIQUE

CAPITAINERIE
Tél. 61 266

POLICE TOURISTIQUE
Tél. 61 210

RESTAURANT

MARIANTHI
Vieille ville
Tél. 61 371
Ouvert 12 h 30-24 h
Difficile de ne pas trouver de maison ancienne à Monemvassia. Ici, la patronne est en cuisine : «dholmadhes», feuilles de vigne farcies au riz et à la viande, «kokkinisto», viande avec sauce à la tomate. Vin maison.
2 500 Dr-4 000 Dr

HÉBERGEMENT

ANO MALVAZIA
Vieille ville
Tél. 61 323
Ouvert toute l'année
Établie dans une belle rue à arcades, une ancienne maison de maître médiévale rénovée avec beaucoup de goût. Chambres spacieuses.
Autour de 25 000 Dr

♥ **KELIA**
Vieille ville
Tél. 61 520
Ouvert toute l'année
Près de l'église Panaghia Xhrissofiotissa devant la grande Dapia (place), onze cellules de l'ancien monastère byzantin reconverties (par l'office de tourisme) en chambres sobres et accueillantes. Pour les amateurs de lieux chargés d'histoire à l'âme forte. Repos médiéval garanti.
14 100 Dr-16 500 Dr

MYCÈNES

INDICATIF TÉL. (751)

CODE POSTAL 24006

VIE CULTURELLE

SITE ARCHÉOLOGIQUE DE MYCÈNES
À 13 km d'Argos
Tél. 76 585
◆ 392

MYSTRA

INDICATIF TÉL. (731)

CODE POSTAL 23100

VIE CULTURELLE

SITE ARCHÉOLOGIQUE ET MUSÉE DE MYSTRA
Tél. 25 363
◆ 392

RESTAURANT

TO KASTRO
En bas du village
Tél. 93 526
Ouvert 11 h 30-15 h 30 et 18 h 30-24 h
Restaurant classique. À le mérite d'être proche du site archéologique.
3 000 Dr-4 000 Dr

NAUPLIE (NAFPLIO)

INDICATIF TÉL. (752)

CODE POSTAL 21100

VIE PRATIQUE

CAPITAINERIE
Tél. 22 974

OFFICE DE TOURISME
Place Ethnosinelefseos
Tél. 28 131

VIE CULTURELLE

MUSÉE DE NAUPLIE
Place Syntagma
Tél. 27 502
◆ 392

FORTERESSE PALAMÈDE
Accès par les escaliers de la place Nikitara
Tél. 28 036
◆ 392

TAVERNES

♥ **KALAMARAKIA**
42, Papanikolaou
Tél. 28 562
Ouverte 10 h-24 h
Dans une petite rue calme de la vieille ville. Taverne avec terrasse et jardin intérieur. Très bon accueil. Incontournable. Spécialités de «kalamarakia», petits calamars, poissons grillés et brochettes.
2 000 Dr-3 000 Dr

SAVOURAS
5, rue Bouboulinas
Ouverte 19 h-01 h
Taverne chaleureuse et bonne cuisine. Spécialités : calamars, poissons grillés.
3 000 Dr-4 000 Dr

HÉBERGEMENT

♥ KING OTHON
3, rue Farmakopoulo
Tél. 27 585
Hôtel calme dans la vieille ville, bâtisse du début du siècle avec jardin. Terrasse ombragée. Beaucoup de charme. Très bon rapport qualité-prix.
6 000 Dr-9 000 Dr

XENIA'S PALACE
Colline d'Akronafplia
Tél. 28 981
Fax 28 987
Grand hôtel luxueux, situé au pied de la colline d'Akronafplia. Vue superbe sur la rade et la vieille ville. Restaurants, bungalows, plage privée, night-club.
36 000 Dr-42 000 Dr en demi-pension

NÉMÉE

INDICATIF TÉL. (746)

CODE POSTAL 20500

VIE CULTURELLE

SITE ET MUSÉE DE NÉMÉE
Tél. 22 739
◆ 392

OLYMPIE

INDICATIF TÉL. (624)

CODE POSTAL 27065

VIE PRATIQUE

OFFICE DE TOURISME
13, rue Douma
Tél. 22 550

VIE CULTURELLE

MUSÉE ARCHÉOLOGIQUE
Tél. 22 742
◆ 392

SITE ARCHÉOLOGIQUE D'OLYMPIE
Tél. 22 517
◆ 392

MUSÉE DES JEUX OLYMPIQUES
Tél. 22 544
◆ 392

TAVERNE

PRAXITELIS
Rue Spiliopoulou
Tél. 23 570
Ouverte 11 h-15 h et 17 h-24 h
Taverne de bonne qualité et bon marché située dans une rue très calme. Spécialité de lapin grillé.
2 000 Dr-3 000 Dr

HÉBERGEMENT

EVROPI
1, rue Drouva
Tél. 22 650
Fax 23 166
Petit hôtel spacieux et confortable offrant une jolie vue sur le site archéologique. Restaurant.
20 000 Dr-30 000 Dr

OROPOS

INDICATIF TÉL. (295)

CODE POSTAL 19015

VIE CULTURELLE

SITE ARCHÉOLOGIQUE DE L'AMPHIAREION
Tél. 62 144
◆ 392

PATRAS

INDICATIF TÉL. (61)

CODE POSTAL 26500

VIE PRATIQUE

CAPITAINERIE
Tél. 341 002

OFFICE DE TOURISME
27, rue Filopimenos
Tél. 621 992

VIE CULTURELLE

MUSÉE ARCHÉOLOGIQUE
Tél. 275 070
◆ 392

NAUPLIE

TAVERNES
1. KALAMARAKIA
2. SAVOURAS

HÔTELS
3. KING OTHON
4. XENIA'S PALACE

RESTAURANT

EVANGUELATOS
Rue Aghiou Nikolaou
Tél. 277 772
Ouvert 18 h-24 h
Restaurant traditionnel de grande qualité. Un des plus vieux de Patras.
2 500 Dr-5 000 Dr

HÉBERGEMENT

ASTIR
19, rue Aghiou Andreou
Tél. 277 502
Fax 271 644
Cet hôtel datant des années 70 est le grand hôtel de Patras, proche du port, des commerces, cafés, banques et agences de voyages. Bar, terrasse.
20 000 Dr

PORTO RIO
Plage de Rio
Tél. 992 102
Fax 992 115
Fermé nov.-mars
Complexe touristique moderne doté d'un hôtel et de bungalows à 8 km de Patras, près du site archéologique. Large éventail d'activités sportives, restaurants, terrasses et jardins.
16 000 Dr-28 800 Dr

PYLOS

INDICATIF TÉL. (723)

CODE POSTAL 24001

MAIRIE tél. 22 221

VIE CULTURELLE

CHÂTEAU DE NAVARIN
Tél. 25 363
Ouvert 8 h 30-15 h
Fermé lun.

PALAIS DE NESTOR
À 14 km de Pylos
Tél. 31 437
Ouvert 8 h 30-15 h
Fermé lun.

MUSÉE ARCHÉOLOGIQUE
4 km du palais de Nestor
Tél. 22 438
◆ 392

TAVERNE

4 EPOXHÈS (LES 4 SAISONS)
Sur le front de mer, à l'extrémité du village
Ouverte 18 h-24 h
Proche du site et de l'hôtel Karalis, cette taverne typique propose un grand choix de poissons et coquillages.
2 200 Dr-4 000 Dr

HÉBERGEMENT

KARALIS BEACH
Sur le front de mer
Tél. 22 960
Fax 22 970
Au pied du château de Navarin. Bon accueil, plage et mouillage, restaurant, calme.
15 000 Dr environ

SPARTE

INDICATIF TÉL. (731)

CODE POSTAL 23100

VIE PRATIQUE

OFFICE DE TOURISME
8, rue Hilonos
Tél. 26 772

VIE CULTURELLE

MUSÉE ARCHÉOLOGIQUE
Rue Dionyssiou Daphni
Tél. 23 315
Ouvert 8 h 30-15 h
Fermé lun.

RESTAURANT

DIONYSSOS
Route de Mystra, à 1 km
Tél. 25 050
Ouvert 8 h 30-24 h
Très bonne cuisine grecque recherchée et originale. Décor agréable. Spécialité : poulet Dionyssos.
2 000 Dr-3 000 Dr

HÉBERGEMENT

MENELAION
91, rue Konst. Paleologou
Tél. 22 161-5
Fax 26 332
Bâtiment du début du siècle. Chambres spacieuses. Au centre ville, à 10 min à pied de la vieille Sparte. Bar, restaurant.
15 000 Dr-20 000 Dr

THÈBES

INDICATIF TÉL. (262)

CODE POSTAL 32200

VIE CULTURELLE

MUSÉE ARCHÉOLOGIQUE
Place Keramopoulou
Tél. 27 913
◆ 392

TAVERNE

I TAVERNA
64, rue Epaminondas
Ouverte 10 h-15 h 30 et 17 h-24 h
Au centre ville, dans la rue commerçante, proche du marché et des cafés populaires. Taverne récente et bien tenue.
1 500 Dr-3 500 Dr

TIRYNTHE

INDICATIF TÉL. (752)

VIE CULTURELLE

SITE ARCHÉOLOGIQUE
Tél. 22 657
◆ 392

HÉBERGEMENT

AMALIA
Nea Tiryntha
À 3 km de Nauplie
Tél. 24 401
Fax 24 400
Un hôtel récent de style néoclassique situé près du bord de mer, à l'écart de la ville. Bon accueil. Restaurant, bar, jardin.
25 200 Dr-30 800 Dr

TRIPOLIS

INDICATIF TÉL. (71)

CODE POSTAL 22100

VIE PRATIQUE

OFFICE DE TOURISME
7, place Georgiou
Tél. 239 392

VIE CULTURELLE

MUSÉE ARCHÉOLOGIQUE
6, rue Evanguelistrias
Tél. 242 148
◆ 392

HÉBERGEMENT

GALAXY
Place Aghiou Georgiou
Tél. 225 195-6
Fax 225 197
Un hôtel sans charme particulier, mais bien situé sur la place de la cathédrale et proche du bazar. 10 900 Dr, petit déj. 100 Dr

XYLOKASTRON

INDICATIF TÉL. (743)

CODE POSTAL 20400

HÉBERGEMENT

HERMÈS
95, rue Ioannou
Tél. 22 250
Petit hôtel familial établi à l'entrée de la ville, près de la plage. Bon accueil. jolie terrasse ombragée. 7 000 Dr-8 000 Dr

ÉGINE

INDICATIF TÉL. (297)

CODE POSTAL 18010

VIE PRATIQUE

CAPITAINERIE
Tél. 32 358

OFFICE DE TOURISME
Rue Paraliaki
Tél. 22 100 et 23 243

VIE CULTURELLE

MUSÉE D'ÉGINE
Tél. 22 248
◆ 392

TEMPLE D'APHAIA
Tél. 32 398
◆ 392

TAVERNE

DIONYSSOS
40, rue Pan. Irioti
Tél. 24 521
Ouverte 11 h-24 h
Petit restaurant du marché. On y déguste, à l'ombre, d'excellents poissons et fruits de mer. 2 000 Dr-3 000 Dr

HÉBERGEMENT

AVRA
2 km en dir. de Perdhika
Tél. 22 303
Fax 23 917
Petit hôtel en bord de mer, ce qui est parfait pour son restaurant de poissons. 13 000 Dr, petit déj. 1 000 Dr

HYDRA

INDICATIF TÉL. (298)

CODE POSTAL 18040

VIE PRATIQUE

CAPITAINERIE
Tél. 52 279

OFFICE DE TOURISME
Rue Navarhou N. Votsi
Tél. 52 205

TAVERNE

KONDILENIAS
À droite du port d'Hydra
Ouverte 11 h-15 h et 18 h-24 h
Marchez 10 min environ pour trouver cette charmante taverne surplombant un petit port, face à la mer. Spécialités de gambas au fromage. 4 000 Dr-11 000 Dr

HÉBERGEMENT

♥ **BRATSERA**
À deux pas du port
Tél. 53 971
Fax 53 625
Fermé 15 nov.-15 déc.
Intelligence de l'espace et bon goût se sont conjugués pour transformer cette ancienne fabrique d'éponges en havre charmant. Les chambres, meublées de beaux lits à baldaquin, évoquent les maisons cossues des îles : vastes, raffinées, claires. Le jardin est un bijou. Belle piscine. 20 000 Dr-29 000 Dr

POROS

INDICATIF TÉL. (298)

CODE POSTAL 18020

VIE PRATIQUE

CAPITAINERIE
Tél. 22 247

OFFICE DE TOURISME
Rue Aghiou Nikolaou
Tél. 22 462

TAVERNE

TOU SOTIRI
Sur le port, à droite
Tél. 22 407
Décor original de style marin, terrasse ombragée. Bonne cuisine : porc aux oignons, agneau à l'étouffée. 2 000 Dr-4 500 Dr environ

HÉBERGEMENT

SARON
Sur la jetée
Tél. 22 279
Fax 23 670
Fermé nov.-mars
En plein centre du village, hôtel au charme désuet. Chambres agréables avec vue sur la mer et le port, très animé en haute saison. Bon accueil et bon rapport qualité-prix. 9600 Dr, petit déj. 1 000 Dr

SALAMINE

INDICATIF TÉL. (1)

CODE POSTAL 18900

POLICE TOURISTIQUE
Tél. 46 51 100

TAVERNE

O CHRISTOS
Plage Adriresti, peu avant Aghios Nikolaos
Ouverte 11 h-23 h
Surplombant la mer, près de la plage. Spécialité : poissons frits. 2 000 Dr-4 000 Dr

SPETSES

INDICATIF TÉL. (298)

CODE POSTAL 18050

VIE PRATIQUE

CAPITAINERIE
Tél. 72 245

OFFICE DE TOURISME
Place Dapias
Tél. 73 744

RESTAURANT

MOURAYO
Palio Limani
Tél. 73 700
Ouvert de 21 h à l'aube
Fermé hors saison
Restaurant isolé avec terrasse sur la mer. Musique des années 60 et «rembetiko» après 2 h du matin : ambiance chaude jusqu'au lever du soleil. Très coté. Bon accueil. Cuisine française 4 000 Dr-5 000 Dr

HÉBERGEMENT

♥ **HOTEL POSSIDONION**
À droite du port
Tél. 72 308
Fax 72 006
Fermé nov.-mai
Hôtel de style néoclassique magnifiquement décoré ; possède un salon de musique et un jardin-terrasse face à la mer. Accueil très attentionné. Bon rapport qualité-prix. 20 000 Dr-22 000 Dr

ANNEXES

◆ **MYTHOLOGIE** ◆

◆ BONNARD (A.) : *Les Dieux de la Grèce.* Aire, 1990.
◆ CALAME (C.) : *Thésée et l'imaginaire athénien.* Payot, 1990.
◆ DESAUTELS (J.) : *Dieux et mythes de la Grèce ancienne.* Presse U. Laval, 1989.
◆ GRIMAL (P.) : *Dictionnaire de la mythologie grecque et romaine.* PUF, 1990.
◆ PINSENT (J.) : *Dieux et déesses de l'Olympe.* Laffont, 1988.
◆ SCHMIDT (N.) : *Dictionnaire de la mythologie grecque et romaine.* Larousse, 1991.

◆ **PHILOSOPHIE** ◆

◆ ARISTOTE : *Poétique.* Le Livre de Poche classique, 1990. *Rhétorique des passions.* Rivages, 1989.
◆ CHATELET (F.) : *Histoire de la philosophie. 01 La philosophie païenne du VIe siècle av. J.-C. au IIIe siècle ap. J.-C.* Hachette, 1972.
◆ CHATELET (F.) : *Périclès et son siècle.* Complexe, 1990.
◆ PLATON : *Œuvres.* Garnier, 1939.
◆ VERNANT (J.-P.) : *Les Origines de la pensée grecque.* PUF, 1990.

◆ **RELIGION** ◆

◆ BRUIT-ZAIDMAN (L.), SCHMITT-PANTEL (P.) : *La Religion grecque.* Armand Colin, 1989.
◆ GERNET (L.) : *Le Génie grec dans la religion.* Albin Michel, 1970.
◆ ROBERT (F.) : *La Religion grecque.* PUF, 1984.
◆ TIMIADIS (E.) : *Le Monachisme orthodoxe.* Buchet-Chastel, 1981.
◆ VERNANT (J.-P.) : *Mythe et religion en Grèce ancienne.* Découverte, 1974.

◆ **TRADITIONS** ◆

◆ LOSFELD (G.) : *Essai sur le costume grec.* De Boccard, 1977.
◆ PAPAMANOLI-GUEST (A.) : *Grèce : fêtes et rites.* Denoël, 1991.
◆ PARADISSIS (C.) : *Cuisine grecque.* Efstathiadis groupe.

◆ **HISTOIRE ANCIENNE** ◆

◆ *Atlas du monde grec.* Nathan, 1982.
◆ BENOIST-MECHIN (J.) : *Alexandre le Grand ou le rêve dépassé.* Perrin, 1976.
◆ BRANIGAN (K.), VICKERS (M.) : *La Grèce antique.* Armand Colin, 1981.
◆ CHARBONNEAUX (J.), MARTIN (R.), VILLARD (F.) : *Grèce hellénistique.* Gallimard, 1970.
◆ DELCOURT-CUVERS (M.) : *Périclès.* Gallimard, 1940.
◆ DUCREY (P.) : *Guerres et guerriers dans la Grèce antique.* Payot, 1985.
◆ DRUON (M.) : *Alexandre le Grand.* Plon, 1969.
◆ EFFENTERRE (H. van) : *La Cité grecque : des origines à la défaite de Marathon.* Hachette, 1985.
◆ FAURE (P.) : *La Vie quotidienne en Grèce au temps de la guerre de Troie.* Hachette, 1975.
◆ FLACELIERE (R.) : *La Vie quotidienne en Grèce au siècle de Périclès.* Hachette, 1959.
◆ FINLEY (M. I.) : *Les Anciens Grecs.* La Découverte, 1981. *Le Monde d'Ulysse.* Seuil, 1990. *Les Premiers Temps de la Grèce : l'âge du bronze et l'époque archaïque.* Flammarion, 1968.
◆ FUSTEL DE COULANGES (D.) : *La Cité antique.* Flammarion, 1984.
◆ GLOTZ (G.) : *La Cité grecque.* Albin Michel, 1968.
◆ HATZFELD (J.) : *Histoire de la Grèce ancienne.* Paris, 1969.
◆ HÉRODOTE : *Histoires.* Bonnot J., 1975.
◆ LÉVÊQUE (P.) : *L'Aventure grecque.* Armand Colin, 1986.
◆ LOUIS (P.) : *Vie d'Aristote (384-322 av. J.-C.).* Hermann, 1990.
◆ MOSSÉ (C.) : *La Grèce ancienne.* Seuil, 1986. *La Grèce archaïque d'Homère à Eschyle : 8e-6e siècles av. J.-C.* Seuil, 1984. *Histoire d'une démocratie : Athènes.* Seuil, Points Histoire, 1980.
◆ PAUSANIAS (P.) *Description de l'Attique.* La Découverte, 1983.
◆ POLIGNAC (F. de) : *La Naissance de la cité grecque.* La Découverte, 1984.
◆ ROUSSEL (P.) : *Sparte.* De Boccard, 1960.
◆ THUCYDIDE : *Histoire de la guerre du Péloponnèse.* Flammarion, G.F., 1991.
◆ VANNIER (F.) : *Le Quatrième Siècle grec.* Armand Colin, 1983.
◆ VIDAL-NAQUET (P.) : *La Démocratie grecque vue d'ailleurs.* Flammarion, 1990.

◆ **HISTOIRE MODERNE** ◆

◆ ATHÈNES PRESSE LIBRE : *Le Livre noir de la dictature en Grèce.* Seuil, 1988.
◆ RAYMOND (J.-F. de) : *La Grèce de Gobineau, ministre de l'empereur à Athènes (1864-1868).* Belles Lettres, 1985.
◆ ROMILLY (J. de) : *Problèmes de la démocratie grecque.* Presses-Pocket, 1986.
◆ TSATSOS (J.) *Grèce 1941-1944 : journal de l'occupation.* Baconnière, 1967.
◆ VACOPOULOS (A.) : *Histoire de la Grèce moderne.* Horvath, 1981.

◆ **CIVILISATION** ◆

◆ BOULANGER (N.) et SANDRIN (P.) : *L'Antiquité dévoilée par ses usages.* Belles Lettres, 1979.
◆ BROWN (P.) : *La Société et le sacré dans l'Antiquité.* Seuil, 1985.
◆ CHAMOUX (F.) : *La Civilisation grecque à l'époque archaïque et classique.* Arthaud, 1963. *La Civilisation hellénistique.* Arthaud, 1985.
◆ COGNE (C.) : *Grèce.* Éditions Autrement, série Monde n°39, 1989.
◆ DELVOYE (C.), ROUX (G.) : *La Civilisation grecque de l'Antiquité à nos jours.* Renaissance du livre, 1969.
◆ EFFENTERRE (H. van) : *Les Égéens : aux origines de la Grèce : Chypre, Cyclades, Crète et Mycènes.* Armand Colin, 1966. *Mycènes, vie et mort d'une civilisation.* Errance, 1985.
◆ HANDMAN (M.-E.) : *La Violence et la ruse : Hommes et femmes dans un village grec.* Edisud, 1983.
◆ LÉVÊQUE (P.) : *Le Monde hellénistique.* Armand Colin, 1983.
◆ MAZEL (J.) : *Les Métamorphoses d'Éros : l'amour dans la Grèce antique.* Presses de la Renaissance, 1984.
◆ MEIER (C.) : *De la tragédie grecque comme art politique.* Belles Lettres, 1991.
◆ MOSSÉ (C.) : *La Femme dans la Grèce antique.* Albin Michel, 1989.
◆ OZANNE (I.) : *Les Mycéniens : pillards, paysans et poètes.* Errance, 1990.
◆ PRÉAUX (C.) : *Le Monde hellénistique : La Grèce et l'Orient de la mort d'Alexandre à la conquête romaine de la Grèce.* PUF, 1990.
◆ RACHET (G. et M.-F.) : *Dictionnaire de la civilisation grecque.* Larousse, 1968.
◆ ROSTOVTSEFF (M. I.) : *Histoire économique et sociale du monde hellénistique.* Laffont, 1989.
◆ SLESIN (S.), CLIFF (S.), ROZENSZTROCH (D.) : *L'Art de vivre en Grèce.* Flammarion, 1990.
◆ TAPLIN (O.) : *Les Enfants d'Homère : l'héritage grec et l'Occident.* Laffont, 1990.
◆ TREUIL (R.), DARCQUE (P.), POURSAT (J.-C.), TOUCHAIS (G.) : *Les Civilisations égéennes du néolithique à l'âge du bronze.* PUF, 1990.
◆ VASSILIS (A.) : *Les Grecs d'aujourd'hui.* Balland, 1979.
◆ VERNANT (J.-P.) : *Mythe et pensée chez les Grecs : études de psychologie historique.* Découverte, 1988. *Mythe et société en Grèce ancienne.* Découverte, 1974.

◆ **GUIDES** ◆

◆ ANDRONICOS (M.) : *L'Acropole : monuments et musée.* Athenon, Errance, 1989.
◆ DOUSKOU (I.): *Athènes : la ville et ses musées.* Athenon, Errance, 1989.
◆ *Le Grand Guide d'Athènes.* Gallimard, 1991.
◆ *Le Grand Guide des îles grecques.* Gallimard, 1991.
◆ IAKOVIDIS (S. E.) : *Mycène, Épidaure, Argos, Tirynthe, Nauplie : guide complet des musées et des sites archéologiques.* Athenon, Errance, 1989.
◆ KARPODINI-DIMITRIADI

(E.) : *Grèce : guide historique illustré des sites archéologiques et des monuments.* Athenon, Errance, 1989.
◆ KARPODINI-DIMITRIADI (E.) : *Les Iles grecques : un guide illustré de toutes les îles grecques.* Athenon, Errance, 1989.
◆ KARPODINI-DIMITRIADI (E.) : *Le Péloponnèse.* Athenon, Errance, 1989.
◆ MYLONAS (G. E.) : *Mycènes : histoire et guide du site.* Athenon, Errance, 1989.
◆ ROLIN (O.) : *Athènes.* Autrement, «Les villes rêvées», 1986.
◆ TATAKI (A. B.) : *Sounion : le temple de Poséidon.* Athenon, Errance, 1989.
◆ THEMELIS (P. G.) : *Delphes : le site archéologique et le musée.* Athenon, Errance, 1989.
◆ YALOURIS (A. et N.) : *Olympie : le musée et le sanctuaire.* Athenon, Errance, 1989.

◆ ARTS ◆

◆ BAELEN (J.) : *La Chronique du Parthénon : guide historique de l'Acropole.* Belles Lettres, 1945.
◆ BOARDMAN (J.) : *L'Art grec.* Thames & Hudson, 1989.
◆ BRUNEAU (P.) : *La Mosaïque antique.* Presse universitaire Paris-Sorbonne, 1987.
◆ CHAMOUX (F.) : *L'Aurige de Delphes.* De Boccard, 1989.
◆ CHARBONNEAUX (J.), MARTIN (R.), VILLARD (F.) : *Grèce archaïque.* Gallimard, «L'Univers des formes», 1984.
◆ CHARBONNEAUX (J.), MARTIN (R.) : *Grèce classique.* Gallimard, «L'Univers des formes», 1983.
◆ COURBIN (P.) : *Céramique géométrique de l'Argolide.* De Boccard, 1966.
◆ DEMARGNE (P.) : *Naissance de l'Art grec.* Gallimard, «L'Univers des formes», 1985.
◆ GINOUVES (R.) : *L'Art grec.* PUF, 1989.
◆ JULLIES (R.) : *La Sculpture grecque de ses débuts à la fin de l'époque hellénistique.* Flammarion, 1976.
◆ LE RIDER (G.) : *Deux trésors de monnaies grecques de la Propontipide.* Maisonneuve J., 1963.
◆ MAFFRE (J.-J.) : *L'Art grec.* Flammarion, «La Grammaire des styles», 1984.
◆ METZGER (A. et H.), SICRE (J.-P.) : *La Beauté nue : quinze siècles de peinture grecque.* Phébus, 1984.
◆ PAPAOIANNOU (K.) : *L'Art grec : les sites archéologiques de la Grèce et de la Grande Grèce.* Citadelles, 1972.
◆ PAPAOIANNOU (K.) : *La Civilisation et l'Art de la Grèce ancienne.* LGF, Biblio Essais, 1990.
◆ POURSAT (J.-Cl.) : *Les Ivoires mycéniens.* École française d'Athènes, 1977.
◆ RACHET (G.) : *Delphes : le sanctuaire d'Apollon.* Laffont, 1985.
◆ RAVAISSON (F.) : *L'Art et les mystères grecs : entretien avec Alain Pasquier.* L'Herne, 1985.
◆ ROLLEY (C.) : *Les Bronzes grecs.* Office du Livre, 1983.
◆ TOUCHEFEU-MEYNIER (O.) : *Thèmes odysséens dans l'art antique.* De Boccard, 1968.

◆ MUSÉES ◆

◆ ANDRONICOS (M.) : *Les Merveilles des musées grecs.* Athenon, Errance, 1989.
◆ COLIGNON (M.) : *Catalogue des vases peints du Musée national d'Athènes.* De Boccard.
◆ *Eros grec : amour des dieux et des hommes.* Catalogue exposition Galeries nationales du Grand-Palais. Musées nationaux, 1989.
◆ KALLIPOLITIS (V.) : *Le Musée national d'Athènes.* Atlas, 1973.
◆ Poursat (J.-C.) : *Catalogue des ivoires mycéniens du Musée national d'Athènes.* École française d'Athènes, 1978.
◆ ROLLEY (C.) : *Musée de Delphes : bronzes.* École française d'Athènes, 1980.

LITTÉRATURE ◆ ANCIENNE ◆

◆ *Anthologie grecque.* 8 vol. Belles Lettres.
◆ ARISTOPHANE : *Théâtre complet.* Garnier-Flammarion; 1990.
◆ ESCHYLE : *Théâtre complet.* Garnier-Flammarion, 1964.
◆ EURIPIDE : *Iphigénie à Aulis, Médée, Andromaque.* Garnier-Flammarion, 1965.
◆ FLACELIERE (R.) : *Histoire littéraire de la Grèce.* Belles Lettres, 1983.
◆ HOMÈRE : *L'Iliade et l'Odyssée.* Garnier, 1988.
◆ SAPHO : *Poèmes et fragments.* L'Age d'Homme, 1991.
◆ SOPHOCLE : *Antigone, Œdipe Roi, Électre.* Garnier-Flammarion, 1964.
◆ VERNANT (J.-P.), VIDAL-NAQUET (P.) : *Mythe et tragédie en Grèce ancienne.* Découverte, 1986.
◆ XÉNOPHON : *Œuvres complètes.* Flammarion, 1967.

LITTÉRATURE ◆ MODERNE ◆

◆ ATHANASSIADIS (N.) : *Au-delà de l'humain.* Albin Michel, 1965. *Une jeune fille nue.* Albin Michel, 1989.
◆ CAVAFY (C.) : *À la lumière du jour.* Fata Morgana, 1990. *Poèmes anciens et retrouvés.* Seghers, 1979.
◆ ELYTIS (O.) : *Axion Esti.* Gallimard, 1987. *Marie des Brumes.* La Découverte, 1982.
◆ FAKINOS (A.) : *L'Aïeul.* Seuil, 1985. *Les Enfants d'Ulysse.* Seuil, 1989.
FRANGIAS (A.) : *L'Épidémie.* Gallimard, 1979.
◆ GRANDMONT (D.) : *37 poètes grecs de l'Indépendance à nos jours.* Harmattan, 1972.
◆ KALLIFATIDES (T.) : *Un long jour à Athènes.* Denoël, 1990.
◆ KARAPANOU (M.) : *Le Somnambule.* Gallimard, 1987.
◆ KAZANTZAKIS (N.) : *Alexis Zorba*, 1946. *Le Christ recrucifié.* Plon, 1988. *Lettre au Gréco.* Plon, 1961. *La Liberté ou la mort.* Presses-Pocket, 1987.
◆ LIBERAKI (M.) : *Trois étés.* Gallimard, 1950.
◆ MILLER (H.) : *Le colosse de Maroussi*, Livre de poche, 1983.
◆ NIKOLAIDIS (A.) : *La Disparition d'Athanase Télédikis.* Belfond, 1981.
◆ PRÉVÉLAKIS (P.) : *Chronique d'une cité*, Gallimard, 1960. *Le Crétois.* Gallimard, 1962.
◆ RITSOS (Y.) : *Erotica.* Gallimard, 1984. *La Maison morte et autres poèmes.* La Découverte, 1987.
◆ ROBERT (F.) : *La Littérature grecque.* PUF, 1979.
◆ SEFERIS (G.) :*Poèmes, 1933-1955.* Mercure de France, 1985.
◆ Taktsis (C.) : *La Petite monnaie.* Gallimard, 1988. *Le Troisième anneau.* Gallimard, 1981.
◆ TSIRKAS (S.) : *Cités à la dérive.* Seuil, Points Roman, 1982. *Printemps perdu.* Seuil, 1982.
◆ VASSILIKOS (V.) : *L'Eau de Kos.* Gallimard, 1980. *Le Fusil-harpon* (nouvelles). Gallimard, 1973. *Rêves diurnes* (nouvelles). Gallimard, 1988. *Z.* Gallimard, 1972.
◆ VENEZIS (I.) : *Terre éolienne.* Gallimard, 1947.
◆ VITTI (M.) : *Histoire de la littérature grecque moderne.* Hatier, 1990.
◆ YOURCENAR (M.) : *La Couronne et la Lyre.* Gallimard, 1979.

RÉCITS, ◆ ESSAIS ◆

◆ BARRES (M.) : *Voyage de Sparte.* Trident, 1987.
◆ BUFFIERE (F.) : *Les mythes d'Homère et la pensée grecque.* Belles Lettres, 1957.
◆ DURRELL (L. G.) : *Les Îles grecques.* Albin Michel, 1979.
◆ FRAISSE (P.), FOUCART (B.), BILLOT (M.-F.), ELMANN (C.) : *Paris-Rome-Athènes : Voyage en Grèce des architectes français au XIXe-XXe siècles.* École nat. sup. des Beaux-Arts.
◆ GERMAIN (G.) : *Homère.* Seuil, «Écrivains de toujours», 1958.
◆ LACARRIÈRE (J.) : *L'Été grec.* Plon, 1976.
◆ LACARRIÈRE (J.) : *En cheminant avec Hérodote: voyage aux extrémités de la terre.* Seghers, 1991.
◆ PITTON DE TOURNEFORT (J.) : *Voyage d'un botaniste : 1. L'Archipel grec.* La Découverte, 1985.
◆ SÉFÉRIS (G.) *Hellénisme et création.* Mercure de France, 1987.
◆ TSIGAKOU (F.-M.) : *La Grèce retrouvée : artistes et voyageurs des années romantiques.* Seghers, 1984.

◆ Table des illustrations

Statère d'Élis : Zeus, milieu du IVe siècle, © Musée d'Olympie.
Discobole, © Musée du Louvre, Paris.
Coureur en arme, © Archéology institut, Tubingen.
Lanceur de disque, détail d'une coupe à figure rouge, Ve siècle av. J.-C., © Musée du Louvre, Paris.
Affiche des premiers Jeux Olympiques d'Athènes en 1896.
360 Rue Kalavrita à Patras, D. R.
Débarcadaire de la Capitainerie du port, D. R.
Patras, carte postale, Coll. EDM.
361 Place Georges Ier, carte postale, D. R.
Port de pêche et de plaisance, Cl. © B. Juge.
Chateau des Tornese, XVIe siècle, village de Kastro, Cl. © B. Juge.
362 Rue Saint Nicolas à Patras, D. R.
Rue Hermès à Patras, D. R.
363 *Broderie*, © Musée naval d'Athènes.
364 Carte de J.-F. Péneau.
Cl. © K. Pittas.
Pour la bataille de Salamine, Musée national historique, Athènes, Cl. B. Hermann.
365 *Monnaie d'Égine*. in *Revue numismatique*, 1865.
Cl. B. Hermann.
Cl. idem.
Temple d'Athéna d'Égine in *Histoire des grecs* de V. Dupuy, 1887.
366 Carte de J.-F. Péneau.
Cl. B. Hermann.
Cl. idem.
367 Cl. B. Hermann.
Écusson d'Hydra, Cl. © S. Nick.
Cl. B. Hermann.
Éleni, Hydra, Cl. © S. Nick.
Carte de J.-F. Péneau.
368 Carte de J.-F. Péneau.
Poros, Cl. B. Hermann.
Portrait de Lascarina Bouboulina, lithographie de Adam Friedel von Friedelsburg, 1827.
Marchand de souvenir à Spetses, Cl. © J.-F. Bonhomme.
Carte de J.-F. Péneau.
370 Vue aérienne de l'Acropole, Cl. © G. A. Rossi.
371 Vue générale d'Athènes, Cl. D. Tsoublekas.
373 Affiche du festival du vin à Daphni, Cl. E. de Pazzis.
374-375 Carte de P.-X. Grézaud.
376-377 Coll. EDM.
378 Plaques de rues, Cl. © M. Kamari et © F. Brosse.
Tickets de bus, Cl. E. de Pazzis.
Funiculaire de Lycabette, Cl. idem.
Arrêt de bus, Cl. © M. Kamari.
Tramway à Athènes, Cl. E. de Pazzis.
379 Enseigne de taxi, Cl. © F. brosse.
Taxi, Cl. E. de Pazzis.
380-381 Carte de P.-X. Grézaud.
381 Cheminée de bateau au Pirée, Cl. B. Hermann.
382 Monnaie grecque, Cl. E. de Pazzis.
383 Enseigne-menu de la taverne Vyzandio à Athènes, Cl. E. de Pazzis.
Épicier rue d'Athéna à Athène, Cl. © S. Nick.
384 Enseigne, Cl. B. Hermann.
Enseigne, Cl. S. Nick.
Cabine téléphonique, Cl. E. de Pazzis.
Téléphone public, Cl. idem.
385 Enseigne de tabac, Cl. © S. Nick.
Enseigne de pharmacie, Cl. © M. Kamari.
Kiosque à journaux, Cl. © idem.
Café Néon à Athènes, Cl. © S. Nick.
389 Carte de P.-X. Grézaud.
386 Érechthéion, Cl. E. de Pazzis.
Figurine de femme en marbre, © Musée d'art cycladique et d'art grec Antique.
Lévrier, © Musée de l'Acropole.
Église à Plaka, Cl. B. Hermann.
387 *Pectoral de Patmos en forme de caravelle*, © Musée Bénaki, Athènes.
Éphèbe d'Anticythère, © Musée national historique, Athènes.
Iconoclaste, © Musée byzantin.
Théseion, Cl. B. Hermann.
390 Théâtre d'Épidaure, Cl. B. Hermann.
Mosaïque d'Hosios Loukas, Cl. B. Hermann.
Tholos du sanctuaire d'Athéna Pronaia à Delphes, Cl. B. Hermann.
La porte des Lions de Mycènes, Cl. idem.
Hodigitria à Mystra, Cl. J.-M. Belmer.
390-391 *L'Hermès de Praxitèle portant Dionysos*, Musée d'Olympie, Cl. © B. Juge.
391 Tirynthe, Cl. B. Hermann.
Temple d'Apollon à Bassae, Cl. © B. Juge.
Daphni, Cl. B. Hermann.
Égine, Cl. idem.
394 Acropole d'Athènes, Cl. © J.-E. Schurr/Cedri.
Gare de Kifissia à Athènes, Cl. B. Hermann.
395 Terrasse de restaurant à Plaka, Cl. © S. Nick.
Marchand de bananes à Monastiraki, Cl. B. Hermann.
Tissu byzantin, Musée byzantin, Cl. idem.
Église Saint-Georges du Lycabette, Cl. E. de Pazzis.
396 Delphes, Cl. B. Hermann.
Acronauplie, Cl. J.-F. Belmer.
397 Odéon à Patras, Cl. B. Hermann.
Église de Sainte-Sophie à Mystra, Cl. © B. Juge.
398 Cl. B. Hermann.
Carte de P.-X. Grézaud.
399 Cl. B. Hermann.
400 Poros, Cl. © K. Pittas
Égine, Cl. B. Hermann.
401 Carte de J.-F. Péneau.
402 Carte de J.-F. Péneau.
405 Mont Taygète, Cl. B. Juge. Grotte de Diros, Cl. J. Brûlé.
406 Acteurs du Théâtre National à Hérodion, Cl. © I. Ioannides et M. Bartzioti.
Palais de la musique, Cl. © D. Tsoublekas.
407 Affiche de carnaval Cl. B. Hermann.
Atelier de carnaval Cl. © D. Tsoublekas.
Carnaval de Patras Cl. © idem.
408 Magasin de vaiselle, Cl. E. de Pazzis.
Vinerie grecque, Cl. E. de Pazzis.
409 Marché, Cl. E. de Pazzis.
Marchand rue Pandroro, Cl. E. de Pazzis.
Artisanat grec, Cl. idem.
410 Café patisserie à Tristrato, Cl. © K. Pittas.
Café en plein air à Plaka, Cl. © idem.
Marchand ambulant à Athènes, Cl. E. de Pazzis.
Marchand de beignets à Athènes, Cl. idem.
Deux enseignes commerciales, Cl. B. Hermann.

Cartes itinéraires : Pierre-Xavier Grézaud, Jean-François Binet et Jean-François Péneau.

Illustrateurs :
Jean-François Binet : 84-89, 94-95, 170-171, 180, 190-193, 210-211, 215, 289, 290, 291, 325, 334.
Pierre-Xavier Grézaud : 12-13, 80-81, 128-129, 178-179, 184-185, 194-195, 200-201, 205, 206, 220, 244-245, 258-259, 264, 296, 300, 309, 317, 322-323, 328, 374-375, 380-381, 389, 398.
Sophie Lavaux : 19, 20, 22-23, 28-29, 30-31, 32-33, 34.
Stéphane Marcie : 78-79, 83, 84-85, 86-87, 196, 197.
Jean-François Péneau : 62-63, 64, 77, 78-79, 82-83, 84-85, 86-87, 90-91, 96, 231, 323, 364, 368, 369, 401, 402.
Maurice Pommier : 370-371, 375, 384, 385.
Philippe Marchand : 26-27, 290.

Cartes P.A.O. : Pierre-Xavier Grézaud.

Abréviations utilisées :
Coll. : collection
Cl. : cliché
ENBA : École nationale des Beaux-Arts
EFA : École française d'Athènes

Nous avons par ailleurs recherché en vain, les héritiers ou éditeurs de certains documents. Un compte leur est ouvert à nos éditions.

◆ A ◆

◆ Acanthe : représentation stylisée du feuillage d'une plante méditerranéenne, décor caractérisque des chapiteaux corinthiens.
◆ Acropole : lieu élevé, colline ou rocher, qu'occupaient les plus importants édifices publics de la cité grecque, protégés par des fortifications.
◆ Acrotère : amortissement composé d'un socle et d'un motif ornemental, au faîte du fronton.
◆ Adyton : salle secrète dont l'accès était réservé aux prêtres.
◆ Agora : place publique où se réunissent les citoyens.
◆ Amphiprostyle (temple) : temple où seules les façades antérieure et postérieure sont pourvues de portiques à colonnes.
◆ Amphithéâtre : édifice à gradins, circulaire ou ovale, où avaient lieu les combats de gladiateurs ou d'animaux.
◆ Amphore : nom générique des vases à anses servant à conserver et à transporter les liquides.
◆ Ante : piliers ou colonnes d'angle, à l'extrémité de la cella d'un temple.
◆ Abside : espace de plan polygonal ou en arc de cercle, s'ouvrant sur un vaisseau, généralement à l'extrémité est de l'église.
◆ Appareil : taille et forme des éléments constitutifs d'un mur. À partir des XIe et XIIe siècles, l'appareil des églises grecques est constitué d'un décor alterné de briques et de moellons.
◆ Aptère (temple) : temple rectangulaire "sans aile", i. e. dépourvu de portiques latéraux.
◆ Arc : courbe d'une voûte, en demi-cercle (plein cintre) ou brisée.
◆ Architrave : partie inférieure de l'entablement, reposant sur les colonnes.
◆ Archivolte : moulure le long de la voussure d'une arcade ou d'un portail.
◆ Atlante : statue d'homme remplaçant une colonne dans le soutien d'un élément d'architecture.
◆ Atrium : cour d'entrée d'un édifice antique ou d'une église paléochrétienne.
◆ Autels antiques : de trois sortes ; Bômos, édicule élevé sur un socle à degré ; Bothros, autel creusé dans le sol et formant une sorte de fosse ; Eschara, autel creux en forme de foyer.

◆ B ◆

◆ Bas-côté : nef parallèle et latérale à la nef centrale.
◆ Basilique : premier modèle des églises chrétiennes, à une ou plusieurs nefs.
◆ Berceau : voûte dont l'arc est en plein cintre.
◆ Bouleutérion : dans la Grèce antique, lieu de réunion des conseils.

◆ C ◆

◆ Caryatide : statue de femme remplaçant une colonne dans le soutien d'un élément d'architecture.
◆ Cavea : partie des gradins d'un théâtre antique où prenaient place les spectateurs.
◆ Cella (ou naos) : principale salle du temple antique, renfermant la statue du culte.
◆ Chapiteau : partie supérieure de la colonne, couronnant le fût.
◆ Cintre : courbe en demi-cercle d'une voûte ou d'un arc.
◆ Cirque : édifice à gradins où se déroulaient les courses de chars ; son plan est un rectangle fermé aux extrémités par deux demi-cercles où s'élèvent les oppidum.
◆ Chœur : espace délimité par une clôture et réservé aux officiants ; comprend généralement l'autel.
◆ Collatéraux : vaisseaux latéraux (bas-côtés) d'une église.
◆ Cordons de dents de scie : corps de moulures découpés en dents de scie et décorant généralement le pourtour des fenêtres des églises byzantines.
◆ Corinthien (ordre) : la base de la colonne comporte une plinthe, un tore, deux scoties entre filets séparées par deux baguettes couplées, et un tore ; le fut est cannelé ; le chapiteau est formé d'une corbeille feuillagée, généralement de feuilles d'acanthes, un abaque (ou tailloir) à cornes ; entre les tiges terminées en volutes (les crosses), monte une tige portant une fleur au centre de l'abaque.
◆ Coupole : couronnant un espace carré, elle est montée sur des pendentifs ou trompes d'angle, appuyés sur des piliers ou des colonnes.
◆ Crépis (stylobate) : soubassement maçonné dont le degré supérieur supporte murs et/ou colonnades.
◆ Croisée : intersection du transept et de la nef.
◆ Cunéi (cuneus) : portion de la cavea d'un théâtre antique comprise entre deux escaliers rayonnants.

◆ D ◆

◆ Déambulatoire : galerie entourant le chœur.
◆ Dème : division administrative, bourg.
◆ Despote : gouverneur d'une province de l'Empire byzantin.
◆ Diazoma : dans un théâtre antique, promenoir à mi-hauteur ou au sommet des gradins.
◆ Diptere (temple) : temple rectangulaire dont le péristyle compte une double rangée de colonnes sur les côtés.
◆ Dorique : la colonne est dépourvue de base ; le fut est cannelé ; le chapiteau séparé du fut par un ou plusieurs anglets est formé d'un gorgerin, une échine, une abaque (ou tailloir) ; un filet, une baguette ou trois filets séparent le gorgerin de l'échine qui est un demi-cœur ou un chanfrein.

◆ E ◆

◆ Encorbellement : partie en surplomb d'un édifice.
◆ Entablement : partie composée de l'architrave et de la frise, entre le fronton et les colonnes.
◆ Exèdre : demi-rotonde garnie de bancs.
◆ Extrados : surface extérieure d'une voûte ou d'une coupole.

◆ F ◆

◆ Frise : entre le fronton et l'architrave de l'entablement, bande horizontale où s'alternent métope et triglyphe.
◆ Fronton : couronnement triangulaire composé d'un tympan encadré d'une corniche.

◆ H ◆

◆ Hérôon : sanctuaire réservé à un héros, sous forme d'autel ou de monument funéraire.
◆ Higoumène : supérieur d'un monastère orthodoxe.
◆ Hypéthre (temple) : temple dont la cella est à ciel ouvert.

◆ I ◆

◆ Iconostase : cloison séparant la nef du sanctuaire proprement dit, généralement décorée de peintures murales et/ou d'icônes.
◆ In antis (temple) : dont le pronaos et l'opisthodome sont dépourvus de portique. (colonnes) : placées entre le prolongement des murs latéraux du naos, appelées antes.
◆ Ionique : la base de la colonne comporte une plinthe, deux scoties séparées par deux baguettes, et un tore ; le fut est cannelé ; le chapiteau se compose d'une échine, de volutes, d'un abaque (ou tailloir) ; l'échine est généralement décorée d'oves, l'espace entre les volutes peut être orné de festons ; l'abaque porte alors souvent une fleur au centre.

◆ K ◆

◆ Katholikon : église principale d'un monastère ou d'une paroisse.
◆ Kerkides (maenianum) : portion de la cavea d'un théâtre antique comprise entre deux paliers.
◆ Korê/kouros : statue archaïque représentant une jeune fille (korê) ou un jeune homme (kouros).

◆ M ◆

◆ Métope : dans la frise dorique, espace carré , souvent nu, mais parfois orné d'un motif.
◆ Mégaron : pièce principale dans un palais mycénien ; de forme rectangulaire, elle comprend un porche à deux colonnes, un vestibule et une pièce carrée pourvue au centre d'un foyer qu'entourent quatre colonnes.

◆ MONOPTÈRE (temple) : temple circulaire, dépourvu de cella et où la colonnade soutient la couverture.
◆ MOSAIQUES : ornements plus coûteux que les peintures murales, généralement réservés aux fondations impériales, entre le Xe et le XIIIe siècle.
◆ MYSTÈRES : rites religieux initiatiques.

◆ N ◆

◆ NARTHEX : vestibule de l'église, souvent surmonté d'une tribune et compris sous la même couverture que la nef.
◆ NEF : vaisseau d'une église ; désigne le vaisseau central.
◆ NOME : division administrative de la Grèce (correspond au département).

◆ O ◆

◆ ODÉON : théâtre muni d'un toît, à gradins, semi-circulaire ou semi-ovale, où étaient donnés les concerts.
◆ OPISTHODOME : pièce symétrique du pronaos qui succède à la cella, avec laquelle elle communique ou non.
◆ ORACLE : message des dieux transmis par une prêtresse et, par extension le sanctuaire où l'on pouvait consulter consulter l'oracle.
◆ ORCHESTRA (orchestre) : en contrebas de la cavea d'un théâtre antique, partie circulaire, comprise entre les premiers rangs de spectateurs et le pulpitum où peuvent s'avancer les acteurs.
◆ Ordres : désigne également les parties composant la colonne (base, fût, chapiteau) et son entablement (architrave, frise et corniche) ; voir *dorique, ionique, corinthien.*
◆ ORNEMENTS D'ÉGLISES : céramoplastiques ou plus rarement en reliefs encastrés ; à partir du XIVe siècle, apparition d'arcades, de festons et de niches en façade.
◆ ORTHOSTATE : murs latéraux de l'ensemble formé par le pronaos, la cella et éventuellement l'opisthodome.

◆ P ◆

◆ PALESTRE : lieu d'entraînement des athlètes.
◆ PARASCAENIUM : dans un théâtre antique, murs de soutènement en retour du mur de scène, sur les côtés du plateau.
◆ PARODOI (PARODOS) : dans un théâtre antique couloir d'accès à la cavea.
◆ PARTHÉNON : le temple de la vierge.
◆ PEINTURES MURALES (PROGRAMME) : Le Christ Pantocrator (le Tout Puissant) est représenté dans la coupole ; le cycle des Grandes Fêtes, de sept à douze, décore généralement lunettes et voûtes ; apôtres, patriarches et prophètes sont figurés sur les parties hautes des murs et des piliers ; À ce programme de base s'ajoutent à partir des Xe-XIe siècles de nombreux enrichissements.
◆ PENDENTIFS : trompes, caractérisées par la forme triangulaire et concave de leurs intrados, permettant de passer du plan carré du mur à la coupole.
◆ PEPLOS (PÉPLUM) : vêtement féminin.
◆ PÉRIBOLE : enceinte monumentale (mur ou clôture) entourant le sanctuaire ou cella.
◆ PÉRIPTÈRE (temple) : temple rectangulaire dont le péristyle ne compte qu'une seule rangée de colonnes sur les côtés.
◆ PÉRISTYLE : colonnade qui court sur tout ou partie du périmètre d'un temple rectangulaire ; dans le décompte des colonnes, celles des angles sont comptées deux fois.
◆ PITHOS : grande jarre.
◆ PLAN BASILICAL : par analogie avec les basiliques paléochrétiennes, plan allongé à plusieurs vaisseaux, et dont le vaisseau central est éclairé par de hautes fenêtres.
◆ PLAN EN CROIX GRECQUE INSCRITE AVEC COUPOLE : évolution du plan quadrilobé paléochrétien ; les piliers soutenant la coupole sont remplacés à partir du XIe siècle par des colonnes.
◆ PLAN OCTOGONAL : octogone inscrit dans un carré et surmonté d'une coupole reposant sur huit colonnes reliées par des arcs.
◆ PLAN TRICONQUE : souvent combiné en Grèce avec le plan en croix inscrite.
◆ POLIS (pl. poleis) : cité indépendante et autonome, «cité-état».
◆ PORCHE : pièce ou galerie formant un avant-corps à l'entrée de l'église.
◆ PORTIQUE : galerie ouverte entre colonnades ; désigne également une avancée de colonnes à l'entrée d'un édifice.
◆ PRONAOS : pièce, portique, ou pièce et portique, précédant la cella ; le pronaos in antis est formé par la prolongement des murs de la cella.
◆ PROPYLÉE : porche à colonnes, à l'entrée d'un sanctuaire, téménos ou agora.
◆ PROSKÉNION (PROSCAENIUM) : dans un théâtre antique, plateau, devant le mur de scène, où évoluent les acteurs.
◆ PROSTYLE (temple) : seule la façade antérieure est pourvue d'un portique à colonnes.
◆ PRYTANÉE : édifice public où se réunissaient les prytanes chargés de la permanence administrative et politique de la cité.

◆ R ◆

◆ RINCEAU : motif ornemental stylisé de feuilles et de branches entrelacées.
◆ RHYTON : vase à libations.

◆ S ◆

◆ SANCTUAIRE : espace sacré (en grec hiéron), appelé aussi téménos, souvent entouré d'un mur de clôture (péribole) ; peut ne pas avoir de temple mais seulement un ou plusieurs autels.
◆ SKÉNÉ (scène) : dans un théâtre antique, édifice devant lequel évoluent les acteurs ; le mur de scène fait face à la cavea.
◆ SECOS : salle intérieure du temple
◆ SOCLE : plateau sur lequel repose l'ensemble formé par le pronaos, la cella et éventuellement l'opisthodome.
◆ SOUBASSEMENT (PODIUM) : peut être à gradins ou entouré sur tout son périmètre de marches longues ; comprend trois niveau, l'euthynterie ou partie inférieure, la crépis ou partie intermédiaire, et le stylobate, partie supérieure où reposent les colonnes.
◆ STADE : édifice à gradins, destiné aux courses à pied.
◆ STOA : portique, galerie, ouverte d'un côté par une colonnade, et fermée, de l'autre, par un mur.
◆ STUC : agglomérat de plâtre et de poussière de marbre servant à décorer une surface ; par extension, le motif décoratif lui-même.

◆ T ◆

◆ TAMBOUR : soubassement cylindrique de la coupole, généralement octogonal à l'extérieur.
◆ TEMPLE : sanctuaire, c'est à dire demeure des dieux ; le temple comporte l'image divine mais non l'autel qui est à l'extérieur.
◆ THÉÂTRE : édifice à gradins, semi-circulaire où se déroulaient les spectacles dramatiques.
◆ THOLOS : temple à cella circulaire, bordé ou non d'un péristyle.
◆ TRANSEPT : corps transversal et perpendiculaire à la nef centrale d'une église.
◆ TRIBUNES : galeries hautes ouvertes sur le vaisseau central, typiques des églises grecques et des premières basiliques constantinopolitaines.
◆ TROMPES D'ANGLES : petites voûtes servant de support au tambour de la coupole, construite dans un angle rentrant et sous un pan coupé ; remplacent parfois les pendentifs.
◆ TYMPAN : dans un temple, surface limitée par la corniche et les côtés obliques du fronton ; dans une église, espace compris entre le linteau et l'archivolte d'un portail.

◆ V ◆

◆ VAISSEAU : espace intérieur d'une église.
◆ VASQUE : bassin peu profond utilisé dans les thermes romains ; par la suite, large cuvette d'une fontaine.
◆ VOLUTE : motif ornemental en forme de spirale.
◆ Vomitarium : porte d'accès à la cavea d'un théâtre antique.
◆ VOUSSURE : courbe ou élément de la courbe d'une voute.

INDEX

◆ A ◆

◆ ARCADIE ◆

◆ ARGOLIDE ◆

◆ ARGOS ◆

◆ ATHÈNES ◆

◆ **B** ◆

◆ **C** ◆

◆ **Corinthe** ◆

◆ N ◆

◆ NAUPLIE ◆

◆ NÉMÉE ◆

◆ O ◆

◆ OLYMPIE ◆

◆ P ◆

◆ PIRÉE ◆

◆ **MONUMENTS** ◆

Dans la même collection
Alpes-Maritimes,
Alsace,
Baie du Mont-Saint-Michel,
Bataille de Normandie,
Bouches-du-Rhône,
Calvados,
Charente-Maritime/Aunis,
Charente-Maritime/Saintonge,
Corse-du-Sud,
Côtes d'Armor,
Côte d'Émeraude,
Eure,
Finistère Nord,
Finistère Sud,
La France au fil de l'eau,
La France des saveurs,
Guadeloupe,
Haute-Corse,
Haute-Loire,
Haute-Provence,
Hautes-Alpes,
Haute-Savoie,
Îles en France,
Indre-et-Loire,
Loir-et-Cher,
Le Louvre,
Manche, Martinique,
Morbihan,
Nantes/Côte de Jade,
Orne,
Parc naturel national des Cévennes,
Parc naturel régional du Luberon,
Parc naturel régional du Morvan,
Parcs naturels régionaux,
Paris, Paris secret, Pays Basque,
Rennes/Vitré/Fougères,
Restaurants de Paris,
Savoie,
Seine-Maritime,
Tahiti,
Val d'Oise,
Var,
Vaucluse,
Vendée Maritime

Amsterdam, Bali, Bologne,
Crète, Égypte, Florence,
Irlande, Istanbul,
Londres, Luxembourg,
Malaisie et Singapour,
Maroc, Monde Maya,
Naples/Pompéi,
New York,
Prague, Québec,
Rajasthan, Rome,
Saint-Petersbourg,
San Francisco,
Séville/Andalousie,
Terre sainte,
Thaïlande, Tunisie,
Venise, Vienne,
Wallonie/Bruxelles

Guides Gallimard
5, rue Sébastien-Bottin
75007 Paris

Itinéraires en Attique, Béotie et Péloponnèse

Les chiffres en italique renvoient aux pages du guide et les coordonnées à la carte.

Le Cap Sounion *258*, **J5**
Delphes ♥ *264*, **E1**
Éleusis *292*, **I3**
Corinthe *296*, **G3**
Mycènes ♥ *300*, **F4**
Tirynthe *306*, **F5**
Nauplie ♥ *308*, **F5**
Épidaure ♥ *316*, **G5**
Argos *320*, **F5**
Sparte *323*, **E7**
Mégalopolis *325*, **D5**
Les gorges de Loussios *330*, **D5**
Mystra ♥ *334*, **E7**
Le Magne ♥ *342*, **E9**
Olympie ♥ *353*, **C4**
Patras *360*, **C2**
Égine *364*, **H4**
Salamine *366*, **I3**
Hydra ♥ *367*, **I6**
Poros *368*, **I5**
Spetses ♥ *368*, **H6**

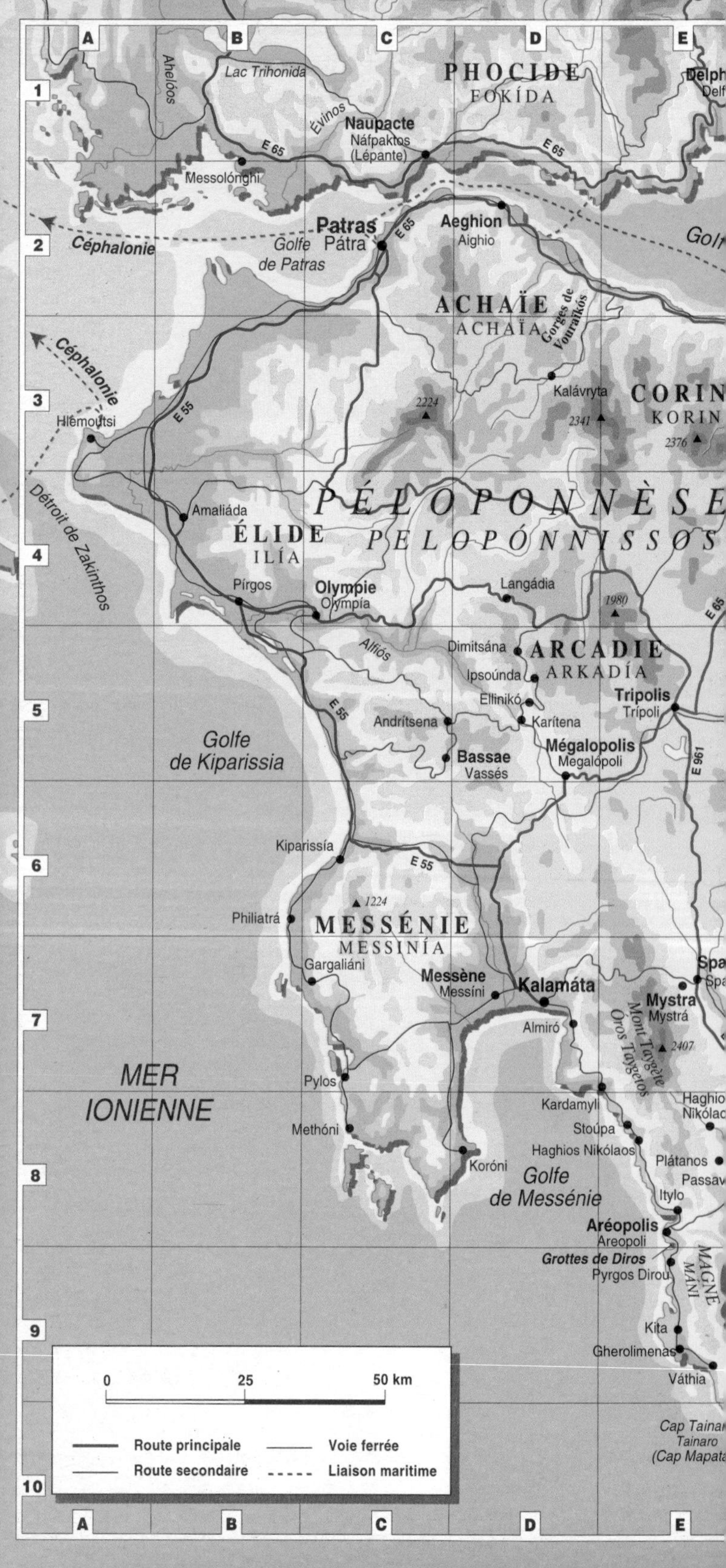
A
B
C
D
E
1
2
3
4
5
6
7
8
9
10
Lac Trihonida
Aheloós
Évinos
PHOCIDE
FOKÍDA
Naupacte
Náfpaktos
(Lépante)
E 65
Messolónghi
Céphalonie
Patras
Pátra
Golfe de Patras
Aeghion
Aighio
ACHAÏE
ACHAÏA
Gorges de Vouraïkós
Kalávryta
2224
2341
2376
CORIN
KORIN
Hlemoutsi
E 55
Détroit de Zakinthos
Amaliáda
PÉLOPONNÈSE
PELOPÓNNISSOS
ÉLIDE
ILÍA
Pírgos
Olympie
Olympía
Langádia
1980
Alfiós
Dimitsána
ARCADIE
ARKADÍA
Ipsoúnda
Ellinikó
Tripolis
Trípoli
Andrítsena
Karítena
Golfe de Kiparissia
Bassae
Vassés
Mégalopolis
Megalópoli
E 961
Kiparissía
1224
Philiatrá
MESSÉNIE
MESSINÍA
Gargaliáni
Messène
Messíni
Kalamáta
Mystra
Mystrá
Almiró
Mont Taygète
Óros Taygetos
2407
MER IONIENNE
Pylos
Kardamyli
Stoúpa
Haghios Nikólaos
Methóni
Koróni
Golfe de Messénie
Plátanos
Itylo
Aréopolis
Areopoli
Grottes de Diros
Pyrgos Dirou
MAGNE
MÁNI
Kita
Gherolimenas
Váthia
0
25
50 km
Route principale
Route secondaire
Voie ferrée
Liaison maritime